01/23
$2-

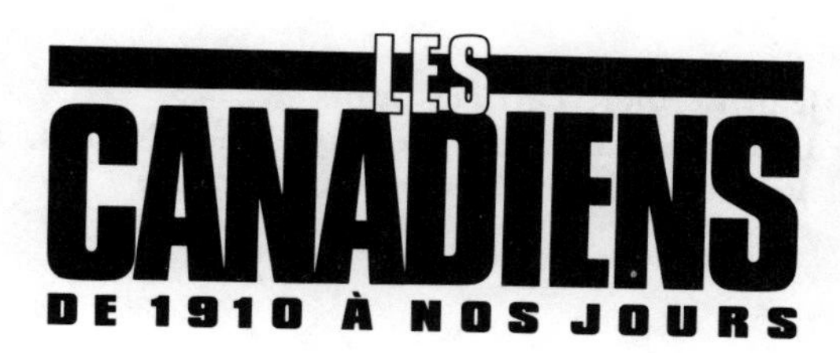
LES
CANADIENS
DE 1910 À NOS JOURS

Couverture
- Conception graphique:
  ANNE BÉRUBÉ
- Photos:
  DENIS BRODEUR
  DAVID BIER

Maquette intérieure
- Montage et photocomposition:
  COMPOTECH INC.

Équipe de révision
Anne Benoit, Jean Bernier, Patricia Juste,
Marie-Hélène Leblanc, Jean-Pierre Leroux, Linda Nantel,
Paule Noyart, Robert Pellerin, Jacqueline Vandycke

DISTRIBUTEURS EXCLUSIFS:

- Pour le Canada:
  AGENCE DE DISTRIBUTION POPULAIRE INC.*
  955, rue Amherst, Montréal H2L 3K4 (tél.: 514-523-1182)
  * Filiale de Sogides Ltée

- Pour la France et l'Afrique:
  INTER-FORUM
  13, rue de la Glacière, 75013 Paris (tél.: (1) 43-37-11-80)

- Pour la Belgique et autres pays:
  S. A. VANDER
  Avenue des Volontaires, 321, 1150 Bruxelles
  (tél.: (32-2) 762.98.04)

ALLAN TUROWETZ
CHRYSTIAN GOYENS

Traduit de l'anglais
par
Jean Prévost
avec la collaboration de
Dominique Boucher et Sylvie Robert

LES ÉDITIONS DE L'HOMME *

CANADA: 955, rue Amherst, Montréal H2L 3K4

*Division de Sogides Ltée

Données de catalogage avant publication (Canada)

Turowetz, Allan, 1948-

Les Canadiens

Traduction de : Lions in winter.

2-7619-0631-4

1. Canadiens de Montréal (Equipe de hockey) - Histoire. I. Goyens, Chrys. II. Titre.

GV848.C36T8714 1986 796.96'26 C86-096443-4

Édition originale: *Lions in Winter*
Prentice-Hall Publishers Ltd
ISBN 0-1353-7457-X

Bibliothèque nationale du Québec
Dépôt légal — 4e trimestre 1986

ISBN 2-7619-0631-4

Introduction

Des images.

Des photos. Des images tout en tons sépia ayant capturé le moment et l'endroit d'une patinoire extérieure en hiver 1931, et des jeunes gens comme Sylvio Mantha, Aurèle Joliat, Howie Morenz et Nick Wasnie, qui ne vieilliront jamais. À la manière des athlètes professionnels depuis des générations, ils fixent d'un air de défi l'objectif de la caméra, comme pour dire au temps de passer, s'il ose. Le fabuleux *Bleu-blanc-rouge* en différentes teintes de brun.

Le calme. L'étrange silence qui accueille le chroniqueur sportif Andy O'Brien en ce jour de mars 1937, lorsqu'il pénètre au Forum et y trouve quinze mille spectateurs entassés. Howie Morenz repose dans un cercueil au centre de la patinoire, à peine six années après cette journée de 1931 où, avec ses coéquipiers, il avait défié le temps.

Photo. Elmer Lach et Maurice Richard s'embrassant en plein vol un soir d'avril 1953, brandissant leurs bâtons après avoir marqué un but en temps supplémentaire, et le capitaine du Boston Milt Schmidt, affaissé sur la glace, sachant qu'il ne touchera pas encore cette année à cette coupe Stanley. Ou bien une soirée d'avril de l'année précédente, quand le Rocket, du sang plein le visage, échange une poignée de mains avec le gardien des *Bruins* Jim Henry, quelques instants après avoir secoué une commotion cérébrale et toute l'équipe du Boston pour marquer le but qui, une fois de plus, élimine Boston.

Un film. Les plus anciennes images noir et blanc des guerriers réputés des années cinquante, Jean Béliveau, Dickie Moore, Henri Richard, Boum Boum Geoffrion, Doug Harvey et Jacques Plante, écrasant l'opposition en route vers une cinquième coupe Stanley d'affilée.

Un ralenti. Frank Mahovlich passant le disque derrière lui à Phil Roberto qui, à son tour, le laisse, derrière lui, à Béliveau, lequel déferle tel un ouragan sur le gardien Gilles Gilbert du Minnesota, semant une confusion tout de vert et d'or pour enfiler le 500e but de sa carrière.

En couleurs. Ken Dryden appuyé sur son bâton de gardien, regardant le déroulement de l'action à cinquante mètres de lui, où des joueurs comme Guy Lafleur, Bob Gainey, Steve Shutt, Larry Robinson, Serge Savard et Guy Lapointe montent un assaut féroce de bleu, de blanc et de rouge.

Ou encore, un jeune homme nommé Patrick Roy qui parle à ses poteaux de but sous les cris de dérision de la foule assemblée au Madison Square Garden. Trois heures plus tard, c'est lui, «Roo-Ah», et sept de ses coéquipiers recrues qui riront les derniers. Deux semaines plus tard, après avoir défié toutes les chances et le gros bon sens, ils auront ajouté encore une coupe Stanley à la plus importante collection de trophées dans l'histoire du sport professionnel en Amérique du Nord.

La tradition.

Ce vilain mot qui, épée de Damoclès suspendue au-dessus de la tête de tout joueur qui revêt l'uniforme bleu-blanc-rouge, l'accompagne sur la patinoire du Forum où il doit affronter non seulement l'autre équipe, mais aussi les bustes de bronze qui gardent le hall d'entrée du Forum.

La tradition, ce sont les images, les évocations d'autres temps et d'autres succès qui déforment le continuum espace-temps. La tradition, c'est l'engagement à respecter ces images et les gens qui les ont inspirées.

Beaucoup d'athlètes arrivent à prouver qu'ils peuvent jouer sous tension. Bien peu peuvent jouer selon une tradition.

La tradition, c'est l'engagement envers la Sainte Flanelle. Que ce soit l'uniforme à rayures des *Yankees* et ces monuments situés tout au fond du champ centre rappelant un stade sportif dans le Bronx et des dizaines d'années de prééminence au base-ball, ou encore le vert Kelly bordé de blanc des *Celtics* de Boston et le souvenir de joueurs appelés Jones, Cousy et Russell, il y a quelque chose d'immédiatement reconnaissable dans les couleurs d'un uniforme porté par une équipe spéciale dans un sport en particulier. Peu de gens contrediront le fait que les rayures des *Yankees* représentent le base-ball sous son meilleur jour tout au long du vingtième siècle. Cette même gloire est attachée à l'uniforme vert et blanc de Boston au basket-ball professionnel.

Au hockey professionnel, c'est la Sainte Flanelle, le bleu-blanc-rouge et le CH très distinctif du Club de hockey canadien. Et cela malgré les objections soulevées par Harold Ballard, lorsqu'il tente de rehausser le standard en loques des *Maple Leafs* de Toronto, en disant que la bataille d'Azincourt fut livrée et remportée il y a très longtemps.

Les *Canadiens* de Montréal et le célèbre uniforme qu'ils portent sur la route sont immédiatement reconnus partout en Amérique du Nord, même dans les endroits où on ne joue pas au hockey. En effet, c'est là probablement le plus grand test que doit passer un organisme dynastique: le degré de reconnaissance de ses couleurs par des gens ayant peu ou pas d'intérêt pour ce sport.

Ce qui est plus important encore, c'est que la Sainte Flanelle est synonyme d'organisation. Les *Canadiens* de Montréal sont devenus le métal-étalon dans leur sport à cause de leur organisation: les jeux de coulisses ayant mené aux exploits sur glace de ces jeunes hommes qui peuplent ces photos et ces images filmées.

Mais ces images ne montrent que l'avant-scène.

* * *

Ce livre tente d'allier ces images avec l'arrière-plan: la théorie d'organisation et la production des résultats sur la patinoire. Les auteurs croient fermement que les *Canadiens* de Montréal n'auraient jamais atteint leur statut actuel sans détenir un avantage stratégique sur la compétition. Ils n'auraient jamais autant dominé sur la patinoire sans une politique d'organisation claire et articulée.

Nous regardons les noms et essayons de déchiffrer ce qu'ils représentaient à l'époque et ce qu'ils représentent encore de nos jours. Maurice Richard, le gars de la ville, et ses cousins de la campagne, Jean Béliveau et Guy Lafleur, étaient bien plus que de simples joueurs de hockey.

Ils représentaient quelque chose de spécial, la fierté et les aspirations d'un peuple qui n'avait eu que peu de véritables héros de mémoire récente. Avec comme résultat, et quoi qu'ils fassent, que le Rocket, le Gros Bill et le Flower ne seront jamais des gens ordinaires aux yeux et dans le coeur de leurs contemporains.

Nous analysons les éminences grises qui se tenaient derrière eux, des hommes comme Dandurand, Gorman, Raymond, Selke et Pollock.

Nous nous efforçons d'expliquer le folklore en recourant à une terminologie sociologique de l'organisation, appliquée à l'appareil qui fut la base de tant de magie sur glace.

Personne, toutefois, ne peut vraiment démystifier la magie.

Et cela serait folie que d'essayer.

Une anecdote

L'année: 1983. L'endroit: Moscou

Serge Savard, tout récemment nommé au poste de directeur gérant des *Canadiens* de Montréal, est en train de faire sa tournée d'introduction obligatoire des foyers du hockey en Europe et en Union soviétique.

Ceci est le véritable monde des administrateurs de la Ligue nationale de hockey. Dans la meilleure tradition d'American Express, aucun directeur gérant de la LNH ne peut se passer d'au moins un voyage en URSS. Toutefois, l'image préconisée par la LNH étant ce qu'elle est, les gens de relations publiques de l'équipe disent aux médias que Savard est parti comme éclaireur dans l'ouest. Sans dire pour autant jusqu'où dans l'ouest.

Savard n'en est pas à sa première visite. Il y était venu en 1972 avec *Équipe Canada* pendant la plus emballante des séries. À cette époque, la concurrence était très forte. Les Soviétiques avaient l'habitude d'appeler les joueurs d'*Équipe Canada* au téléphone pendant la nuit, sans arrêt, afin de les déranger dans leur sommeil. Frank Mahovlich était visé tout particulièrement.

Nous en sommes néanmoins à une époque plus évoluée. Les Soviétiques ont depuis remporté leur lot de parties contre les professionnels de la LNH et vice-versa. L'hégémonie au hockey est considérée de nos jours comme fugace, et repose sur le talent d'un ou deux joueurs supérieurs qui lui confèrent son millésime. On donne et on accepte, en rechignant, le respect.

Une fois terminées les obligations protocolaires, on sort la vodka et on se détend quelque peu (autant que faire se peut dans les circonstances).

Savard se retrouve parlant mondanités avec plusieurs dignitaires à une réception officielle qui a perdu un peu de sa rigueur.

De l'autre côté de la pièce, un monsieur aux cheveux gris se fraie péniblement un chemin vers son visiteur canadien.

La foule des convives semble se séparer devant lui comme la mer Rouge. Le Montréalais est intrigué.

— Dites-moi, Monsieur Savard, dit l'éminence grise, ce qu'il arrive à nos *Canadiens*? J'ai peine à garder la tête haute au Kremlin ces jours-ci.

— Nous connaissons des hauts et des bas comme vous avez pu le constater, répond Savard, à la fois curieux et surpris.

— Oui, je connais la sensation.

Plusieurs officiels subalternes, voulant tout faire pour plaire, tournent autour des deux hommes. Finalement, on présente à Savard son interlocuteur: c'est Mikhail Suslov, membre du Politburo et secrétaire du Comité central du CPSU. Il est connu dans les plus hautes sphères de la politique internationale comme étant l'idéologue du Kremlin, l'homme qui a défini le communisme tel qu'il est vécu aujourd'hui en Union soviétique.

Toutes sortes d'officiels regardent avec bienveillance alors que l'homme de hockey et le politicien discutent d'affaires très éloignées de SALT II et des accords de Helsinki. Il s'avère que M. Suslov est un partisan de Bob Gainey, de Guy Lafleur et de Larry Robinson, son joueur préféré.

Sa curiosité piquée à vif, Savard se demande tout haut où le vieillard a bien pu prendre ses renseignements.

— Nous, de la vieille garde, sommes de fervents partisans des *Canadiens* depuis bien des années, dit-il en souriant. Je suis de longue date un supporter de votre illustre équipe et de ses grands joueurs comme Maurice Richard, Jean Béliveau, Jacques Plante et les autres... Pendant très longtemps, les *Canadiens* ont été les joueurs les plus populaires auprès de la vieille garde du Politburo, mais maintenant, les jeunes changent d'allégeance. Ils semblent préférer M. Gretzky et les *Oilers* d'Edmonton, mais nous avons un nom pour eux.

Savard mord à l'hameçon.

— Quel nom?

— Transfuges.

Prologue

ANNONCEUR: Depuis des années, ce sont vos «Halte-là! Halte-là! Halte-là!», c'est votre enthousiasme de partisans qui ont tant contribué aux succès remportés par les Canadiens *de Montréal. C'est pourquoi le Forum de Montréal invite tous les vrais partisans du* Bleu-blanc-rouge *à venir encourager les* Canadiens *lors des prochaines éliminatoires de la coupe Stanley. Il reste encore plein de bonnes places et, si vous vous dépêchez, vous pourrez être là, dans le feu de l'action, encourageant les* Canadiens *vers la victoire. L'équipe tout entière compte sur l'encouragement de vos voix dans sa quête de la coupe Stanley. N'oubliez pas, les* Canadiens *et les éliminatoires sont une tradition montréalaise tant pour les joueurs que pour vous les amateurs. Participez à ce moment historique en achetant vos billets pour les éliminatoires au guichet du Forum, du lundi au samedi, ou à tous les comptoirs Ticketron. La première partie éliminatoire des* Canadiens *aura lieu le 7 avril à 20 heures au Forum. Soyez-y et joignez vos cris d'encouragement à ceux de la foule, alors que la tradition des éliminatoires de la coupe Stanley des* Canadiens *continue. «Halte-là! Halte-là! Halte-là!, les* Canadiens *sont là!»*

Message radiophonique, fin mars 1984

Des messages publicitaires à la radio pour les *Canadiens*? Vulgaires annonces et basses flatteries pour remplir le Forum pendant les éliminatoires? Sacré *Bleu-blanc-rouge*, ce n'est pas possible! C'est le monde à l'envers.

Il n'y a pas si longtemps, toute la stratégie de marketing du Club de hockey canadien, la plus fière dynastie dans l'histoire du hockey professionnel, se limitait à la distribution des horaires format poche des parties des *Canadiens* et des calendriers Molson dans les tavernes du Québec avant la dernière semaine de septembre.

Cette époque précède celle des courbes démographiques, du positionnement et de la vente forcée d'un produit. Tout le marketing nécessaire était fait où cela comptait: sur la glace. Les joueurs s'occupaient du contrôle du produit. On n'achetait pas de messages publicitaires radiophoniques ou d'annonces dans les journaux comme aujourd'hui. Les spécialistes en relations publiques dans le domaine des sports ainsi que les experts en marketing vous le diront volontiers: rien ne surpasse la réussite.

Les *Canadiens* gagnaient, gagnaient, et gagnaient encore. Avec style, avec panache, avec élan. Ils patinaient plus vite que l'adversaire, marquaient des buts plus spectaculaires et en plus grand nombre et jouaient avec plus d'éclat, à la grande satisfaction de leurs partisans. Le marketing et les relations publiques étaient superflus. Après tout, le vulgaire argent ne souillait pas les mains royales du Palais de Buckingham. Celles des *Canadiens* non plus.

Toute suggestion de commercialisation émanait de l'extérieur, de gens qui n'étaient que trop heureux d'agir à titre de fournisseurs et de commanditaires des *Canadiens*. Au sein de l'organisation on pouvait se concentrer sur le hockey. Le reste était du ressort de quelqu'un d'autre, habituellement un agent de marketing de Molson, pour qui chaque but marqué se mesurait en termes de liquidités.

Mais cette époque est révolue. Nous sommes en 1984, celui de George Orwell, plus précisément le lundi 2 avril 1984. Si *Big Brother* ne vous épie pas directement, vous savez qu'il pourrait bien le faire s'il le voulait. Le marketing contrôle 1984. L'image c'est tout, comme en fait preuve l'omniprésence de la vidéo. L'équipe n'aurait pu choisir pire moment pour perdre son identité, son âme.

C'est une belle journée de début de printemps. Le soleil brille de tout son éclat sur la rue Sainte-Catherine en ce tranquille lundi après-midi. Mais il est trompeur; la température de 10°C provient d'un soleil qui illumine plutôt qu'il ne réchauffe. La fraîcheur qui accompagnera le coucher de l'astre du jour rappellera à tous que l'hiver n'est pas terminé. Mais le soleil est loin d'être couché.

La ville est au régime. Partout où l'on regarde, les gens ont délaissé leurs manteaux d'hiver, leurs gros paletots remplis à craquer de duvet onéreux ou de bourrage synthétique meilleur marché. Ils portent des manteaux plus légers. Ici et là, les cousins québécois des habitués des plages californiennes osent sortir en veste et en chandail. Les annonceurs de l'après-midi à la radio proclament, en anglais et en français, que c'est la plus belle journée de la

Création. Pardonnez-leur, Seigneur, car ils ont survécu à un autre hiver montréalais.

Les rues sont encore mouillées de la pluie matinale; le soleil brillant n'arrive pas à les assécher. Il y a très peu de neige en ville, et les gens marchent rapidement, poussés par un vent frisquet.

À deux coins de rue à l'est du Forum, rue Sainte-Catherine, la vitrine d'un vendeur de cigares et de journaux arbore un dépliant pris dans un journal local. Une trentaine d'athlètes professionnels montréalais sourient de toutes leurs dents aux passants. Leurs visages sont grillés du soleil de la Floride et, en bas de vignette, on lit: «Good Luck in 84 Expos Bonne Chance en 84!» Les *Expos* sont les éternelles demoiselles d'honneur dans la division Est de la Ligue nationale. De judicieuses transactions opérées pendant la morte saison ont apporté quelque relève au personnel des lanceurs. Encore cette année, la plupart des experts du base-ball (plutôt aux États-Unis qu'au Canada) ont choisi les *Expos* pour remporter le championnat de division et même de la Ligue nationale. Les émissions sportives de lignes ouvertes à la radio ne parlent que de base-ball, de l'été qui s'annonce et de la saison imminente. Dans les deux langues officielles, l'optimisme est à son comble. C'est cette année qu'on gagne. Les «Attendez à l'année prochaine» des bien-aimés *Bums* de Brooklyn s'apprêtent à devenir réalité. Les Bons vont finalement tirer leur épingle du jeu. La partie d'ouverture des *Expos* se joue à Houston, mardi.

Un nuage noir survole une émission sportive de lignes ouvertes. Occasionnellement, un des intervenants fait allusion à l'année précédente. Son sport, c'est le hockey. L'hôte soupire manifestement. «On vous écoute», dit-il lourdement. On le voit presque s'enfoncer dans sa chaise et baisser les épaules. Ou bien s'allumer, automatiquement, par lassitude, une autre cigarette.

Les partisans se sont vidé le coeur tout l'hiver, sans pour autant être soulagés.

Les *Canadiens* de Montréal, fierté du Grand Nord canadien, lancent leur saison éliminatoire mercredi soir au Boston Gardens, domicile des *Bruins*, premiers au classement de la division Adams en saison régulière. Personne n'est optimiste. Les récriminations ont fusé de toutes parts tout au long de la saison à cause de la piètre performance des Glorieux.

— Ont-ils ciré la patinoire? Ils ne font que tomber sur leur derrière.

Cette année est la pire dans l'histoire de la plus prolifique équipe du hockey professionnel.

Les sentiments à domicile se résument comme suit: sacré *Bleu-blanc-rouge*, quel désappointement!

Comme de raison, les *Canadiens* ne pouvaient même pas être bons dans la défaite. Ce qui a le plus frustré les partisans au cours de cette saison, la pire en trente-trois ans, c'est que l'équipe se soit souvent réveillée pour infliger de cinglantes défaites aux meilleures formations de la Ligue nationale de hockey. Ils sont rentrés à New York en valsant pour passer les menottes aux *Rangers*, ils ont infligé un revers de 7-2 aux *Bruins*, à Boston, ils ont maîtrisé les *Flyers* à Philadelphie, les *Flames* à Calgary, les *Nordiques* à Québec. Juste au moment où l'on s'attendait à ce qu'ils s'installent dans une médiocrité sans issue et perdent tout, les *Canadiens* redevenaient l'équipe qui avait abasourdi des générations de joueurs de hockey. Chaque fois qu'on voulait en rire, excellente soupape de sécurité pour l'émotion, ils nous forçaient à les prendre au sérieux. C'était du «slapstick», et du meilleur. Juste quand on pensait que la bouteille d'eau de seltz était vide ou que la tarte à la crème ne serait pas lancée: Paf! en plein dans le mille.

Les frustrations manifestées sur les lignes ouvertes ne font rien pour apaiser les esprits.

Les partisans sont émotivement vidés. L'animateur de l'émission sportive de lignes ouvertes n'a entendu que de mauvaises analogies sur le hockey depuis six mois (les analogies sont bonnes, c'est le hockey qui est mauvais). Merde aux éliminatoires. Donnez-nous du base-ball. Les *Expos* du moins ne sont pas étouffés depuis septembre dernier. On se fout des *Canadiens*. On ne veut plus rien savoir d'eux.

Les fidèles de l'équipe sont tellement démoralisés qu'ils ne voient pas la lueur d'espoir qui pointe à l'horizon. Hier, le dernier soir de l'épouvantable calendrier 1983-1984, les *Bruins* de Boston ont dépassé les *Sabres* de Buffalo pour terminer au premier rang de la division Adams. Ce qui veut dire que mercredi, en huitième de finale, Montréal jouera à Boston et Québec à Buffalo. Ces derniers ont surclassé les *Canadiens* tout au long de la saison, alors que la fiche des Glorieux contre Boston était meilleure.

Cela représente presque un nouveau souffle de vie pour l'équipe, à condition que l'entraîneur recrue Jacques Lemaire trouve un plan de partie qui puisse contrecarrer la seule ligne offensive des *Bruins* (Middleton, Pederson et un autre joueur). Cette stratégie pourrait empêcher le défenseur omniprésent Raymond Bourque de patiner en ligne droite, ce qui permettrait aux *Canadiens* de marquer les premiers pour ensuite neutraliser efficacement le «lunch-pail brigade» des *Bruins*.

Les partisans locaux sont tellement découragés qu'ils n'osent même pas diriger leurs regards vers Québec, où la zizanie organisée que représente l'offensive des *Nordiques* de Michel Bergeron est l'antidote rêvé contre le jeu de précision préconisé par les *Sabres* de Scotty Bowman pour détruire les *Canadiens*.

Montréal contre Québec dans un quatre de sept? Soyez sérieux. La finale de division se jouera entre Buffalo et Boston. Personne n'a même plus envie de rêver; même pas quand l'animateur énonce d'un ton las les clichés des éliminatoires.

— On ne sait jamais, il semble toujours que quelqu'un arrive de nulle part pour sauver la situation et devenir le héros de l'heure. Les *Canadiens* ont peut-être un joueur qui va surprendre tout le monde cette année... (Il n'arrive pas à terminer sa phrase.)

— Comme qui? (La réplique de l'intervenant est cinglante et sarcastique. L'hiver a été rigoureux, la neige dense, le hockey affreux.)

— Steve Penney?

Sur cette riposte dévastatrice, la conversation est coupée de façon abrupte. L'animateur ramène subtilement la conversation vers le base-ball. Il a assez souffert cet hiver et la période des sondages s'achève. Peut-être sept jours quelque part dans le Sud dans deux ou trois semaines, histoire de travailler son bronzage avant le début de l'été. La saison de hockey sera terminée samedi, dimanche au plus tard si les *Canadiens* réussissent à arracher une victoire aux *Bruins*.

— Nous vous revenons tout de suite après cette pause publicitaire, soupire-t-il.

* * *

C'est dans cette atmosphère que doit travailler François-Xavier Seigneur. Signe de la déformation du temps imposée par le sport professionnel: François-Xavier, à trente-quatre ans, est considéré comme un jeune homme à l'avenir prometteur, alors que Guy Lafleur, à trente-deux ans, est perçu comme un joueur de hockey à deux pas de son chèque de retraite.

Guy Lafleur est l'ancien *Canadien*, qui vieillit. F.-X. Seigneur, vice-président au marketing du Club de hockey canadien, est le nouveau *Canadien*, qui promet.

Le premier est sur la patinoire et s'entraîne avec ses coéquipiers en vue des éliminatoires. Sa perspective se limite à la prochaine partie, au prochain adversaire, à son prochain tour sur la glace. Il vit par tranches régulières de vingt minutes. Il vit aussi sous les feux de la rampe qui ont été très flatteurs pour lui par le passé mais qui sont sans merci en cette saison qui lui semble interminable.

F.-X. pour sa part a son bureau au deuxième étage. À part un CH stylisé sur les murs de l'antichambre (ajout très récent — les *Canadiens*, à leur époque victorieuse, n'avaient jamais eu besoin de filtrer leurs visiteurs, on se demande pourquoi; aujourd'hui, on contrôle plutôt deux fois qu'une votre bonne foi avant de vous admettre électroniquement dans le Saint des Saints), rien n'indique que vous êtes au Forum.

On pourrait être dans n'importe quel bureau administratif du centre-ville, tout en écru, beige et brun. On dit que les restrictions sous-tendent le succès. On doit certes admettre que les restrictions font partie intégrante des

Canadiens ces jours-ci et c'est ce qui fait mal à l'équipe. Très peu des partisans des *Canadiens* savent qui sont F.-X. Seigneur et la plupart des personnes qui travaillent en haut.

Une fois terminées les présentations d'usage, nous allons droit au but:

— Comment vendez-vous un perdant?

Aucun regard de travers, aucune excuse.

— De la même façon qu'on vend un gagnant, réplique Seigneur. Personne dans le domaine du marketing ne décide consciemment de mettre en marché un perdant ou un mauvais produit, ou un produit qui n'a pas fait sa marque pour une raison quelconque, explique-t-il calmement. Nous n'avons pas mis en marché une mauvaise équipe de hockey, cela n'était pas notre but. Oui, nous venons d'avoir ce qui est pour nous une mauvaise saison sur la patinoire. Les *Canadiens* de Montréal n'ont pas une moyenne inférieure à cinq cents depuis que j'étais dans les couches. Mais le programme de mise en marché a été mis sur pied il y a un an. Il ne tenait pas compte de la fortune, bonne ou mauvaise, de l'équipe, parce que tout spécialiste du marketing sait que cela ne se fait pas.

Cet homme est une bouffée d'air frais. Il répond aux questions clairement et avec concision, à un moment où les journalistes sportifs à travers la ville supposent qu'on se taillade les poignets à la grandeur de l'édifice et que les regrettés héros du *Bleu-blanc-rouge* se retournent dans leur tombes. Franchement, nous nous attendions à un comportement plus évasif.

— Le secret pour réussir dans le marketing du sport, que ce soit au hockey, au base-ball, au football, enfin n'importe où, c'est de trouver un plan qui fonctionne, que l'équipe gagne ou perde sur la patinoire. C'est pour ça qu'on fait la mise en marché d'une équipe, ajoute-t-il.

Soyons sérieux! On parle d'une véritable institution dans le monde du sport. On parle d'une équipe qui a peu d'égales dans les annales sportives. On parle aussi d'une tradition victorieuse qui, jusqu'à tout récemment, permettait à l'équipe d'ignorer les stratagèmes de relations publiques, de marketing et de publicité. Doit-on comprendre que l'équipe qui évolue sur la patinoire passe après l'équipe administrative? Ou bien que le hockey est moins important que la guerre des brasseries (les *Canadiens* de Molson contre les *Nordiques* de O'Keefe)?

— On parle aussi des années quatre-vingts, reprend-il. Nous parlons de la télévision, des communications de masse, d'une plus grande compétition non seulement pour le dollar sportif mais aussi pour la loyauté des partisans. On parle d'une concurrence dans les médias beaucoup plus forte qu'elle ne l'a jamais été. Les *Canadiens* de Montréal ne sont pas seulement en compétition contre d'autres équipes dans leur division, dans leur association, ou même dans la Ligue.

Seigneur n'élève pas le ton. Il répond calmement comme un étudiant ou un conseiller dans un colloque universitaire.

— Aujourd'hui, on est en compétition avec les *Nordiques*, avec les *Expos* de Montréal, et, à un degré moindre, avec les *Concordes* de Montréal (LCF), avec le tennis, le jogging, le racquetball, le squash, le cinéma, la télévision, le vidéo, Hulk Hogan, les concerts rock, enfin avec tout, tout ce qui appartient au domaine du divertissement. Les partisans des *Canadiens* sont peut-être aussi loyaux qu'ils l'étaient autrefois, mais ils ont de plus en plus d'intérêts de part et d'autre; beaucoup plus de manières de dépenser leur argent. Nous devons tenir compte de toutes ces considérations en «vendant» notre produit. Je sais que beaucoup de puristes du hockey en ville sont insultés parce que l'on considère les *Canadiens* tout juste comme un autre produit; mais on doit adopter cette perspective quand vient le temps de planifier la saison suivante. C'est ce que nous avons fait l'année dernière.

Pour les partisans dévoués des *Canadiens*, cette bataille de marketing fut une révélation. Peu avant le début de la saison, l'équipe publia un encart dans les quotidiens. Un dépliant en quatre couleurs qui avait dû coûter cher, dont le message de vente tape-à-l'oeil prit beaucoup de gens par surprise. Le travail graphique était si bien fait que beaucoup de jeunes partisans des *Canadiens* l'accrochèrent sur le mur de leur chambre à coucher.

Les *Canadiens*, dont les partisans se léguaient leurs billets de saison habituellement par voie testamentaire, mettaient en marché des mini-séries de billets. Les partisans pouvaient choisir des mini-séries de dix parties et réserver ainsi leurs billets pour des parties qu'ils voulaient vraiment voir et ce, à des prix abordables.

Plus besoin de prendre une deuxième hypothèque pour financer l'achat de deux billets dans les rouges pour quarante parties. Plus besoin de refiler des billets pour des parties contre Pittsburgh ou Los Angeles à des amis ou à des connaissances.

Plus de tradition, alors que les visages dans une section des bancs rouges ou blancs étaient les mêmes depuis dix ans. Ces partisans étaient aussi proches et faisaient autant partie de l'équipe que les mercenaires qui portaient l'uniforme sur la patinoire. (Certains d'entre deux duraient plus longtemps aussi!)

Des visions d'apocalypse dansaient devant les yeux moites des réguliers, même de ces réguliers qui n'étaient jamais plus proches de l'équipe que leur poste de radio ou leur téléviseur, tout en prenant une perverse fierté aux succès remportés par les *Canadiens*. Il y a peu de snobisme sur cette planète qui puisse égaler celui des partisans d'une véritable dynastie de hockey; qu'ils rendent leur culte devant l'autel ou à distance, l'équipe les touche tous.

Au début de l'année de mise en marché, on croyait dans le produit, le plan de campagne semblait parfait. À la fin de l'année, le produit était loin de répondre aux espérances, mais l'assistance aux parties avait augmenté. Croyez-le ou non, le plan de marketing avait fonctionné, malgré une saison décevante.

— Nous avons eu une mauvaise année sur la patinoire, personne ici ne le niera, dit Seigneur. Mais l'assistance a augmenté de quatre pour cent par rapport à l'année dernière. Nous avons réussi à équilibrer les hauts et les bas de la saison.

Mais qu'en est-il des illustres *Canadiens*, ces maîtres de la patinoire, cette équipe qui n'avait jamais eu à «se vendre?», pour qui les relations publiques ne devaient servir qu'à des êtres inférieurs? Qu'en est-il de la tradition?

— Mon plus important allié, répond Seigneur, c'est que nous aurons soixante-quinze ans cet automne. On vient de connaître une mauvaise saison. Mais la tradition ne disparaît pas comme ça. On ne décrochera pas toutes ces bannières représentant nos conquêtes de la coupe Stanley juste parce que nous avons connu notre première saison perdante depuis trente et un ans. Elles resteront bien en vue et serviront à rappeler à nos partisans ce que sont vraiment les *Canadiens* et le Forum. Pendant l'été, bien des partisans se rappelleront les soixante-treize premières années de l'équipe, et non la dernière saison. Nous jouissons encore d'une très grande popularité. Lors d'un sondage effectué à travers le Canada l'an dernier, les partisans sportifs nous ont consacrés numéro un avec vingt et un pour cent de la cote populaire. Les *Maple Leafs* de Toronto, qui n'ont pas remporté une coupe Stanley depuis presque vingt ans, se classaient au deuxième rang avec onze pour cent. Voilà un indice révélateur des vieilles loyautés. Les *Yankees* de New York connurent des moments difficiles pendant les années soixante et soixante-dix, avant de revenir en force. Mais ils étaient toujours les *Yankees* de New York et, à ce titre, ils sont encore de nos jours l'équipe de base-ball la plus connue où que vous alliez. Le produit est encore bon, messieurs, conclut-il d'un geste prétentieux. Devrions-nous assister à des éliminatoires intéressantes, on se retrouvera avec la balle dans notre territoire. Vous voyez, dans les sports, avec ses situations de succès et de défaites instantanés, vous ne savez jamais de quel côté tournera le sort. C'est très fragile et très soudain.

F.-X. Seigneur, ancien adjoint exécutif du COJO (Comité organisateur des jeux Olympiques de Montréal), ancien adjoint exécutif d'un ministre du gouvernement fédéral, le genre habit rayé, est probablement l'exemple le plus représentatif de la nouvelle direction organisationnelle prise par le Club de hockey canadien.

Depuis quelques années, l'équipe avait une structure hiérarchique bien établie, mais habituellement un seul homme détenait la part du lion du pouvoir.

Le Club a eu la chance que Frank Selke, le novateur, et Sam Pollock, son successeur, aient été les premiers à se rendre compte — c'était génial — qu'ils étaient aussi bons et pas plus, que l'était leur organisation, et à savoir s'entourer de personnes compétentes. Malgré cela, la prise de décision était entre les mains d'un seul homme. Les subalternes, dont plusieurs occuperaient par la suite des postes de direction au sein de la LNH (Cliff Fletcher, Al MacNeil *et al.*), ne pouvaient que faire part de leurs suggestions et attendre les décisions.

Les *Canadiens* doivent la plupart de leurs premiers succès au fait qu'ils étaient gérés de cette façon avant tout autre club, et que les preneurs de décisions écoutaient attentivement leurs conseillers dont ils appréciaient l'expérience. Cependant, le patron avait le nez fourré partout.

Aujourd'hui, les *Canadiens* sont administrés comme toute autre entreprise commerciale. La nouvelle hiérarchie des *Canadiens* possède une charte d'organisation standard. Cinq vice-présidents travaillent sous les ordres du président Ronald Corey. Leurs tâches et leurs responsabilités sont clairement définies. Il y a très peu de double emploi. Il y a des conseils de direction tous les lundis matin.

— Beaucoup de choses ont changé depuis dix ans dans la façon de mener nos affaires, dit Seigneur. Nous tentons par tous les moyens d'être aussi professionnels dans l'administration que nous l'avons toujours été sur la patinoire. M. Corey insiste beaucoup sur ce point. Il dit qu'il s'est entouré d'une administration hors pair et qu'il s'attend à ce que nous nous en montrions dignes dans notre action.

Seigneur a produit des résultats. Dans la bataille avec les *Nordiques* et l'autre redoutable brasserie (du sein de laquelle Corey a été arraché) pour se tailler sa part du marché au Québec (marché qui durant des générations entières avait été le fief incontesté des *Canadiens*), le Club a commencé à retrouver le chemin perdu. Depuis que les *Nordiques* ont joint les rangs de la LNH en 1979, les *Canadiens* les talonnent de près.

Et puis, tout le monde sympathise avec l'opprimé, et les *Canadiens* paraissaient avoir adopté une attitude un peu trop supérieure vis-à-vis de leurs cousins de la campagne, d'autant plus qu'ils n'avaient pas pu appuyer cette attitude clairement par des victoires incontestées sur la patinoire. De plus, les *Nordiques* et la Brasserie Carling-O'Keefe partirent activement à la conquête du partisan de hockey québécois, travaillant ferme tant au niveau du Club que de la Brasserie pour vendre, vendre et vendre encore à la dimension de la province, ce qui incluait Montréal.

Malheureusement pour les *Canadiens*, les *Nordiques* bénéficièrent au début d'un racisme subtil, devenant l'équipe française du Québec alors que les *Canadiens*, dont les bureaux administratifs étaient dominés par des anglophones, devenaient l'équipe anglaise du Québec. Au moment du Référendum, alors que les mouvements passionnels provoqués par le débat sur la souveraineté-association étaient à leur comble dans la province, beaucoup trop de ces sottises se retrouvèrent dans les pages sportives des quotidiens.

Pour un temps, spécialement dans les journaux de langue française, les journalistes sportifs et les chroniqueurs prirent carrément parti pour les *Nordiques*. Cela, comme les autres signes du nationalisme québécois, s'estompa avec le temps, mais pas avant qu'il ne se soit produit des incidents désagréables; au cours d'une partie éliminatoire entre les *Nordiques* et les *Canadiens* en 1980-1981, le directeur gérant des *Canadiens*, Irving Grundman, et sa femme furent la cible de crachats et de quolibets antisémites au Colisée de Québec, et l'entourage des *Canadiens* avaient dû exiger des *Nordiques* une protection accrue. (Rien de ceci ne serait évident durant les éliminatoires de 1983-1984, et les partisans des deux villes seraient en 1984 des modèles de retenue pendant ces moments de haute anxiété.)

Alors que rien n'excuse ce genre de comportement à quelque niveau social que ce soit, il demeure que les *Canadiens* ont été particulièrement indélicats envers l'équipe de Québec au moment de son entrée dans la Ligue (ils leur refusèrent même une partie d'exhibition à Chicoutimi qui aurait fait le bonheur de nombreux partisans dans les endroits éloignés du Québec), et les *Canadiens* passèrent plusieurs années à payer la note. Évidemment, la carte du nationalisme jouée par les *Nordiques* au début de leur carrière, surtout lorsqu'ils modifièrent leur uniforme pour qu'il ressemble à s'y méprendre à un drapeau du Québec, reviendrait les hanter eux aussi. Personne ne peut évaluer le nombre de partisans qu'ils perdirent quand le premier ministre, René Lévesque, dont le Parti québécois n'avait jamais été aussi bas dans l'opinion publique, affirma que les *Nordiques* étaient beaucoup plus représentatifs du Québec que leurs cousins montréalais. Le deuxième étage au coin de Sainte-Catherine et Atwater a dû pousser un soupir de soulagement collectif à l'écoute de ces déclarations.

— Le premier ministre prétend-il que nous ne sommes pas aussi québécois que les Stastny? Seigneur ne peut résister au bon mot, qu'il laisse tomber avec un petit sourire.

— Vous remarquerez que les *Nordiques* ont abandonné ces affaires nationalistes il y a quelques années. C'était risqué de leur part de continuer et ils le savaient bien. Aucune de nos deux équipes n'a besoin de ces artifices. Le produit sur la patinoire est assez bon pour que l'on puisse aisément s'en passer.

Mais tout cela est du passé, comme le veut le diction. Les *Canadiens* ont repris leur place dans le coeur de leur partisans, malgré une saison difficile. Les mini-séries de F.-X. Seigneur ont fonctionné à merveille. Le Club s'attendait à en vendre mille. Ils ont dû mettre un terme rapidement à l'offre après en avoir vendu trois mille.

— Notre organisation était très démodée, dit Seigneur, et quelques-unes de ces premières erreurs furent sans doute commises par des personnes trop prudentes, plutôt que par des gens qui étaient snobs ou qui essayaient de rabaisser les autres. Voulez-vous savoir jusqu'à quel point nous étions démodés? Il n'y a que deux mois que nous avons fait installer notre premier ordinateur.

Bienvenue à la réalité. Aujourd'hui, quoi qu'en disent les puristes d'antan, le monde est très différent. Les tendances ont changé tout comme les marchés et le public.

— Ronald Corey, qui a commencé comme agent de marketing, sait de quoi il retourne. Quoi que fasse l'équipe sur la patinoire, nous devons la précéder, et oeuvrer activement pour vendre le produit. Et si cela veut dire acheter des occasions publicitaires à la radio pour «mousser» la vente des billets pour les éliminatoires, cela fait partie de l'entente. Et tout cela ne veut pas dire que l'équipe sur la patinoire ne veut rien dire pour nous, ce n'est pas vrai non plus. Si nous devions connaître trois ou quatre très mauvaises saisons, aucune des meilleures stratégies de marketing au monde ne pourrait nous aider. Et, vous savez, on n'est pas si loin des gens qui se plaignent de la tradition du *Bleu-blanc-rouge*. Nous voulons certainement perpétuer cette tradition parce qu'elle est notre outil le plus important dans notre plan de marketing. Nous occupons une place privilégiée avec les *Canadiens*, en ce que leur histoire peut faire partie intégrante de notre plan de mise en marché. Nous ne voulons pas pour autant construire sur le passé. Nous voulons nous servir de ce passé pour édifier l'avenir, dit-il, juste avant que nous sortions.

Nous reviendrons dans quelques années reprendre cette conversation où nous l'avons laissée avec F.-X. Plusieurs choses se seront passées entre temps.

Chapitre premier

Au fil du temps

Le temps n'est qu'un ruisseau où je vais pêcher.
Henry David Thoreau

Le Forum, temple du hockey sur glace, ne ressemble en rien à la plupart des lieux de pèlerinage ou des églises de Montréal. Sans doute, celui qui ne connaît pas bien la ville mais qui a grandi avec la légende des *Canadiens* et n'a vu l'intérieur du Forum, même si c'est des centaines de fois, qu'à la télévision, connaîtra une déception. L'image télévisée donne l'impression que le Forum devrait davantage ressembler aux églises montréalaises telles que Mark Twain les a décrites, imposantes, grandioses, riches, classiques, l'impression qu'il devrait représenter l'histoire du hockey autant que ces églises représentaient le catholicisme romain, autrefois si répandu au Québec.

Cependant, contrairement aux équipes prestigieuses qui ont fait du Forum ce qu'il est, l'édifice lui-même est écrasé et fonctionnel. Les escaliers roulants donnant sur la rue Sainte-Catherine sont la seule concession qu'on ait faite à quelque élan architectural. Les flancs de ces escaliers sont composés de panneaux fluorescents qui, le soir, vus de l'extérieur, représentent deux bâtons de hockey croisés.

Lorsqu'on se trouve à l'intérieur, le Forum est, à première vue, une patinoire comme tant d'autres. Si vous avez déjà visité un centre sportif de la Ligue nationale de hockey, vous serez avant tout saisi par une impression de déjà vu. Les couleurs de l'équipe prédominent — les sièges qui entourent la patinoire sont, de bas en haut, rouges, blancs et bleus. Mais ces couleurs mises à part, dites-vous, on pourrait tout aussi bien se trouver dans le Forum d'Inglewood en Californie, ou dans le Capital Center d'un coin perdu entre Baltimore et Washington. Un deuxième coup d'oeil vous fera découvrir une série de signes évocateurs de choses familières et légendaires.

Le CH stylisé qui orne le centre de la patinoire est le premier indice de ce que le Forum a signifié pour le hockey. Mais ce n'est pas là non plus ce qui distingue le Forum. Il doit bien y avoir autre chose qui révèle le vrai Forum, domicile des *Flying Frenchmen*, lieu de naissance du hockey de choc[1], l'un des lieux de rassemblement sportif les plus célèbres au monde. On le connaît de Kitimat en Colombie-Britannique à Antigonish en Nouvelle-Écosse; d'Atlanta, Georgie, aux États-Unis à Tiflis, Georgie, en Union soviétique.

Alors donc, où se trouve le vrai Forum? Regardez juste au-dessus de votre tête, dans les chevrons. C'est là que vous le trouverez. Là-haut, bien au-dessus de la patinoire, elles flottent silencieusement. Dire de ces bannières que ce sont de simples morceaux d'étoffe serait comme réduire une tapisserie d'Arras à n'être qu'une tenture. Elles révèlent ce que le Forum a représenté pour le hockey sur glace et la raison pour laquelle cette patinoire est unique. Seul le Forum arbore vingt-trois panneaux blancs distincts sur lesquels se détachent des lettres bleues bordées de rouge: «Les Canadiens de Montréal, champions de la coupe Stanley».

Aucune autre patinoire n'offre une vision aussi grandiose aux joueurs, aux arbitres, aux journalistes et aux spectateurs. Même les Russes ne peuvent s'empêcher d'admirer les bannières qui flottent dans les chevrons lorsqu'ils nous rendent visite. De plus, ils sont intimidés car il ne doit pas y avoir spectacle plus impressionnant dans tout le monde du hockey.

La dynastie des dynasties s'élève au-dessus des autres. Les *Canadiens* sont sans équivoque le club sportif par excellence et sont aussi l'équipe qui en est venue à personnifier le hockey, l'équipe nationale soviétique incluse. Les *Canadiens* sont un hymne aux techniques administratives éclairées et au savoir-faire spécialisé; à une certaine façon de faire les choses depuis des temps immémoriaux. Une stratégie bleu-blanc-rouge. L'histoire du hockey inventée de toutes pièces. Mais, comme l'a écrit Shakespeare: «C'est là le hic!»

Lorsqu'on regarde ces bannières, on voit immédiatement comment l'histoire peut mentir, comment l'apparat d'une dynastie présente une image plus imposante que la réalité l'a jamais été ou le sera jamais, et comment les mythes sont perpétués.

Regardez ces bannières qui flottent silencieusement dans toute leur splendeur, et vous verrez l'incomparable Howie Morenz maniant le bâton avec aisance au centre de la patinoire. Regardez celles qui représentent les

---

(1) firewagon hockey

saisons 1956-1957 et 1958-1959, et imaginez-vous Maurice «le Rocket» Richard se dirigeant à toute vapeur vers Glenn Hall ou Terry Sawchuck, les yeux flamboyant comme le phare unique d'un train de marchandises la nuit. Levez les yeux vers le Forum et voyez Jean Béliveau, vrai seigneur du vingtième siècle, l'aristocrate de la patinoire. Voyez Doug Harvey dominant à lui seul la partie pendant plusieurs minutes d'affilée, ou Guy Lafleur, ses cheveux blonds flottant derrière lui, fonçant à l'aile droite et exécutant un lancer foudroyant dans le coin droit du filet, à la hauteur des chevilles du gardien de but. Rappelez-vous Ken Dryden, du haut de son mètre quatre-vingt-onze, s'appuyant sur son bâton dans l'attitude pensive qui le caractérise, alors que ses coéquipiers se pressent autour de l'équipe adverse cinquante-cinq mètres plus loin.

Regardez les bannières et tombez dans le piège de l'histoire. Les experts-conseils en communication ont consacré leur carrière à l'élaboration du folklore des *Canadiens* de Montréal.

Les chercheurs et les analystes d'aujourd'hui en matière de hockey, pour qui l'infrastructure des entreprises modernes que sont devenues la plupart des équipes de hockey sur glace professionnelles est beaucoup plus familière, ont une optique de la gloire du Club très différente de celle du partisan moyen. Ils identifient comme étant les facteurs de la tradition importante et manifeste des *Canadiens* la perspicacité avisée, la planification stratégique à long terme, un programme de recrutement systématique et intégré, et un engagement profond dans l'organisation du hockey en tant que famille.

George Kendall, Léo Dandurand, Joe Cattarinich, Louis Létourneau, Tom Gorman, et même jusqu'à un certain point Frank Selke ne pouvaient explicitement envisager le Club de hockey canadien comme une entreprise à plusieurs niveaux; c'est pourtant comme telle qu'ils l'ont géré. L'application de solides principes d'affaires et d'une éthique de travail compréhensive a contribué à former la direction de l'organisation et à garantir sa croissance et sa continuité.

Pour plusieurs raisons, le partisan de hockey moyen avait peine à distinguer le club de hockey de l'entreprise. La plupart de ces raisons fourniraient à une phalange de sociologues de quoi publier jusqu'à la fin du siècle et bien au-delà en développant divers thèmes: l'homme moyen (pensez ouvrier) s'identifiant à une tradition gagnante qui a aidé à atténuer le caractère ingrat de son quotidien; l'association du Canadien français avec une collectivité gagnante, spécialement à un moment où il pouvait manquer d'assurance dans une province dominée en grande partie par une élite économique anglophone; et bien d'autres.

Comment en vient-on à percevoir une organisation sportive comme une association d'affaires viable? En termes plus significatifs, comment une organisation sportive fait-elle pour maintenir son niveau d'excellence au fil des ans, alors que d'autres n'arrivent pas à réussir ou restent embourbées dans la médiocrité?

La réponse à la première question, c'est que l'organisation développe la constance, une présence consistante et une image. Deuxièmement, elle maintient cette constance fidèlement auprès de ses partisans. En d'autres mots, l'organisation établit un contrat social avec ses partisans.

Il serait tout à fait inutile de parler de la mystique, de l'histoire et de l'impact des *Canadiens* de Montréal sans prendre le temps d'observer l'équipe du point de vue des amateurs. L'équipe eut plusieurs partisans célèbres au cours des ans, incluant Jockey Fleming, Dutchy et Kid Mercury.

Quant à nous, le plus irrésistible fut Harry Brown. Il est notre Partisan type et a sa propre façon de mettre l'histoire à sa place. Regarder Harry et son monde, c'est mettre l'impact des *Canadiens* dans sa juste perspective.

Si vous aviez déjà rencontré Harry Brown, ou si vous étiez justement en train de parler de lui avec des amis, votre première remarque serait peut-être: «Heureusement que Harry n'est pas ici pour voir ça.» Harry serait horrifié par le monde du sport des années quatre-vingts: monde d'agents, de joueurs de hockey dont le contrat prévoit la construction d'un centre commercial, et de séchoirs à cheveux dans le vestiaire des joueurs... tel est le monde du sport de l'Âge de l'Information.

Harry était le produit d'un autre âge de l'information, d'une époque où des journalistes fumant le cigare transmettaient, des tribunes de la presse olympienne, leurs bons mots aux fanatiques de sports qui voyaient la vie en noir et blanc. Harry est devenu le «Grand Pronostiqueur» après avoir débuté comme messager, parcourant à vélo le coeur célèbre de la ville de Montréal — «où le centre-ville est vraiment le centre-ville» — pour livrer des messages et de l'information aux gens du télégraphe. Par la suite, il trouva du travail dans les bureaux où il avait l'occasion de lire les articles que les journalistes et les journaux se faisaient parvenir. Et, comme bien des opérateurs de télégraphe, il devint habile à choisir, par hasard, les chevaux gagnants. Il transmettait les programmes d'avant-course et les résultats des courses si souvent que certains noms s'inscrivaient dans sa mémoire sans qu'il le réalise — pour refaire surface lorsque Harry fit la découverte des champs de course: d'où le surnom de Grand Pronostiqueur dont on l'affubla.

Aujourd'hui, plusieurs années après la mort de Harry, il y a des gens prêts à jurer qu'il était Leo Gorcey, qu'il avait pris l'accent des Bowery Boys et l'avait ramené à Montréal. D'autres encore, peut-être des philosophes amateurs, reconnaîtraient là le joual — un patois curieux que parlent les cols bleus anglophones de la ville. Ce patois vient des échanges interculturels avec l'«autre côté» — tous les anglophones qui ont grandi en jouant et en se bagarrant avec leurs voisins francophones de Pointe Saint-Charles, de Notre-Dame-de-Grâce et de Rosemont le parlent.

Harry était un «gars de la rue», un flâneur célèbre et le centre-ville de Montréal était son domaine.

Si vous étiez écrivain et aviez quoi que ce soit à voir avec le sport, ou si vous vous figuriez faire partie du tableau du centre-ville, vous vous retrouviez occasionnellement en train de parler avec le Grand Pronostiqueur et à essayer de lui échapper.

Il était l'homme moyen de la ville et son échotier le plus inlassable. À l'âge de quatre-vingts ans, il était sans aucun doute l'homme le plus bancal qui ait jamais vécu — «Promène-toi sur un siège de bicycle en cuir tous les jours pendant vingt ans et tu me diras où ça te mènera, fiston!», disait-il à tout le monde du haut de son perchoir perpétuel au Montreal Press Club. Harry marchait de côté, comme un crabe, à environ un mille par an, mais même le plus rapide des hommes ne pouvait échapper à son approche inexorable.

Harry dirigeait le Press Club. Oh! bien sûr, les journalistes réguliers prétendant être membres d'une association professionnelle se donnaient bien la peine de faire des mises en nomination et d'élire un des leurs environ tous les deux ans, mais c'était Harry qui dirigeait le Press Club.

Et le voilà qui, à quatre heures du matin, commençait une bagarre dans une partie de poker («Mon espèce de salaud, d'assommeur, de «Tomatacan», tu m'as caché quelque chose!») et il y avait un terrible fracas quand Harry lançait sa canne sur les portes coulissantes de la salle de poker. Quelques secondes plus tard, après avoir récupéré sa canne, Harry sortait de la salle en marchant de côté, lançait un juron par-dessus son épaule et se dirigeait vers les toilettes.

Environ trente minutes plus tard, l'un des membres les plus téméraires du Club, remarquant l'absence prolongée de Harry, se risquait craintivement dans les W.-C. et le découvrait immanquablement dormant debout comme une aigrette, appuyé sur un urinoir et calé par sa canne contre une cloison pour rester d'aplomb.

Harry était toujours dans son élément au début de mai. Le «Run for the Roses» était à l'horizon à Louisville et les *Canadiens* diputaient d'ordinaire les demi-finales ou les finales de la coupe Stanley.

Le Montreal Men's Press Club (dont le nom avait été changé après un scandale féministe important en 1971), situé à l'hôtel Mont-Royal, était le quartier non officiel de la coupe Stanley. Harry, quant à lui, était l'hôte non officiel de la LNH. Aux petites heures du matin, ou pouvait habituellement le trouver, ainsi que des membres du Temple de la Renommée tels que Red Sullivan et Milt Schmidt, assis au piano délabré du Club, chantant des succès de Broadway des années quarante. Si un des membres de la chorale de la LNH oubliait une parole, ou contestait celles de Harry, le Grand Pronostiqueur le réduisait au silence grâce à un potin embarrassant sur la carrière du transgresseur. Par exemple: «Comment est-ce que t'as pu entrer dans le Temple de la Renommée, Schmidt? Va voir dans le hall d'entrée. Y a une photo du Rocket marquant le but gagnant de la coupe Stanley et de toi assis sur ton cul comme un bébé.» On chantait comme le voulait Harry.

Avant de mourir, au début des années soixante-dix, Harry adorait exposer ses idées sur les équipes sportives de Montréal. Il est impossible de répéter le nom qu'il donnait aux Alouettes, même phonétiquement. Il ne pensait pas grand-chose non plus des Expos qui, à cette époque-là, étaient une équipe d'expansion qui cherchait à percer. Il commençait à parler des occupants du parc Jarry, établissait un lien avec tel ou tel nom et on se retrouvait aux jours glorieux des années quarante à parler des *Royaux* et des *Delorimier Downs*. Il suffisait cependant de mentionner les *Canadiens* pour que ce philosophe-historien-analyste de la vie soit dans son élément.

— Le fait c'est que, commençait-il en vous attrapant gentiment par le coude avec sa canne (après tout, il allait vous demander un verre en paiement de la consultation), les *Habs* sont la meilleure équipe dans toute l'histoire du hockey. C'est eux autres l'histoire du hockey et ça m'est égal si Conn Smythe crève quand je le dis. Tout ce que vous avez à faire, c'est d'aller au Forum et de lever la tête. Les faits sont là à la vue de tous.

Le Grand Pronostiqueur était célèbre pour son culte des faits.

Le cheval gagne ou ne gagne pas. Ça fait toute la différence au monde, et les faits étaient sa marchandise. Pour lui l'histoire était définitive et absolue et s'exprimait en termes de gain, d'endroit et de spectacle — pour la plupart des amateurs de hockey, l'histoire est définitive et absolue. Cependant, bien que la sagesse rétrospective puisse permettre une vue des choses libre d'entraves, la perspective est médiocre lorsqu'on est quelqu'un qui a l'habitude de faire des paris. Harry a acheté les bannières accrochées dans les chevrons parce qu'elles étaient monnaie courante — tout comme des billets gagnants que l'on tient fermement lorsqu'on se rend au guichet du champ de course. De plus, l'expérience du Grand Pronostiqueur lui disait que le passé est la seule chose sur laquelle on puisse compter. Si bon que vous soyez pour handicaper un cheval, le dépôt que vous aviez fait n'était pas toujours celui que vous croyiez avoir fait.

Et même si Harry Brown était assez vieux pour avoir assisté aux débuts des *Canadiens* et avoir suivi l'équipe à travers plus de cinquante ans d'histoire, l'histoire dont il a été le témoin privilégié pouvait s'embrouiller au passage des années.

À leurs débuts, les *Canadiens* de Montréal n'étaient ni une dynastie, ni une puissance majeure dans le hockey. Avec le temps, il se sont révélés être les deux grâce à Tommy Gorman qui leur a inculqué une éthique d'affaires et, plus tard, à Frank Selke qui a introduit la planification et la direction méticuleuse qui feraient d'eux une entreprise d'abord et une équipe de hockey ensuite.

Le signe le plus évident de l'astuce sociale et politique de Selke est peut-être le fait que, bien qu'il ait monté une affaire dominée par des directeurs anglophones, il a délibérément minimisé l'aspect commercial de l'organisation et insisté sur son côté le plus acceptable: l'équipe de hockey elle-même. Ce n'est pas par hasard que la direction essayait de ne pas trop se faire remarquer.

Les associations sportives ont du succès lorsque les membres du public d'une région donnée deviennent des partisans engagés de cette organisation et assurent son avenir, en acceptant son passé et en encourageant son présent. Instinctivement, Selke savait cela, et il s'efforça de voiler le rôle des personnes qui portaient un complet pour travailler. Ainsi, il assura la bonne marche de l'organisation.

Tout était basé sur une image cultivée avec soin. Les directeurs des relations publiques et de la commercialisation savent très bien comment faire le commerce d'une telle marchandise, si superficielle puisse-t-elle paraître.

Aux débuts des *Canadiens*, l'attachement social et culturel semblait plus viscéral parce que toute une classe sociale prenait à coeur les faits et gestes quotidiens du Club. Ces attachements ont précédé de beaucoup les sciences relativement jeunes des relations publiques et de la commercialisation.

D'une façon détaillée et systématique, le Club de hockey en est venu à faire partie de la vie quotidienne de la communauté. Aux yeux des partisans, les défaites étaient un affront personnel, alors que les succès étaient honorés et régulièrement reconnus.

Le Club de hockey réussit à bâtir une tour d'ivoire dont le pont-levis imaginaire s'abaissait à l'occasion pour permettre aux partisans de rendre visite à l'équipe. Celui-ci ressemblait très peu aux autres barrières qui, dans certaines régions de Montréal, demeuraient toujours fermées, interdisant ainsi à une grande partie de la population les richesses et les beautés de la ville.

Le logo de l'équipe devint un symbole pour les partisans montréalais et québécois. Les joueurs qui l'arboraient bravement sur la poitrine étaient chargés d'un ensemble de responsabilités significatives, car on les percevait comme des champions de la communauté plus que comme de simples représentants d'une équipe de hockey. Donc, en un sens, le Club de hockey canadien subissait un processus d'institutionnalisation extérieur à l'individu et sur lequel celui-ci n'avait aucun pouvoir.

Il n'est pas nécessaire d'étudier le pouvoir institutionnel pendant longtemps pour en comprendre la signification. Non seulement les institutions existent, mais on leur reconnaît le droit moral d'exister. La mystique et la crédibilité des *Canadiens* étaient cultivées dans le contexte de ces arrangements institutionnels. On en vint à associer un certain sens de l'honneur avec l'occasion de jouer dans les rangs du Club. Un sentiment spécial de soumission et d'enthousiasme extrêmes envahissait les recrues.

Cet engagement profond étreignait le néophyte, la nouvelle recrue, ce qui réduisait le besoin de le motiver. Depuis plusieurs générations, les jeunes hockeyeurs disent que «jouer pour les *Canadiens* de Montréal est une motivation plus que suffisante», et ils le croient. Ce sentiment est devenu très évident pendant le championnat de la coupe Stanley de 1986. Dans le monde du sport, ce genre d'allégeance est un luxe accordé à peu d'équipes.

Cet engagement a été atteint principalement par Selke et rehaussé par Sam Pollock. Selke orchestra la situation de telle façon que la recrue croyait en fait que le Club lui faisait une faveur en lui permettant de jouer avec l'équipe. Combien de millions de dollars les grandes sociétés ont-elles dépensés à essayer d'inciter les nouvelles recrues à croire au potentiel d'une entreprise et à participer à l'engagement à long terme dans son succès? Dans le cas des *Canadiens*, la motivation externe provenait de la communauté qui avait adopté le potentiel de réussite présumé de l'équipe. La motivation interne venait de la confiance partagée des joueurs qu'on introduisait gentiment à tous les niveaux de l'organisation.

Si un jeune hockeyeur vient à croire au succès escompté d'une association, il y a plus de chances pour qu'il veuille jouer pour celle-ci. C'était certainement le cas à Montréal et à Québec avant que la Ligue nationale de hockey n'introduise le repêchage universel; la famille, les amis et les connaissances trouvaient moyen de faire savoir aux *Canadiens* quand et comment une recrue éventuelle progressait. Ainsi, le processus de recrutement de l'organisation était facilité partout où on jouait au hockey. Le jeune joueur ne doutait pas qu'il acquerrait la connaissance et les compétences nécessaires grâce à sa participation avec ces «vétérans» chevronnés à qui on avait injecté une dose d'engagement et une autre d'expérience et de discipline personnelle.

Le processus de transmission de la connaissance et des compétences était encore rehaussé par la riche tradition orale qui soulignait l'importance de gagner... et la manière dont on en venait à l'escompter.

Voilà en un mot les raisons sociologiques qui ont poussé les gens à adopter les mythes. Ils ont cru à la tradition et à la riche tapisserie culturelle qui était tissée, parce que c'était une façon d'en faire partie.

L'histoire s'étend sur l'expansion de l'Empire romain, mais elle ignore presque totalement sa décadence. Des tas de gens célèbres, dont certains sont des historiens et d'autres non, ont fait cette remarque à propos du processus historique. Il y a consensus sur ce point: la qualité de votre histoire est proportionnelle à la qualité de celui qui s'occupe des relations publiques du Club et qui l'écrira des années après, et à celle des gens qui étaient là et qui seront d'accord avec ce qu'il dit. Il est très facile de trouver des gens correspondant à cette dernière catégorie. Nous voulons tous dire que nous y étions, et cela inclut les 415 000 personnes qui étaient présentes lorsque Bobby Thompson a claqué son «circuit entendu autour du monde» aux Polo Grounds en 1951.

«L'histoire est quelque chose qui ne s'est jamais produit et qui a été écrit par quelqu'un qui n'était pas là». Cette citation des plus célèbres sur le sujet, les professeurs d'histoire l'utilisent généralement pour introduire un nouveau semestre. C'est une remarque laconique charmante dont on se moque poliment.

La version montréalaise de l'histoire des *Canadiens* s'est certainement produite. Mais pas tout à fait comme on vous avait amené à le croire. Les faits — ces vingt-trois linceuls fantomatiques suspendus au-dessus de la patinoire du Forum — sont la preuve que les *Canadiens* sont régulièrement la meilleure équipe professionnelle de hockey que le monde ait connue. Et, avec vingt-trois championnats de la coupe Stanley et un total remarquable de vingt-sept présences dans les finales, elles rendent hommage à une organisation sportive dont les exploits incarnent le sport de hockey sur glace.

Cependant, permettez-nous un astérisque historique. Les faits peuvent mentir et ils mentent.

Il n'y a aucun doute qu'avec l'avènement du nouveau millénaire, lorsque les historiens, et tous les gens capables d'écrire, commenceront à faire la chronique des cent dernières années, ils reconnaîtront les *Canadiens* de Montréal comme étant l'équipe de hockey du vingtième siècle; même si les *Habitants* ne devaient gagner aucune autre coupe Stanley dans les quatorze prochaines années; même si une autre équipe se met à gagner plusieurs fois de suite. Il y a au moins cela de certain.

Cependant, la gloire qu'ils recueilleront sera récente. Il est vrai que les *Canadiens* de Montréal, qui ont eu soixante-seize ans en 1986, ont défini le hockey professionnel en Amérique du Nord. Il est vrai aussi qu'ils ont fourni la plus grande part du charme de ce sport, surtout au sud de la frontière à l'époque des *Flying Frenchmen.*

Cela n'a pas toujours été le cas. Au cours de leurs quarante premières années d'existence, de 1919-1910 à 1949-1950, ils ont gagné six fois la coupe Stanley. Depuis, cependant, ils ont remporté dix-sept championnats de façon convaincante. Beaucoup de partisans se rappellent aisément l'équipe «cinq de suite» de la fin des années cinquante et la «quatre de suite» des années soixante-dix. En fait, beaucoup de gens oublient que seul un bouleversement de Toronto en 1967, dernière année où la LNH ne comptait que six équipes, a empêché un autre «cinq de suite» de 1965 à 1969.

Avec ce genre de gloire récente, spécialement à l'ère de la télévision, il n'est pas étonnant qu'on compare le *Bleu-blanc-rouge* aux *Yankees* de New York.

Cependant il y eut un temps, dans les années vingt et trente, où non seulement les *Canadiens* n'arrivaient pas à capter l'imagination du monde du hockey, mais où ils n'étaient même pas capables de s'attirer les faveurs des partisans montréalais. Pendant la Dépression, les choses allèrent tellement mal qu'on songea à tranférer la franchise à Cleveland (quelle horreur!). À notre époque d'histoire instantanée et révisionniste, le mythe masque la réalité.

Le Club de hockey canadien est né à une époque où Montréal était l'un des nombreux foyers du hockey. Avant la Première Guerre, le Canada connut une période de grande activité. Le pays s'élevait littéralement à la force du poignet, et on pouvait faire fortune dans cette «région reculée». Au Canada on était sans aucun doute coupeur de bois et porteur d'eau, de même qu'ouvrier dans les mines d'argent, d'or et de la plupart des minerais précieux qui firent les vieilles fortunes.

Des équipes nommées *Thistles* de Kenora, *Millionnaires* de Renfrew et *Klondikers* de Dawson City étaient toutes dans la course au championnat de la coupe Stanley et, dans le cas de Kenora, l'ont effectivement gagnée en 1906-1907. Dans le nord de l'Ontario, des villes comme Cobalt et Haileybury étaient en compétition avec Renfrew pour le plus grand nombre de millionnaires (en argent) et pour les meilleures équipes de hockey «montées à coup d'argent». Comme l'a écrit Trent Faynes dans *The Mad Men of Hockey*:

> Au printemps de 1909, les magnats de l'argent firent venir les *Senators* d'Ottawa et les *Wanderers* de Montréal vers le nord du pays pour des parties d'exhibition. Lorsque les équipes retournèrent chez elles, la moitié des joueurs étaient restés là-haut pour tirer profit du filon. La région tout entière était folle du hockey.
>
> Des dizaines de milliers de dollars étaient pariés sur chaque partie; il arrivait souvent que plusieurs milliers de dollars changent de main sur un seul but. Les mineurs qui se trouvaient dans la foule se bagarraient sur les patinoires pendant les parties et dans les rues après. Pendant cette période folle, les meilleurs hockeyeurs du monde jouaient dans cette ligue en région éloignée qu'on avait formée pour tirer profit de la découverte d'argent.

Jusqu'à la fin de cette époque, l'équipe la plus puissante était une équipe de Montréal, les *Wanderers*. Elle gagna la coupe Stanley quatre fois entre 1905-1906 et 1909-1910 après avoir interrompu la suite de victoires des *Silver Seven* d'Ottawa qui durent se contenter de trois coupes de suite. Les *Wanderers*, fierté de la Eastern Canadian Hockey Association, apportaient la gloire à leur ligue à un moment où les champions de diverses ligues se disputaient la coupe. À un certain moment en 1910, le Canada comptait, à lui seul, vingt-cinq équipes de hockey sur glace en incluant le tout jeune Club de hockey canadien de la nouvelle National Hockey Association. Montréal comptait cinq de ces équipes: les *Canadiens*, les *Shamrocks*, les *Nationals*, les *Wanderers* et les *Victorias*. Fait curieux, les débuts des *Canadiens* furent peu prometteurs. Ils finirent la première saison de la National Hockey Association avec seulement deux victoires en douze parties. La deuxième année fut bien différente, surtout parce qu'une autre équipe portait le nom de *Canadiens*. En 1909-1910, J.J. Ambrose O'Brien et T.C. Hare de Cobalt étaient les propriétaires de l'équipe de la NHA nommée les *Canadiens*.

La Ligue, qui savait bien qu'un caractère ethnique attirerait les foules aux guichets, octroya une concession aux deux hommes pour engager une équipe entièrement francophone, ce qu'ils firent. Ils engagèrent dès le départ le célèbre Jack Laviolette comme entraîneur et gérant.

En 1910-1911, Georges Kendall contesta le nom de l'équipe et demanda qu'on lui accorde une concession. Il était propriétaire du Club athlétique canadien, un club sportif francophone très populaire à Montréal. Il fit savoir au conseil d'administration de la National Hockey Association que les droits au nom de Club canadien lui appartenaient et qu'il intenterait une poursuite longue et coûteuse si on ne lui accordait pas une concession. La direction de la Ligue comprit rapidement son point de vue et se rendit compte aussi que la popularité du Club athlétique canadien amènerait de nombreux partisans pour l'équipe. Kendall (connu aussi sous le nom de Kennedy) reçut donc son équipe. Avec Georges «le Concombre de Chicoutimi» Vézina comme gardien de but et des étoiles comme Didier Pitre et Jack Laviolette, les *Canadiens* de Kennedy-Kendall gagnèrent, en 1916, leur première coupe Stanley.

Pendant les trois premières saisons, les règles et la constitution de la NHA faisaient des *Canadiens* l'équipe francophone de Montréal. En 1912-1913, la Ligue revint sur sa décision et permit aux *Canadiens* de mettre deux anglophones en uniforme alors que les autres équipes pouvaient engager jusqu'à deux joueurs francophones chacune. L'époque Kennedy-Kendall se termina cinq ans plus tard lorsque le populaire sportif montréalais mourut au cours de la pandémie de grippe espagnole (1918 à 1920) qui fit plus de morts de par le monde que la Première Guerre mondiale.

C'est ainsi que débuta la première ère moderne des *Canadiens* de Montréal. Trois hommes d'affaires et sportifs montréalais, Léo Dandurand, Joseph Cattarinich et Louis Létourneau, achetèrent l'équipe pour 11 000 $. Elle fit partie de la toute nouvelle Ligue nationale de hockey et projetait de faire une forte impression au sud de la frontière.

En 1924, s'ajoutait une équipe de Boston et, un an plus tard, suivaient des formations de New York et de Pittsburgh. En 1926, c'était au tour des

Black Hawks de Chicago et des *Cougars* de Détroit. Les fondations de la LNH étaient posées.

Dans les années vingt et trente les clubs ne faisaient pas long feu — parmi eux, les *Senators* d'Ottawa, les *Pirates* de Pittsburgh, les *Quakers* de Philadelphie, les *Americans* de New York et les *Maroons* de Montréal — mais les Six Originaux (comme on les appellerait plus tard) étaient en place: les *Canadiens*, les *St. Pats* de Toronto (qui allaient devenir les *Maple Leafs)*, les *Cougars* (plus tard les *Red Wings*), les *Bruins*, les *Rangers* et les *Black Hawks*. Les *Canadiens*, chez qui on voyait encore la marque des *Flying Frenchmen* de l'époque de la NHA, attiraient les foules partout dans la Ligue et étaient des rivaux particulièrement coriaces pour les *Bulldogs* de Québec, les *Maroons* et les *Senators*. L'équipe gagna trois fois la coupe Stanley entre 1923 et 1931. Elle mettait en vedette une constellation d'étoiles dont les noms étaient Newsy Lalonde, Aurèle Joliat, Howie Morenz, Joe Malone, Sylvio Mantha et les infâmes frères Cleghorn, Sprague et Odie.

Les *Canadiens* entreprirent aussi de bâtir leur caractère historique. Cependant le Club de hockey canadien n'étonna pas d'emblée la LNH ou le monde du sport. Les sensationnels *Flying Frenchmen* n'étaient qu'une équipe parmi tant d'autres, ni plus ni moins. Mais c'était une organisation qui allait éventuellement bâtir ce que les sociologues appellent une «culture occupationnelle» qui favoriserait une tradition de gagnant en insistant sur l'importance du succès.

On pourrait présumer que la plupart des organisations d'affaires génèrent naturellement des opinions et un engagement aussi profonds chez leurs employés. En vérité, il faut des années pour y parvenir.

Dans le cas des *Canadiens*, les athlètes et les administrateurs qui n'étaient pas prêts à s'engager autant qu'on le croyait nécessaire pour réussir étaient sélectivement éliminés des rangs de l'organisation.

Vous imaginez-vous le succès de la plupart des entreprises si leurs recrues éventuelles tiraient sur leurs laisses afin de travailler pour elles?

Dans le monde des affaires, IBM, surnommée le Grand Bleu, encourageait un système de confiance parallèle à celui du *Bleu-blanc-rouge* de Montréal. En prêchant la loyauté, le dévouement, le travail acharné et l'intégrité en tant que paramètres essentiels, Thomas Watson fils a combiné l'histoire et la culture à un sentiment d'appartenance à une tradition gagnante à l'intérieur de son organisation. Tout comme Frank Selke avec les *Canadiens*, Watson était passé maître dans l'art de la planification stratégique à long terme et du recrutement systématique. Profondément conscient de l'importance de la mise en valeur des ressources humaines, il était très sélectif lorsqu'il décidait d'un plan de croissance et d'élaboration de ce que nous appelons maintenant la synergie des entreprises.

Selke exposait les nouvelles recrues aux légendes des grandes étoiles et de leurs accomplissements en transformant simplement le vestiaire des joueurs en musée. De la même façon, Watson s'étendait sur les débuts d'IBM lorsque ses employés, très motivés, appuyés par les gens particulièrement doués de la Recherche et du Développement, commencèrent à percer le marché.

Le sociologue Orrin Klapp appelle cela un voyage d'identité, un parcours imaginaire qui permet aux nouvelles recrues de s'identifier aux légendes et aux héros folkloriques de l'organisation pour laquelle ils jouent. Une des raisons pour lesquelles les *Red Wings* de Detroit ont été si faibles ces dernières années est que seuls les partisans habitant Detroit s'identifient à Gordie Howe, à Ted Lindsay, à Sid Abel et à Alex Delvecchio; les joueurs ne peuvent le faire et ne le font pas.

Imaginez le tumulte qui serait déclenché à Montréal si Maurice Richard était affilié à une autre équipe de hockey, comme c'est le cas pour Gordie Howe (avec Hartford). L'identification des joueurs actuels aux légendes de l'équipe aide à créer la camaraderie et engendre la cohésion dans l'organisation.

Ken Reardon, Sam Pollock et Toe Blake étaient des experts dans la transmission des composants principaux de la culture attachée au métier. Lorsque Irvin, à qui on avait confié la même responsabilité, ne parvint pas à motiver suffisamment sa supervedette, Maurice Richard, à faire passer l'importance de l'activité d'équipe avant les désirs personnels (Richard eut un accès de colère en 1955 qui entraîna sa suspension et les fameuses «Émeutes Richard»), on le remplaça rapidement par Selke, un de ses proches amis. Les leçons d'engagement doivent être suivies par tous, à tous les échelons de l'organisation.

En avril 1986, quarante-neuf ans après la mort de Howie Morenz, la toute dernière version des *Canadiens* de Montréal s'entraîne dur sur patins et se prépare à affronter les *Whalers* de Hartford dans la finale de la division Adams. Jean Perron, entraîneur chef, et son adjoint Jacques Laperrière ont mis leurs protégés à l'épreuve pendant quatre-vingt-dix minutes.

Au haut de la section des rouges du côté est, les décennies se rencontrent. Toe Blake, qui, lorsqu'il jouait avec les juniors, a été dépisté par Morenz, et qui a joué avec Joliat, est assis et regarde silencieusement le tourbillon coloré sur la patinoire. Il fait un brin de causette avec Ronald Corey, Jean Béliveau, Serge Savard, Doug Harvey, André Boudrias, Jacques Lemaire et Carol Vadnais. À l'exception de Corey, président de l'équipe, ils ont tous joué pour Montréal à un moment ou à un autre, et la plupart portent une bague de la coupe Stanley.

Sur la patinoire, les recrues lèvent les yeux à l'occasion et remarquent la clique. Ils savent ce que ces hommes représentent et ils ont le dynamisme nécessaire pour aller chercher une part de cette gloire.

Cinq semaines plus tard, dans le vestiaire des joueurs à Calgary, Brian Skrudland essuie le champagne qui lui coule dans les yeux, serre la coupe Stanley dans ses bras et dit:

— C'est ça que Larry Robinson, Bob Gainey et Toe Blake voulaient dire.

Qu'elle soit pure réalité ou ce magnifique fil synthétique dont on tisse une tapisserie folklorique, l'histoire fait partie intégrante de cette équipe de hockey.

Chapitre 2

La distribution des rôles

«Nous allons maintenant examiner plus en détail la lutte pour l'existence.»
Charles Darwin

La succession presque ininterrompue de supervedettes dans l'équipe des *Canadiens* de Montréal l'a distinguée des autres pendant toute son histoire.

Alors que la plupart étaient de véritables *Flying Frenchmen*, transmettant le flambeau de génération en génération (de Richard à Béliveau à Cournoyer à Lafleur), la première vedette fut un Canadien d'origine suisse originaire d'une petite ville d'Ontario.

Howie Morenz, le «Stratford Streak», fut le premier à définir les *Canadiens* de Montréal à leurs vrais débuts, dans les années vingt et trente. Faisant équipe avec des personnages originaux comme Aurèle Joliat, Billy Boucher, Armand Mondou et Sylvio Mantha, Morenz était, dit-on, le meilleur joueur de son époque.

C'est un bel éloge, lorsqu'on considère que des athlètes portant des noms comme Patrick, Boucher, Conacher et Shore jouaient à la même période. La meilleure façon d'établir le bien-fondé de ce qu'on avance à propos de Morenz est peut-être de s'éloigner du sport pendant un instant.

Les années vingt, comme vous le diront la plupart des observateurs, marquèrent le début de l'âge d'or du sport. Dans une large mesure, c'est parce que la plupart des chauds partisans ne voyaient en fait jamais, ou très rarement, leurs héros sportifs à l'oeuvre. C'était l'époque des événements sportifs reconstitués — lorsque les annonceurs radio captaient par télégraphe le récit jeu par jeu des parties et recréaient les épreuves sportives comme les parties de base-ball, les matchs de championnat de boxe, ou les grands championnats d'athlétisme, en improvisant les effets sonores.

C'était un temps où les «spectateurs» restaient à la maison, tendaient l'oreille pour capter les descriptions animées de l'action émanant d'un poste à galène Motorola ou Philco, et imaginaient la scène.

Sur les terrains de sport, on trouvait des personnages herculéens comme Babe Ruth au base-ball, Red Grange au football, Bill Tilden au tennis et Bobby Jones au golf. Dans le ring, on voyait monter des champions incomparables tels Jack Dempsey et Gene Tunney. Des nageurs olympiques comme Johnny Weismuller et Buster Crabbe passèrent directement de la piscine olympique à Hollywood. Les sports féminins étaient aussi brillamment représentés avec des noms comme Helen Wills et Gertrude Ederle pour le tennis et Babe Didrikson pour le golf.

Même les rôles secondaires étaient tenus par des personnages plus grands que nature — des gérants de base-ball tels McGraw, McCarthy, Huggins et Ott; des entraîneurs tel Rockne, des organisateurs tel Tex Rickard et des chroniqueurs tels Grantland Rice, Ring Lardner et Damon Runyon.

Ce que les partisans ne voyaient ni n'entendaient jamais réellement était recréé et reproduit pour eux par ces titans. Un récit de Grantland Rice donnait instantanément à la phase la plus banale des dimensions olympiennes. C'était le culte du héros au troisième degré.

C'est dans cet univers que se glissa la toute nouvelle Ligue nationale de hockey. Non seulement la Ligue, ses équipes et ses joueurs disputaient le dollar sportif avec les autres sports, ce qui est le cas pour n'importe quelle époque, mais elle devait aussi trouver quelqu'un qui secouerait les journalistes sportifs américains.

Et ce devait être quelqu'un qui pourrait se joindre à Ruth, Dempsey, Jones et les autres au panthéon des grands du sport. Quelqu'un dont la présence même réussirait à inspirer un adjectif ou deux chez un de ces scribes faiseurs de rois, pour qu'on écrive ensuite des articles élogieux qui feraient de lui un héros légendaire.

Ce quelqu'un, ce fut Howard W. Morenz, et celui qui le découvrit était le propriétaire des *Canadiens*, Léo Dandurand, grand amateur de courses de chevaux, qui était des années de lumière en avance sur ses pairs dans sa compréhension de la valeur des relations publiques et de la publicité à une époque qui était bâtie sur ces dernières.

La seule mention de Morenz fait encore réagir ses contemporains un demi-siècle plus tard: les yeux deviennent humides et les souvenirs défilent sur le magnétoscope privé de la pensée. Les superlatifs coulent à flots.

«Howie Morenz était dans une classe à part, il était le plus grand joueur que j'aie jamais vu.» Ces paroles dithyrambiques sont de Frank (King) Clancy, un homme qui a été associé à la Ligue nationale de hockey depuis près de soixante-dix ans, en tant que joueur pour les *Senators* d'Ottawa et les *Maple Leafs* de Toronto, arbitre, entraîneur et administrateur. À l'heure actuelle il est le bras droit du propriétaire de Toronto, Harold Ballard.

— Il était le meilleur de son époque, le meilleur contre qui j'aie joué et le meilleur que j'aie jamais vu. Il pouvait atteindre sa vitesse maximale en une enjambée, il menaçait à tout moment d'aller d'un bout à l'autre de la patinoire en traversant toute une équipe et il lançait la rondelle aussi rudement que tout autre homme qui ait jamais joué au hockey.

Clancy l'administrateur prend la relève de Clancy le joueur, l'entraîneur ou l'arbitre. Il commence à discuter de la valeur réelle de Morenz dans les années vingt. Les années vingt rugissantes. L'âge d'or du sport.

— Il a vendu tout un tas de billets à un moment où le hockey avait grandement besoin de quelqu'un qui soit capable d'attirer les admirateurs. Si vous alliez voir une partie de base-ball et que vous voyiez Babe Ruth claquer une balle par-dessus la clôture, vous n'aviez pas besoin de connaître la différence entre le premier but et le fond de votre pantalon pour comprendre que vous aviez vu quelque chose de spécial. C'était la même chose avec Morenz. Il n'était pas nécessaire de savoir faire la différence entre une rondelle de hockey et votre nombril pour savoir que lorsque vous aviez vu Morenz jouer, vous aviez vu quelque chose de spécial.

Des «Trois Mousquetaires» qui étaient propriétaires des *Canadiens* à ce moment-là, Dandurand était le plus malin, celui qui savait que le produit était la chose la plus importante, et que ce produit était en compétition avec d'autres bien établis. Lorsqu'il arracha Morenz du fin fond de l'Ontario, il savait que ce joueur introverti aurait à se transformer en superhéros du hockey, si ce sport avait quelque chance de survivre.

Pendant la première saison professionnelle de Morenz — en 1923-1924 — la Ligue luttait pour sa survie avec trois clubs solides, les *Senators* d'Ottawa, les *St. Pats* de Toronto et les *Canadiens* de Montréal, plus une franchise anémique, les *Tigers* de Hamilton. Sur la côte ouest du Canada, la Pacific Coast Hockey Association, réduite à trois équipes qui perdaient de larges sommes d'argent, flirtait avec la ruine financière.

Trois ans plus tard, en 1926-1927, la LNH était une ligue de dix équipes, dont six étaient des équipes des États-Unis, là où se trouvait l'argent. L'arrivée successive des *Bruins* de Boston en 1924, des *Pirates* de Pittsburgh et des

Americans de New York en 1925, et des *Rangers* de New York, des *Black Hawks* de Chicago et des *Cougars* de Detroit en 1926 avait fait en sorte que le hockey se jouait surtout aux États-Unis. Dandurand vendait Howie Morenz et les *Flying Frenchmen* comme le colonel Ruppert vendait, au base-ball, Babe Ruth, (le «Sultan of Swat») et «Murderers' Row». La Ligue suivit le courant.

— Lorsque les *Canadiens* et Howie Morenz venaient en ville, les équipes américaines faisaient beaucoup de publicité autour des parties, dit Dandurand. Ça attirait le partisan occasionnel qui allait voir une partie de hockey par curiosité. Mais il lui suffisait de regarder Morenz jouer comme il le faisait et de voir la façon dont les *Canadiens* jouaient, et il ne pouvait plus s'en passer.

«Il n'y avait qu'un seul Morenz et il n'y en a pas eu d'autre comme lui depuis», écrivit Danduranden 1953 dans *The Hockey Book* (édité par Wilfrid Victor «Bill» Roche).

«Se lançant d'un bout à l'autre de la patinoire à toute vitesse — donnant brillamment tout ce qu'il avait à donner — en tout temps. Le hockey a beaucoup changé depuis son époque et je doute qu'il y en ait un autre comme lui un jour.»

C'était bien sûr une hyperbole, puisque des hommes comme Eddie Shore, Bun et Bill Cook, les Patrick et les Boucher faisaient plus que leur devoir pour leurs équipes respectives. Cependant, les *Canadiens* avaient ce petit quelque chose d'extra qui les distinguait. Ils étaient les *Flying Frenchmen*, ces étrangers romanesques venus du Grand Nord qui évoquaient une tradition nord-américaine romantique — Radisson, Marquette, les coureurs des bois, les trappeurs pittoresques.

Dandurand avait compris le punch promotionnel relié à la jeunesse dorée et au mythe de l'étranger, deux notions qu'il a identifiées avec succès à Morenz et aux *Canadiens*. Des milliers de partisans de hockey américains ont grandi en croyant que Morenz était un nom canadien-français fameux au Québec. Mais oui — vendre, vendre, vendre! Et lorsque Morenz donnait une de ses très rares entrevues à la radio au sud de la frontière, les partisans allaient jusqu'à tendre l'oreille pour déceler son accent français particulier. Howie Morenz aurait pu être exactement la même vedette avec les *St. Pats* de Toronto, devenus plus tard les *Maple Leafs*. Cependant, l'effet n'aurait pas été le même aux États-Unis. Il avait besoin des *Canadiens* et de leur potentiel mythique autant que l'équipe avait besoin de lui et de ses exploits spectaculaires sur la patinoire. On peut se demander si Morenz et la LNH auraient pu survivre s'il avait joué pour une autre équipe, ce qui d'ailleurs a failli se produire.

Encore très jeune, Morenz brillait déjà au hockey. Il fut, pendant quatre ans, la vedette des *Midgets* de Stratford, puissance permanente du hockey junior dans le sud-ouest de l'Ontario pendant l'époque d'après-guerre.

Morenz jouait sur la même ligne que Roter Roth et Frank Carson. Ce dernier deviendrait plus tard une vedette des *Maroons* de Montréal de la LNH. Stratford avait aussi une équipe senior dans la Ontario Hockey Association, et cette équipe faisait souvent appel à Carson et à Morenz pour soutenir sa formation.

Bien que les équipes de la toute nouvelle Ligue nationale de hockey aient envoyé des éclaireurs dans les régions les plus reculées à la recherche de nouveaux talents, les jeunes joueurs de qualité n'étaient pas automatiquement attirés vers les échelons supérieurs du hockey lorsqu'ils avaient terminé leur stage junior. C'était le cas de Morenz, qui entra comme apprenti machiniste dans les ateliers ferroviaires de Stratford.

À cette époque les grandes compagnies subventionnaient des équipes sportives au bénéfice de leurs employés et de quelques joueurs de l'extérieur choisis judicieusement. Après tout, qui d'autre pouvait mieux assurer le transport des joueurs en route vers un tournoi? C'est au cours d'un de ces tournois, à Montréal, que Morenz attira l'attention. Par un chaud samedi après-midi du printemps 1922, Morenz compta neuf buts pour l'équipe du *CNR* de Stratford contre l'équipe de l'atelier d'usinage de Pointe-Saint-Charles de Montréal, au vieux centre sportif Mont-Royal (là où les *Canadiens* de Montréal avaient fait leurs débuts).

L'arbitre de cette partie, Ernest Sauvé, avait joué jadis pour les *All-Stars* de Cecil Hart, ensemble de joueurs de hockey qui formaient l'une des meilleures équipes d'amateurs au Canada en 1913. Après la partie, il téléphona à son ancien entraîneur, et Dandurand le dépêcha à Stratford pour mettre Morenz sous contrat.

Cependant, ce fut un long été, et on exerça des pressions localement pour forcer Morenz à demeurer en Ontario, sinon avec l'équipe senior locale de Stratford qui, à ce moment-là, faisait partie de la LNH avec Toronto. Juste avant le début du camp d'entraînement, Montréal reçut du jeune centre un télégramme: il avait changé d'idée, ne voulait plus jouer pour les *Canadiens*, et demandait à M. Dandurand de bien vouloir déchirer le contrat.

«Rien à faire», dit Dandurand, et Morenz joua au hockey professionnel. Malgré les doutes de Morenz, c'était en fait une très bonne idée car ce jeune homme, qui était aussi médiocre dans le domaine de ses finances personnelles qu'il était expert dans le maniement du bâton sur la patinoire, s'était endetté de la coquette somme de 800 $ dans sa ville natale. À cette époque, avec une telle somme on pouvait s'acheter une voiture et avoir encore de quoi payer un ou deux mois de loyer.

Puisque le télégramme n'avait pas réussi, Morenz écrivit une lettre à Dandurand:

Monsieur Dandurand,

Vous trouverez ci-joint un chèque et le contrat me liant à votre club de hockey.

Pour plusieurs raisons, parmi lesquelles ma famille et mon emploi sont les plus importantes, je me vois dans l'impossibilité de quitter Stratford.

Je suis désolé de vous avoir occasionné des dépenses et des désagréments, et j'espère que vous accepterez le contrat que je vous rends comme le sportif que vous êtes.

Je vous prie d'agréer, Monsieur Dandurand, mes sentiments distingués.

Howard Morenz

«Monsieur Léo» n'avait pas acquis sa réputation impressionnante en se laissant prendre aux boniments qu'on lui racontait, aussi sincères puissent-ils sembler. Il a décrit cet incident dans *The Hockey Book*.

> La lettre est datée du 10 août mais le cachet de la poste montre qu'elle n'a atteint Montréal que le 23 août. Il est évident que Howie l'avait sur lui et qu'il y a réfléchi avant de la mettre à la poste. J'ai rapidement téléphoné à Morenz à Stratford, je lui ai dit qu'un billet de train l'attendrait au bureau du chef de gare de Stratford et je lui ai demandé de prendre le train du soir et de venir à Montréal pour que nous puissions avoir un entretien privé. Howie accepta de me rencontrer à mon bureau le jour suivant.
>
> Et il se présenta à l'heure. Mais il était inflexible quant à son refus de jouer pour les professionnels, déclarant qu'il ne rallierait jamais les *Canadiens* ni aucun autre club de la LNH. Au cours de notre conversation, Morenz insista sur le fait qu'avec son emploi dans les ateliers ferroviaires de Stratford et ce qu'il gagnait en jouant au hockey intermédiaire dans la OHA, il ferait mieux de terminer son apprentissage et de rester à l'écart du hockey professionnel.
>
> Je lui ai donc dit, aussi gentiment que possible, que les affaires sont les affaires et qu'il devrait observer les clauses du contrat qu'il avait signé.
>
> Morenz éclata en sanglots. Les joues baignées de larmes, il déclara: «Je ne crois pas que je suis assez bon pour me tailler une place dans votre équipe et vous regretterez éternellement de m'avoir forcé à jouer au hockey professionnel. Vous serez responsable de m'avoir privé de mon gagne-pain et de ma position d'amateur.»

À la suite de cela, Dandurand fut très tenté de résilier le contrat, mais il demeura inébranlable.

Moins d'une semaine après le début du camp d'entraînement, semaine difficile parce que les recrues étaient rudement mises à l'épreuve par les vétérans titulaires, Georges Vézina et Sprague Cleghorn étaient convaincus que le jeune hockeyeur introverti serait un grand joueur. Ils avaient raison.

Morenz sur la patinoire, Dandurand dans les bureaux. C'était le premier d'une série de couples joueur-administrateur célèbres des *Canadiens* qui feraient de cette équipe une équipe à part.

Aurèle Joliat se souvenait très bien des deux hommes.

Joliat avait fait son entrée chez les *Canadiens* en 1922, à la suite d'un échange controversé contre Newsy Lalonde, à l'époque le joueur le plus populaire des *Habitants*, qui était toutefois «sur le retour». Cet échange rendit Dandurand tellement impopulaire à Montréal qu'il se vit obligé de faire débrancher son téléphone. Lalonde, l'âme des *Canadiens* au cours de leur première décennie, ne se plaignit pas. Dandurand avait négocié pour lui un nouveau contrat représentant plus du double de ce qu'il gagnait à Montréal.

Joliat, né à Ottawa, portait un nom français, mais était le fils d'un protestant suisse et le premier à vous dire que son français ne valait pas grand-chose.

— Il était tout de même plus facile pour Dandurand d'échanger Lalonde pour moi que pour un Dick Smith.

Au moment de l'échange, Joliat jouait pour les *Shieks* de Saskatoon et pesait à peine 60 kg complètement trempé. Malgré tout, c'était un ailier gauche intelligent qui patinait vite; il compta deux buts dans sa première partie à Montréal et termina sa première saison avec à son actif le nombre respectable de treize buts.

— Dandurand avait pris un risque pour moi et je devais prouver qu'il avait eu raison.

Cette année-là, Montréal termina en deuxième place et perdit de justesse contre une rude équipe d'Ottawa pendant les séries éliminatoires. L'été suivant, Dandurand était au meilleur de sa forme, et deux recrues nommées Mantha et Morenz se joignaient à l'équipe.

Joliat a toujours eu une petite blague bien à lui pour répondre à l'inévitable question: «Comment était-ce de jouer avec Morenz?»

— Je n'ai jamais joué avec Morenz. (À ces mots, l'interlocuteur se précipite infailliblement sur les archives.)

— Un instant, s'il vous plaît. Il est écrit ici que vous étiez tous les deux dans la même équipe, merde, sur la même ligne avant, pendant plus de dix ans.

Joliat fait une pause, laissant le temps à sa petite blague de faire son effet.

— Je vais vous dire... j'ai joué avec Morenz, mais pas tout à fait avec lui, si vous voyez ce que je veux dire. J'étais toujours devant ou derrière lui. Je ne pouvais jamais rester à sa hauteur, ça c'est certain. Nom de Dieu, ce qu'il pouvait être rapide! Des ruées d'un bout à l'autre de la patinoire... pas de ce va-et-vient pour se rendre... (Joliat ne s'en aperçoit pas, mais il parle beaucoup plus vite maintenant, en phrases courtes et hachées, les mots se bousculent, le regard est ailleurs...) Il allait directement d'un bout à l'autre de la patinoire.

Morenz sur la patinoire, Dandurand et son entourage dont Cecil Hart dans les bureaux: c'était une association génératrice de légendes.

Dans les années vingt, Léo Dandurand était assez célèbre à Montréal. Sans quelqu'un comme lui, peut-être les *Canadiens* n'auraient-ils jamais réussi à percer. Il était l'homme idéal pour prendre la relève après la mort de Kennedy-Kendall et préserver le rêve du Club athlétique canadien.

> Le hockey a toujours été un sport où le poids et la force étaient importants, et un petit homme avait besoin de beaucoup d'habileté pour réussir chez les professionnels. Je crois que la vitesse et l'habileté sont les meilleurs ingrédients du hockey. J'envisage les *Canadiens* comme jouant un jeu très rapide et adroit, mais n'étant pas intimidés par qui que ce soit. Je ne veux pas de voyous mais je veux des joueurs de hockey virils pouvant faire face à toute les situations et capables de gagner par n'importe quel moyen.

Telle était la philosophie du hockey de Léo Dandurand, qu'il livra dans une déclaration succincte au moment de procéder de façon magistrale à l'achat des *Canadiens*. À l'en croire, l'équipe qu'il achetait était un ensemble de compagnons amorphes, assez peu spectaculaires, et tout simplement inefficaces dans les situations houleuses. Avec des noms comme Laviolette, Vézina, Pitre et Lalonde au tableau d'honneur, ce n'était évidemment pas le cas.

Néanmoins, Dandurand était un metteur en scène accompli, et il voulait vendre une image dès le départ. L'image serait celle du hockey de choc[1] — une chose que les *Flying Frenchmen* pourraient vendre facilement au sud de la frontière. Dandurand, qui connaissait très bien le «sud de la frontière» — c'était son pays —, se mit tout de suite à l'ouvrage.

Dandurand, Joseph Cattarinich et Louis Létourneau étaient des Montréalais qui avaient pas mal roulé leur bosse. À Montréal, on les appelait communément les «Trois Mousquetaires». Dandurand, qui tirait profit du fait

---

(1) firewagon hockey

que son nom était canadien-français, était en réalité né à Bourbonnais en Illinois et avait déménagé au Canada en 1905, à l'âge de seize ans.

Il était tout à fait ouvert et était connu pour son style de vie extravagant et pour son cran. Sa renommée à Montréal était telle qu'on l'appelait simplement «Monsieur Léo». Dandurand s'intéressait beaucoup aux sports et il y jouait un rôle important. De plus, il était l'organisateur par excellence: ses capacités administratives égalaient son imagination et son caractère sympathique.

Il a entretenu avec soin le mythe selon lequel il était «l'homme qui faisait de l'or de tout ce qu'il touchait» et a conservé la réputation de toujours financer des entreprises gagnantes. Bien sûr, ses succès s'appuyaient sur la sagesse, l'astuce, la compétence promotionnelle et la recherche bien faite — mais il n'était pas homme à révéler le secret de sa réussite.

L'intérêt qu'il portait aux sports n'est pas toujours resté dans les coulisses. Il a débuté en tant que l'un des pères fondateurs de la Canadian Amateur Hockey Association et a même arbitré dans la vieille National Hockey Association, où il a connu plusieurs querelles célèbres avec Kennedy, l'homme dont il prendrait la suite à la direction des *Canadiens*.

John Cattarinich a lui aussi débuté sur la patinoire — comme gardien de but des *Canadiens* pendant la saison inaugurale du Club en 1909-1910. Cattarinich avait tellement l'esprit d'équipe qu'il suggéra au Club de solliciter Georges Vézina, l'homme qui allait le remplacer entre les poteaux. Lorsque vint le temps d'acheter les *Canadiens*, Cattarinich était un homme d'affaires montréalais prospère, qui avait bien réussi, des deux côtés de la frontière, dans d'autres entreprises avec Dandurand.

Des trois hommes, Louis Létourneau était le plus insouciant. C'était un sportif amateur aisé, et l'associé des deux autres dans diverses entreprises, y compris une piste de course de pur-sang à Cleveland. Lorsqu'ils apprirent que les *Canadiens* allaient être vendus aux enchères, ils étaient tous trois occupés par la rencontre estivale en Ohio. Dandurand contacta une de ses relations, Cecil Hart, pour qu'il lui serve d'agent à la vente aux enchères, en lui disant d'y mettre le prix qu'il faudrait. Deux autres groupes étaient tentés d'acheter le Club: Tom Duggan, représentant la Mount Royal Arena Company; et le président de la LNH, Frank Calder, représentant des intérêts d'Ottawa. On ouvrit les enchères à 8000 $, et Hart les fit immédiatement grimper à 8500 $. Calder intervint alors pour demander qu'on lui accorde le temps de consulter ses commanditaires.

La vente reprit une semaine plus tard et, cette fois, Duggan déposa, de manière théâtrale, dix billets de 1000 $ sur la table.

La comédie fut cependant inutile — Dandurand avait bien choisi son homme. Hart téléphona calmement à Cleveland, décrivit ce qui s'était passé, et se fit répondre de faire le nécessaire. Il offrit donc 11 000 $, les deux autres acheteurs éventuels se retirèrent, et les Trois Mousquetaires avaient une équipe de hockey.

Dandurand prononça par la suite sa citation mémorable à propos des joueurs de hockey dont il prévoyait qu'ils porteraient le chandail bleu-blanc-rouge. Il entreprit immédiatement de se montrer digne de cette citation. Sa première acquisition témoignait de sa longue expérience dans les courses de chevaux. Il recherchait les lignées lorsqu'il mit Billy Boucher sous contrat. Cet habile joueur, natif d'Ottawa, faisait partie de la famille qui fournirait au bout du compte quatre joueurs à la LNH, y compris le frère aîné de Billy, Frank, futur membre du Temple de la Renommée. Même s'il avait affirmé qu'il ne tolérerait jamais de voyous au sein de son équipe, Dandurand rechercha ensuite les services du premier voyou du hockey — un Montréalais portant le nom original de Sprague Cleghorn.

Vous pouviez mentionner en plaisantant à Sprague Cleghorn ou à son frère Odie que leur nom vous faisait penser à un champignon. Vous le feriez exactement une fois et vous ne le referiez plus jamais. En plus de Cleghorn, dans un échange avec Hamilton, l'équipe acquit les services de Billy Couture (souvent surnommé Coutu). Celui-ci était un ex-*Canadien*, doté d'un penchant très personnel pour la chirurgie esthétique; lorsqu'il jouerait plus tard pour les *Bruins* de Boston, Coutu serait suspendu à vie en 1927 pour avoir attaqué un arbitre.

Avec Coutu et les frères Cleghorn dans les rangs de l'équipe, les patineurs aux pieds légers et les faiseurs de jeux pouvaient opérer avec une impunité relative — à cette époque, cela voulait dire que l'équipe adverse ne tenterait pas de vous refaire les traits du visage plus d'une ou deux fois par partie.

Après un spectaculaire désaccord avec Lalonde au cours de la première saison de la nouvelle administration, Dandurand donna à Sprague Cleghorn la position de chef de l'équipe, l'équivalent du capitaine de l'équipe. Il ne l'a jamais regretté. Cependant, les fonctions de Cleghorn donnèrent tout lieu de croire qu'elles seraient de courte durée.

À Ottawa, le 1er février 1922, Cleghorn décida au cours de la partie de se venger de son ancienne équipe pour l'avoir échangé. Dans le hockey beaucoup plus civilisé d'aujourd'hui, sa sauvagerie au cours de cette seule partie lui aurait probablement valu une suspension à vie. Pour se faire une idée du massacre qui eut lieu sur la patinoire, il suffit de savoir qu'il neutralisa tout simplement les trois meilleurs joueurs de l'équipe adverse.

Il commença avec le défenseur étoile Eddie Gerard, qui fut retiré du jeu avec une entaille juste au-dessus de l'oeil nécessitant cinq points de suture. Ce fut ensuite au tour de l'as marqueur Frank Nighbor, projeté sur la patinoire par une interception brutale qui le blessa au coude. Un coup de bâton au visage de Cy Denneny lui entailla le nez et l'arcade sourcilière, ce qui provoqua chez les soigneurs une bousculade générale car il fallait trouver les fournitures médicales nécessaires.

Quelle a été la punition infligée à Cleghorn pour tout cela? Une pénalisation d'une partie et la recommandation faite par l'arbitre Lou Marsh selon laquelle il devrait être exclu du hockey. Ottawa protesta énergiquement contre la conduite de Cleghorn et demanda qu'il soit suspendu à vie; Toronto et Hamilton refusèrent. Étant donné que l'approbation doit être unanime, Cleghorn esquiva la sentence.

Le dur Montréalais, plutôt élégant en dehors de la patinoire (les joueurs de son équipe disaient souvent en plaisantant qu'Odie et lui passaient autant de temps devant leur miroir à contempler leurs dernières acquisitions vestimentaires qu'ils en passaient à jouer — cependant ils ne leur disaient jamais directement) ne s'est jamais repenti. Plus tard il admettrait avoir blessé les trois *Senators* exprès et se vanterait d'avoir, au cours de sa carrière, participé à «plus de cinquante bagarres à la suite desquelles les blessés devaient être évacués sur une civière».

Si King Clancy aime à s'extasier sur l'aspect prodigieux des talents de Morenz, il décrit Sprague Cleghorn dans un langage plus terre à terre.

— Sprague était tout simplement rude et méchant, le meilleur que j'aie jamais vu pour se servir du bout de son bâton, raconte Clancy. (Au lieu du regard rêveur que provoquent ses souvenirs de Morenz, on a l'impression qu'il jette des coups d'oeil méfiants tout autour de lui pendant qu'il poursuit son histoire.)

— Il n'hésitait pas non plus à vous décocher un crochet au visage ou une charge avec le bâton derrière la tête.

Dans l'excellent livre de Trent Faynes, *The Mad Men of Hockey*, Clancy décrit l'incident suivant:

> Il était tout simplement un adversaire terrible, sensationnel dans le maniement du bâton, un maître avec le bout du bâton, et un dur, doux Jésus! ce qu'il pouvait être dur. Un soir, il s'est échappé avec la rondelle et s'est dirigé à toute vitesse vers notre but. Il n'y avait qu'un seul homme entre lui et le but. Je suis revenu précipitamment et, comme Sprague approchait du dernier homme, j'ai frappé la patinoire légèrement avec mon bâton une couple de fois comme lorsqu'on veut avoir la rondelle, et j'ai crié: «Par ici, Sprague.» Eh bien, il a naturellement pensé que j'étais un de ses coéquipiers et m'a glissé la rondelle sans regarder, et moi je m'en suis emparé pour me diriger à toute vitesse vers l'autre bout de la patinoire. Donc, lorsque la période s'est terminée, je me sentais plutôt bien en me dirigeant vers la chambre des

joueurs, et les partisans m'applaudissaient. Juste comme j'allais entrer dans la chambre, j'ai entendu une voix amicale: «King!» et je me suis retourné pour voir qui c'était. Eh bien, je vais te dire, mon ami, ce que j'ai pu en recevoir tout un sur la gueule. C'était bien Sprague, éteignant silencieusement mes lumières. Jésus, ce qu'il m'en a donné tout un!

Cependant, Cleghorn n'était pas seulement un tas de muscles. Il compta dix-sept buts, nombre élevé pour les défenseurs de la Ligue à cette époque, et écopa de «seulement» soixante-trois minutes en pénalisations. Les *Canadiens* terminèrent la première saison des «Trois Mousquetaires» avec une fiche de 13-11 et Dandurand s'engagea à continuer d'améliorer son club.

Cet été-là, à la piste de course (ou ailleurs?), Dandurand rencontra George Boucher, le frère de Billy, et l'étoile d'Ottawa mentionna un joueur de Saskatchewan qui pourrait devenir une étoile. Peu de temps après, Aurèle Joliat se dirigeait vers Montréal.

Et bien sûr, un an plus tard, Morenz se joindrait à lui. Le mélange subtil d'un avant supervedette (Morenz), d'une musculature habile (Cleghorn) et du savoir-faire dans les bureaux de l'administration (Dandurand) était accompli pour la première fois dans l'histoire des *Canadiens*. Il serait répété maintes et maintes fois au cours des soixante années suivantes.

Toutefois, pendant que les *Canadiens* assemblaient leur équipe sur la patinoire, on ne faisait pas grand-chose pour former l'équipe du bureau de l'administration. Chose certaine, Dandurand était loin d'être un imbécile; c'était un entrepreneur sportif aussi bon que n'importe quel autre de son époque. Et malgré sa fanfaronnade, sa faculté de changer en or tout ce qu'il touchait et sa réputation de «Monsieur Léo» répandue partout à Montréal, Dandurand manifesta beaucoup de bon sens lorsqu'il engagea le doux Cecil Hart pour diriger son équipe.

Néanmoins, on faisait peu d'efforts pour bâtir une organisation administrative qui garantirait que le produit sur la patinoire ne serait jamais dilué. Une raison à cela, c'est que bien que les *Canadiens* aient été une entreprise commerciale et sportive très en vue, ils ne constituaient pas le principal souci d'affaires de Dandurand. À cette époque, le hockey sur glace n'occupait que quatre ou cinq mois par an, alors que les courses de chevaux — sous harnais et de turf — étaient une préoccupation à longueur d'année, surtout lorsque, comme Dandurand, on avait des intérêts au sud de la frontière.

On ne travaillait pas beaucoup à l'élaboration d'une ligue mineure ou de clubs-écoles, ou d'un réseau d'éclaireurs qui exploreraient éventuellement certaines des régions les plus reculées du Canada, à la recherche de jeunes gars capables de jouer au hockey.

On ne connaissait pratiquement pas la commercialisation et la publicité. La direction de l'équipe faisait le commerce des noms de vedettes, tout comme de nos jours, mais n'en faisait pas tellement davantage. Les contrats d'endossement de produits et de promotion commerciale étaient rares. Vendre l'équipe se résumait habituellement à la seule publication du calendrier des parties.

Il n'y a pas de comparaison possible entre la famille nucléaire des *Canadiens* de l'ère moderne et les équipes des années vingt. Les joueurs de l'époque étaient aussi proches les uns des autres que ceux d'aujourd'hui parce que le succès était directement lié à la cohésion sur la patinoire. Là s'arrête la similarité. Comme le rappelle Mme Georges Mantha:

— Il est vrai qu'avoir un membre de sa famille dans l'équipe donnait un certain standing, mais la ville n'était pas encore ce foyer des *Canadiens* de Montréal qu'elle deviendrait plus tard. L'équipe ne faisait pas grand-chose pour inclure les femmes et les familles des joueurs; si on voulait que sa femme soit présente, il fallait acheter un billet. En ce qui concerne les installations matérielles, n'y pensez pas! Les femmes des joueurs avaient un salon officieux, les toilettes du deuxième étage. Laissez-moi vous dire qu'il y a eu de belles bagarres là-dedans! (Il semble que Mesdames Morenz et Joliat, qui prenaient plaisir à leur position de grandes dames des *Canadiens* de Montréal, ne toléraient pas qu'on défie leur autorité.)

Inversement, la famille actuelle des *Canadiens* est étendue et inclut les femmes, les petites amies, les parents et les enfants des joueurs. L'équipe fait tout en son pouvoir pour assurer le confort de ces personnes pendant une partie — qu'ils soient parents d'un «vétéran» de dix ans ou d'un jeune homme repêché dans l'équipe de Sherbrooke (AHL) ou dans une équipe junior. Si vous prétendez exiger la loyauté de vos employés, raisonnait Frank Selke, vous devez leur témoigner du respect et les traiter équitablement.

La direction actuelle suit cette maxime à la lettre.

Les Trois Mousquetaires, Dandurand, Cattarinich et Létourneau, étaient engagés dans le hockey pour gagner de l'argent, ou à tout le moins un peu de respect de la part du public en vue peut-être de blanchir leur participation dans les courses hippiques. Gaspiller beaucoup de temps et d'énergie à dorloter les amis et les familles des joueurs n'était pas à leur ordre du jour.

C'étaient des hommes d'affaires bien de leur temps, ils procédaient par poignées de main et relations personnelles, ce qui serait impensable par les temps qui courent. Un exemple de cette façon d'agir eut lieu en 1926, quand Conn Smythe, qui serait suivi plus tard par la famille Patrick, s'occupait de monter les *Rangers* de New York. Léo Dandurand aida les Patrick à négocier diverses transactions après qu'ils eurent vendu les Ligues Pacific Coast et Western Canada et déménagé à l'est pour se joindre à la LNH.

La liste des noms figurant dans ces transactions ressemble à une liste des joueurs du Temple de la Renommée: Eddie Shore, Ching Johnson, Taffy Abel, les frères Cook, Frank Boucher et Red Dutton. Après la fin du brassage d'affaires, Dandurand invita les Patrick à dîner chez lui.

— Que pensez-vous de Herb Gardiner? demanda-t-il. (L'excellent défenseur n'avait encore été inclus dans aucune transaction.)

— Il est à vous si vous le voulez, répondit Lester Patrick.

— Combien?

— Un dollar.

— D'accord.

Gardiner était l'un des piliers de la défense qui joua devant George Hainsworth en 1928-1929, lorsque le petit gardien de but ne laissa passer que 43 buts en 44 parties et compila 22 jeux blancs.

À cette époque, les affaires se traitaient, disons, entre hommes, de façon un tantinet moins scientifique que dans le monde des affaires moderne.

En dépit de tout cela, Dandurand et ses collègues Mousquetaires assemblèrent une équipe qui gagna la coupe Stanley en 1923-1924, la première année de Howie Morenz, et deux autres fois, en 1930 et en 1931.

— La première fois, nous avons failli perdre la coupe après l'avoir gagnée, écrivit Dandurand.

L'équipe avait été invitée à l'Université de Montréal après avoir terrassé Ottawa, Vancouver et Calgary dans les séries éliminatoires. (Ce n'est qu'après 1927 que la coupe deviendrait le trophée exclusif de la LNH.) On présenta la coupe Stanley aux *Canadiens* au cours d'une cérémonie spéciale, et les joueurs se dirigèrent ensuite vers la maison de Dandurand dans un quartier huppé. Dandurand habitait en effet à Westmount, au sommet de la montagne.

Après la partie, plusieurs joueurs, dont Sprague Cleghorn, Sylvio Mantha et Vézina, s'entassèrent dans la Modèle T du patron pour faire le voyage. Tout alla bien jusqu'à ce que la voiture se retrouve chemin de la Côte-Saint-Antoine, spectacle qui aurait réjoui le coeur de plus d'un skieur alpin. Cleghorn avait transporté la coupe sur ses genoux jusqu'au moment où les trois joueurs sortirent de la voiture en se bousculant pour pousser Monsieur Léo et son tacot dans la pente ascendante.

Le rude défenseur déposa doucement la coupe sur le bord du trottoir, et la voiture parvint jusqu'au sommet de la côte. Environ deux heures plus tard, Mme Dandurand, tout en remplissant les verres de son célèbre punch, s'avisa de demander: «Au fait, où est cette fameuse coupe dont vous parlez tous?»

Cleghorn, jamais à court de mots, répondit: «Oh oh!»

Dandurand et Cleghorn se ruèrent vers le chemin de la Côte-Saint-Antoine là où la Modèle T avait calé. La coupe était toujours là.

De nombreuses années avant sa mort, on demanda à Dandurand de parler de l'aspect affaires du hockey à son époque.

— Disons seulement que c'était une période moins complexe, répondit-il.

En 1932, les *Canadiens* de Montréal constituaient à peine la charpente de l'organisation d'affaires actuelle. Il s'écoulerait encore quatorze ans avant l'arrivée de Frank Selke. Et une bonne partie de ces quatorze années représenteraient les pires années de l'histoire du Club.

Chapitre 3

La nuit tombe

Le mythe de l'invincibilité des *Canadiens* de Montréal n'a jamais été plus vulnérable que pendant la Dépression.

Ceux qui, aujourd'hui, trafiqueraient l'histoire délibérément ou inconsciemment pour affirmer que les *Canadiens* ont toujours été les meilleurs, qu'ils ont toujours tenu le haut du pavé et qu'ils sont à jamais les *Flying Frenchmen* seraient peut-être surpris de découvrir à quel point l'équipe était lamentable au cours des années trente et quarante. Et ceux qui croient que le Club n'échange jamais ses meilleures supervedettes, comme Richard, Béliveau et Lafleur, seront peut-être stupéfiés d'apprendre qu'il céda Howie Morenz à Chicago en 1934.

Si vous découvrez les faits qui se cachent derrière la mythologie populaire, vous les trouverez très révélateurs. L'époque Dandurand-Morenz atteignit son apogée en 1929-1930 et en 1930-1931 avec deux coupes Stanley consécutives. Les *Canadiens* de Montréal ne gagneraient à nouveau les trophées prisés par lord Stanley qu'à la saison 1943-1944. Ce passage à vide d'une durée de treize ans fut le plus long de toute l'histoire du Club. Pendant cette période, Detroit gagna trois fois (1935-1936, 1936-1937, 1942-1943), et Toronto (1931-1932, 1941-1942), les *Rangers* de New York (1932-1933, 1939-1940), les *Black Hawks* de Chicago (1933-1934, 1937-1938) et les *Bruins* de Boston (1940-1941) gagnèrent respectivement à deux reprises. La ville de Montréal ne connut pas de passage à vide aussi long que celui des *Canadiens*, dont les adversaires par excellence, les *Maroons*, réussirent à gagner la coupe en 1934-1935. Non seulement les *Canadiens* ne faisaient que perdre, mais il semblait au contraire que toutes les autres équipes, elles, gagnaient. Toute une dynastie.

Les ennuis ne s'abattirent pas de façon soudaine sur l'équipe et, selon la formule, il leur fallut du temps pour venir et encore plus pour partir. Ils débutèrent, hors de la patinoire, peu après la conquête de la coupe Stanley de 1930-1931. Le noyau des gagnants de cette coupe, George Hainsworth, Sylvio et Georges Mantha, Marty Burke, Aurèle Joliat, Morenz, Pit Lépine et Johnny Gagnon, demeura intact pendant deux autres années. Les changements étaient effectués dans les bureaux de l'administration. Dandurand, Cattarinich et Létourneau s'étaient montrés à la hauteur depuis l'achat de l'équipe en 1921. Ils avaient embauché des directeurs qualifiés qui, à leur tour, avaient fait monter sur la patinoire une équipe compétitive et spectaculaire. Ils dominèrent tous les faits nouveaux dans le domaine du hockey à Montréal, y compris celui d'arracher le Forum aux *Maroons*.

À Montréal, au début des années trente, un sujet de conversation était fréquent: «Quelle est l'équipe qui déménagera?» Les *Canadiens* et les *Maroons*, adversaires par excellence sur la patinoire, étaient encore plus compétitifs à l'extérieur, parce que tous les intéressés étaient conscients du fait qu'au bout du compte, une seule équipe pourrait survivre. À l'occasion, on entendait parler de fusion, ce qui amenait les partisans à imaginer le dynamisme de l'équipe qui naîtrait d'un mariage aussi favorable. Dans les milieux de la haute finance, il y avait de fréquents débats à propos de cette fusion, et chaque camp tâtait discrètement le terrain de l'autre à intervalles presque réguliers. L'association dura deux années encore, mais elle était vouée à l'échec; le temps et les efforts des directeurs étaient absorbés par d'autres intérêts beaucoup trop nombreux. Les initiés prétendent que Dandurand, toujours à l'affût de nouvelles aventures, en avait eu assez. C'est à ce moment-là que «Tay Pay» (selon la prononciation française des initiales anglaises (T.P.) Gorman fit son entrée.

Pour mieux comprendre ce qui se produisait, il est nécessaire de faire un tour à Ottawa et à Chicago. Ottawa était la ville natale de l'entrepreneur sportif Thomas Patrick Gorman. Pour tous les journalistes sportifs d'aujourd'hui qui croient fermement qu'ils en savent plus que les gérants sportifs dont ils assurent la couverture, Tommy Gorman est une source d'inspiration. Ce qu'il disait lui-même lorsqu'il était éditeur sportif du journal *The Ottawa Citizen* avant la guerre, il le prouva, lorsqu'on lui en donna l'occasion avec les trois coupes que ses *Senators* d'Ottawa gagnèrent en 1920, 1921 et 1923.

«The Great Gorman» est le titre de l'article écrit par le journaliste sportif Jim Coleman, paru le 1er mars 1946 dans le magazine *Maclean's*:

En M. Gorman, se trouvent réunies certaines des caractéristiques de P.T. Barnum, de Shirley Temple et d'un banquier très perspicace. S'il inspire souvent le dépit à ses adversaires, M. Gorman peut se permettre de rire sous cape de leur déconvenue — il est le dernier survivant des quatre hommes qui ont formé la Ligue nationale de hockey à l'origine.

De plus, même à défaut d'autres titres, il entrerait dans l'histoire pour avoir été l'unique reporter judiciaire à gagner un million de dollars grâce à un pur-sang. Mais il fut victime d'un sort qui ne peut frapper qu'un Irlandais ou un journaliste: le cheval tomba malade et mourut inopinément!

À New York, il y a des gens qui n'ont pas froid aux yeux, loin de là, et Gorman était un habitué des commissariats de police. Il comprit que certains de ses patrons pourraient en venir à échapper à la justice. L'intuition de Gorman était infaillible. Le propriétaire du Club se trouva peu après au pénitencier fédéral d'Atlanta pris dans un conflit à sens unique pour évasion fiscale, à la Al Capone.

En 1928, il quitta le hockey pour se joindre à son ami Jim Crofton, connu aussi sous le nom de Sunny Jim Coffroth, au nouvel hippodrome Agua Caliente juste à l'extérieur de Tijuana, au Mexique. L'hippodrome connut un succès immédiat. Il offrait les meilleures installations du genre dans le sud de la Californie et à un moment où les courses de chevaux étaient interdites dans cet État. Messieurs Crofton et Gorman étaient pleins aux as quand une magnifique affaire arriva au galop en 1932.

Un grand hongre d'Australie portant le nom invraisemblable de Phar Lap étonnait le monde des courses en triomphant des autres chevaux avec une aisance méprisante. Si les propriétaires et l'entourage du cheval étaient tous des «gens de chevaux» qui avaient eu la veine de tomber sur une affaire lucrative, le sens des affaires leur manquait, ce qui réduisait grandement leurs chances de gagner. Phar Lap gagna facilement le Handicap d'Agua Caliente, et Forman convainquit les Australiens de lui permettre d'organiser une série de courses à travers l'Amérique du Nord qui prendrait fin dans l'est, là où était l'argent.

La catastrophe ne se fit pas attendre. Phar Lap mourut en des circonstances mystérieuses; ses dresseurs étaient convaincus qu'on l'avait empoisonné. Par la suite, des législateurs de Sacramento décidèrent qu'il n'était pas si mauvais d'avoir des courses de chevaux en Californie, et la crème de Hollywood n'eut plus à se rendre à Agua Caliente pour parier sur les pur-sang.

Le hockey attira Gorman à nouveau.

Joe Gorman esquissera un sourire lorsque vous parlerez de son père, bel Irlandais et coureur de jupons notoire qui, plus d'une fois, réussit de justesse à éviter des problèmes avec les dames de l'entourage officiel de l'équipe. Tommy avait le don de la flatterie, mais c'était aussi un bourreau de travail qu'une journée de dix-huit heures n'effrayait pas.

— Papa s'occupait de hockey, de courses de chevaux et de base-ball à Ottawa et à Montréal et était un bon ami et une relation d'affaires de Dandurand et de Cattarinich. En 1932, papa retournait en Californie lorsqu'ils le firent descendre du train. Ils avaient investi 50 000 $ dans les *Black Hawks* de Chicago dont le propriétaire était le major McLaughlin, et ils voulaient que papa surveille leur investissement. Après un marché avec McLaughlin, ils firent de papa l'entraîneur de l'équipe.

Dans le langage de cette époque, le major Frederic McLaughlin était tout un numéro. On rapporte que le major Hoople était peut-être plus près de la vérité. Riche rejeton d'un homme qui avait fait fortune dans l'importation du café, grand et du genre vedette de cinéma, il arborait une moustache bien taillée et des noeuds papillon. Il jouait au polo et était un boute-en-train de la vie mondaine de Chicago. On nomma les *Black Hawks* en souvenir de la célèbre 85e Division Black Hawk de l'armée américaine à laquelle le major avait été affecté au cours de la Première Guerre mondiale. Le major devait avoir l'impression qu'il n'avait jamais quitté les tranchées ou son bataillon de mitrailleuses parce qu'il dirigeait son équipe en conséquence.

Quatre ans avant d'organiser la concession de Chicago, le major épousa la vedette de cinéma Irene Castle, de la célèbre équipe de danseurs Castle et Castle, et commença réellement à se donner des airs.

Tommy Gorman entra en scène en 1932, lorsque la chance avait commencé à bouder les *Black Hawks*. Jusque-là, Chicago s'était classé troisième, dernier, dernier, deuxième, deuxième et deuxième dans la division américaine de la LNH. Chaque fois que les *Hawks* menaçaient de devenir une bonne équipe, McLaughlin se débarrassait d'un autre entraîneur.

En un peu plus de six saisons, Pete Muldoon, Barney Stanley, Hugh Lehman, Herb Gardiner, Tom Shaughnessy, Bill Tobin, Dick Irvin, Godfrey Matheson et Emil Iverson s'étaient tous tenus derrière le banc de Chicago. Lorsque le major recruta Matheson, il ne faisait que suivre son comportement habituel. Ils se rencontrèrent à bord d'un train dans le Midwest américain et engagèrent une conversation. Matheson mentionna qu'il était de Winnipeg, et les yeux du major s'animèrent. Si cet homme était canadien, raisonna le major, il devait en savoir pas mal sur le hockey. Lorsque le train entra en gare à Chicago, Matheson était le nouvel entraîneur des *Black Hawks*.

Cette sublime ânerie mit l'équipe dans une mauvaise passe financière. Les habitants de Chicago adoraient le hockey, mais ils n'allaient pas supporter une équipe de deuxième ordre. Leur attitude et un froid terrible au

Brésil poussèrent le major à faire des pieds et des mains pour trouver des fonds de roulement. C'est à ce moment-là que Dandurand et Cattarinich firent leur entrée.

— On avait ordonné à mon père d'améliorer l'équipe pour que Dandurand et Cattarinich puissent récupérer leur argent, et c'est ce qu'il fit, raconte Joe Gorman.

Tommy Gorman prit les rênes d'entraîneur à la saison 1932-1933, et les *Hawks* terminèrent au tout dernier rang. L'année suivante, Gorman négocia quelques judicieux échanges de joueurs, et les *Hawks* se classèrent deuxièmes dans leur division et troisièmes dans la Ligue. Une équipe de vétérans incluant Taffy Abel, Lou Trudel, Lionel Conacher, Paul Thompson, Leroy Goldsworthy, Johnny Gottselig, Mush March et Chuck Gardiner firent des ravages dans les éliminatoires, l'emportant sur Detroit dans une série finale de quatre parties pour gagner la coupe Stanley.

Dans le territoire du major McLaughlin, ce pouvait être à la fois de bonnes et de mauvaises nouvelles pour l'entraîneur. McLaughlin se querellait avec la famille Norris, propriétaire du caverneux Chicago Stadium, depuis 1928, lorsqu'il avait refusé d'accepter qu'il y ait une deuxième équipe de la LNH à Chicago.

En réponse, les Norris fondèrent, cette année-là, les *Shamrocks* de Chicago de l'American Association qui attirèrent un plus grand nombre de spectateurs au Stadium. Lorsque la Ligue mordit la poussière en 1931, McLaughlin signa un contrat de trois ans avec le Stadium et fut satisfait pendant un certain temps, jusqu'à ce que le Stadium commence à perdre de l'argent et que la famille Norris le tire d'affaire.

— Les familles Norris et Wirtz possédaient Detroit et New York, et elles voulaient Chicago et le Stadium. Wirtz alla voir mon père et «suggéra» qu'on joue une partie de plus contre Detroit. Papa savait à ce moment-là qu'il était fichu. D'une façon ou d'une autre, on allait lui forcer la main, et il voulait demeurer étranger à la moindre allusion à un étirement possible des séries ou à la perte délibérée de parties. Ce soir-là, mon père, qui logeait au Sherman Hotel, rassembla ses affaires et les laissa dans sa voiture qu'il gara à environ cinq pâtés de maison du Stadium. Les *Black Hawks* gagnèrent 1-0 contre Detroit, et lorsque la partie fut terminée et que les festivités se furent apaisées, mon père se mit au volant de sa voiture et rentra chez lui, au Canada.

Gorman avait été absent pendant un certain temps; il découvrit avec consternation que les coupes Stanley qu'il avait gagnées à Chicago ne le faisaient pas apprécier de tous les Canadiens. Lorsqu'il traversa la frontière à Windsor, on l'arrêta parce que ses plaques d'immatriculation étaient périmées et on le jeta en prison pour la nuit. Au réveil, les Canadiens trouvèrent dans leurs journaux du matin des photos du directeur gérant, gagnant de la coupe Stanley, en route vers la prison.

Gardant tout son sang-froid, il continua sa route vers Montréal où il rencontra Dandurand.

À cette époque, les *Maroons* étaient la propriété de la Canadian Arena Company à qui ils causaient toutes sortes de problèmes au Forum. L'édifice était hypothéqué à mort et on parlait sérieusement de transformer le Forum en dépôt de tramway pour desservir l'ouest de la ville. Joe et Léo récupérèrent leur argent, mais leurs problèmes financiers n'étaient pas terminés.

Dandurand et Cattarinich recommandèrent au sénateur Raymond, copropriétaire et président de la Canadian Arena Company, de trouver un emploi pour Gorman, gérant de hockey et homme d'affaires de premier ordre. Il fut nommé gérant des *Maroons*.

— C'est mon père qui introduisit Lionel Conacher comme entraîneur, et des joueurs comme Alex Connell et Allan Shields pour accompagner des gars comme Tow Blake, Cy Wentworth, Jimmy Ward, Hooley Smith, Bob Gracie et Herbie Cain; les *Maroons* se classèrent deuxièmes dans leur division et gagnèrent la coupe Stanley.

Aucun livre sur les *Canadiens* de cette époque ne serait complet sans un regard sur les *Maroons*, l'autre équipe de Montréal. En fait, beaucoup d'anciens partisans vous diront que les *Canadiens* étaient l'autre équipe. Dans les années trente, la rivalité entre les *Maroons* et les *Canadiens* était l'une des rares choses qui pouvait attirer vers une patinoire les partisans sans le sou de l'époque de la Dépression. C'était surtout parce que l'animosité entre anglophones et francophones avait été intégrée dès le départ.

En 1924, Dandurand, metteur en scène accompli, vendit la moitié de ses droits territoriaux à Jimmy Strachen, homme d'affaires montréalais et propriétaire de la Canadian Arena Company. Parler de vendre est peut-être un peu trop fort; il les donna presque pour 15 000 $.

En parieur expérimenté, Dandurand prenait un risque calculé. À Montréal, pendant des siècles, n'importe quel politicien ou sociologue pourrait vous dire que la tension culturelle admirablement calibrée entre les communautés francophone et anglophone a fait l'objet de toutes les rumeurs.

Si quelqu'un était à l'écoute de ce phénomène culturel, c'était Dandurand, un Canadien français qui avait passé les seize premières années de sa vie aux États-Unis. Son anglais et son français impeccables lui permirent de circuler librement dans les deux communautés. Son sens instinctif de la mise en scène lui dit que de là découlaient les grandes rivalités et les profits.

Dans *The Hockey Book*, présenté par Wilfrid Victor (Bill) Roche, Dandurand explique son raisonnement.

> Permettre aux *Maroons* de s'intégrer au hockey montréalais n'était pas une forme de générosité de ma part. J'ai vu en eux une rivalité locale importante et lucrative, de

> même qu'un apport appréciable pour la Ligue et pour le hockey en général.
>
> J'ai laissé les *Maroons* se joindre à la LNH pour la somme de 15 000 $, ce qui paraissait très raisonnable, même aux directeurs des *Maroons*. Il était entendu par les trois autres clubs membres de la LNH — les *St.Pats* de Toronto, les *Senators* d'Ottawa et les *Tigers* de Hamilton — que les 15 000 $ iraient aux *Canadiens*.
>
> Entre parenthèses, ce prix établit un précédent pour le droit de soumission des concessions de Boston (1924), de Pittsburgh et des *Americans* de New York (1925) et des *Rangers* de New York (1926). Cependant, les 15 000 $ furent à l'origine d'une dispute dans la LNH. Toronto, Ottawa et Hamilton commencèrent à penser que l'argent que les *Maroons* avaient déboursé pour entrer dans la Ligue devraient être partagé également entre eux et les *Canadiens*. Ça ne m'arrangeait pas parce qu'on avait convenu en privé que l'argent irait aux *Canadiens*. L'ennui était qu'il n'y avait aucun document prouvant cet accord, rien dans le procès-verbal de la Ligue non plus.

Les *Canadiens* réussirent finalement à garder tout l'argent, et à partir de ce moment-là, une sténographe nota le procès-verbal de toutes les assemblées de la LNH. Dandurand y tenait.

La rivalité entre les équipes escomptée par Dandurand se vérifia la toute première fois qu'elles s'affrontèrent dans leur Forum. Lorsque le *Bleu-blanc-rouge* jouait contre le *Bordeaux-et-ocre*, tout pouvait se produire sur la patinoire et dans les gradins. Les deux équipes étaient personnifiées par un joueur ou par une ligne spécifique. Chez les *Canadiens*, c'était Morenz, Joliat, Black Cat Gagnon et leur vitesse énergique. Dans le cas des *Maroons*, c'était le hockey rude et plus lent, personnifié par la «ligne des trois S», Nels Stewart, Babe Siebert et Hooley Smith.

«Hooley était à peu près le type le plus méchant qu'on puisse voir», aurait pu dire n'importe quel partisan des *Maroons* ou des *Canadiens* de cette époque. Les durs légendaires, comme par exemple les frères Cleghorn, s'étaient retirés depuis longtemps, mais les *Canadiens* avaient des joueurs comme les frères Mantha, George et Sylvio, Albert «Battleship» Leduc, Pit Lépine et Joliat.

Jusqu'où allait la rivalité entre les *Maroons* et les *Canadiens*? La meilleure réponse provient du défenseur des *Maroons*, Red Dutton, un cowboy de l'Ouest, qui fut la vedette des *Americans* de New York et présida aussi la LNH pendant six ans. S'impatientant avant une partie pendant que l'arbitre était à la recherche de trois onces de caoutchouc noir vulcanisé, Dutton prononça la phrase célèbre:

— Oubliez cette foutue rondelle et commençons la partie!

Même Dandurand n'était pas immunisé contre la rivalité: au cours d'une partie, il se laissa entraîner dans une bagarre avec Smith et Newsy Lalonde!

— Ils étaient plus gros que nous et ils jouaient en conséquence, se souvient Joliat. Mais on ne pouvait pas se dégonfler. Il n'y avait pas où se cacher, on jouait toutes les parties contre eux dans notre propre ville, et tout le monde savait que chacune de ces parties représentait plus que les précédentes. C'était surtout vrai vers le milieu des années trente lorsque personne ne savait quelle équipe survivrait à Montréal. On en était arrivés au point où c'était comme si on jouait pour mériter de rester. Mon vieux, c'étaient des vrais durs... Je ne me souviens de personne qui ait été plus dur que Hooley Smith. Il y avait des types comme Eddie Shore qui ne se dérobaient jamais devant qui que ce soit, mais Hooley s'est chargé de lui. Battleship participa aussi à deux ou trois bagarres avec ces gars-là. Je ne peux pas m'empêcher de rire lorsque les partisans de hockey d'aujourd'hui jettent les hauts cris quand des gros méchants *Bruins* ou des *Flyers* de Philadelphie se bagarrent une ou deux fois dans une partie. À cette époque, ces types faisaient de la chirurgie avec leurs bâtons. Lorsqu'une bagarre commençait sur la patinoire, elle pouvait tout aussi bien se terminer dans les gradins que dessous, et tout le monde y prenait part.

Les *Maroons* se joignirent à la Ligue en 1924 et gagnèrent leur première coupe Stanley deux ans plus tard. En 1927 et 1928, la rivalité entre les *Maroons* et les *Canadiens* fut gravée dans la pierre, les *Habitants* faisant échec à leurs adversaires de l'autre bout de la ville dans un deux-de-trois la première année, et les *Maroons* leur rendant la pareille l'année suivante.

En 1928, les *Maroons* forcèrent les *Rangers* de New York à jouer cinq parties et perdirent la partie décisive à domicile. On pourrait dire charitablement de cette partie qu'elle ne fut pas bien arbitrée. Cependant, les partisans n'étaient pas d'humeur charitable; ils tentèrent de pénaliser le malheureux officiel qui dut sortir de l'édifice sous escorte.

Les *Maroons* étaient à tout le moins imprévisibles, tombant en dernière place dans la division canadienne en 1929, puis revenant en force dès l'année suivante pour gagner le championnat de la division et perdre face aux *Bruins* dans les séries éliminatoires. Et bien que les *Canadiens* aient pu être mécontents d'avoir perdu le championnat de la saison régulière au profit de leurs adversaires locaux, ils se consolèrent en gagnant la coupe Stanley, la première de deux.

Après les deux championnats consécutifs des *Canadiens*, ce fut au tour des *Maroons* de faire la manchette du hockey à Montréal. Dans les séries éliminatoires de 1932, ils allèrent en prolongation contre les favoris, les *Maple Leafs* de Toronto, avant de succomber. Les deux années suivantes, ils furent éliminés respectivement par les *Red Wings* de Détroit et les *Black Hawks* de Chicago. Cependant, leur tour vint en 1935, lorsqu'ils affrontèrent à nouveau la célèbre machine offensive de la «Kid Line» des *Maple Leafs* — Charlie Conacher, Joe Primeau et Busher Jackson. Grâce à un jeu violent dans les coins, à une défense de groupe, en comptant sur l'enthousiaste Clint Benedict pour garder le filet, les *Maroons* gagnèrent la coupe Stanley — la dernière à être gagnée par un représentant de Montréal jusqu'en 1944.

Les choses avaient à peine commencé que tout était fini pour les *Maroons*. Pendant la Dépression, les deux équipes connaissaient des problèmes financiers, mais les *Canadiens* étaient dans la situation la plus désespérée. Équipe médiocre et presque sans direction, les *Canadiens* s'habituaient à jouer pour une assistance d'au plus deux mille personnes et perdaient beaucoup d'argent. Pour les partisans de hockey montréalais, le point le plus bas fut atteint en 1937, l'année où Howie Morenz réintégra les rangs des *Canadiens* et mourut; une année pendant laquelle presque chaque description des équipes commençait par «en difficultés financières».

Le 17 septembre 1935, il sembla que les rumeurs de fusion allaient se confirmer lorsqu'on vendit les *Maroons* à Ernest Savard, à Louis Gélinas et au colonel Maurice Forget. Ensemble ils avaient formé un syndicat et étaient liés indirectement à la Canadian Arena Company. Cette dernière avait deux biens principaux, le Forum et les *Maroons* de Montréal.

— Montréal devait en venir à n'avoir qu'une seule équipe, dit Gorman, et c'était inclus dans le marché qu'on avait gardé secret. Les trois hommes achetèrent les *Maroons* et projetaient de déménager la franchise à St.Louis, mais Conn Smythe, avec sa grande perspicacité, mit fin à ce projet. À ce moment-là mon père n'avait plus rien à voir avec l'équipe parce que le sénateur avait donné la direction des opérations à Ernie Savard, un copain avec qui il aimait prendre un verre. Il l'a peut-être fait parce que, une fois de plus, papa avait eu trop de succès et avait gagné la coupe cette première saison. Ce n'est pas facile de mettre un terme aux activités d'un gagnant de la coupe Stanley pour garder une équipe classée septième (les *Canadiens*). Ce genre de manoeuvre aurait été explosive, avec ou sans majorité francophone.

Les gagnants de la coupe de 1935 conservèrent leur élan en gagnant le championnat de la division canadienne en 1936, mais ils perdirent la première manche des éliminatoires. L'année suivante, ils terminèrent en deuxième position pendant la saison régulière et se rendirent en demi-finale dans les éliminatoires. En 1937-1938, les *Maroons*, autrefois arrogants, rendirent leur dernier soupir sans un seul gémissement, incapables de se rendre en finale avec une fiche de douze victoires, trente défaites, et six matchs nuls dans la saison régulière de quarante-huit parties. Le 25 août, avant le début de la nouvelle saison, les *Maroons* mirent fin à leurs activités. On avait décidé dans la salle du conseil que, si une équipe allait survivre à Montréal, ce seraient les *Canadiens*; après tout, la population de la ville était à soixante-quinze pour cent francophone, et les *Canadiens* étaient leur équipe.

Personne ne se réjouit de la nouvelle. Au cours de leur courte existence, les *Maroons* s'étaient attiré le respect de leurs adversaires; en tout juste quatorze ans, ils avaient gagné deux fois le championnat de la saison régulière et deux fois la coupe Stanley. Et les partisans qui s'étaient entassés dans le Forum pour assister aux parties entre les *Habitants* et les *Maroons* savaient que ce genre de «querelle familiale» que les deux équipes représentaient allait leur manquer. De plus, beaucoup de partisans éperdus des *Maroons* étaient convaincus qu'ils ne pourraient jamais appuyer une équipe qu'ils avaient détestée si longtemps et passionnément. Cependant, avec le temps, la plupart d'entre eux se rallièrent aux *Canadiens*.

— Ce qu'il y a de plus regrettable, c'est qu'une fois que les *Maroons* eurent mis fin à leurs activités, Savard gâcha tout. Au lieu de déménager les *Maroons* à St.Louis et de rebâtir les *Canadiens*, on fusionna les deux équipes. Cependant on donna la plupart des bons joueurs tels Gracie, Cain et Dave Kerr, et on garda Wentworth et Stu Evans, tous deux au bout du rouleau.

Gorman jouait encore un grand rôle dans la Canadian Arena Company et, en tant que directeur commercial, il avait pour tâche de remplir le grand édifice le plus de soirs possibles.

— Mon père commença tranquillement à monter la Quebec Senior Hockey League. La Ligue réunissait plusieurs équipes de la région de Montréal et aussi de Valleyfield, de Shawinigan, de Chicoutimi et de Sherbrooke qui jouaient des doubles au Forum le dimanche. La QSHL fit un malheur, et ça s'est produit au Forum. Comment faire pour remplir un édifice?

La réponse flatterait Hulk Hogan, Nikolai Volkoff et André le Géant. Gorman «découvrit» la lutte professionnelle qui devenait populaire partout aux États-Unis.

Eddie Quinn était le grand promoteur de Montréal, et un Canadien français encore inconnu nommé Yvon Robert allait devenir une attraction plus grande que les *Canadiens*.

— À cette époque, papa touchait à tout et, au point de vue des profits, le Forum s'améliorait. La lutte occupait un grand nombre de soirées d'été et d'automne, et les spectacles sur glace aidaient à meubler les soirées tranquilles d'hiver et de printemps.

Les *Canadiens* survivaient, même s'ils n'avaient pas beaucoup d'énergie. En 1938-1939, dans une ligue de sept équipes, ils terminèrent sixièmes et en 1939-1940, ils se retrouvèrent en toute dernière position avec une fiche de 20 points accumulés en 10 victoires, 33 défaites et 5 matchs nuls sur un total de 48 parties. Il fallait faire quelque chose, et le sénateur Raymond intervint.

William Northey faisait maintenant marcher la boutique, et on conclut un marché avec Lester Patrick à New York, stipulant que certains des *Rangers* viendraient jouer pour les *Canadiens* et qu'on ferait venir Frank Patrick, pour gérer le Club. Cette idée n'était pas si mauvaise. Deux fois de suite, les *Rangers* s'étaient classés deuxièmes pendant la saison régulière et, électrisés par la façon de garder le filet de Dave Kerr (vous vous souvenez de lui?) et le jeu de Phil Watson, des Colville, des Patrick (Lynn et Muzz), de Babe Pratt et de Bryan Hextall, ils avaient raflé la coupe Stanley en 1939-1940.

La réputation des Patrick au hockey était superbe, et on espérait que Frank ferait revivre les *Canadiens*. Il commença par proposer l'ancien grand joueur de New York, Bun Cook, comme entraîneur.

Northey se rendit à Toronto pour conclure le marché et interviewer son nouvel entraîneur. On frappa à sa porte d'hôtel. Lorsqu'il ouvrit, Bun Cook s'effondra littéralement, ivre mort. L'entrevue se termina pour ainsi dire sur le pas de la porte.

On dépêcha Tommy Gorman à New York pour voir ce qui s'y passait. Après tout, la saison 1940-1941 allait bientôt commencer.

— Lester Patrick bafouillait, et mon père lui dit: «Écoute, j'ai pas de temps à perdre. Le camp d'entraînement débute dans quelques semaines. Tourne pas autour du pot.» «Les directeurs n'acceptent pas le marché», dit Lester après s'être éclairci la voix. Papa reprit le train en direction de Montréal. Que pouvait-il faire d'autre? Il devait maintenant annoncer aux *Canadiens* que leur équipe ne valait pas grand-chose.

Gorman n'était pas complètement désarmé. Il savait qu'il pourrait rapidement trouver un entraîneur de premier ordre parce que le journaliste sportif torontois, Andy Little, l'avait prévenu que Dick Irvin était fichu à Toronto et qu'il serait bientôt remplacé par Hap Day.

On envoya Joe Gorman, devenu le lampiste de son père et l'accompagnant partout, à l'hôtel Mont-Royal pour voir Irvin et l'amener à Sainte-Adèle, à environ 60 km au nord de Montréal, dans les Laurentides.

— Papa mit Dick au courant, il voulait que celui-ci sache exactement dans quoi il s'embarquait. Nous n'avions pas d'équipe de hockey et nous allions devoir partir de zéro pour en monter une.

Cette évaluation de la situation ne le fit pas bien voir de la hiérarchie, surtout du sénateur Raymond qui n'appréciait pas la critique implicite que faisait Gorman de son ami Ernest Savard. Le sénateur Raymond savait aussi que l'indomptable Irlandais faisait peu de cas de sa bonne foi.

Le Québec francophone voyait dans le sénateur Raymond un grand nom dans la haute société, un politicien, le trésorier du Parti libéral du Québec et un tireur de ficelles, sans parler de son élevage de bétail et de chevaux dans sa ferme patricienne à Vaudreuil et de ses relations dans le parlement québécois et à la Chambre des communes. Par contre, Tommy Gorman et son copain Maurice Duplessis qui, chef de l'Union nationale allait être premier ministre du Québec pendant plus de vingt ans, écartaient le sénateur Raymond avec mépris comme n'étant quère plus qu'un comparse du Parti libéral.

Les deux hommes turent leur hostilité: ils reconnaissaient qu'ils avaient besoin l'un de l'autre. Le sens aigu des affaires de Gorman avait commencé à rapporter des dividendes pour le Forum. Il faisait bel et bien un bénéfice, chose tout à fait étrangère au copinage administratif qui existait auparavant.

— Lorsque papa revint à Montréal, il constata que ces imbéciles avaient tout cédé par écrit... les concessions, la publicité, le programme de jeu... à tous leurs amis. Il y mit un terme rapidement et donna la priorité à la récupération de tout cela.

Gorman fit comprendre à Raymond et aux autres incrédules, de la façon la plus frappante, la valeur collective des *Canadiens.* Il libéra toute l'équipe, à l'exception de Toe Blake. Cependant, personne n'était d'accord. C'est au cours de la rencontre à Sainte-Adèle que Dick Irvin apprit ce qui se passait vraiment.

— Dick reçut dans les 4500 ou 5000 $, ce qui représentait une jolie somme à l'époque. Il fallait vider le vestiaire complètement et c'était à lui de le faire.

Restait encore Frank Patrick, dernier témoin de la rancune du sénateur Raymond, mais pas pour longtemps.

— Frank était un homme sympathique issu d'une bonne famille de hockey, mais il devait bien y avoir une raison pour que Lester l'ait laissé venir à Montréal. Il n'avait pas les pieds sur terre. Il parlait constamment d'amener l'équipe à Sun Valley, en Idaho, pour s'entraîner et de faire un film là-dessus. Mon père n'arrêtait pas de lui demander de quelle équipe il parlait. Celle qu'ils avaient à Montréal était un désastre.

Gorman et Irvin commencèrent enfin à monter une équipe et à assembler peu à peu les éléments qui en feraient une gagnante. Toe Blake était le noyau de l'équipe mais, cette année-là, il fut rejoint par un défenseur inexpérimenté de Winnipeg, Ken Reardon. Il repêcha, à Chicago, l'ancien défenseur des *Canadiens,* Jack Portland; Elmer Lach, un centre novice de Saskatchewan, se joignit à l'équipe la même année.

Un autre membre de l'équipe allait parvenir à la gloire d'une façon totalement différente. Antonio, dit Tony, Demers, un ailier droit qui avait un bon coup de patin et un lancer du poignet dévastateur, réussit 13 buts et 10 aides dans un total de 46 parties en 1940-1941. Neuf ans plus tard, après avoir été élu la saison précédente le joueur le plus distingué de la Quebec Senior Hockey League, il devint le premier et le seul ancien joueur des *Canadiens* de Montréal à être inculpé de meurtre. Plus tard reconnu coupable d'homicide involontaire après le décès de son amie, battue à mort, il fut condamné à quinze ans de prison. Il purgea la moitié de sa peine au pénitencier de Saint-Vincent-de-Paul avant d'être mis en liberté sous caution.

L'équipe disparate des *Canadiens* se classa sixième en 1941 et en 1942 mais semblait vouloir s'unifier, surtout après l'arrivée de jeunes nouveaux venus prometteurs tels Buddy O'Connor (1941), le gardien de but Paul-Émile Bibeault (1941), Butch Bouchard (1941), Maurice Richard (1942), Glen Harmon (1942), Mike McMahon (1943) et Bill Durnan (1943). L'équipe de 1942-1943 gagna deux positions dans le classement, mettant ainsi fin au passage à vide de quatre ans des *Canadiens* dans les séries.

Un an plus tard, tout rentra dans l'ordre. Menés par le trio d'attaque de Blake, Lach et Richard, la défense inébranlable de Reardon, McMahon, Frank Eddolls et Bouchard, et la façon de garder le filet de Durnam, les *Canadiens* établirent un record de points en saison régulière — 83 — en un total incroyable de 38 victoires, 5 défaites et 7 matchs nuls dans une saison de 50 parties. Detroit se classa deuxième avec un total de 58 points. Pour les *Canadiens*, ce fut le premier de quatre championnats de la division Prince-de-Galles.

Les *Habitants* couronnèrent leur meilleure saison en triomphant des *Black Hawks* de Chicago, 4-0, dans les séries finales. Dick Irvin et Tommy Gorman avaient fait leur boulot.

Le plus important, c'est que le hockey senior du Québec, que Gorman avait cultivé activement, commençait à rapporter des dividendes. Montréal faisait l'acquisition d'un certain nombre de joueurs de qualité, dont plusieurs étaient des Canadiens français qui avaient fait leur temps dans les rangs du junior et préféraient jouer pour le hockey senior plus près de leur domicile plutôt que d'aller aux États-Unis ou dans l'Ouest canadien pour acquérir de l'expérience dans le hockey mineur professionnel.

Les *Canadiens* ne gagnèrent pas la coupe Stanley en 1944-1945, mais revinrent en force l'année suivante pour en rafler une autre. Tout allait bien en apparence. Cependant, sous la surface, la querelle entre Gorman et Raymond faisait rage.

— En 1946, mon père en eut assez de Raymond. Il avait fait son travail et tout marchait bien au Forum. Ils n'avaient pas de dettes et faisaient un certain profit grâce aux spectacles sur glace et à la lutte. Les *Canadiens* remplissaient le Forum, et le hockey senior attirait encore les foules. La compagnie avait environ 600 000 $ en banque.

Tommy Gorman avait un réseau d'éclaireurs couvrant toute la province. Par une belle journée d'été, le défenseur Mike McMahon se présenta au bureau du directeur gérant et lui dit qu'il avait trouvé le prochain gardien de but des *Canadiens*. Environ deux semaines plus tard, McMahon entra dans le bureau de Gorman avec Gerry McNeil, un jeune gars de quinze ans venu de

Québec. À l'âge avancé de seize ans, McNeil se retrouva avec le *Royal senior* de Montréal.

— Tout l'intérêt du réseau qui alimentait mon père au Forum était là, ajoute Joe. McNeil ne coûta rien aux *Canadiens*; pas plus que le trio des Blake, Lach et Richard. Blake se présenta lorsque les *Maroons* mirent fin à leurs activités, Richard vint par l'intermédiaire du hockey junior québécois, et Lach se joignit à Montréal après avoir fait un essai avec les *Rangers*. Ceux-ci ne retinrent pas ses services et, en retournant vers l'Ouest, il passa par Montréal où il descendit au Queen's Hotel. Gordi Cannon le conduisit à notre camp d'entraînement de Saint-Hyacinthe pour qu'il y jette un coup d'oeil, et voilà.

Un arbitre de Toronto, Bert Hedge, refila un tuyau à Gorman sur un jeune joueur nommé Ted (Teeder) Kennedy, et le directeur gérant ajouta son nom sur la liste des négociations des *Canadiens*. Deux ans plus tard, on échangea Kennedy à Toronto contre Frank Eddolls et Joe Benoit, deux joueurs qui seraient d'importants rouages dans l'équipe des *Canadiens* des années 1940.

On critiqua beaucoup Gorman à propos de cet échange parce que Teeder Kennedy devint l'un des meilleurs joueurs de la LNH et la source d'inspiration d'une équipe de Toronto qui gagna quatre fois la coupe Stanley en cinq ans entre 1947 et 1952.

— Ce que la plupart de ces gens ne savaient pas, c'est que, à l'âge de dix-huit ans, Teeder vint à Montréal avec son père et qu'ils rencontrèrent mon père. M. Kennedy expliqua que son fils était né à Toronto où il avait été élevé, et qu'il ne désirait qu'une chose dans la vie: jouer pour les *Maple Leafs*. Mon père aurait pu insister pour qu'il joue à Montréal mais, respectant ce que disaient le père et le fils, il l'échangea à Toronto.

Les deux équipes en profitèrent. Les relations de Gorman s'étendaient encore plus loin que les campagnes du Québec et de la Saskatchewan. Il était né à Ottawa et, dans cette ville de fonctionnaires, cela signifiait qu'il avait grandi en connaissant bien certains membres importants du gouvernement.

Lorsque la Deuxième Guerre mondiale éclata, la question était de savoir si la Ligue nationale de hockey et les autres organisations sportives professionnelles pourraient ou non se maintenir en opération. Le Congrès américain discuta longuement et décida finalement que le base-ball majeur et les autres sports pourraient poursuivre leurs activités aux États-Unis. Les entrepreneurs sportifs canadiens exercèrent des pressions pour obtenir une décision semblable au nord de la frontière.

Ici, cependant, ils se heurtèrent à un mur en la personne de James Layton Ralston, un homme convaincu qui, originaire des Provinces maritimes était ministre de la Défense nationale dans le cabinet libéral du premier ministre Mackenzie King. Le sénateur Raymond, malgré toutes ses relations, n'avait guère de poids auprès du ministre: les deux hommes étaient en désaccord complet sur la question de la conscription. Le Canada francophone vota à presque quatre-vingt-dix pour cent contre une conscription qui enverrait ses jeunes gens se battre dans une guerre considérée comme britannique; le Canada anglophone vota le contraire dans une proportion presque égale.

King marcha sur la corde raide en matière politique lorsqu'il accepta un compromis: les jeunes Canadiens pourraient être enrôlés dans les Forces armées canadiennes, mais on ne pourrait pas les envoyer se battre outre-mer. Ralston s'opposait carrément à cette décision: il appuyait la conscription outre-mer. Il s'opposait aussi fermement à ce que les affaires continuent pour les sports professionnels et ne se fit pas prier pour le dire.

D'autres représentants de la LNH qui, comme Conn Smythe et le président de la Ligue, Red Dutton, avaient de nombreuses relations, tentèrent de dissuader Ralston, mais en vain. Sans consulter le Cabinet, il décréta unilatéralement que tous les sports devaient cesser leurs activités et que les Canadiens devaient participer totalement à l'effort de guerre.

— Mon père avait grandi avec les trois filles Lynch, comme on les nommait à Ottawa. L'une d'elles s'allia à la famille Labatt, et une autre épousa D.C. Coleman de Toronto, membre du conseil d'administration des *Canadiens* et père du journaliste sportif Jim Coleman. Cependant il y a plus. Jeune fille, elle avait été courtisée par deux hommes, M. Coleman et Mackenzie King. Il s'avéra que Mlle Lynch avait été la femme de la vie du premier ministre et qu'il avait encore un faible pour elle.

— Elle téléphona au premier ministre et organisa une rencontre dans le bureau de Mackenzie King entre lui, mon père, M. Dutton et l'un des Norris. Lorsqu'ils arrivèrent, le premier ministre les conduisit au bout du couloir, les fit entrer dans le bureau de M. Ralston et dit quelque chose comme «occupez-vous de ces messieurs». Le message était clair: M. King voulait que les sports professionnels poursuivent leurs activités, et M. Ralston faisait mieux de prêter grande attention à ce fait.

Les objections de Ralston furent aussi tempérées par le fait que Dutton, décoré pour ses hauts faits durant la Première Guerre mondiale, demandait que le hockey ne soit pas interrompu, bien que deux de ses fils aient été tués au combat à une semaine d'intervalle.

Ce beau coup redora le blason de Gorman dans la Ligue. Néanmoins, lorsque la guerre fut terminée, l'animosité entre Gorman et Raymond signifiait que leur association était destinée à se terminer. Et lorsque Tommy Gorman était mal vu du sénateur, il ne pouvait pas continuer ce jeu-là.

— Je me souviens d'un incident. La femme du sénateur Raymond voulait aller à leur chalet dans les Laurentides. Le sénateur était hors de la ville; par ailleurs, il avait rangé sa voiture pour l'hiver. Mon père suggéra que

Gordie Cannon conduise Mme Raymond et un de ses enfants là-bas, ce qu'il fit. Lorsque Raymond l'apprit, il fit une scène monumentale.

La goutte d'eau qui fit déborder le vase fut l'affaire du parc Atwater, depuis longtemps un terrain de base-ball, situé face au Forum, rue Atwater; Babe Ruth y avait joué une partie plusieurs années auparavant pendant une tournée. Gorman, toujours à l'affût de revenus éventuels, suggéra que la Canadian Arena Company achète le parc et qu'à court terme elle l'utilise comme parc de stationnement, tout en ne perdant pas de vue les possibilités de développement immobilier à long terme.

— Papa estimait qu'ils pouvaient l'acquérir pour 125 000 $ et que les revenus provenant du stationnement en une saison couvriraient le prix d'achat. De plus, l'équipe pensait augmenter le prix des billets, et papa estima que le parc de stationnement permettrait au Club d'annuler cette augmentation. À ce moment-là cependant, le sénateur Raymond s'opposait à tout ce que mon père suggérait. Le sénateur retira tous les profits de la compagnie. Mon père était un homme d'affaires tourné vers le futur et il voulait réinvestir ces profits dans la compagnie. Il ne pouvait rester avec le Club dans ces circonstances.

Bien sûr, il y a toujours le revers de la médaille. Dans ce cas, c'était une allusion discrète provenant du Forum au fait qu'on avait en réalité congédié Gorman à cause de prétendues irrégularités dans la vente de billets. Certains trafiqueurs célèbres de Montréal, parmi lesquels Jockey Fleming, obtenaient, semblait-il, des places de choix pour les revendre au marché noir; on soupçonna le directeur gérant. On ne put jamais rien prouver.

Ce chapitre a essentiellement été celui de Tommy Gorman, et à juste titre. Au fil des ans, sa contribution fut pratiquement effacée des annales des *Canadiens*, à mesure que se tissait l'histoire de Selke et de Pollock. Que Frank Selke l'ait fait exprès ou non, il a donné l'impression qu'en arrivant à Montréal il s'était trouvé face à une concession en proie à un désordre absolu.

Il n'y a rien de plus faux.

Frank Selke se joignit à une organisation qui, en général, était prospère. Le 9 avril 1946, au Forum, les *Canadiens* avaient gagné la coupe Stanley en triomphant de Boston par la marque de 6-3. La formation incluait des noms comme Lach, Blake, Richard, Mosdell, O'Connor, Bouchard, Reardon, Eddolls et Durnan. Son entraîneur était le redoutable Dick Irvin.

Le temps était venu pour le sénateur et pour T.P. de se séparer.

La famille Gorman parle encore d'un appel qu'Irvin reçut avant la quatrième partie des séries finales à Boston, les *Canadiens* menant les séries 3-0. Cet appel provenait de quelqu'un de haut placé dans l'organisation des *Canadiens* et donnait des directives pour qu'on retire Toe Blake du jeu. Si Boston gagnait ce soir-là, les équipes devraient revenir à Montréal pour jouer la cinquième partie. À ce que l'on raconte, Irvin était dans une colère noire lorsqu'il raccrocha.

— Qu'est-ce que je fais, demanda-t-il à voix haute.

Pour Gorman, c'était du déjà vu.

— Mon père fit face à Dick et lui dit qu'il se foutait pas mal de ce qui se passerait, mais que même si Irvin et lui devaient être en chômage le lendemain, Blake jouerait. Ce soir-là, les *Canadiens* perdirent la partie légitimement et gagnèrent la coupe chez eux à Montréal.

Peu de temps après, Tommy Gorman ne faisait plus partie de l'équipe, et était virtuellement rayé de l'histoire des *Canadiens.*

Il retourna à Ottawa et au Ottawa Auditorium dont il était le propriétaire en plus du Club de hockey junior des *Senators* d'Ottawa. Là, grâce aux intérêts qu'il avait dans le base-ball, le hockey et les courses de chevaux, il poursuivit une carrière heureuse et saine jusqu'à sa mort en 1963.

Phar Lap ne répondit peut-être pas à son attente, mais ce ne fut pas le cas d'une ravissante jeune fille nommée Barbara Ann Scott. Après avoir gagné le championnat du monde de patinage artistique en 1948, la jeune étoile d'avenir fut exclue du marché américain lucratif des spectacles sur glace par certains promoteurs américains chauvins et peu perspicaces. T.P. intervint et organisa personnellement dans plusieurs villes et sur plusieurs patinoires canadiennes une tournée qui rapporta d'appréciables bénéfices à la patineuse et à l'organisateur.

Une remarque révélatrice que nous fit Frank Selke bien des années plus tard explique peut-être son effacement des archives du Club de hockey canadien.

Le sénateur Raymond, directeur d'une banque torontoise, assista, en mai 1946, à la réunion annuelle de cet établissement. Pendant qu'il se trouvait à Toronto, il appela Selke qui avait déjà quitté Smythe et les *Maple Leafs* et était de retour chez lui à Kitchener.

— Je lui ai dit que je ne pouvais pas travailler pour M. Gorman. M. Raymond m'a dit qu'ils allaient le mettre à la retraite à la fin de leur exercice, le 1er juillet. Je me suis donc rendu là-bas.

Pour quelle raison Selke ne pouvait-il pas travailler pour Gorman?

— Il était bizarre. Tommy était le genre de gars — je ne dis pas ça en mal — qui, même si la vérité faisait mieux l'affaire, vous mentait quand même. Tommy était un type extraordinaire de bien des façons. Il faisait beaucoup de choses. Mais il était bizarre. Il s'était aliéné les bonnes grâces de la direction de l'équipe, et elle s'était débarrassée de lui.

Pour paraphraser le proverbe, disons que la vérité appartient toujours au dernier historien.

Chapitre 4

Maurice Richard: le lion s'apprête à bondir

Les *Yankees* de New York avaient Babe Ruth. Il fut la vedette de la dynastie et il donna naissance à la tradition Yankee. C'est pourquoi on dit du Yankee Stadium, situé dans le Bronx, «qu'il est la Maison que Ruth a bâtie». La légitimation du base-ball, surtout après le scandale des *Black Sox* en 1919, c'est à Ruth qu'on la doit. Il définit et caractérisa ce sport et le rendit célèbre. Avant l'arrivée de Ruth, le base-ball était perçu, de même que la plupart des autres sports professionnels, comme une activité de mauvais goût, un demi-monde d'athlètes peuplé de fils de cultivateurs sachant à peine lire et écrire, de colporteurs véreux et d'originaux. Dans les années vingt, il devint respectable et s'intégra à la vie nord-américaine.

«C'est lui qui a lancé le base-ball... et qui eut sans aucun doute le plus grand nombre de partisans de toute l'histoire de ce sport», écrivit Branch Rickey dans *The Old Game.*

«Dans les années vingt, le base-ball avait besoin d'un renouveau de foi, et c'est exactement ce que Babe Ruth représentait. Il fut le point de mire nécessaire à l'adulation du public.»

Le nombre incroyable de coups de circuit claqués par Ruth, 59 en 1921 et 60 en 1927, captiva, comme peu d'autres exploits sportifs, l'imagination de la génération d'après-guerre. Tout ce qui avait trait à Babe était véritablement héroïque. Ce qui ne veut pas dire que le seigneur fût une poule mouillée. Au contraire, il était fidèle à ses origines — un bar et un orphelinat à Baltimore. Avec d'autres joueurs dont Ty Cobb, Walter Johnson, Pie Traynor, Lou Gehrig et Connie Mack, il donna à l'Amérique ce qu'elle voulait: des héros crédibles, un panthéon de personnages homériques vierges de tout scandale. La boxe, les courses de chevaux et le hockey s'efforcèrent vaillamment de monter avec le base-ball sur ce piédestal dorique, mais sans grand succès avant de nombreuses années.

La boxe et les courses de chevaux donnaient de grands films car elles contenaient toute la vie, tous les éléments de la condition humaine condensés dans un concours sportif. Des bons admirables luttaient contre des méchants infâmes, avec toute une gamme de personnages ternes entre les deux. Le problème était que ces sports figuraient trop souvent hors des pages sportives, à la même page que le petit joueur de la semaine ou que le mafioso qui la semaine précédente faisait face à un jury d'accusation pour expliquer la collusion des politiciens et de la haute pègre.

À l'exception du scandale des *Black Sox*, le base-ball était remarquablement propre. Le football, s'étant tourné vers le sport universitaire pour gagner la respectabilité, finirait par se joindre au base-ball dans les rangs des sports vraiment populaires et à l'abri de tout soupçon; mais il faudrait attendre les années cinquante. Le basket-ball mit aussi du temps à devenir universellement populaire. Quant au hockey, surtout au Canada, il recevrait lui aussi la bénédiction du public au cours des années cinquante.

Tout examen superficiel de l'histoire des sports serait trompeur car il ne peut reproduire fidèlement toute la scène. Pour bien comprendre l'humeur et les sentiments d'une époque, il faut laisser les pages sportives de côté et faire une étude historique de cette époque. À fouiller la bibliothèque de microfilms d'un journal ou à visionner les fragiles bandes enregistrées sur kinescopes et les films des années trente et quarante, on arrive à une image déformée de la réalité. Les chroniqueurs et archivistes de l'époque étaient des professionnels accomplis et les ancêtres honorés des professionnels actuels de la presse écrite et parlée. Comme leurs homologues d'aujourd'hui, ils vendaient les sports en faisant des reportages magnifiques sur les événements et les vedettes. Cependant, la simple lecture du cahier sportif de l'époque ne pourrait nous indiquer ce qui se passait dans la tête des spectateurs assis dans les gradins.

Peut-on comparer le calibre des héros sportifs de l'époque avec celui des supervedettes des médias d'aujourd'hui? Jack Dempsey était-il aussi important que Muhammad Ali? Est-ce que Manassa Mauler, comme on appelait admirativement Jack Dempsey, pouvait presque à lui seul empêcher une génération de jeunes gens d'aller à la guerre comme Ali le fit dans les années soixante en disant: «J'ai rien contre les Viets»? Les athlètes s'engageaient-ils dans la politique? Jouaient-ils un rôle important dans la publicité et les annonces à la télé? Lorsqu'ils parlaient, est-ce qu'on les écoutait? Quels étaient les sentiments du partisan assis dans les gradins vis-à-vis de ses héros sportifs? Que pensait-il de sa situation sociale? Quelle journée avait-il passée avant d'assister à la rencontre sportive? Comment réagissait-il aux reportages sportifs des médias?

Toutes ces questions, et plus encore les réponses, seraient essentielles à quiconque essaierait de mesurer l'impact réel d'un sport ou d'un athlète sur son contexte social.

Aucune représentation de l'époque ne serait complète sans que d'abord soit compris le rapport que les athlètes entretenaient avec le public lorsqu'ils étaient hors du terrain ou au vestiaire. Le verdict était loin d'être unanime, mais la majorité des gens croyaient que la plupart des athlètes étaient des péquenauds, des paysans stupides tirés de leurs fermes isolées depuis quelques semaines à peine, sachant à peine lire et écrire et incapables de s'adapter à la société civilisée. Ces hommes partis aux nues sur le terrain, ces auteurs d'exploits légendaires dans les pages sportives, retombaient dans l'oubli une fois le match terminé.

Dire que la majorité habitait une sorte de demi-monde d'athlètes n'est pas exagérer. Ils n'étaient certes pas les banlieusards à part entière que sont les athlètes d'aujourd'hui, préoccupés des cours de la Bourse et prenant la parole au dîner mensuel du Advertising and Sales Club, quand ils n'appellent pas leur agent pour se plaindre de ce que le gérant les a retirés du jeu parce qu'il ne les comprend pas, et non à cause d'une moyenne au bâton de .244.

Dans les années vingt, la bande dessinée de Ring Lardner, *You Know Me, Al*, était une satire de qualité, une parodie fine et bien documentée dont la vedette, Jack Keefe, un paysan fictif lanceur des *White Sox* de Chicago, décrivait ses exploits dans des lettres adressées à son ami d'enfance, de Bedford en Indiana, Al Blanchard. Les *White Sox* étaient bien sûr une équipe lamentable, décimée trois ans auparavant par le scandale des *Black Sox*, lorsque huit joueurs partants furent suspendus à vie pour avoir délibérément perdu les Séries mondiales face aux *Reds* de Cincinnati. Les meilleures équipes de l'époque étaient les *Giants* et les *Yankees* de New York. Ce que tous les clubs avaient en commun, qu'ils soient bons ou mauvais, c'était qu'on décrivait les joueurs de base-ball comme des rustres qui, pour se racheter, n'avaient que les qualités nécessaires pour gagner leur vie au base-ball. *You Know Me, Al* était une satire populaire parce qu'elle voilait à peine la vérité, ou ce que l'on tenait pour vrai.

Voici un échantillon d'une lettre écrite par Jack Keefe:

31 mars, Dallas, Tex.

Ben mes amis j'aurais jamais perdu c'te partie aux géants si ça avait pas été de Schalk pis quand Young yé arrivé dans la huitième manche j'voulais y envoyé une courbe mais Schalk voulais absolument une rapide pis Young y l'envoye en dehors du parc. Pis si çé ça que t'appèlle avoir d'l'aide de ton catcher chu fou pis la prochaine fois tu peus ètes sur que j'écoutrai pas le catcher juste parce qu'y a une réputation.

Si le bourgeois moyen payait pour s'offrir des sensations fortes d'ordre athlétique aussi volontiers que pour d'autres genres de distractions, ceux que ces industries employaient ne jouissaient pas du prestige des athlètes d'aujourd'hui. À cette époque, dans la plupart des sports, l'athlète professionnel se trouvait dans l'échelle sociale tout juste au-dessus du voleur de banque et de l'escroc. Oui, c'était un personnage haut en couleur, mais surtout parce qu'il était si fruste que dans sa bouche un mot sur trois était un juron. Il gaspillait tout son salaire avec les femmes et l'alcool à bon marché, et il allait droit au dépotoir aussitôt que ses talents d'athlète l'abandonnaient. Si un jeune fils de famille bourgeoise annonçait à ses parents qu'il voulait devenir athlète professionnel, il recevait la même réponse amusée que s'il avait décidé de devenir cow-boy. Mais, en grandissant, il recevait ce message subtil: ce n'est pas une vie d'honnête homme. Si vous jugez cette attitude ridicule ou hypocrite, réfléchissez à cette question: aujourd'hui, parmi les parents éclairés issus de la classe moyenne, combien auraient une réaction favorable à l'annonce que leur fils aimerait devenir boxeur professionnel?

Si nous avons l'air de rabâcher, il y a de bonnes raisons à cela: établir le vrai contexte où se situe l'action de Ruth et de quelques autres et illustrer aussi la difficulté d'atteindre la respectabilité pour le hockey sur glace professionnel.

Si les autres sports et leurs athlètes étaient mis au ban de la société, c'était vrai surtout dans le cas du hockey. La plupart du temps, ceux qui pratiquaient ce sport étaient des fils de cultivateurs peu instruits, ou des gamins de la ville qui avaient abandonné l'école pour s'y consacrer. Cette situation existait encore dans les années soixante-dix, jusqu'à ce qu'arrivent les joueurs universitaires américains et les Européens. Les joueurs des premières décennies du hockey étaient des mercenaires, purement et simplement; il y avait des batailles de chiens enragés sur chaque patinoire où ils évoluaient. Pour la plupart, ils couraient les jupons, jouaient avec passion, buvaient sec (les voyages en train étaient mouvementés!) et n'avaient que mépris pour les hauts cris de la bourgeoisie.

Sur la patinoire, ils se cassaient la gueule régulièrement, ils se gravaient des motifs compliqués sur le visage et se conduisaient en général de façon telle qu'ils auraient été jetés en prison s'ils s'étaient comportés ainsi à l'extérieur de la patinoire. Cela était très courant; dans les années trente et quarante, une foule de partisans de hockey n'était pas un milieu pour les coeurs faibles.

Si des hommes comme Morenz, Taylor, Shore, Joliat, Lalonde, les Cook et les Patrick jetaient les fondations du sport, celui-ci était loin de jouir de la respectabilité dont jouissait le base-ball. Pour y arriver, il fallait un Babe Ruth, quelqu'un aux habilités sensationnelles et dont le seul nom remplirait les patinoires de partisans de toutes les classes. Une supervedette. Quelqu'un qui pourrait, comme l'a dit Branch Rickey, lancer le sport.

Cet homme, ils le trouvèrent en la personne d'un nommé Joseph Henri Maurice Richard.

Né le 4 août 1921, Maurice était le fils aîné d'Onésime et d'Alice Richard qui après la guerre avaient pris part à l'exode vers les villes des jeunes francophones partout au Québec. Onésime et Alice avaient quitté leur Gaspé natal et s'étaient fixés à Montréal où Onésime trouva du travail comme menuisier pour le Canadien Pacifique Limitée. Après avoir habité quelque temps le plateau Mont-Royal, ils s'installèrent dans le quartier isolé de Nouveau-Bordeaux, situé dans le nord de la ville, face à Laval, de l'autre côté de la rivière des Prairies. C'est sur cette rivière et dans les cours d'école du Bois-de-Boulogne et de Laval que Maurice Richard développa ses talents formidables.

Comme beaucoup de jeunes hockeyeurs talentueux, Maurice Richard jouait six à sept jours par semaine pendant la saison, en tant que membre de l'équipe d'une école, de celle d'un terrain de jeux et peut-être aussi de celle d'une troisième organisation sportive. Il commença à éveiller l'attention des gens de hockey partout dans la ville, mais sans rencontrer un vrai éclaireur de hockey qui aurait prononcé les paroles fatidiques:

— Maurice, est-ce que ça te plairait de jouer pour les *Canadiens*?

— Ça ne s'est jamais produit comme ça, dit Richard. Cela aurait pu arriver quelques années plus tard, mais à ce moment-là les *Canadiens* n'avaient pas le genre d'organisation que Selke bâtit plus tard. Propriétaires de quatre ou cinq équipes juniors, ils dirigeaient aussi le hockey senior, mais comme un mauvais verger. Ils attendaient que le vent fasse tomber les pommes des pommiers. Si vous aviez du talent, vous finissiez par gravir un à un tous les échelons et on vous remarquait. Ce n'était pas comme les ligues juniors d'aujourd'hui, et on n'écrivait pas d'article de journaux à propos de jeunes de dix ans.

Adolescent, Richard fut mis sous la tutelle de Paul Stuart qui, malgré son nom, était un Montréalais francophone qui faisait tout son possible pour s'assurer que les jeunes francophones soient traités équitablement chez les professionnels. Il était responsable de près de quarante équipes de hockey évoluant dans le quartier du parc Lafontaine, et c'était le mentor de centaines de garçons. Pendant que Richard jouait au hockey juvénile, on le présenta à Stuart, qui vit tout de suite quelque chose d'exceptionnel en lui. Il savait aussi qu'une jeune vedette francophone d'avenir dans la LNH devrait apprendre à se défendre. C'est pourquoi il fit prendre au mince et frêle jeune homme des leçons de boxe avec Harry Hurst, un boxeur professionnel de Montréal. Non content d'atteindre un haut niveau de pugiliste qui lui serait très utile sur n'importe quelle patinoire, Richard s'inscrivit à la compétition des Gants dorés, et il s'en tira plutôt bien.

— Mais j'étais avant tout un joueur de hockey, dit-il. J'ai beaucoup aimé la boxe en tant que sport individuel, mais le hockey était mon sport. Je dirais que ma capacité de me défendre avec mes poings dans la LNH m'a permis de jouer au hockey davantage. À cette époque, au hockey, personne ne te donnait quoi que ce soit — si un de tes adversaires réalisait que tu avais une faiblesse, il était sur toi à chaque partie.

L'«establishment» et certains observateurs de l'époque prétendaient que l'absence d'un processus de sélection naturelle à Montréal aurait très bien pu coûter les services de Maurice Richard aux *Canadiens*. La seule chose qui militait en faveur du Club était que les autres équipes avaient une organisation encore moins compétente. Montréal était un foyer de hockey et une pépinière de nouveaux talents, mais la plupart des autres équipes restaient à l'écart, laissant ainsi le champ libre aux *Canadiens*.

Les clubs avaient effectivement fait des ententes territoriales, et les *Canadiens* de Montréal avaient en général carte blanche pour agir comme bon leur semblait avec les joueurs de hockey au Québec. Ce qui n'empêchait pas les autres équipes de rechercher des joueurs dans la ville et dans les environs. La plupart du temps, ils ne s'en donnaient simplement pas la peine.

Stuart et Paul-Émile Paquette, qui, lui, dirigeait sa propre équipe juvénile, virent le talent brut de Maurice Richard et tentèrent de le faire comprendre aux *Canadiens*. Néanmoins, à cette époque, *Flying Frenchmen* ou pas, le Club n'allait pas courir après chaque jeune Canadien français talentueux qui se présentait. Après la mort des *Maroons* et l'arrivée de leurs anciens joueurs, Toe Blake, Herb Cain, Jimmy Ward, Bill MacKenzie, Cy Wentworth, Stew Evans et Babe Seibert, par exemple, le Club prit une allure nettement anglophone qui s'étendait à la direction. Tommy Gorman, qui avait été le gérant des *Black Hawks* de Chicago en 1933-1934 et des *Maroons* en 1934-1935 et avait gagné la coupe Stanley avec chacune de ces deux équipes, était maintenant directeur gérant du *Bleu-blanc-rouge*; Cecil Hart, Pit Lépine et Dick Irvin étaient ses entraîneurs. Après la mort de Seibert, Lépine avait été choisi pour le remplacer en 1939-1940.

Irvin arrivait tout juste de Toronto où il avait été l'entraîneur des *Maple Leafs* pendant dix ans. Hart, qui avait été l'entraîneur des *Canadiens* pendant dix saisons, soit sept à la fin des années vingt et trois dans les années trente, était aussi un homme de hockey très respecté. Cependant, aucun d'eux n'avait de relations dans la communauté francophone.

— Ne soyez donc pas surpris que ces gens-là ne soient pas venus me chercher lorsque j'étais plus jeune, prévient Richard. On mentionnait parfois les ligues d'amateurs dans les médias. Mais ce n'était rien comparé à l'attention que Bobby Orr, Guy Lafleur et Wayne Gretsky reçurent lorsqu'ils étaient jeunes. Ces gars-là n'avaient que dix, douze et quatorze ans, et on les voyait déjà beaucoup dans les journaux et à la télévision. Dans mon temps, ça n'existait pas.

Stuart était un homme de hockey de grand talent et on lui offrit l'occasion d'être l'entraîneur du meilleur club-école des *Canadiens* —, les *Canadiens* seniors. Il accepta à la condition que le Club favorise la formation de joueurs canadiens-français. Le Forum formula des objections, et Stuart demeura au parc Lafontaine. Paquette et Stuart comprirent tous deux que quelqu'un devrait prêter attention à leur protégé. Ils allèrent donc trouver Arthur Therrien, entraîneur des *Juniors* de Verdun, l'une des cinq équipes juniors des *Canadiens* dans la région métropolitaine. Le message était simple: «Viens voir ce gosse, tu ne perdras pas ton temps.»

Therrien ne put faire autrement que d'être impressionné. Richard, qui à ce moment-là jouait à l'aile gauche, comptait en moyenne six buts par partie et en marquait, à sa manière, quelques-uns à la fin de montées spectaculaires. On l'invita, ainsi que cent vingt-cinq autres hockeyeurs, à participer au camp d'entraînement de Verdun, sans lui faire aucune promesse.

— Plusieurs autres joueurs qui se trouvaient là étaient aussi les vedettes respectives de leur équipe juvénile ou midget et ils venaient de partout à travers la province, se souvient Richard. À cette époque, le seul fait d'être invité au camp à ce niveau était quelque chose de spécial.

Richard fit impression dans sa première mêlée: il marqua deux buts en manoeuvrant à travers les lignes adverses. Il fut sélectionné dans l'équipe, sans devenir pour autant un joueur régulier.

— J'ai passé pas mal de temps sur le banc au début de la saison et, lorsque je jouais, c'était souvent avec la troisième ou la quatrième ligne. Mais à mesure que la saison avançait, j'ai pris de l'assurance, j'ai commencé à jouer de mieux en mieux et, en peu de temps, je jouais sur la première ou la deuxième ligne. C'est à ce moment-là que j'ai su que j'aurais un jour la chance de faire un essai chez les professionnels. On faisait toujours faire un essai aux meilleurs du junior et, cette année là, j'étais en tête des marqueurs dans la Ligue.

L'échelon suivant se présenta très rapidement, lorsqu'on invita Richard à participer au camp d'entraînement des *Canadiens* en septembre suivant. Il joua bien, on le sélectionna pour l'équipe et il avait déjà marqué deux buts lorsque les équipes commencèrent la troisième période de la première partie de la saison régulière des *Canadiens*. Richard prit la rondelle juste à l'extérieur de sa ligne bleue et se lança vers l'autre bout de la patinoire à toute vitesse. Lorsqu'il fut juste à l'intérieur de la zone de l'adversaire, on lui fit perdre l'équilibre et on le projeta violemment contre la bande. Son patin s'accrocha dans une ornière au bas de la bande, son élan le fit basculer vers la patinoire, et il se brisa la cheville. Pour Richard, la saison était finie.

En 1941, il réintégra les rangs des *Canadiens* où on le convertit en ailier droit. Il joua bien pendant les vingt premières parties de l'année, jusqu'à ce qu'il se casse le poignet à la 21e partie et doive rester dans les coulisses pour le reste du calendrier. Il revint pour marquer six buts en quatre parties dans les éliminatoires, et on le considérait comme un candidat sérieux pour un poste attitré pour la saison 1942-1943. Au cours de l'été, Maurice Richard travailla dur comme machiniste et épousa son amie d'enfance, Lucille Norchet. Il tenta aussi de s'enrôler dans l'armée canadienne mais il fut réformé à cause de la blessure à la cheville qu'il s'était faite en 1940. Une nouvelle tentative en 1943 eut le même résultat.

Le camp d'entraînement terminé, on pouvait résumer la participation de Richard par la phrase prononcée par l'entraîneur Irvin:

— Le gosse est un hockeyeur né.

Le gosse était peut-être un hockeyeur né, mais ce n'était pas Irvin qui allait le lui dire. Ce n'était pas sa manière ni celle des *Canadiens*. Jacques Plante, qui se joignit aux *Canadiens* dix ans après Maurice Richard, parle des débuts du «Rocket» et de cette histoire apocryphe utilisée année après année pour fixer les idées de toutes les recrues des *Habitants*.

— Pour vous montrer le genre de gars qu'il était, lorsque le Rocket arriva en 1942, Robert Filion de Thetford Mines était aussi une recrue. Dick Irvin était l'entraîneur de l'équipe, et il les opposait l'un à l'autre. Les deux joueurs participaient à la période d'échauffement avant la partie, mais ils ne savaient pas lequel allait jouer tant que l'échauffement n'était pas terminé. Lorsque le moment arrivait, Irvin leur disait lequel allait jouer et lequel allait se rhabiller. Un jour où Irvin avait dit au Rocket d'aller à la chambre des joueurs, celui-ci enfonça la porte d'un grand coup de pied et alla prendre sa douche. Il avait vingt et un ans, était une recrue et, pour Dick Irvin, ce qu'il venait de faire prouvait qu'il avait beaucoup de caractère. C'était le genre d'homme qu'Irvin recherchait. Irvin appréciait une bonne bagarre sur la patinoire pendant l'entraînement. Il la provoquait, les joueurs se défoulaient et en riaient après coup.

Le détonateur qu'était Dick Irvin et le bâton de dynamite qu'était le Rocket Richard formaient un duo idéal au moment où les *Canadiens* commençaient la reconstruction. Cependant, treize ans plus tard, ce duo aurait des effets secondaires dévastateurs.

Gorman, directeur gérant de l'équipe, était d'accord avec l'évaluation de la recrue qu'avait faite Irvin après ce premier camp d'entraînement, et Richard passa au grand Club. Il signa un premier contrat professionnel de deux ans, deux jours avant l'Halloween. Moins d'un mois plus tard, il obtenait son premier tour du chapeau et commençait à accumuler les manchettes à la manière de Ruth. Les *Canadiens* perdirent cette partie. On lisait en manchette: «Les *Rangers* de New York triomphent de Maurice Richard 5-3». Tout se passa bien les six premières semaines de la saison, et Richard commença à montrer ce qu'il valait sur chaque patinoire de la Ligue. Deux jours après Noël, dans une partie contre les *Bruins*, il fut intercepté rudement dans la troisième période, fit une mauvaise chute et cette fois se brisa la cheville droite. Plus tard dans la soirée, Irvin fit à la presse cette déclaration:

— Richard est peut-être trop fragile pour jouer dans la Ligue nationale de hockey.

— Trois blessures importantes en trois ans... Moi aussi je me posais des questions, dit Richard. Je savais que j'étais beaucoup plus robuste qu'ils le croyaient et que je pouvais jouer contre n'importe qui dans cette ligue, mais j'allais devoir le prouver. Il est difficile de combattre à la fois l'équipe adverse, ses propres entraîneurs, sa direction et ses coéquipiers. Il est très difficile de se défaire de la réputation d'être sujet aux blessures. Je savais aussi que, si je me blessais à nouveau au cours des deux ou trois prochaines saisons, les *Canadiens* pourraient m'envoyer à peu près n'importe où.

Le fait que personne ne parlait de tout cela avec Richard dépeignait bien les pratiques administratives de l'époque. Ce fut aussi le début de la désillusion de Richard face à l'administration, amertume qui persiste encore aujourd'hui.

— Ce qui m'embêtait le plus, c'était que personne ne venait t'en parler directement, d'homme à homme, face à face, dit-il. Ce n'est pas de la fierté ni de l'égotisme... c'est être honnête et montrer du respect que de traiter les gens de cette façon. J'étais très jeune, je débutais au hockey et, jusque-là, j'avais eu très peu de chance. Au lieu de le reconnaître, le Club se demandait publiquement si je pourrais faire long feu dans cette ligue. Tommy Gorman ne me l'a jamais dit, mais il en a parlé aux journaux. Je n'ai pas du tout apprécié, mais j'étais jeune et il était le patron... Je ne pouvais rien dire.

Aux problèmes avec Richard s'ajoutaient les problèmes que le Club connaissait à cette époque: il y avait si longtemps que les *Canadiens* n'avaient pas bien joué qu'il ne restait que peu de partisans pour appuyer l'équipe.

— Lorsque je jouais au hockey senior, nous remplissions souvent le Forum alors que les *Canadiens* jouaient dans un Forum à moitié rempli, se souvient Richard. Cela tenait surtout au fait que leur équipe avait été si médiocre pendant si longtemps. Mais c'était aussi parce qu'ils n'avaient que quelques vedettes canadiennes-françaises connues. C'est peut-être pour cette raison qu'ils voulaient tant que je sois sélectionné. Si j'avais du succès, ainsi que quelques autres comme Butch Bouchard et Fernand Majeau, nous pourrions ramener les partisans.

En 1943-1944, les *Canadiens* et Maurice Richard obtinrent un succès qui dépassa toutes leurs espérances. Ils établirent l'un des meilleurs records de l'histoire de la LNH: 38 victoires, 5 défaites et 7 matchs nuls en 50 parties; Richard marqua 32 buts dont 23 dans les 22 dernières parties de la saison — après avoir été absent pendant une bonne partie du début de la saison à cause d'une autre blessure, cette fois une épaule luxée.

La saison débuta bien avec la naissance du premier enfant de Richard, une belle fille de 4 kg. Pour célébrer l'occasion, Richard demanda la permission d'échanger son uniforme numéro 15 pour le numéro 9 et on la lui accorda. C'était un homme heureux et il le prouva en marquant deux buts dans chacune des deux premières parties aux côtés de deux nouveaux coéquipiers, Toe Blake et Elmer Lach. Sa blessure à l'épaule mit un frein à ses exploits, mais la nouvelle année fit une entrée fracassante. Richard, complètement remis, marqua son premier tour du chapeau le 31 décembre 1943 et eut une très bonne saison. À la fin de celle-ci, il était le quatrième membre des *Canadiens* seulement (Joe Malone avec un record de ligue de 44 buts en 22 parties, Newsy Lalonde et Howie Morenz) à marquer 30 buts ou plus dans une saison.

À la veille des éliminatoires, on ne pouvait mettre en doute la valeur de Richard... Avec essentiellement la même formation, les *Canadiens* s'étaient classés quatrièmes l'année précédente. Avec l'ajout du gardien de but Bill Durnan et de Richard, ils se retrouvèrent premiers, et attendirent le tournoi d'après saison avec optimisme et... une certaine outrecuidance toute neuve. Ils abandonnèrent rapidement cette attitude lorsque Toronto gagna 3-1. Bob Davidson, le Bob Gainey de l'époque, intercepta Richard pendant toute la partie, et la foule du Forum retourna chez elle en grommelant.

— Je me souviens de m'être approché de leur gardien de but vers la fin de la troisième période et de lui avoir dit que ça se passerait autrement dans la prochaine partie, dit Richard. Je ne savais pas combien j'aurais raison...

Comme la plupart des grands athlètes, Richard se souvient, dans les moindres détails, de ses plus grands moments et raconte les événements comme s'ils se produisaient à l'instant. Comme la plupart des grands athlètes aussi, il est incapable d'expliquer pourquoi ces moments se sont produits. Il ne peut les analyser et ne l'a jamais pu.

Aujourd'hui, la plupart des vétérans de la Ligue nationale de hockey sont d'accord, une supervedette était née. La date? Le 23 mars 1944. L'endroit? Le Forum.

— Nous avions terminé la première période sans avoir marqué un seul but, rappelle Ray Getliffe, le centre de Montréal qui avait surnommé Richard «le Rocket» plus tôt dans la saison, et il semblait qu'ils allaient arrêter Maurice pour toujours. Mais il avait autre chose en tête.

Le revirement se produisit dans la deuxième période, lorsque Richard réussit finalement à se débarrasser de Davidson et marqua deux buts.

— Il était sur une autre planète, dans un autre monde, dit Getliffe. Il avait un regard, comme si les autres joueurs n'existaient pas... comme s'il était seul sur la patinoire. Je jouais avec lui, et parfois, quand j'étais sur la patinoire en même temps que lui et que je le voyais venir vers moi avec ce regard-là, j'aurais voulu sauter par-dessus la bande pour m'enlever de son chemin. Pouvez-vous imaginer ce que l'adversaire ressentait?

En ce jour de mars, il n'est pas difficile d'imaginer ce que les *Leafs* ressentaient: Richard marqua deux autres buts dans la troisième période. Toronto marqua un but sans valeur avec seulement quelques secondes à jouer, et la marque finale se lisait: Richard 5 — Toronto 1. Aucun autre joueur n'avait réussi à marquer cinq buts dans une partie pendant les éliminatoires. La légende de Richard était née.

Dix jours plus tard, c'était Richard 3 — Chicago 1. Les *Canadiens* triomphèrent des *Black Hawks* en quatre parties, et Richard marqua douze buts en neuf parties dans les éliminatoires. Après treize longues années, la coupe Stanley revenait chez elle avec les *Canadiens.* Les vaches maigres avaient fait leur temps; c'était l'aube d'une nouvelle époque.

En 1927, lorsque le «Bambino» cherchait à claquer son 60e coup de circuit, l'événement avait une telle signification que les reportages qui y étaient consacrés passèrent des pages sportives à la première page. En 1944-1945, Maurice Richard rafla la première page à la Deuxième Guerre mondiale. En février et en mars 1945, l'Allemagne tombait sur tous les fronts, et on pouvait dire la même chose des défenseurs et des gardiens de but adverses dans la Ligue nationale de hockey. Richard était sur la piste du record imprenable de 44 buts détenu par Joe Malone.

Sa recherche du record était à peu près aussi facile que les opérations de nettoyage de l'Europe par les Alliés; où qu'il aille, Richard trouvait un adversaire prêt à utiliser n'importe quelle tactique pour l'arrêter. L'un de ces mercenaires était Bob Dill, dit «le Tueur», un joueur qui avait été suspendu de la Ligue américaine. Neveu de deux boxeurs célèbres, Mike et Tommy Gibbons, il avait acquis auprès d'eux une certaine compétence de pugiliste. Richard marquait au rythme incroyable d'un but par partie, et les défis se faisaient de plus en plus nombreux. Avant qu'il ne se présente sur une patinoire adverse, les journaux posaient à qui mieux mieux les questions suivantes: Combien de buts marquerait-il ce soir-là? Qui chez l'adversaire serait désigné pour le surveiller?

Les *Canadiens* devaient jouer contre les *Rangers* au Madison Square Garden une semaine avant Noël, et tous les chroniqueurs de hockey, à des kilomètres à la ronde, s'interrogeaient sur la confrontation inévitable entre Richard et Dill. À cette époque, les chroniqueurs sportifs n'étaient pas pressés par des rédacteurs «granola» d'épurer le sport et de réduire la violence au hockey. Ils savaient que les partisans adoraient ça, comme ceux d'aujourd'hui, et ils l'exploitaient. Certaines des histoires d'avant-partie étaient du baratin du genre de celles de la boxe. À la perspective que leur joueur arrêterait le Rocket de plus d'une façon, les partisans du Garden en bavaient vraiment. On laissa tomber la rondelle sur la patinoire pour commencer la partie, et Dill se fit tout de suite remarquer en projetant Lach contre la bande. Pendant toute la première période, le joueur des *Rangers* fit tout ce qu'il put pour harceler Richard et l'amener à se battre, mais sans succès.

Dans la deuxième période, son souhait se réalisa. Dill et l'un de ses coéquipiers commencèrent à se bagarrer derrière le filet des *Rangers* avec Lach et Blake, qui tous deux savaient se défendre. L'arbitre semblait avoir réglé le problème, et les joueurs commençaient à se disperser lorsque Dill se fraya un chemin jusqu'à Richard et lui dit quelque chose comme:

— Est-ce que le «frog» a peur?

Richard le mit K.-O. d'un seul coup de poing, un crochet du droit qui souleva Dill de terre et le fit tomber comme une masse sur la patinoire. Les belligérants se rendirent au banc des pénalités où Dill, vexé, reprenant ses esprits, commença à vociférer des projets de vengeance. Il ponctuait ses menaces des gestes d'usage; presque personne dans les gradins ne pouvait dire ce qui se passait sur la patinoire... Cloués sur place par le spectacle qui se déroulait au banc des pénalités tous avaient un oeil sur l'horloge et l'autre sur les deux joueurs.

Lorsque les pénalités prirent fin, les joueurs foncèrent l'un vers l'autre en se débarrassant de leurs gants et de tout ce qui pouvait les gêner pour une bonne bagarre. C'est la manchette du *New York Daily Mirror* qui résuma le mieux ce qui s'était passé: Dill l'a «saumâtré» (Dill pickled!) Richard flanqua une série de coups de poings au Ranger, le plus ravageur étant un droit qui atteignit l'oeil gauche de Dill et lui fit une grande coupure. Après une deuxième pénalité majeure, Richard marqua le but égalisateur, son 19e en 19 parties. Après le match, l'entraîneur des *Rangers*, Frank Boucher, fulminait:

— S'il n'apprend pas à se maîtriser, ce fou de Richard va tuer quelqu'un un de ces jours.

Quant à Dill, rencontrant Richard sur la 49e rue après la partie, il fit un grand sourire à la vedette de Montréal, lui dit qu'on ne l'avait jamais frappé aussi dur auparavant et accepta son invitation à dîner! C'est ainsi que ça se passait dans l'ascension de Richard vers le supervedettariat.

Trois jours après Noël, Richard se présenta au vestiaire des *Canadiens* au Forum et se dirigea directement vers la table du soigneur. Affalé dessus, l'air exténué, il annonça qu'il avait déménagé toute la journée avec son frère et qu'il pouvait à peine bouger.

— Vous allez devoir vous en sortir sans moi ce soir, conclut-il.

Trois heures plus tard, Richard se trouvait dans le même vestiaire et essayait d'expliquer aux journalistes comment il avait marqué cinq buts et apporté trois assistances dans une défaite de Boston: 9-1. Il n'a pas réussi, mais ça n'a dérangé personne. La plupart des journalistes admirent qu'ils voulaient seulement s'approcher du Héros, même si les propos recueillis étaient des rations de famine.

Sept semaines plus tard, Richard marqua deux fois contre les mêmes *Red Wings*, dans une victoire de 5-2, ses 42e et 43e buts de la saison, rejoignant ainsi Cooney Weiland comme deuxième marqueur de l'histoire de la LNH. Ce qui était si stupéfiant, c'est que le Rocket marqua ses 43 buts en 38 parties. La semaine suivante, à Toronto, il égalisa le record de Malone de 44 buts et eut droit à une ovation de la part de la foule du Madison Square Garden, d'ordinaire si réservée, même lorsque l'annonceur officiel refusa de reconnaître l'exploit égalisant le record.

Une semaine plus tard, les deux équipes s'affrontaient à nouveau, cette fois au Forum, et les *Leafs* étaient bien décidés à ne pas laisser Richard établir le nouveau record contre eux. Ce soir-là, partout où Richard allait, il faisait face à deux, trois, et même quatre chandails blanc et bleu. Nick Metz et Davidson, parmi les meilleurs ailiers défensifs, le suivaient comme son ombre, sans merci, et la tension monta au fur et à mesure que les deux premières périodes s'écoulaient. La tension sur la patinoire était palpable — à la moindre provocation, les joueurs des *Canadiens* et des *Leafs* enlèveraient leurs gants et se jetteraient les uns sur les autres. On faisait tellement attention à Richard que ses coéquipiers avaient toute la patinoire à eux et menaient 4-2 contre Toronto au milieu de la troisième période.

Près de 14 000 partisans se levèrent de leur siège lorsque Richard prit possession d'une rondelle libre, se débarrassa de deux intercepteurs et fonça sur le gardien de but de Toronto, Frank McCool. McCool tint bon et évita le but; 14 000 partisans désappointés poussèrent un soupir et s'assirent comme un seul homme. Il restait environ quatre minutes à jouer lorsque Blake fit une petite passe à Richard dans la zone de Toronto. L'ailier de Montréal n'hésita pas, bien qu'il fût à un mauvais angle près du cercle de mise au jeu. La rondelle toucha son bâton, et il la lança aussitôt... dans le but, derrière un McCool ahuri.

Il y eut un silence. Puis le Forum explosa. Les *Canadiens* se ruèrent sur la patinoire et Blake alla tout droit vers le filet pour récupérer la rondelle que Malone présenterait ultérieurement à Richard. La partie ne recommença que quinze minutes plus tard.

Et cela continuait. Après qu'il eut dépassé le 44 magique, les gens commencèrent à se demander si Richard réussirait à marquer 50 buts en 50 parties, exploit sans précédent, aisément comparable aux 60 coups de circuit de Ruth. Avec encore huit parties à jouer, Richard pourrait-il réussir cinq autres buts?

Quand Richard marquerait-il son 50e but? Où le réussirait-il? La tension montait au fur et à mesure que la saison approchait de la fin. Les *Canadiens* affrontèrent les *Black Hawks* de Chicago pour leur dernière partie à domicile et, ce soir-là, Richard était déchaîné. Il avait 49 buts à son actif et paraissait prêt à vendre son âme au diable pour compter le 50e à domicile. Vers la fin de la troisième période (comme pour la partie précédente à Toronto), une magnifique occasion se présenta lorsque Richard fut complètement seul devant le gardien de Chicago. Un défenseur gisant à terre le fit trébucher à la dernière minute, et on lui accorda un tir de pénalité. Il ne devait pas le réussir. Richard rata son lancer, et c'est à Boston qu'il marqua son 50e but.

Cinquante buts en cinquante parties. Dans une ligue de six équipes. À une époque où presque tout joueur de hockey croyait qu'il était de son devoir de trancher la tête de son adversaire si celui-ci avait l'audace d'essayer de marquer un but contre lui. C'était un exploit remarquable qui grava la légende de Richard dans la pierre. Le hockey était en bonne voie de gagner la respectabilité et de se faire accepter... entraîné par la renommée de Maurice Richard dit le Rocket.

Après la saison 1944-1945, la célébrité de Maurice Richard était assurée, même avec l'ascension de Gordie Howe de Detroit. Disons plutôt que Howe était à Gehrig ce que Ruth était à Richard: fils de cultivateur tranquille doué d'une habileté prodigieuse au hockey, il finit par récrire le livre des records tout au long d'une carrière dont la longévité déconcerte encore les experts. (Howe allait jouer contre Richard et Gretsky, ce qui revient à peu près à jouer au base-ball contre Ruth et Aaron.) On peut encore aujourd'hui provoquer une bagarre dans un bar en mentionnant simplement que Richard jouait nettement mieux que Howe ou inversement.

Il serait facile de poursuivre le récit des anecdotes et des hauts faits «richardiens». Les pages se multiplieraient rapidement, et un volume épais en résulterait. Cependant, le présent ouvrage porte sur les *Canadiens* de Montréal, sur la naissance de leur légende, et sur l'organisation qui apprit à utiliser leur position spéciale à l'avantage de l'équipe. Loin de vouloir passer sous silence la carrière de Maurice Richard, nous nous contenterons de dire qu'il fut la supervedette qui lança vraiment la dynastie du hockey. Sa légende était unique chez les *Canadiens.* Elle éclipsait même celle du fabuleux Howie Morenz, qui avait un jour été exposé solennellement au centre de la patinoire du Forum.

S'il restait quelque doute sur ce que Richard signifiait dans le domaine du hockey, surtout au Canada français, aucun doute ne subsista le jour de la

Saint-Patrick en 1955. En ce mois de mars, les *Canadiens* étaient les champions en titre de la coupe Stanley et terminaient une autre saison en gagnant haut la main. Contrairement aux équipes de la fin des années quarante où les Canadiens français étaient nettement minoritaires, les *Canadiens* de 1954-1955 regorgeaient de joueurs canadiens-français possédant les qualités qu'il fallait pour devenir des vedettes: parmi eux on trouvait Bernard «Boum Boum» Geoffrion et le marqueur Jean Béliveau. Avec seulement quatre parties à jouer, Richard, Béliveau et Geoffrion étaient respectivement premier, deuxième et troisième dans la course pour le meilleur marqueur de la LNH, et Richard luttait pour obtenir son tout premier trophée Art Ross et la prime de 1000 $ qui l'accompagnait.

Le 13 mars, dans une partie contre Boston, Richard et Hal Laycoe se trouvèrent impliqués dans un incident brutal où, les coups de bâton pleuvant, on vit le centre des *Canadiens* devenir fou furieux après que Laycoe, un ancien coéquipier, lui eut fait à la tête une entaille nécessitant des points de suture. Richard attaqua Laycoe et le terrassa; il prit ensuite son bâton et en assena trois coups au joueur des *Bruins*, tout en repoussant le joueur de ligne Cliff Thompson qui tentait de les séparer.

— À ce moment-là, c'était presque comme s'il venait de découvrir l'existence du joueur de ligne, dit l'entraîneur Dick Irvin le lendemain. Je ne sais toujours pas si Maurice l'a reconnu.

Ce sera toujours un point discutable. Près de trente ans plus tard, même Richard ne peut ou ne veut dire ce qui s'est passé exactement. Sa propre loi du silence l'en empêche encore.

Richard s'en prit ensuite à Thompson et le frappa deux fois au visage. On estima aussitôt qu'il méritait une pénalité de match et on fit appel au président de la LNH pour enquêter sur l'incident. Plus tôt dans la saison, après s'être bagarré avec le joueur de Toronto Bob Bailey, Richard avait flanqué une gifle au joueur de ligne George Hayes, geste qui lui avait valu une pénalité de match.

Encore aujourd'hui, nombreux sont ceux qui croient à un complot visant à avoir la peau de Richard, et pensent que les principaux responsables étaient les plus haut placés de la Ligue... les propriétaires des cinq autres concessions.

— Même aujourd'hui, je n'ai toujours pas réussi à me débarrasser du sentiment que certains estimaient qu'il était temps de punir Richard pour la façon dont il se conduisait sur la patinoire, dit Frank Selke en 1984. Tout en espérant que tout irait bien, je m'attendais au pire lorsque Campbell annonça sa décision.

Campbell convoqua Richard, Kenny Reardon et l'entraîneur Irvin à son bureau de l'édifice de la Sun Life à Montréal. Le verdict fut sévère: il suspendait Richard pour le reste de la saison de même que pour les éliminatoires.

Clarence Campbell, pilier de la rectitude blanche protestante, avait parlé. Jusqu'à son dernier jour, il maintint qu'il avait agi comme il devait. Jusqu'à ce même jour, plusieurs personnes bien informées jurèrent qu'il s'était vendu aux autres propriétaires et que son geste était une gifle délibérée au visage des *Canadiens*, de Richard, et des Canadiens français en particulier. Campbell prit très rapidement conscience de la popularité de ce genre de sentiments.

Richard maintint aussi jusqu'au dernier jour de Campbell que le suspendre avait été une erreur de sa part. Le jour des funérailles de Campbell en 1984, pressé de questions par un journaliste qui voulait savoir ce qu'il pensait de l'ancien président de la LNH, Richard déclara simplement:

— Il a eu tort.

Le lendemain du jour où il avait rendu sa décision, Campbell et sa fiancée prirent place au Forum pour assister à un match entre les *Canadiens*, sans Richard, et Detroit. Campbell prouvait encore une fois qu'il n'était pas du tout en contact avec la majorité francophone de la ville où il habitait. Il ne se rendait pas du tout compte que l'attitude têtue dont il avait fait preuve n'était rien de moins qu'une incitation à l'émeute. Plus tôt dans la journée, à la fois la police de Montréal et l'Hôtel de Ville avaient contacté le président de la LNH et lui avaient demandé de ne pas se présenter au Forum. Ils avaient reçu toutes sortes de menaces de violence contre lui. C'était la même chose au bureau même de Campbell. Plusieurs de ceux qui téléphonaient étaient catégoriques: si Campbell s'avisait d'entrer au Forum, on le sortirait.

Ce soir-là, malgré les avertissements, Campbell se présenta au Forum et, fatalement, la colère des partisans explosa.

Peu avant le début de la partie, une foule nombreuse s'amassa à l'extérieur du Forum, au coin des rues Sainte-Catherine et Atwater. Beaucoup avaient des billets et entrèrent dans l'édifice quelques minutes avant 20 heures, heure à laquelle la partie devait commencer. Beaucoup n'avaient pas de billets mais étaient là pour manifester leur mécontentement face à la sentence rendue contre Richard. Un grand nombre d'entre eux portaient des affiches et des panneaux représentant Campbell de façon très insolente. À l'intérieur du Forum, dans les gradins, on se demandait s'il allait se présenter ou non. Lorsque la partie débuta, les deux places réservées à Campbell étaient inoccupées. Jusqu'à cent cinquante policiers embauchés spécialement pour l'occasion étaient disséminés partout dans l'édifice.

Vers le milieu de la période, Campbell et sa fiancée prirent place. Ce qui semblait aggraver la situation, c'est que les *Canadiens* ne paraissaient pas se concentrer sur la partie. Après l'arrivée du président de la Ligue, Detroit marqua rapidement trois buts et menait 4-1. La foule se mit à crier.

On veut Richard... à bas Campbell!

L'administrateur de la LNH demeura impassible durant ces vociférations. À la fin de la période, l'hostilité n'était plus uniquement verbale; les partisans se mirent à lancer tout ce qui leur tombait sous la main, fruits, hot-dogs, caoutchoucs, programmes, en direction de Campbell pendant que ceux qui étaient près de lui se bousculaient pour se mettre à l'abri. Il garda son flegme jusqu'à ce qu'un jeune homme l'attaque physiquement et que les policiers du Forum le sortent de là *in extremis*. C'est alors que les choses se gâtèrent. Une grenade lacrymogène explosa à environ un mètre de Campbell, et les partisans qui avaient tenu bon jusque-là abandonnèrent, les joues baignées de larmes. Les capitaines des pompiers ordonnèrent l'évacuation du Forum, et les *Red Wings* gagnèrent la partie par forfait. On ne sait toujours pas si la grenade a été lancée par un policier ou par un partisan mécontent —l'enquête effectuée plus tard démontra que la grenade était identique à celles qui étaient fournies à la police de Montréal.

Les gens qui se trouvaient à l'intérieur sortirent en trombe et furent rejoints par des centaines de partisans furieux qui n'avaient pu assister à la partie. Ce fut le début de l'émeute.

La vague des spectateurs sortant du Forum, dont beaucoup avaient les joues baignées de larmes à cause du gaz lacrymogène, fut le signal que ceux de l'extérieur attendaient. Tout ce qui pouvait être lancé était projeté en direction du Forum, et l'air s'emplissait d'un bruit de verre brisé. Le barrage était si dense que les policiers qui dirigeaient l'évacuation à l'intérieur du Forum durent faire faire demi-tour à plusieurs milliers de spectateurs et les escorter jusqu'à l'extérieur par les sorties latérales. Les voitures, les taxis et les autobus qui se trouvaient dans les rues Sainte-Catherine et Atwater devinrent des cibles mobiles; conducteurs et passagers durent se mettre à plat ventre pour éviter le verre qui pleuvait lorsque les pare-brise et les glaces latérales explosaient. Le hurlement des sirènes mêlé à la musique dans les rues fut suivi du bruit de pas des émeutiers qui s'éloignaient à la course et se dispersaient dans toutes les directions en éventrant les devantures des magasins tout le long de la rue Sainte-Catherine. Les kiosques à journaux étaient renversés et incendiés tandis que la police arrivait en renfort. Mais les policiers devaient eux aussi s'avancer prudemment dans le secteur où la foule agitée les bombardait. Plusieurs voitures de police subirent des dommages importants, et, plus d'une fois, un policier qui avait arrêté des malfaiteurs et s'apprêtait à les emmener dut laisser aller ses prisonniers, entouré qu'il était par une foule d'émeutiers.

On arrêta des douzaines de personnes et, jusqu'à la rue Université, environ trois kilomètres à l'est d'Atwater, la rue Sainte-Catherine se transforma en une rivière de verre avant que l'émeute ne s'apaise aux environs de minuit. Le 18 mars fut un grand jour pour les journaux, les quotidiens francophones et anglophones prenant des partis diamétralement opposés. L'Agence de Presse canadienne décrivit le soulèvement comme «le pire qu'on ait vu à Montréal depuis les émeutes anticonscription qui marquèrent la dernière guerre».

Trente ans plus tard, les historiens, tout comme les chroniqueurs sportifs, voient les «Émeutes Richard» comme un grand tournant dans l'évolution de la société québécoise. Réjean Tremblay, journaliste à *La Presse* qui débuta comme professeur de latin et de grec, dit:

— Si, à l'époque, beaucoup d'anglophones étaient peu disposés à reconnaître que la confrontation entre Campbell et Richard avait eu des conséquences politiques, je ne crois pas que ce soit encore le cas aujourd'hui. Il y a trop de gens qui disent que la Révolution tranquille du Québec n'a pas débuté en 1960 avec l'arrivée au pouvoir de Jean Lesage et des Libéraux, mais bien avec les Émeutes Richard. Ces émeutes indiquaient que l'attitude équivoque de l'establishment anglais ne serait plus tolérée.

Maurice Richard n'était pas seulement un joueur de hockey; il incarnait le Canadien français.

Le sociologue Orrin Klapp a écrit que le culte du héros est un rapport exprimant une attente qui permet à l'individu d'échapper à ses propres frustrations ou imperfections en souhaitant ressembler à quelqu'un pour qui il a de l'admiration ou en imaginant cette ressemblance. On peut mesurer l'impact qu'a eu Richard en analysant l'engagement profond de ses partisans locaux.

Selon les sociologues, depuis les premières sociétés de l'humanité, les masses ont utilisé les héros pour la réalisation individuelle du rêve — pour fournir un genre de mobilité psychique à ceux qui ne peuvent la trouver par eux-mêmes. Ce phénomène est généralement plus répandu dans une population adolescente, où l'idéalisation est plus spontanée et plus violente, une partie de l'autorité parentale faisant place aux influences provenant de la pression des pairs et au besoin d'embrasser un système de croyances global qui soit assez précis.

Pour les Canadiens français des années cinquante (on les appelait encore ainsi), l'identification aux *Canadiens* de Montréal et au succès des vedettes canadiennes-françaises de l'équipe était particulièrement puissante. En fait, elle était tellement envahissante que Frank Selke consacra beaucoup d'efforts à minimiser la vaste contribution des bureaux de l'administration composés principalement d'anglophones. À une époque où des milliers de Montréalais francophones rongeaient leur frein sous la domination anglophone au travail, Selke estimait, à juste titre, que toute l'attention devrait être portée sur les joueurs et le serait.

Et personne ne porta la Sainte Flanelle avec plus de fierté et de caractère que Maurice Richard. Trois décennies plus tard, Richard est lui-même très conscient du symbolisme de la Saint-Patrick de 1955.

— Oui, je me rends compte que j'étais important comme symbole aux yeux de bien des gens, mais je ne pouvais voir le côté politique, dit-il. Même en parler de cette manière me décontenance un peu. Que penseriez-vous si les historiens parlaient de vous comme cela? J'étais un joueur de hockey; j'ai toujours été un joueur de hockey. C'était mon métier. Lorsque vous évoquez l'aspect politique, vous parlez de personnes qui manipulent ce qui s'est passé longtemps après les événements.

Pourtant, l'influence de Richard ne fait aucun doute. Cette influence fut reconnue le soir de l'émeute, lorsque Selke appela Richard et lui demanda de revenir au Forum pour inviter lui-même la foule à se disperser.

— Je lui ai dit que ça ne ferait qu'empirer les choses, dit Richard. Ils m'auraient probablement porté sur leurs épaules le long de la rue Sainte-Catherine et fait encore pire que ce qu'ils avaient déjà fait.

Le lendemain, un vendredi, Montréal était en émoi. Le maire Jean Drapeau, qui avait déjà connu des soulèvements pendant les émeutes anticonscription lorsqu'il était membre du Bloc populaire, jeta carrément le blâme sur Campbell. Le maire dit que la présence de Campbell au Forum avait été provocation pure et simple, et que rien de fâcheux ne s'était produit avant son arrivée. Une guerre de mots éclata entre les deux hommes, Campbell manifestant son inquiétude de voir le premier magistrat de la ville de Montréal le prendre à partie pour ne pas avoir prêté attention aux menaces et aux avertissements de quelques voyous qui voulaient l'empêcher d'assister au match.

Quant à Campbell, il passa la journée à répondre aux appels téléphoniques de journalistes de partout à travers le monde et il dut nier une rumeur selon laquelle il allait démissionner de son poste de président de la Ligue.

— Moi, démissionner? se moqua-t-il. Les gouverneurs de la Ligue m'ont tous téléphoné pour me féliciter d'avoir assisté à la partie d'hier soir, répliqua-t-il, prouvant une fois de plus que, dans les esprits méfiants, il y avait plus qu'une simple bagarre derrière la suspension de Richard.

Richard recevait lui aussi des appels dont un grand nombre provenaient d'amis influents qui se faisaient du souci à propos d'une reprise des festivités de la veille.

Plus tard dans la soirée, un Richard sérieux, en complet gris impeccable, était assis à une petite table dans le vestiaire des *Canadiens*. Sur cette table, il y avait une forêt de microphones portant les sigles des stations radiophoniques de Montréal et des réseaux francophone et anglophone de Radio-Canada. À 19 h 15, le joueur de hockey prit la parole, tout d'abord en français puis en anglais. Richard commença par admettre sa déception devant la sévérité de la sentence et dit aussi combien il allait regretter de ne pas participer aux éliminatoires avec ses coéquipiers. Il parla calmement, avec beaucoup de retenue, mais ses mots avaient un poids immense. Il ne serait plus question d'émeutes ou de vengeance. Maurice Richard avait parlé.

Et en cette soirée, la plus traumatisante de sa carrière, Maurice Richard fut consacré super-étoile du sport par excellence... le Babe Ruth du hockey professionnel. Son influence dépassait la simple enceinte de 320 mètres sur 136 où il exerçait son métier.

Pourtant, chose curieuse, ce fut aussi le début de son éclipse comme meneur de l'équipe. Maurice Richard revint aux *Canadiens* et dirigea ses coéquipiers vers la conquête sans précédent et sans égale de cinq coupes Stanley de suite. Il terminerait sa carrière avec un total de 544 buts en saison, plus 82 autres dans les éliminatoires. Les deux années suivantes, il marqua 38 et 33 buts puis descendit à 15, 17 et 19 buts en 111 parties au cours desquelles il subit des blessures entre 1957 et sa retraite en 1960.

Cela ne veut pas dire que sa contribution cessa. Bien au contraire. Ralph Backstrom, un homme à la voix douce né à Kirkland Lake en Ontario, le meilleur centre de troisième ligne du hockey de l'époque, devint un régulier pendant la période de 1957 à 1960 lorsque l'étoile de Richard commença à décliner.

— J'étais intimidé par le Rocket. Je ne savais pas quoi lui dire et je restais donc assis, dans une stupeur catatonique, pendant les quelques premières semaines où je le vis comme coéquipier dans le vestiaire des *Canadiens*. Il détestait perdre. Si l'équipe subissait une défaite, il marchait de long en large dans le vestiaire en lançant des regards furieux aux gens. Il n'accusait personne en particulier, mais était généralement agressif et visiblement contrarié. C'était important pour moi de le voir quand il était comme ça. Il communiquait des valeurs essentielles et j'ai compris à ce moment-là que, s'il n'était pas satisfait de notre performance sur la patinoire, je ne pourrais jamais l'être non plus. Mais la tradition du hockey, celle que M. Selke avait façonnée, fut vraiment entretenue par le «Pocket Rocket», Henri, le frère de Maurice. Il fut mon idole tout au long de ma carrière active.

Le Rocket, le lion prêt à bondir, ne pouvait que gronder pour exprimer sa frustration face à ses propres insuffisances pendant ses dernières années. Il était une source d'inspiration, mais n'était pas le meneur que son frère Henri — ou que Jean Béliveau — deviendrait.

Néanmoins, il était un compétiteur pur. Jacques Plante joua avec le Rocket tout au long de sa carrière professionnelle, mais ses souvenirs les plus frappants proviennent des premières années de retraite de Richard.

— À l'époque où il jouait, le Rocket n'était ni le meilleur patineur ni le fabricant de jeux le plus efficace, mais il avait le plus grand coeur de la Ligue. On peut dire tout ce qu'on voudra de Gordie Howe, mais lorsque Richard jouait, c'était avec de la fougue dans les yeux. Il faisait n'importe quoi pour gagner la partie. Ce qui était fascinant chez lui, c'est qu'il était exactement le même à l'entraînement. Plus il se rapprochait du filet, plus il patinait vite. Et alors, tout ce qu'on voyait c'étaient ces grands yeux noirs qui vous faisaient baisser les vôtres. On était comme fasciné par un cobra; il avait un pouvoir hypnotique. Ce qu'il y a d'ironique, naturellement, c'est qu'il ne changea pas de style lorsqu'il mit fin à sa carrière. Nous avions l'habitude de pratiquer tous les samedis après-midi de 13 heures à 15 heures au centre sportif Saint-Vincent-de-Paul — on s'appelait la «Bande du samedi» — et comme j'étais le meilleur des deux gardiens de but, je jouais contre Maurice. Il avait encore du mépris pour son adversaire et, si je l'arrêtais pendant une ruée, hors de lui il revenait à la charge, comme s'il jouait dans un match important. C'est là qu'on pouvait voir le vrai caractère de Richard. Même à ce moment-là, il avait une incroyable volonté de dépassement, et c'est cela que Frank Selke recherchait lorsqu'il l'a recruté.

Même s'il était encore féroce au déclin de sa carrière, le lion trouvait toujours le temps de s'occuper des recrues. Rod Gilbert, un bel ailier canadien-français qui, avec Jean Ratelle, échappa au filet des recruteurs des *Canadiens* et devint la vedette des *Rangers* de New York, évoque un beau souvenir de Richard pendant sa dernière saison.

— J'étais une recrue qui venait tout juste de se joindre aux *Rangers* après ma carrière junior. Un jour, vers la fin de la saison, je l'aperçus dans le café d'un hôtel situé près du Madison Square Garden. Aller lui parler m'intimidait beaucoup, mais j'y suis allé et je lui ai demandé s'il avait des conseils à donner à un nouveau venu. Il m'a vraiment surpris lorsqu'il m'a dit qu'il savait qui j'étais et qu'il avait lu de bonnes choses à mon sujet. Il approuva d'un «bien sûr fiston», et consentit à me rencontrer au Madison Square après que les deux équipes se seraient entraînées. Il me dit d'apporter mon bâton et mes patins.

Gilbert, un peu timidement, se présenta à l'heure convenue, et Richard entra sur la patinoire tenant son bâton d'une main et un seau rempli de rondelles de l'autre.

— Il jeta les rondelles sur la patinoire à une extrémité et les éparpilla partout sur la glace, se souvient Gilbert. Puis il se mit à les pousser et à les tirer dans le filet de tous les angles possibles — tirs du revers, droits, du poignet, frappés — et il réussit à les envoyer presque toutes dans le but. Je devais faire une drôle de figure lorsque qu'il patina vers moi et me dit: «Si tu veux jouer dans cette ligue, fiston, il va falloir que tu apprennes où se trouve le filet.» Puis il quitta la patinoire.

Personne ne savait mieux que Richard où était le but.

La suspension imposée par Campbell le priva de la seule chance qu'il avait de jamais gagner le championnat des marqueurs. Il n'en aurait jamais d'autre; même chez les *Canadiens*, il serait éclipsé par des joueurs nommés Béliveau, Moore, Geoffrion et par son propre frère Henri.

Encore aujourd'hui, il y a des partisans de Montréal qui maudissent Campbell.

Chapitre 5

Le plan magistral de Frank Selke

La dynastie des *Canadiens* de Montréal débuta le 1er août 1946, avec l'arrivée au Forum d'un sosie du comique George Gobel, un petit homme à lunettes, les cheveux coupés en brosse.

«Carte blanche», voilà les deux premiers mots de français appris par Frank Selke. C'était le mandat que lui avait confié le sénateur Donat Raymond, quelques jours auparavant.

S'adressant à Frank Selke, originaire de Berlin (Kitchener) en Ontario, le sénateur Raymond avait dit: «Faites ce qu'il faut pour que le *Canadien* de Montréal devienne l'organisation et l'équipe les plus impressionnantes du hockey professionnel. C'est vous qui tenez les rênes: ce que vous direz fera loi.»

Selke se mit immédiatement à la tâche, tout en souriant au souvenir de la célèbre dispute avec Conn Smythe, cause de son exil à Montréal. En se servant du troisième mot de français qu'il venait d'apprendre, il donna ses premières directives à l'adresse de ce qui allait devenir l'une des équipes les plus fières du monde du sport:

— Nettoyez-moi ces toilettes: on se croirait dans un «pissoir» ici!

Cette entrée en matière n'avait certes ni le charme ni l'effet d'un jéroboam de champagne décrivant un grand arc avant de se briser en éclats sur la proue d'un nouveau paquebot. Ce fut pourtant la consécration d'une nouvelle équipe de champions.

Le petit homme vêtu sans élégance qui prenait en mains la destinée des *Canadiens* par cette chaude journée du mois d'août avait toutes les apparences d'un timide comptable à la retraite. Malgré sa petite taille — 1 m 53 et 67 kg — il n'en était pas moins doué, à l'instar de bien des chefs de file de son époque, d'une intelligence remarquable doublée d'un souci minutieux du moindre détail. À cinquante-trois ans, Frank Selke jouissait déjà de trente-neuf années d'expérience dans le monde du hockey.

C'est à quatorze ans que ce fils d'un fermier polonais immigré avait fait ses premières armes dans le hockey. À Berlin, rebaptisée Kitchener pendant la Première Guerre, il mit sur pied sa première équipe de hockey, un club junior doté du nom pour le moins surprenant de *Union Jacks* de Berlin. Frank Selke avait alors dix-neuf ans. Sa petite équipe recrutée dans un quartier populaire parmi des jeunes garnements d'origines allemande et polonaise, passablement rudes et turbulents, allait surprendre les observateurs en remportant le championnat provincial de 1913-1914, sans perdre une seule partie, face à des adversaires plus coriaces, plus âgés et plus aguerris.

— Nous venions de milieux défavorisés, et les gens nous regardaient de haut, raconte Selke. Nous devions constamment nous battre pour le simple droit de jouer ensemble. C'est ainsi que nous sommes devenus une équipe de vrais bagarreurs. Les coins de la patinoire nous appartenaient et nous en étions fiers.

L'année suivante, les *Union Jacks* faisaient leur entrée dans la Ligue de hockey junior de l'Ontario. Derniers arrivés, ils héritèrent d'un calendrier des plus désavantageux. Qu'à cela ne tienne, l'équipe de Frank remporta malgré tout le championnat de la Ligue avant de subir l'élimination au profit de l'élégante équipe des *Varsity* de Toronto, dont le capitaine s'appelait Conn Smythe.

La Première Guerre mondiale empêcha à peine Frank Selke de poursuivre sa nouvelle carrière. Il s'enrôla dans l'armée canadienne pour trois ans, et pendant qu'il attendait son transfert outre-mer, on lui demanda d'organiser les activités récréatives pour les troupes. Il mit sur pied une bonne équipe de niveau intermédiaire et, pour la financer, monta de toutes pièces un spectacle de variétés qui se joua à guichets fermés à l'auditorium du St. Jerome College à Kitchener.

Bien avant la guerre, Selke avait dû quitter l'école et il était devenu, en 1911, apprenti électricien. Il reprit ce métier en 1917 après avoir été démobilisé pour des motifs d'ordre médical. Il reprit aussi, là où il l'avait laissé, son travail d'organisateur de hockey.

C'est en tant qu'éclaireur que Selke se trouva, un hiver, à New Hamburg, en Ontario, afin d'évaluer le talent d'un jeune gardien de but nommé

Schmidt. Selke découvrit là non seulement son gardien de but mais aussi la soeur du gardien, Mary Schmidt, qu'il épousa peu après sa démobilisation.

Après la guerre, le Canada traversa une période d'exode généralisé vers les grands centres urbains. Les Selke eux aussi déménagèrent à Toronto, où Frank trouva du travail comme électricien à l'Université de Toronto. Il y devint également entraîneur de l'équipe de hockey, laquelle remporta, en 1918, le championnat de hockey junior de l'Ontario.

Frank quitta l'Université de Toronto après cette saison et s'occupa ensuite de plusieurs équipes de la région torontoise avant de devenir, en 1924, l'entraîneur des *Marlboros* de Toronto, dont les équipes junior et senior allaient devenir la source d'approvisionnement par excellence des *Maple Leafs* de Toronto. Quelques années à peine séparent alors Selke du moment où, délaissant pour de bon le métier d'électricien, il entamera une carrière professionnelle dans le monde du hockey.

Le fait que le hockey ait été considéré comme une affaire de famille chez les Selke allait bien servir Frank au cours des années, tant chez les amateurs que chez les professionnels, car bon nombre des amis deviendraient un jour des vedettes. En plus de ses sept enfants, Madame Selke en maternait beaucoup d'autres. Dans une entrevue avec un journal montréalais en 1964, Madame Selke raconta:

> J'avoue que je garde une affection toute particulière pour la *Kid Line* regroupant Harvey (Busher) Jackson, Joe Primeau et Charlie Conacher. J'ai été, pendant plusieurs années, le chauffeur officiel de la famille. Il m'est arrivé souvent, l'hiver, d'entasser six ou sept garçons, Harvey et Charlie notamment, dans notre vieille Reo et de les conduire aux quatre coins de la province pour jouer.
>
> Je me souviens particulièrement de Red Horner. C'était notre livreur d'épicerie et il adorait passer par la cuisine où je lui donnais un verre de lait et des biscuits maison.

La famille Selke connaissait bien l'importance des clubs mineurs pour alimenter la grande équipe. Celle des *Marlboros*, formée par Frank Selke, était très puissante. Composée en partie des trois membres de la *Kid Line*, elle comprenait également Red Horner et le défenseur Alex Levinsky, ainsi que l'attaquant Bob Gracie.

C'est à cette époque que refait surface le nom de Conn Smythe qui avait été l'artisan de la défaite de l'équipe de Frank, les *Union Jacks*, lors du championnat de hockey junior de l'Ontario en 1913-1914.

Pendant que Selke taillait sa carrière au hockey, Smythe aussi se bâtissait une réputation de gérant, d'abord avec les *Varsity Blues*, ensuite avec les *Varsity Grads*.

Les équipes de Smythe étaient tellement bonnes (*Varsity* avait remporté le championnat universitaire canadien à l'époque où ce titre voulait encore dire quelque chose, et s'était rendu jusqu'aux finales de la coupe Allan) que sa renommée eut vite fait d'atteindre les États-Unis. En 1924, la Ligue nationale de hockey décida de prendre de l'expansion vers nos voisins du sud, et après le succès remporté au départ par les *Americans* de New York, l'administration du Madison Square Garden eut le sentiment qu'une autre équipe de hockey ne serait pas de trop dans la métropole américaine. En mars 1926, on assista à la naissance des *Rangers* de New York. Le colonel John Hammond les dirigeait et, sur la foi des succès obtenus par le *Varsity*, il entra rapidement en contact avec Smythe.

Hammond lui offrit un contrat de trois ans et lui confia la tâche de bâtir et de gérer les *Rangers.* Un des premiers joueurs qu'il embaucha fut le grand gardien de but taciturne Lorne Chabot, celui-là même qui, portant les couleurs de Port Huron, avait battu le *Varsity* menant son équipe à la coupe Allan.

L'ancienne Western League fermait alors boutique. Smythe se lança dans le recrutement et fit signer deux talentueux défenseurs de Winnipeg, Ching Johnson et Tafy Abel. Toujours à l'affût, il apprit que James Strachan des *Maroons* de Montréal s'apprêtait à signer un contrat avec Bill et Bun Cook de Saskatoon. Damant le pion à Strachan, il leur mit la main dessus à Winnipeg et, forts d'un boni de 5000 $, les frères Cook devinrent *Rangers* plutôt que *Maroons.* Bill Cook parla à Smythe d'un joueur de centre qui avait fait ses preuves à Vancouver: il n'en fallut pas plus pour que Frank Boucher devienne un *Ranger.*

Quand Smythe eut terminé sa tournée de recrutement, les *Rangers* avaient déboursé 32 000 $, mais New York était dotée de sa deuxième équipe de hockey professionnel. L'irascible M. Smythe avait bâti cette équipe comme il l'entendait et il était prêt à la laisser faire ses preuves sur la glace. Mais avant même que les *Rangers* aient disputé leur première partie, Smythe ne faisait plus partie de l'organisation.

Il n'avait jamais eu l'intention de déménager à New York — erreur capitale quand on travaille pour une organisation sportive new-yorkaise — et avait logé le camp d'entraînement des *Rangers* à Toronto. Par ailleurs, Smythe avait refusé d'embaucher Babe Dye, une ancienne vedette de la Ligue nationale, bien que le colonel Hammond, fort des conseils d'experts locaux, eût insisté à plusieurs reprises. Hammond, accompagné de Lester Patrick, se rendit donc à Toronto pour ramener son équipe à New York. Smythe les rencontra à la gare et, déconcerté par la présence de Patrick, son successeur, laissa Hammond lui racheter son contrat pour 7500 $.

À leur première saison dans la Ligue nationale, les *Rangers* remportèrent le championnat de leur division et finirent troisièmes au classement général. L'année suivante, ils gagnèrent la coupe Stanley, sur laquelle on pouvait lire: «Lester Patrick, gérant». Si tous reconnaissaient les mérites de Lester Patrick, bien peu, dont Tex Rickard, président du Madison Square Garden, savaient qu'il s'agissait de l'équipe de Smythe.

Jack Bissell, un des principaux actionnaires des malheureux *St. Pats* de Toronto, l'avait aussi remarqué. Son club jouait tellement mal qu'au cours de la saison 1926-1927, la moitié des propriétaires voulaient se défaire de leurs actions. Au moment où Bissell se mit en rapport avec Smythe, il était fortement question que l'équipe soit transférée à Philadelphie.

— Êtes-vous intéressé à reprendre le *St. Pats*?

— Pas si ça devient le *St. Pats* de Philadelphie, répondit Smythe, ce Torontois enraciné.

— L'offre de Philadelphie est de 200 000 $. Faites-moi la même offre et l'équipe reste à Toronto, lui rétorqua Bissell.

Smythe mit 10 000 $ de sa poche, réussit à convaincre Bissell de ne pas retirer son investissement de 40 000 $, trouva des investisseurs prêts à engager la somme de 75 000 $ et promit de trouver 75 000 $ de plus avant trente jours. Smythe décréta l'arrêt de mort du *St. Pats.* Le 15 février 1927, celui-ci renaissait sous le nom des *Maple Leafs* de Toronto.

Mauvais gagnant, Smythe passera le reste de ses jours à s'approprier tout le mérite des succès des *Maple Leafs.* Volontaire, inflexible, la plupart du temps égocentrique et porté à la mégalomanie, Smythe était l'opposé de Frank Selke. Et pourtant c'était pour lui que Selke allait travailler.

La rivalité qui naîtrait entre ces deux hommes est devenue légendaire dans les annales du hockey. Smythe en a décrit les faits saillants dans un livre intitulé *Conn Smythe, If You Can't Beat Them in the Alley* (Conn Smythe: si vous ne pouvez les vaincre dans la ruelle), écrit en collaboration avec Scott Young:

> J'ai vite perdu confiance en W.A. Hewitt. Il m'a fallu plus de temps avec Frank Selke, probablement parce que c'était un bon homme de hockey et un travailleur acharné, même si son travail se retournait contre moi. Quand je l'ai engagé — avant que le Gardens (de Toronto) ne soit construit — je le payais de ma poche. Je trouvais cela juste: il faisait une partie de mon travail et je ne voyais pas pourquoi le Gardens le payerait en plus de me payer. Ralph Allen, journaliste sportif au *Globe & Mail*, a plus tard surnommé Frank Selke «Little Rollo». Je n'ai jamais su exactement ce qu'il voulait dire, mais Selke était souvent prétentieux dans ses rapports avec les autres. Quelques années plus tard, dans une entrevue accordée au *New Yorker*, Selke m'a décrit

> comme un homme brillant mais parfois tout à fait égocentrique. C'est peut-être vrai. Mais à mon idée, je valais mieux que lui. J'aime que les choses soient évidentes, claires et nettes. Ce n'était pas sa méthode. Au moment où ces lignes sont écrites, cela fait plus de cinquante ans que j'ai engagé Selke pour la première fois. Je considère qu'il a bien réussi après avoir été mon assistant. Mais quand le vent a tourné, il est devenu évident que sa loyauté ne m'était pas acquise. À cause de ses connaissances en hockey, de son dévouement et de sa persévérance, Selke était un homme de valeur, jusqu'à un certain point. Mais à mes yeux, il était du calibre des ligues mineures.

De la lecture de ces lignes, un psychiatre pourrait tirer un diagnostic fort intéressant à l'endroit de Conn Smythe. Quoi qu'il en soit, si Smythe ressuscita l'équipe de Toronto, c'est Frank Selke qui y amena les joueurs qui allaient permettre à Toronto de remporter sa première coupe Stanley. Avant que Selke soit embauché, Smythe était aux prises avec une équipe qui ne parvenait jamais à accéder aux éliminatoires. Un jour, il convoqua à son bureau Selke et Bill Christie, l'entraîneur de l'équipe des *Marlboros* de Toronto:

— Comment faire, bon Dieu, pour que les *Maple Leafs* réussissent à arracher la coupe Stanley aux *Maroons* de Montréal?

Selke, l'homme que Smythe allait qualifier d'hypocrite, de menteur et de déloyal, lui répondit:

— Je vais vous le dire. Vous allez congédier tous ces vieillards qui jouent pour vous actuellement et les remplacer par mes jeunes turcs des *Marlboros*.

— Des fois je me dis que tout ne tourne pas rond dans ta tête, lui répliqua Smythe, toujours aussi aimable lorsqu'on lui donnait un bon conseil.

Ainsi débuta leur excellente collaboration. Lorsque, deux ans plus tard, les *Leafs* emménagèrent dans le tout nouveau Maple Leaf Gardens et célébrèrent l'occasion en remportant leur première coupe Stanley, ce furent les protégés de Selke, Charlie Conacher, Joe Primeau, Busher Jackson, Alex Levinsky, Red Horner et Bob Gracie, qui la portèrent.

Les *Leafs* étaient devenus une belle équipe de hockey, à l'image de leur entraîneur que Smythe avait déniché en Saskatchewan, Dick Irvin.

Mais avant cette première coupe Stanley, il avait fallu construire le Maple Leaf Gardens, ce monument édifié à la persévérance et à la volonté de Conn Smythe. Lors de la construction, Smythe était partout à la fois dans la Ville Reine, tantôt sur l'emplacement des travaux, tantôt chez les courtiers en valeurs pour vendre des actions du Gardens, tantôt chez les banquiers et les divers hommes d'affaires qui avaient financé l'entreprise, pour les rassurer. Il y consacra toute son énergie. Mais, là aussi, Selke lui a été d'un secours inestimable. Officiellement, Selke était l'entraîneur adjoint des *Leafs*. En réalité, il s'occupait à la fois de vendre la publicité, d'assurer la publication des programmes maison, tout en s'acquittant à merveille de son rôle d'éclaireur pour l'équipe. Ce n'est pas sans raison qu'il avait conservé sa carte de directeur honoraire du syndicat des électriciens.

Malgré les trésors d'imagination qu'il déployait, Smythe ne réussissait pas à trouver assez d'argent pour faire démarrer la construction du Gardens. Frank Selke alla voir ses amis syndiqués et parvint à les convaincre de recevoir vingt pour cent de leur salaire en actions du Gardens. Fort de cette entente, Smythe réussit à persuader les banquiers d'en faire autant. Smythe s'est naturellement attribué tout le mérite de l'affaire.

Smythe et Selke bâtirent une équipe solide à Toronto et, en 1946, ils auraient gagné deux autres coupes Stanley. En 1939, alors que la Deuxième Guerre mondiale pointait à l'horizon, Smythe, qui n'était pourtant plus dans sa prime jeunesse, fut l'un des premiers Canadiens à se porter volontaire. Appelé au front en 1942, il passa les rênes de l'équipe à Selke.

Smythe forma pendant la guerre un bataillon qui devint partie intégrante du 7e Régiment de Toronto de l'Artillerie royale canadienne. Il y déploya toute sa prodigieuse énergie et, avec le titre de major, prit la charge du 30e Bataillon. Pendant que Smythe consacrait une grande partie de son temps à l'effort de guerre, Selke resté à Toronto s'occupait des *Leafs*. Après la saison 1939-1940, Smythe fit quand même une transaction: il expédia son entraîneur, Dick Irvin, à Montréal.

— Je ne croyais pas, dit-il, que, sans ma présence pour l'épauler, Irvin serait assez dur pour faire ce qu'il fallait.

Smythe engagea Hap Day comme entraîneur des *Leafs*, puis il entra dans l'armée et passa l'année au camp d'entraînement de Petawawa.

En septembre 1942, il rejoignit l'Angleterre. Blessé au combat deux ans plus tard, il rentra au Canada et se trouva impliqué dans un grave scandale. Sur le bateau-hôpital qui le ramenait au pays, Smythe avait mentionné à un journaliste du *Globe & Mail*, avec son franc-parler habituel, qu'il considérait que les soldats canadiens ne bénéficiaient pas d'un appui militaire adéquat sur les champs de bataille européens. Mais en fait, le véritable scandale résida plutôt dans le fait que le gouvernement Mackenzie King fût sur le point de faire passer Smythe en cour martiale jusqu'à ce que le ministre de la Défense, ayant visité lui-même les champs de bataille européens, en vienne aux mêmes conclusions que Smythe.

Bien que de retour au Canada en septembre 1944, attendant d'un jour à l'autre sa démobilisation, Smythe n'était pas en état d'effectuer sa rentrée chez les *Leafs*. Il ne devait assister à sa première partie de hockey (Chicago-Montréal) en trois ans que le 1er février 1945, à Montréal où il était venu participer à une rencontre des gouverneurs de la LNH.

Toutefois, moins d'un an plus tard, en mai 1946, Smythe revint en force au Maple Leaf Gardens et contraignit Frank Selke à démissionner. La plupart des témoins de cet affrontement sont morts à présent, y compris les deux acteurs principaux, et on ne connaîtra jamais le fin fond de l'histoire. Mais, bien des années plus tard, les deux hommes continuaient d'échanger le fer à ce sujet. Écoutons d'abord Frank Selke:

> Je pense que Smythe respectait ma valeur en tant que gérant, mais il ne pouvait admettre que mon habileté à jauger le talent des joueurs et à le faire s'épanouir puisse être supérieure à la sienne. Cela l'ennuyait. Cela l'agaçait beaucoup de surprendre les conversations des autres gouverneurs de la Ligue qui disaient: «On le sait bien, c'est Selke qui fait tout le travail pour lui.» Il en faisait une maladie. Je me rappelle les messages vraiment incroyables qu'il me faisait parvenir d'Europe! Comment peut-on espérer gérer un club de hockey depuis la France? En plus, j'ai gagné une coupe Stanley pendant son absence. Conn continuait à me faire passer pour un vendeur de publicité et il ramassait les lauriers.

On raconte entre autres qu'ils s'affrontèrent au sujet d'un échange conclu par Selke en 1943. Selke avait obtenu de Montréal le joueur de centre Ted Kennedy en échange du jeune défenseur Frankie Eddolls. Ce n'était pas tant les joueurs concernés dans l'échange qui dérangeaient Smythe, prétend-on, mais le fait que la transaction se soit faite sans son approbation. Voici les commentaires de Selke:

> Conn n'était vraiment pas content, et l'un de ses messages d'Europe me le disait en termes non équivoques. L'avenir nous donna raison pour ce qui était de notre évaluation de Kennedy. Ted n'avait pas d'égal pour remporter les mises au jeu ou pour sortir le gros jeu dans les parties serrées.

La version de Smythe diffère naturellement de celle de Selke:

> Frank Selke a toujours dit publiquement que c'est cette transaction effectuée sans mon autorisation qui avait causé notre séparation. C'est faux, mais ça sonne bien, et c'est probablement pour cela que Selke le dit. C'est vrai que j'étais furieux de ne pas avoir été consulté. Eddolls venait de s'enrôler dans l'aviation canadienne, et je trouvais que c'était un coup bas à faire à un gars qui allait défendre son pays.

> Mais si c'était cela qui allait marquer la fin de Selke chez les *Leafs*, pourquoi donc aurais-je attendu trois ans avant de le congédier? Et pourquoi n'ai-je pas congédié Hap Day qui pourtant avait joué un rôle de premier plan dans cet échange?

Smythe ajoute que le congédiement de Selke venait bien plus du fait que celui-ci avait pris parti pour des gens comme Ed Bickle et Bill MacBrien dans une guerre interne de l'organisation des *Leafs*, guerre que Smythe allait remporter.

Les deux versions contiennent probablement leur part de vérité. Bref, les deux vieux ennemis se séparèrent.

Pourquoi consacrer autant d'importance au développement des jeunes *Maple Leafs* dans un livre sur le *Canadien* de Montréal?

C'est que, une fois Selke arrivé à Montréal, Smythe pouvait se vanter d'avoir joué un rôle important dans l'édification d'une dynastie de hockey. Le seul problème, c'était que la dynastie serait le *Canadien* à Montréal, et non les *Leafs* à Toronto. Si Smythe et Selke avaient pu s'entendre, il y a gros à parier que ce sont les *Maple Leafs* de Toronto qui seraient reconnus comme dynastie régnante du hockey professionnel. Mais la vraie dynastie du hockey débuta ce 1er août 1946, lorsque Frank Selke eut le flair d'entrer au Forum de Montréal.

Quelque trente-sept années plus tard, le 1er juillet 1983, Frank Selke nous accueillit dans sa ferme de Rigaud et nous parla de ce jour historique:

— Jamais je n'oublierai ce premier après-midi passé au Forum. C'était crasseux, et l'odeur qui se dégageait des toilettes mal entretenues vous assaillait lorsque vous ouvriez la porte. J'étais issu de la classe ouvrière, et il n'était pas question que je supporte du laisser-aller à quelque niveau que ce soit.

Pour les Selke, le hockey était depuis toujours une affaire de famille, et Frank considérait que sa responsabilité comme chef allait à l'invité qui achetait un billet.

— L'amateur local mérite d'être assis confortablement et qu'on lui présente un spectacle de qualité. J'ai immédiatement investi plus de 100 000 $ dans le Forum pour remplacer la tuyauterie et faire d'autres rénovations majeures.

La raison d'être de la famille de hockey de Frank était d'accueillir d'autres familles chez elle. Le Forum se devait donc d'être entretenu avec fierté.

Une patinoire de hockey était un endroit respectable où la grossièreté des amateurs et l'impolitesse du personnel n'étaient pas tolérées. Le respect de ces règles de base vous garantissait les bonnes grâces de Frank.

Mais cette décision de procéder à la rénovation du Forum avait une autre signification. Cela représentait aussi la première décision complètement autonome de Frank Selke dans le hockey professionnel. Il avait maintenant les mains libres pour bâtir l'organisation qu'il avait toujours désirée.

Camil Desroches, qui s'était joint à l'organisation du *Canadien* en 1938, se souvient encore de l'arrivée de Selke:

— Je n'oublierai jamais cette journée-là. M. Selke est entré dans le Forum et, sans bruit, a informé tout le monde que c'était lui le patron et qu'il le serait un bon bout de temps. Il a fait quelque chose qui m'a beaucoup impressionné: il a fait le tour de la bâtisse et s'est présenté à tout le monde, les ouvreurs, les menuisiers, les plombiers, les préposés aux guichets. À partir de ce jour, M. Selke disait toujours bonjour à son monde et il avait une parole aimable pour chacun.

Pour Camil Desroches, qui allait devenir le publicitaire du Forum, et qui l'est toujours, Selke fut un deuxième père.

— Je l'appelais Daddy et il me traitait comme un de ses fils, dit-il.

Le bureau de Desroches, au deuxième étage du Forum, est parsemé de souvenirs illustrant le passé anecdotique du *Canadien*: une photographie en couleurs des trois *Flying Frenchmen*, Maurice Richard, Jean Béliveau et Guy Lafleur; une autre en noir et blanc de Selke et Toe Blake avec Desroches lui-même au centre de la patinoire du Forum; à côté de son bureau, une photographie autographiée du premier ministre Brian Mulroney en compagnie de son épouse. Mais la photographie la plus importante est accrochée face à sa table: on y voit l'équipe 1959-1960 des *Canadiens*, qui allait gagner à la fin de cette saison-là une cinquième coupe Stanley de suite, record encore inégalé.

Desroches se lève et se dirige vers cette dernière photographie.

— Voulez-vous savoir ce que Selke a fait pour le *Canadien*? C'est très simple, dit-il.

De la pointe de son stylo, il désigne les jeunes athlètes vêtus du célèbre uniforme tricolore et les énumère:

— Henri Richard, Maurice, Dickie Moore, Doug Harvey, Dollard St-Laurent, Le Boomer, Donnie Marshall, Phil Goyette... tous des gars de Montréal. Des gars du coin qui ont joué pour le grand Club et qui ont tout gagné. Il y a eu plusieurs grandes équipes qui ont gagné des championnats, mais c'est la seule qui l'ait fait avec autant de joueurs qui venaient de la ville championne.

On pourrait également ajouter les noms de Jacques Plante, Jean Béliveau, Jean-Guy Talbot, Marcel Bonin et Junior Langlois, tous issus de la Ligue junior majeure du Québec, ligue fondée par Selke.

Pour vraiment comprendre l'oeuvre de Selke, il faut revenir à son arrivée au Forum en 1946. Il serait faux de penser que le *Canadien* ne constituait pas une bonne équipe avant l'arrivée de Selke. L'équipe de 1943-1944 avait gagné la coupe Stanley, ne perdant que cinq parties pendant l'année, ce qui constitue toujours un record. L'équipe avait également gagné la coupe en 1945-1946. Cette équipe ne comprenait que cinq Canadiens français: Maurice Richard, Butch Bouchard, Fernand Majeau, Robert Fillion, Léo Lamoureux, puis Gerry Plamondon, qui remplaça Majeau en 1945-1946. Nous sommes loin des *Flying Frenchmen*.

— Une des choses qu'on avait établies à Toronto, rappelait Selke, c'était un système qui fonctionnait d'un bout à l'autre de l'organisation. Je pensais qu'un succès à long terme avec le *Canadien* devait s'appuyer sur les mêmes principes. Mais il y fallait faire deux choses: d'un côté, recruter les meilleurs joueurs à travers le Canada et, de l'autre, développer le bassin de joueurs locaux au Québec.

Selke confia la tâche de faire fonctionner la toute nouvelle ligue mineure à un jeune homme issu de Montréal-Ouest, Sam Pollock, ainsi qu'au défenseur Kenny Reardon après sa retraite du *Canadien* à la fin de la saison 1949-1950. L'influence de Selke était omniprésente, et Montréal commanditait des équipes en Colombie-Britannique, en Saskatchewan, au Manitoba, en Ontario et au Québec, alimentant ainsi à divers niveaux les ligues professionnelles montréalaises de hockey en pleine formation.

Selke allait devenir par la suite éleveur de chevaux de course et propriétaire d'un poulailler réputé. Il comparait son système à l'élevage.

— J'ai toujours été un «gentleman-farmer», un jardinier du dimanche, un patenteur. Je gérais mes clubs comme ma ferme. Je donnais des vitamines à ces jeunes joueurs, j'en prenais soin jusqu'à ce que leur talent éclose et qu'ils deviennent assez bons pour se joindre au grand Club.

La «ferme» de Selke était vaste.

— Nous aidions des équipes de hockey de partout, disait-il. Nous avions dix équipes à Winnipeg; c'est nous qui avons payé pour tout le système de hockey amateur à Regina. À un moment donné, nous payions 300 000 $ par année pour le développement du hockey amateur à Edmonton.

Des chiffres aussi élevés effrayaient les autres directeurs de la LNH, mais pas Selke qui, en bon fermier, remplissait son grenier chaque année. Il ajoutait:

— Nous ne nous mêlions jamais des affaires des équipes locales. Tout ce qui nous intéressait, c'était de former des bons joueurs, et nous en avons formé. Le système se payait par lui-même parce que nous parvenions à obtenir 250 000 $ par année pour les joueurs que nous formions.

Les contrats de ces joueurs étaient vendus aux cinq autres clubs de la LNH. Ventes dont le *Canadien* allait tirer profit au fil des ans.

— Ça faisait l'affaire de certaines des autres équipes d'économiser sur l'argent de développement, et elles dépendaient de nous pour que nous leur servions d'éclaireurs, racontait Selke en souriant. Ce qui voulait dire que les joueurs qu'ils nous achetaient étaient moins bons que nos meilleurs joueurs. En plus, on les connaissait comme si on les avait tricotés. Ça allait nous servir un jour.

En 1946, Selke retroussa ses manches et s'attela à la tâche, surpris de trouver sur son chemin un ennemi redoutable — lui-même! Cette année-là les *Canadiens* perdirent la coupe contre les *Maple Leafs*, l'équipe que Selke avait bâtie. Teeder Kennedy, son successeur, gagna trois coupes de suite, en perdit une à Detroit et en gagna une quatrième lorsqu'un but en supplémentaire de Bill Barilko élimina le *Canadien* en 1950-1951.

Que Selke n'ait pu apporter la coupe à Montréal durant les six premières années de son mandat est de peu d'importance si on tient compte du fait qu'il construisait un système qui, tel un mouvement d'horlogerie, allait gagner championnat sur championnat. En 1947-1948 une jeune recrue de l'ouest de Montréal endossa le numéro 2 de Frankie Eddolls, c'était Doug Harvey; l'année suivante Tommy Johnson, de Winnipeg, rejoignit le *Canadien* pour les éliminatoires. En 1949-1950, des recrues portant de fiers noms canadiens-français entrèrent au camp d'entraînement, Bernard Geoffrion, Dollard St-Laurent et Jean Béliveau. En 1951-1952, ce fut au tour de Dickie Moore et de Don Marshall d'avoir leur première chance.

Le système de hockey junior du Québec, avec le *Canadien* junior, le *Royal*, le *National*, les *Leafs* de Verdun et le *Citadelle* de Québec, formait un nombre incroyable de joueurs de premier plan. Les investissements de Selke commençaient à porter fruits.

Ce n'est pas le simple fait d'assumer les coûts d'un réseau junior au Québec qui faisait du *Canadien* une organisation spéciale; plusieurs autres équipes auraient pu avoir la même idée. Mais Selke avait également institué une méthode unique qu'on pouvait percevoir à tous les niveaux de l'organisation.

Les clubs-écoles débordaient de jeunes joueurs talentueux avec du feu dans les yeux et un rêve dans la tête. Ils montraient leurs qualités sans relâche et progressaient chaque année. De l'extérieur, cela semblait merveilleux et cela promettait de l'être encore plus. Bien des jeunes se sentaient en butte à une attention et à une évaluation constantes et avaient conscience que tout pouvait cesser d'un coup, cruellement. Beaucoup trop d'équipes ont fait miroiter uniquement le beau côté de la médaille et perdu plusieurs jeunes hockeyeurs de talent pour n'avoir pas perçu l'aspect destructeur de la culture qu'elles encourageaient. Depuis l'âge de quatorze ans, Selke répétait à des joueurs qu'ils n'étaient pas assez bons pour devenir professionnels. Selke, lui, a toujours montré les deux côtés de la médaille et veillé à ce que ses joueurs les regardent comme il faut.

Il savait que le monde du hockey n'offrait aux joueurs que des choix très restreints. À ses yeux, les jeunes hockeyeurs étaient vulnérables et naïfs. On pouvait les former, mais le chemin était long et ardu. Le Club de hockey canadien développa une stratégie qui insistait sur l'importance des ligues mineures en tant qu'école de préparation pour les futures étoiles du hockey professionnel.

Pendant que les jeunes progressaient d'un niveau à l'autre, ils passaient à travers tout un processus de socialisation où la notion de victoire était de plus en plus raffinée. Le *Canadien* tenait également compte de l'influence des médias et de l'utilisation de ses joueurs comme modèles pour les jeunes. De plus, le style d'entraînement était le même pour tous les maillons de la chaîne du *Canadien*.

Que ce soit pour le *Canadien* junior, le *Citadelle* de Québec ou les *Pats* de Regina, le joueur apprenait à travailler plutôt qu'à s'amuser, à changer son style de vie pour qu'il se moule sur celui d'un professionnel. Ce qui eut pour conséquence de faire du *Canadien* junior une organisation un peu plus sérieuse, présentant un peu plus de maturité que ses contreparties dans d'autres organisations. Si cela ne changeait rien au talent brut, à talent égal, le joueur du *Canadien* montrait plus de caractère sur la glace. Par conséquent, beaucoup de jeunes de l'organisation du *Canadien* qui ne parvenaient pas à se faire admettre au grand Club trouvaient souvent quand même du travail au sein de l'une des cinq autres équipes de la LNH.

Selke avait divisé en quatre stades le processus de professionnalisation chez un jeune joueur: 1) l'intérêt pour une carrière professionnelle; 2) la cristallisation de cet intérêt; 3) l'effort consenti et le degré d'engagement; et 4) l'examen de cet engagement. La plupart des jeunes qui s'élevaient aux rangs juniors étaient postés dans de petites villes, loin de leurs famille et amis. Il ne leur restait plus qu'à penser au hockey: l'entraînement, les parties, l'équipement, les voyages. Ces joueurs, qui avaient souvent abandonné l'école très jeunes, étaient enrégimentés dans une vie où l'horaire devait être respecté, y compris le couvre-feu. Si dure qu'elle puisse paraître, ceux qui passaient à travers cette épreuve devenaient des joueurs au caractère bien trempé. C'est ce que les éclaireurs, omniprésents, tentaient d'évaluer.

Floyd Curry qui, après un essai en 1947-1948, rejoignit les rangs du *Canadien* deux ans plus tard, décrivit ainsi l'expérience:

— Le hockey junior était un jeu de serpents et d'échelles. De bons joueurs ne jouaient pas aussi bien à leur position qu'ils l'auraient dû, d'autres paraissaient bien meilleurs qu'ils ne l'étaient en réalité. À mesure qu'on progressait, le jeu s'accélérait, les joueurs devenaient plus robustes et les exigences du Club plus pressantes. Ça ne faisait pas grand différence puisqu'on jouait toujours au hockey, mais le chandail et la fierté associée à ce chandail compliquaient passablement les choses.

Quelque vingt ans plus tard, lorsque Ken Dryden fit son apparition dans la LNH, le message de Selke avait fait le tour du monde du hockey.

— J'ai remarqué peu de différences entre le hockey universitaire et la LNH, car je me suis toujours considéré comme un professionnel. Les préparatifs nécessaires à la victoire étaient une de mes préoccupations majeures; ça l'a toujours été. Il y avait peu de différences dans les exercices de réchauffement ou la préparation à la partie; le couvre-feu était respecté religieusement, et la camaraderie était de rigueur au sein de l'équipe. La plus grosse différence, c'était sans doute que nos adversaires étaient généralement meilleurs que nous.

Selke exigeait trois choses de ses joueurs: une grande expérience du hockey, une vive volonté de gagner doublée d'une haine toute aussi vive de la défaite, et finalement la confiance et la motivation nécessaires pour qu'un joueur accepte les sacrifices exigés pour faire partie de l'équipe. Il voulait que les joueurs adoptent une perspective d'équipe plutôt qu'une perspective individuelle. Les désirs, les attitudes et la motivation individuels devaient devenir désirs, attitudes et motivation d'équipe.

Les joueurs qui y parvenaient recevaient tout le soutien possible; en tant que membres de la famille du *Canadien*, ils étaient entourés et protégés de façon qu'ils livrent leur meilleure performance. Selke traitant tous les employés du Forum comme sa famille, ceux qui portaient l'uniforme de l'équipe devaient agir de même. La communication et l'interaction étaient des éléments positifs que l'on encourageait à tous les niveaux de l'équipe.

— Il était plus facile, prétend Jean Béliveau, de croire à cette vie de famille à l'époque où l'on voyageait en train. Au cours du voyage, la plupart des joueurs, surtout les «vétérans», passaient la partie du soir au peigne fin; on apprenait beaucoup rien qu'à les écouter. Avec les voyages en avion, ce genre de discussions n'a plus sa place, et si l'entraîneur ne propose pas de stratégie précise, les gars n'ont jamais l'occasion de parler de leurs erreurs.

Le joueur de centre Ralph Backstrom est d'accord avec Béliveau:

— Nous étions très proches les uns des autres, et la volonté de gagner nous unissait davantage. Quand ça allait mal, on se le disait clairement. Doug Harvey convoquait l'équipe dans un bar et on s'expliquait. À l'occasion, on discutait durant les heures de voyage en train, mais, en fin de compte, on se disciplinait soi-même. Les entraîneurs donnaient cent dix pour cent d'eux-mêmes, mais c'étaient la fierté et la volonté profondes des joueurs qui créaient cette unité familiale.

D'une certaine façon, Béliveau a tort. La fin des voyages en train n'a pas modifié le comportement fraternel de l'équipe. Si l'intimité des voyages unissait les grandes équipes des années cinquante, la même fraternité a continué d'exister chez les équipes des années soixante-dix, mais il a fallu que les joueurs fassent un peu plus d'efforts pour en arriver au même résultat: maintenir le sentiment d'appartenance à un groupe.

— Nous avions toujours le droit de sortir en groupe, d'aller au bar ou ailleurs, quand nous jouions à l'extérieur; nous pouvions alors nous parler de ce qui n'allait pas, se souvient Steve Shutt. Certains joueurs étaient plus intimement liés, bien sûr. Mais c'était une sortie d'équipe, et s'il y avait des problèmes, c'est l'*équipe* qui trouvait les solutions immédiatement.

Ce système fonctionnait mais pouvait poser des difficultés quand l'entraîneur tenait à conserver son rôle de leader. Si Scotty Bowman a éprouvé de telles difficultés avec l'unité du groupe et le comité informel des vétérans de l'équipe, c'est pour la bonne raison que l'esprit de groupe reposait fondamentalement sur l'autodiscipline des joueurs.

— On s'en rendait compte de façon amusante à l'occasion, se rappelle Shutt en riant. Je me souviens qu'un soir, nous étions sortis à Oakland pour un meeting d'équipe et les gars sont rentrés, ou plutôt ont rampé jusqu'à l'hôtel, bien après le couvre-feu prévu par Scotty. Oh! qu'il était furieux, encore plus après la première période quand les *Seals* menaient 2-0. Quand Scotty nous en voulait, il n'avait pas son pareil pour les engueulades carabinées. Cette fois, c'était différent; il ne disait pas un mot. Quand il est entré dans la chambre, après la première période, on entendait murmurer des «Oh-oh!» inquiets. Mais tout ce qu'il a dit, c'est: «O.K. les gars, d'une voix douce, douce, vous ne voulez pas me laisser faire mon travail, eh bien! débrouillez-vous tout seuls!» Et plus un mot pendant deux périodes. On s'est occupé de tout, changements de lignes, etc. Et on a gagné 6-2.

Selke avait quitté l'équipe depuis huit ans déjà quand Shutt a émergé des *Marlboros* de Toronto, mais son héritage était encore présent. Les joueurs des années soixante-dix étaient capables de se passer, occasionnellement, d'un entraîneur — d'un père — parce qu'ils formaient une famille unie.

Avec Selke il ne pouvait y avoir de confusion à propos de qui exerçait l'autorité. Un entraîneur au leadership bien défini était primordial et, durant des années, Selke fut satisfait de Dick Irvin qui l'avait précédé de six ans à Montréal et qui avait gagné deux fois la coupe Stanley. Le style d'un entraîneur — peau de soie ou papier sablé — importait peu à Selke. L'entraîneur devait établir les règles, exiger des normes de performance et diriger le jeu. Il devait imposer une discipline rigoureuse et être un maître d'oeuvre exigeant. Il devait croire en l'équipe et être dévoué à sa tâche. Selke, leader habile, espérait que ses entraîneurs seraient prêts à sacrifier leur popularité personnelle pour atteindre ces objectifs.

Dick Irvin remplissait les exigences du poste, même s'il rendait Selke très nerveux durant certaines parties importantes.

— Je me souviens, racontait Selke, de la série contre Toronto en 1947. Richard avait été suspendu pour deux parties et nous tirions de l'arrière. J'étais convaincu que nous allions perdre, mais nous dominions la sixième partie. Il restait trente secondes à jouer. Toronto remplaça son gardien de but par un sixième attaquant et il y eut une mise au jeu dans notre territoire. Que fait Irvin? Il retire Curry, Mosdell et Mackay du jeu et les remplace par Lach et le Rocket. Je bondis de mon siège pour attirer son attention. Pourquoi choisit-il de faire jouer nos meilleurs marqueurs quand nous avons besoin de la défensive? Le sénateur Raymond me conseille de me calmer et de rester assis calmement, persuadé que cette partie est déjà gagnée.

Trente-six ans plus tard, la voix de Selke vibrait encore de l'exaspération qu'il avait ressentie à ce moment-là.

— Kennedy gagne la mise au jeu et passe la rondelle à Smith. Avant que je puisse tourner la tête, la lumière rouge s'allume. J'ai reproché au sénateur Raymond d'avoir dérangé mon plan. Mais ça, c'était typique de Dick: incapable de gagner le match important. Quand ça comptait, il n'était pas du calibre de Toe.

Cela n'est peut-être pas très juste pour Irvin. Il avait quand même gagné la coupe avec les *Leafs* novices, et deux fois avec Montréal avant que Selke ne fasse son apparition, et il allait la gagner avec le *Canadien* encore en 1952-1953. Si Selke entretenait des doutes sur Irvin, il mit du temps à les exprimer puisque Irvin resta l'entraîneur du *Canadien* jusqu'à l'émeute du Forum en 1954-1955, quand le Rocket fut suspendu; Irvin poussa quand même Detroit jusqu'à la septième partie de la finale, malgré la suspension du Rocket. Mais Selke était fermement convaincu qu'Irvin avait exacerbé la situation du Rocket et qu'il était temps d'avoir un entraîneur capable de calmer l'étoile survoltée du *Canadien* dans les moments critiques.

Ce qui rendait la situation difficile, c'était l'amitié qui liait Irvin à Selke. Tous deux étaient amateurs d'élevage de poulets et de pigeons. Selke raconta, en 1962, dans son autobiographie, *Behind the Cheering:*

> Je suis persuadé que j'ai passé les meilleurs moments de ma vie à la ferme de Gordon Green à Sainte-Thérèse, avec Dick. Depuis 1956, j'ai une très belle ferme à Rigaud et, quand je m'occupe de mes volailles, je ne peux m'empêcher de penser qu'il serait merveilleux de voir Dick arriver avec un assortiment d'oiseaux qu'il mettrait dans la basse-cour. Nos désaccords au sujet du hockey étaient virulents, mais il n'y a jamais eu entre nous de désaccord au sujet de nos amis à plumes.

Selke déclara à Irvin qu'il ne pouvait plus être l'entraîneur des *Canadiens*, mais qu'il avait toujours sa place dans l'organisation, s'il le désirait. Le père Frank savait qu'Irvin avait entamé, en douce, des pourparlers avec Chicago pour y effectuer un retour. Devant l'alternative, Irvin choisit Chicago.

— Ce que nous ignorions tous, c'est que, durant toute cette année-là,

Dick souffrait d'un cancer des os. Un cancer dont il est mort deux ans plus tard. C'est ça qui le rendait instable et malheureux. Encore aujourd'hui, il me manque, cet Irlandais terrible et merveilleux qui n'a jamais abdiqué une partie de hockey.

Si Irvin, l'entraîneur innovateur des années trente et quarante s'en allait à Chicago, où Selke allait-il dénicher un remplaçant de valeur?

Qui de plus indiqué que le calme Hector «Toe» Blake, le grand ailier gauche qui avait été le pivot de la «Punch Line», avec le centre Elmer Lach et Maurice Richard? Mais engager Blake n'était pas chose facile et, pendant l'été, Selke regrettera d'avoir forcé le retour d'Irvin à Chicago.

— Le conseil et les joueurs canadiens-français voulaient un entraîneur francophone, alors que moi, je prônais Blake. Je comprenais bien la situation; le Canada français produisait tellement de merveilleux joueurs de hockey, et personne n'offrait d'embauche aux entraîneurs canadiens-français qui étaient aussi bons que n'importe qui. Si le *Canadien* de Montréal n'engageait pas d'entraîneurs canadiens-français, qui le ferait? Je trouvais le raisonnement très juste, mais je m'étais engagé envers Blake. Je considérais qu'il était l'homme idéal pour calmer Maurice et mener nos jeunes vétérans à la coupe. J'avais également songé à Butch Bouchard, notre ancien capitaine. Mais je ne croyais pas qu'il avait l'habileté et la patience nécessaires pour être notre entraîneur.

Selke tint bon, rappelant subtilement au sénateur Raymond la fameuse carte blanche qu'il lui avait donnée neuf ans plus tôt, et Blake devint le nouvel entraîneur des *Canadiens*. L'avenir donna raison à Selke, mais il s'était assuré — au terme d'une longue réunion — d'avoir la bénédiction de Maurice Richard.

Il existe toutefois une version complètement différente de celle de Selke en ce qui a trait à l'engagement de Blake. Après avoir accroché ses patins, Blake avait été entraîneur du Valleyfield de la Ligue senior du Québec et du club-école du *Canadien* de l'AHL à Buffalo. Blake quitta Buffalo à la mi-saison, et on a dit que Selke s'était juré que jamais plus Blake ne serait entraîneur dans l'organisation des *Canadiens*.

— Je savais par diverses sources que Selke s'apprêtait à embaucher Billy Reay, dit Joe Gorman, quand Maurice Richard vint dire à mon père qu'il s'apprêtait à démissionner. Une conférence de presse prévue pour le lendemain allait l'annoncer.

Selon Gorman, son père suggéra à Richard d'appeler le journaliste Maurice Desjardins et de lui donner la primeur de la nouvelle selon laquelle les joueurs voulaient Blake comme entraîneur.

Doug Harvey, qui travaille maintenant pour Joe Gorman sur le champ de courses Raceway en face d'Ottawa, a affirmé tenir d'une autre source confirmation de la version Gorman.

Quoi qu'il en soit, et au-delà de la dispute Gorman-Selke, Blake s'est avéré l'un des meilleurs entraîneurs dans tout le sport professionnel.

— Blake savait vous préparer pour une partie, raconte Jacques Plante. Il savait quelle ficelle tirer pour obtenir le meilleur de ses joueurs, pour conserver l'avantage. Même s'il s'agissait de ce qu'on qualifie de partie sans importance de fin de saison, Blake vous avertissait: «Nous allons peut-être les revoir dans les séries, ce n'est pas le temps de lâcher. Qu'ils jouent une bonne partie ce soir et ils vont penser qu'ils sont capables de nous battre, et là, nous aurons des problèmes.» Toe nous gardait alertes, toujours prêts.

La réputation de Blake était sans faille, sur la glace et à l'extérieur de la patinoire. L'arbitre Red Storey affirme:

— Blake était le meilleur derrière le banc. D'après moi, un bon entraîneur est celui qui obtient le plus de ses joueurs, les pousse à leur limite, les discipline quand c'est nécessaire, mais qui sait garder leur respect et leur admiration. C'était ça, Blake. Il était fidèle à l'équipe et à l'organisation. Je me souviens qu'après une mauvaise partie, la porte de la chambre des joueurs restait fermée et que ça chauffait là-dedans. Mais quand la porte s'ouvrait, il n'avait pas un mot contre un joueur. Ce genre de classe vous suit un bon bout de temps.

Le *Canadien* était vraiment maintenant l'équipe construite par Frank Selke. De 1956 à 1960, Blake la mena à cinq coupes Stanley d'affilée. Et, après trois années de domination des *Leafs* au début des années soixante, Blake gagna la coupe trois autres fois avant de prendre sa retraite: huit coupes Stanley en treize ans!

Une fois que Selke eut posé tous les morceaux en place, la machine du *Canadien* se mit à ronronner en douceur. Même la vente de l'équipe en 1957 ne dérangea pas ce bel équilibre. Le sénateur Raymond, à soixante-quinze ans, désirait ralentir un peu mais ne voulait pas vendre au premier venu. Il fit choix d'un autre sénateur, héritier d'une famille québécoise de vieille souche, propriétaire d'une brasserie connue, Hartland de M. Molson. En septembre 1957, le sénateur Molson et son frère Tom devinrent propriétaires du *Canadien* de Montréal et de la Canadian Arena Company.

Il y eut peu de changements. Selke conserva son poste de directeur gérant, et des jeunes gens talentueux comme Sam Pollock et Scotty Bowman continuèrent à gravir les échelons de l'organisation, Peterborough, Hull, Ottawa et Houston. En 1963, Frank Selke eut soixante-dix ans. Gentiment, on lui parla retraite, à lui l'architecte de la meilleure équipe de hockey de tous les temps. Il aimait d'ailleurs penser que cet exploit resterait une épine dans le flanc de son vieil ennemi, Connie Smythe.

Mais, comme beaucoup de gens actifs, Selke ne pensait pas du tout à la retraite. Pourquoi gaspiller un excellent cerveau dans le domaine du hockey dans l'unique but de le remplacer par quelqu'un d'autre, par un homme sans expérience?

— Le sénateur Molson m'a demandé de prendre ma retraite, il m'a dit que la retraite est obligatoire chez Molson à soixante-dix ans. Je lui ai dit de me comparer à des gens de mon âge et de faire la différence. Tout en étant d'accord, il a continué à exercer des pressions, ce qui m'ennuyait considérablement. Mes talents n'avaient pas diminué comme ceux d'un joueur vieillissant. Je savais très bien que je pouvais encore diriger l'équipe pendant plusieurs années.

Cela ne s'est pas produit. Sam Pollock était déjà en coulisse, Pollock qui avait appris l'ABC du hockey auprès de Selke, Pollock qui allait démontrer qu'il était aussi rusé et influent que son maître. Camil Desroches raconte:

— Le conseil craignait vraiment que, si on ne donnait pas sa chance à Pollock, celui-ci quitterait l'organisation pour une autre équipe ou pour le monde des affaires. Selon mes souvenirs, Sam n'y a jamais fait allusion, mais ces gens-là connaissaient leur affaire et ne voulaient prendre aucun risque. Et quand on songe au travail accompli par Pollock durant les quatorze années qui ont suivi, on comprend facilement la nervosité des dirigeants.

Le sénateur Molson arriva au compromis suivant. Pollock deviendrait le nouveau directeur gérant en 1964 et Selke serait promu, selon le célèbre euphémisme, au rang de conseiller spécial.

— On m'a donc déménagé dans un beau bureau, et personne ne prenait la peine de venir me voir. J'étais vice-président et membre du conseil d'administration, mais ça ne voulait rien dire; je n'étais jamais invité aux réunions.

Selke demeura quand même actif dans le monde du hockey, il resta président du comité de sélection du Temple de la Renommée du hockey, organisme qu'il avait créé un an après son arrivée à Montréal.

Selke se consacra à sa famille et à ses passe-temps favoris. Il acheta une ferme de 220 acres près de Rigaud, environ 70 km à l'ouest de Montréal et y fit l'élevage de poulets et de chevaux pur-sang et aussi, seul élément de profit de la ferme, de bétail Galloway.

Frank pouvait aisément loger sa famille sur ce domaine comprenant trois maisons (deux de ses filles y vivaient avec leur famille) et une maison d'amis. Frank vécut plus de vingt ans avant de mourir le 3 juillet 1985, à l'âge de quatre-vingt-douze ans. Pendant les deux dernières décennies de sa vie, Selke fut un habitué du Forum, loge 2, siège 10. C'est de là qu'il regardait son équipe, les gars de Sam maintenant, affronter avec succès les nouveaux défis de l'ère de la télévision et de l'expansion. Parfois, les caméras captaient l'image de Frank, comme pour le prier d'approuver ce qui se déroulait sous ses yeux. Une image qui nous montrait Frank Selke, un léger sourire aux lèvres pendant que le *Canadien* dominait des ennemis souvent inférieurs. Il avait sans doute le même sourire derrière le banc des *Union Jacks* de Berlin, par -35°C, soixante ans plus tôt, en Ontario. Parfois, la caméra donnait l'impression que Selke regardait de l'autre côté de la patinoire, cherchant du regard son vieil adversaire Connie Smythe. Plus de cent ans d'antagonisme entre ces vieux adversaires!

— Ce qu'il y a d'amusant, raconte Camil Desroches, c'est que la querelle Smythe-Selke donnait l'impression d'être plus pour la galerie qu'autre chose. Je me suis toujours demandé si les deux hommes ne craignaient pas de montrer le respect qu'ils avaient l'un pour l'autre. Tout ce que je peux dire c'est que j'ai travaillé avec Frank Selke pendant plusieurs années. Bien des fois, quand j'allais à Toronto pour affaires, Frank me laissait une note: «Quand tu seras là, va voir Connie et dis-lui que tu viens de ma part, il va s'occuper de toi.» Tous les deux étaient amateurs de chevaux de courses; Selke en faisait l'élevage et Smythe les faisait courir. Ils se réunissaient à l'occasion après la saison de hockey.

Smythe, l'«ennemi», mourut en 1980.

Le 4 juillet 1985, Frank Selke fit sa dernière visite au Forum. C'est là qu'on exposa sa dépouille funéraire au milieu d'élégants arrangements floraux. L'endroit était maintenant beaucoup plus accueillant, il respirait nettement plus la victoire que lors de ce lointain après-midi d'août 1946. Et il n'était pas besoin de s'approcher du cercueil pour savoir que Frank Selke avait sur les lèvres un petit sourire paisible.

Chapitre 6

Jean Béliveau, le lion royal

L'air particulièrement frisquet de cette journée d'août 1976 rappelle que, à peine éteints les chauds reflets de la flamme olympique, les bourrasques glaciales qui, l'hiver, soufflent de l'Arctique vont bientôt balayer la vallée du Saint-Laurent. Jean Béliveau n'en a cure dans son complet trois pièces à fines rayures. Ce costume bleu marine épouse son imposante carrure et met en valeur ses cheveux argentés... Jean Béliveau mesure 1 m 93 et pèse 98 kg: une stature très imposante.

— Je pèse cinq ou dix livres de plus que lorsque je jouais.

Il donne l'impression d'être plus grand qu'il ne l'est réellement. Au début de sa carrière, il pesait 76,5 kg et il était d'une beauté désarmante.

Trente ans plus tard, on trouve son visage intéressant avec son nez aquilin, ses pommettes saillantes et ses yeux protégés par un grand front bombé. Il a les traits aristocratiques que l'on trouve sur les portraits des seigneurs disparus qui, de génération en génération, ornent les murs des châteaux français, un nez dont le profil est digne des monnaies romaines. On se retourne dès qu'il paraît, même dans les endroits où les gens ne connaissent rien au hockey.

Le vent frais fait l'affaire du vice-président aux communications corporatives du Club de hockey canadien. La veille, le voyage de retour de Frobisher Bay a été long. On lui avait demandé de faire un discours à l'orphelinat de ce village de l'Arctique. Bien que prévenu que la température y était au mieux incertaine, Béliveau a tout de même voulu y aller.

— Je m'étais engagé, soupire-t-il doucement, se rappelant la turbulence du vol de retour.

Béliveau était rentré tard à la maison, mais il arriva au bureau de bonne heure. Il devait voir l'auteur de ces lignes, et les règles que Béliveau se donne ne souffrent pas d'exceptions. Après l'entrevue nous quittons le restaurant *Texan* situé à côté du Forum et dirigeons nos pas vers l'est, rue Sainte-Catherine. Lecteur vorace, Béliveau va acheter un livre à une librairie du coin. Contrairement à beaucoup de hockeyeurs de sa génération, le Gros Bill avait achevé ses études secondaires. Mais ce n'était pas assez pour lui et, souvent pendant sa carrière, des joueurs plus énergiques qui se préparaient à sortir pour «décompresser» le taquinaient parce qu'il avait encore le nez plongé dans un livre.

— J'attendais la retraite avec impatience pour avoir plus de temps à consacrer à la lecture, dit Béliveau avec un sourire résigné.

Aujourd'hui, entre son travail pour le *Canadien*, sa Fondation et les conseils d'administration de plusieurs compagnies où il siège, Béliveau a encore moins de temps à consacrer à ses livres tant aimés. Malgré tout, il trouve le temps de regarder les publications anglaises et françaises dans une librairie du centre-ville sous les regards surpris des autres bibliophiles qui se le montrent du doigt.

Au coin de Fort et de Sainte-Catherine, plusieurs rues avant notre destination, un ivrogne nous barre la route. Planté devant nous, il tangue comme tous les ivrognes du monde. Il porte un habit débraillé, et arbore une barbe longue aux poils de différentes couleurs.

— Ah! le Gros Bill, dit-il, et ses yeux s'illuminent à la vue de Béliveau. Je n'oublierai jamais ce but contre Boston en 71.

Jean sourit tout en se demandant lequel.

Notre soûlard fait preuve d'une mémoire prodigieuse:

— La deuxième partie, quand ils vous battaient 5-2 après deux périodes. Au début de la troisième, vous et Ferguson les avez arrêtés net tout de suite avec des buts. Vous souvenez-vous?

— Ah! oui, répond Béliveau, d'une voix étonnamment douce.

Et les deux amateurs de hockey passent dix minutes agréables à discuter des «sept parties qui ont brisé le coeur de Boston». Des douzaines de piétons les contournent et on peut lire sur leurs visages un curieux mélange de mépris pour l'ivrogne et d'idolâtrie pour le numéro 4.

Le temps passe et Béliveau a plusieurs rendez-vous inscrits à son horaire de l'après-midi.

— Je dois y aller, dit-il paisiblement.

— Merci Jean, lui répond l'ivrogne en se demandant peut-être si cette rencontre n'est pas un rêve.

— Je vous en prie, dit Béliveau en souriant paisiblement et il serre la main de l'amateur de hockey.

En 1125 parties de la saison régulière espacées sur dix-huit ans (plus deux essais alors qu'il avait le statut d'amateur), et en 162 parties éliminatoires, personne n'a jamais trouvé à redire sur l'homme qui portait le numéro 4 des *Canadiens* de Montréal. Harry Sinden, un compétiteur féroce et un cerveau innovateur dans le domaine du hockey, résume ainsi la pensée de tous:

— Ça serait comme profaner un monument.

Si Maurice Richard, en dépit de la compétition avec le grand Gordie Howe, a ouvert la voie à l'ère moderne du hockey professionnel, Jean Béliveau est celui qui a imposé le hockey parmi les spectacles de détente de monsieur et madame Tout le Monde en Amérique du Nord. Pour ce qui est de leur importance respective, disons simplement que Richard a symbolisé le dos du chandail du *Canadien*, le célèbre numéro 9, tandis que le Gros Bill représentait peut-être le mieux le devant de ce chandail, le légendaire «CH». Personne n'a jamais porté l'uniforme bleu-blanc-rouge avec plus de distinction que Jean Béliveau. C'est en se souvenant de tous les grands joueurs qui ont porté avec fierté cet uniforme et qui font maintenant partie du Temple de la Renommée qu'on peut mesurer la portée de cette phrase.

Tout comme il est vrai qu'aucun joueur de la LNH n'a porté le C sur son chandail avec autant d'impact sur son équipe, Jean Béliveau, c'était le leadership fait homme.

L'enfance de Béliveau ressemble, sous bien des angles, à un cliché de la Grande Crise au Québec. Né à Trois-Rivières le 31 août 1931, Béliveau était l'aîné d'une famille de sept enfants, cinq garçons et deux filles (une troisième fille étant décédée en bas âge). Son lieu de naissance, à mi-chemin entre Québec et Montréal, est peut-être un présage du jeu de souque-à-la-corde dans lequel Béliveau sera entraîné deux décennies plus tard.

La famille Béliveau ne resta pas longtemps à Trois-Rivières. Le père de Jean, Arthur Béliveau, était poseur de lignes pour la compagnie Shawinigan Power, et il déménagea la famille à Plessisville, puis à Victoriaville quand Jean avait trois ans. C'est là qu'il grandira et qu'il attirera d'abord l'attention du monde du hockey.

— J'ai grandi à côté d'une église, dit-il, et comme beaucoup de petits Canadiens français de l'époque, j'ai été enfant de choeur. Il y avait beaucoup de messes de bonne heure dans le temps et, quand les conditions climatiques empêchaient les autres enfants de s'y rendre, on venait frapper à notre porte. J'étais à l'autel presque tous les matins, en fait.

Après la messe du dimanche à l'église des Saints-Martyrs canadiens, Jean échangeait l'encensoir contre un bâton de hockey et allait rejoindre la vingtaine de garçons qui s'élançaient sur la patinoire qu'Arthur Béliveau installait chaque hiver dans la grande cour de la maison familiale.

— C'était presque une tradition au Québec, rappelle Béliveau en souriant. Mon père faisait la glace et c'est nous qui la déneigions avant de jouer. Avec six ou sept garçons armés de pelles et les autres de bâtons de hockey, ça ne traînait pas. Nous jouions toute la matinée jusqu'à l'heure du dîner dominical. La plupart des joueurs du Québec avec qui j'ai joué pour le *Canadien* ont commencé de cette façon-là, et si ce n'était pas sur une patinoire dans une cour, c'était sur un lac ou une rivière gelée.

La règle dans la Ligue de la cour Béliveau, c'était «Sauve qui peut!»

— C'est là que les bons manieurs de bâtons de la LNH ont commencé. Il y avait peu de règles, et les équipes changeaient toutes les cinq minutes: ce gars-là contre ces deux-ci. C'était toujours la mêlée et on essayait de garder la rondelle le plus longtemps possible. Les grands maniaient le bâton pour conserver le disque et les petits apprenaient la mise en échec. À mesure que les petits grandissaient, c'étaient eux qui devenaient les manieurs de bâtons. Il ne s'agissait pas d'équipes organisées avec des uniformes et tout ça; nous n'avions même pas de vraies patinoires mais nous avons tous appris à jouer, et à bien jouer. La première vraie patinoire sur laquelle j'aie joué était celle des Frères du Sacré-Coeur.

Jean a joué pour les équipes de ses deux premières écoles, l'Académie Saint-Louis-de-Gonzague et le Collège du Sacré-Coeur; il a très jeune montré ses talents. C'est au collège où il suivait un cours technique en électricité (au cas où il suivrait son père à la Shawinigan Power) que les gens de hockey du coin ont commencé à le remarquer.

Maurice Richard faisait la pluie et le beau temps dans la LNH quand la grande perche de Victoriaville commença à prouver ses talents sur la glace. La Deuxième Guerre mondiale était terminée, et Jean avait seize ans quand il fit ses débuts dans la Ligue intermédiaire de hockey, peut-être la ligue qui méritait le mieux son nom. Au milieu des années quarante, le hockey au Québec c'était la puissante Ligue senior, semi-professionnelle, et quelques ligues juniors beaucoup moins importantes. (Cela allait changer en quelques mois quand Frank Selke et le *Canadien* commenceraient à imposer une réforme du hockey junior.)

Les ligues seniors et juniors servaient à des jeunes d'avenir ou, dans le cas des ligues seniors, à d'anciens professionnels qui ramassaient quelques dollars en pratiquant pas trop loin de chez eux le sport qu'ils aimaient.

Entre les deux, le hockey intermédiaire comprenait des équipes composées de joueurs de tous âges qui n'étaient pas assez talentueux pour jouer chez les seniors ou qui, comme Jean, n'avaient pas d'équipe junior près de chez eux. Ces équipes étaient formées de jeunes joueurs talentueux comme

Béliveau et de joueurs dans la vingtaine ou même dans la trentaine qui étaient un peu trop lents ou n'avaient pas l'habileté nécessaire pour jouer chez les seniors. Qu'il suffise de mentionner que la chasse ouverte aux jeunes recrues était considérée comme étant de bonne guerre dans la Ligue intermédiaire, et que c'est probablement la ligue la plus dure dans laquelle Béliveau ait eu à évoluer.

— Je jouais pour les *Panthères* de Victoriaville, propriété de deux hommes d'affaires du coin, M. Robitaille, qui possédait un magasin de pièces d'automobiles, et M. Buteau, qui nous servait d'entraîneur. Les entraînements n'étaient pas très bons et nous les passions en mêlées continuelles. C'était dur, mais rien à côté des parties.

Béliveau était tellement remarquable qu'il jouait souvent la durée complète des parties, au centre jusqu'à ce qu'il s'épuise, puis à la défense pour prendre un répit. Au milieu de la saison, il avait déjà amassé 47 buts et attirait l'attention dans la province.

En 1948-1949, Victoriaville obtint une concession dans la Ligue de hockey junior du Québec à laquelle Frank Selke allouait plus de fonds, la faisant passer de quatre à onze équipes. Les dirigeants de la nouvelle équipe désiraient embaucher le grand joueur de centre qui avait fait ses preuves dans le hockey intermédiaire.

— Nous aimerions que Jean vienne jouer pour nous, dirent-ils à Arthur Béliveau.

— À une condition, répliqua le père de Béliveau, que Jean conserve ses droits.

Sachant très bien que Béliveau et un autre gars du coin, Paul Alain, étaient leurs meilleurs joueurs, la direction acquiesça.

— Mon père protégeait mes intérêts. Il savait que je pouvais aller loin dans le hockey et que si je m'engageais envers une équipe, une direction, ça n'était pas nécessairement à mon avantage. Il avait raison, bien sûr, puisque l'équipe de Victoriaville n'a fait qu'une saison dans la Ligue avant de plier bagages.

C'est cette seule saison avec les *Tigres* de Victoriaville qui a lancé la carrière de Béliveau. L'uniforme noir et doré garni d'un grand V avec une tête de tigre en surimpression en imposait certes aux gens de Victoriaville, mais à personne d'autre. Composés uniquement de joueurs locaux, les *Tigres* furent une proie facile pour les puissantes équipes des régions de Montréal et Québec. Malgré tout, Béliveau, 1 m 87, 72 kg, marqua 48 buts et y ajouta 27 passes au cours des 48 parties de la saison d'une équipe qui ne participa même pas aux séries éliminatoires.

— La chose la plus importante de cette saison aura été l'entraînement. Roland Hébert était mon entraîneur et il m'a donné toute la glace dont j'avais besoin pour progresser. Il croyait que c'était la seule façon pour que j'apprenne et je lui ai fait confiance. Au hockey, le temps passé sur la glace est très important; plus vous jouez, meilleur vous devenez. La pratique et les exercices d'entraînement, c'est bien beau, mais c'est le feu de l'action qui façonne les meilleurs joueurs de hockey.

Les éclaireurs professionnels suivaient les parties de Béliveau et ne quittaient pas des yeux le grand maigrichon qui jouait pour son équipe locale. Il y avait beaucoup à voir: Béliveau jouait quarante minutes par partie et, bien que les *Tigres* n'aient pas été une équipe gagnante, il impressionnait tout le monde. Les *Citadelles* de Québec formaient une des équipes les plus puissantes de la Ligue et, quand ils arrivèrent à Victoriaville, ils avaient bon espoir de porter leur série de joutes sans défaite à 17.

Le regretté Jacques Plante raconte ainsi l'histoire:

— À cette époque, quand il y avait égalité après le temps réglementaire, il y avait prolongation et pas simplement jusqu'au premier but. Jean, comme toujours, jouait du grand hockey et avait gardé son équipe dans la lutte — il avait marqué, je crois, le but égalisateur en troisième période et avait fourni une aide sur le but qui donnait l'avance à Victoriaville. Nous n'étions pas bien nerveux, ça n'était pas la première fois que nous nous tirions d'affaire dans ce genre de situation et nous pressions le jeu. Nos gars étaient dans leur zone quand un de nos défenseurs lança et frappa le poteau. Un de leurs défenseurs parvint à frapper la rondelle qui ricocha sur la bande, et voilà Jean qui patine de toutes ses forces pour la rejoindre à notre ligne bleue. Je n'avais pas le choix. Je me précipite sur la rondelle parce qu'elle est plus près de moi que de lui. Je suis sur le point d'y toucher quand il me sort un de ses grands tentacules et éloigne la rondelle de moi. Me voilà étendu sur le ventre à mi-chemin de ma ligne bleue alors que Jean a un filet désert et la rondelle. Il a réussi et nous avons perdu.

Ce genre de performance émoustillait les éclaireurs et, lorsque la formation de Victoriaville ferma boutique après une saison, Jean était le joueur le plus en demande de la Ligue.

— Il y avait un trophée qu'on accordait au joueur promis au meilleur avenir professionnel. C'est moi qui l'ai eu. Après la fermeture du club de Victoriaville, j'étais joueur autonome et je pouvais signer avec qui je voulais. Montréal et Québec étaient intéressés et je pouvais choisir, comme mon père l'avait désiré. C'était une décision difficile parce que les deux équipes étaient très fortes et possédaient d'excellents joueurs. Des gars comme Bernard Geoffrion, Dickie Moore et Dollard St-Laurent jouaient pour des équipes de la région de Montréal. D'autres, comme Jacques Plante, jouaient à Québec.

Les équipes de Montréal jouaient au Forum, à l'Aréna de Verdun et à la Palestre nationale. Il s'agissait d'équipes très puissantes: les *Canadiens juniors*, le *Royal* de Montréal, les *Maple Leafs* de Verdun et le *National.* Toutes voulaient embaucher Béliveau.

— Un représentant du Forum est venu à Victoriaville et m'a offert toutes sortes de contrats pour jouer avec le *Canadien junior*, et Québec me courait après aussi.

Roland Mercier, futur président de l'Association canadienne de hockey amateur et l'un des artisans de l'entrée de Guy Lafleur au sein d'une autre équipe junior de Québec, était directeur gérant des *Citadelles*. Frank Byrne, un des magnats de l'industrie des pâtes et papier, en était le propriétaire. Les deux étaient acharnés.

En dernière analyse, c'est la géographie et le contexte urbain qui entraînèrent la décision. Victoriaville est plus près de Québec que de Montréal. De plus, la ville de Québec, plus petite et plus confortable que Montréal, présentait de meilleures chances d'acclimatement pour un ancien enfant de choeur de l'église des Saints-Martyrs canadiens.

La guerre d'enchères entre Montréal et Québec jointe à la performance de Béliveau la saison précédente à Victoriaville firent grossir de plus en plus les manchettes des journaux durant la morte saison. À cela s'ajouta un troisième facteur. Le vieux Colisée avait brûlé au printemps, et sa reconstruction se poursuivit durant l'été afin que le nouvel édifice soit prêt pour la saison de hockey. Voilà qui expliquait la volonté forcenée de Mercier et de Byrne à faire signer le grand joueur de centre. Ils étaient tous deux persuadés que Béliveau remplirait le Colisée... et paierait ainsi l'hypothèque. L'avenir leur donna doublement raison.

À Montréal, il y avait quelqu'un qui n'était pas tellement préoccupé de la décision de Béliveau de signer avec Québec. Frank Selke lui avait déjà mis le grappin dessus, et la façon dont il s'y était pris montre bien que le monde du hockey est plus petit que l'on croit.

— Rollie Hébert, son entraîneur de Victoriaville, assistait au mariage de ma fille avec le gardien de but, Paul Bibeault. Il est venu me voir à la réception et m'a dit: «M. Selke, il y a un joueur qui joue pour moi à Victoriaville que vous devriez faire signer. Il est grand et fort et il fera un excellent joueur professionnel un jour.» Je me suis donc rendu à Victoriaville avec un interprète et j'ai parlé à Béliveau et à son père. Je lui ai fait signer ce qu'on appelait un Formulaire B, ce qui nous donnait une option sur ses services si jamais il devenait professionnel et si nous lui faisions des offres financières suffisantes. Il n'y avait pas moyen de lui faire accepter un mauvais salaire à ce moment-là... il fallait que notre offre le satisfasse.

La perspicacité d'Arthur Béliveau avait été payante encore une fois. Comme Frank Selke allait s'en rendre compte deux ans plus tard. Contrairement à la plupart des autres joueurs qui avaient signé des Formulaires C, ce qui les mettait à la merci de l'équipe avec laquelle ils avaient signé, Béliveau avait les mains libres. S'il était encore assez bon après sa carrière junior, le

Canadien devrait lui offrir plus qu'un petit boni à la signature et le salaire minimum de la LNH.

Il fallait en attendant que Béliveau prouve que ses succès à Victoriaville étaient autre chose que le fait d'un joueur local talentueux qui réussit bien quand il n'a pas de pression sur les épaules. Béliveau allait maintenant jouer pour une équipe disputant une course au championnat, et sa tête serait mise à prix.

Le grand joueur de centre, qui donnait l'impression d'ajouter 4,5 kg par an à sa charpente impressionnante, allait faire des étincelles dans les rangs juniors. Il se confrontait à de superbes joueurs de hockey: Dickie Moore, son rival du *Canadien junior* de Sam Pollock, Skippy Burchell et Geoffrion, tous deux du *National.* Béliveau avait à ses côtés, chez les *Citadelles,* Camille Henry, le petit ailier qui deviendrait une étoile pour les *Rangers* de New York dans les années cinquante et au début des années soixante.

La construction du nouveau Colisée n'était pas terminée au début de la saison. C'est pourquoi les *Citadelles* entreprirent la campagne 1949-1950 à Victoriaville — une vraie fête pour leur nouveau centre étoile.

— Nous avons tenu notre camp d'entraînement à Victoriaville parce que le Colisée n'était pas prêt; nous avons continué à jouer à Victoriaville jusqu'en décembre. En fait je n'ai pas quitté la maison avant que le Colisée soit fini, juste un peu avant Noël 1949. Et fini n'est pas le mot qui convient puisqu'en décembre, janvier et février, nous nous habillions à l'ancien Colisée et allions avec nos patins sous le bras jusqu'au nouveau Colisée, à quelque trois cents mètres.

Ceux qui se demandaient si le nouveau joueur de centre allait remplir le Colisée n'ont pas eu longtemps à attendre pour avoir une réponse. Les ouvriers trimaient encore dur pour terminer sa construction lorsque le Colisée a accueilli sa première foule de dix mille personnes, et c'était parti pour les *Citadelles*. Dix mille personnes et plus, ce fut la norme au Colisée jusqu'à la fin de la saison et durant la suivante.

— Nous avons établi des records d'assistance qui sont devenus imbattables à cause de la manière dont les rénovations ont été faites il y a six ans. Nous avons eu à l'époque 16 800 personnes pour une partie éliminatoire contre les *Flyers* de Barrie. Comme il n'y a plus de places debout au Colisée, la capacité maximale est de 15 400. Ce sont les places debout qui faisaient la différence quand il y avait beaucoup de monde.

Les foules nombreuses venaient aussi au Forum pour rêver à la «fournée de 1931» — Béliveau, Moore et Geoffrion — qui allait peut-être un jour faire du *Canadien* une équipe extraordinaire. Béliveau et Geoffrion se sont disputé le championnat des marqueurs toute la saison, avec Moore une demi-longueur derrière. Fait encore plus exaltant pour les partisans rêveurs, les trois joueurs se complétaient, Béliveau jouant au centre, Geoffrion à l'aile droite et Moore à l'aile gauche.

Trois ans avant que Béliveau ne devienne un joueur du *Canadien*, les journalistes sportifs de Montréal s'en donnaient régulièrement à coeur joie, en commençant leurs articles par «Et si...». La province entière trépidait d'impatience devant l'événement tant attendu, sauf, bien sûr, les citoyens de la vieille capitale qui étaient prêts à tout pour garder Jean «à la maison», à Québec. Partout ailleurs dans la Ligue nationale de hockey, les éclaireurs qui avaient analysé les *Citadelles* et remarqué la venue de Béliveau, dressaient un triste tableau d'avenir à moyen et long termes pour les autres équipes.

Partout ailleurs, sauf, peut-être, à Toronto, où sévissait Connie Smythe, l'éclaireur hors pair. Tommy Gorman n'était plus avec le Canadien, mais il suivait encore de près le monde du hockey et des courses de chevaux du Québec; de passage à Toronto avec son fils Joe, il rendit une visite de politesse à Smythe. L'entraîneur des *Leafs*, Hap Day, les rejoignit et ils passèrent un bel après-midi de printemps à échanger des nouvelles.

— À un moment donné, dit Joe Gorman, Connie demande à mon père s'il y avait de bons joueurs pour lui au Québec.

— Oh que oui! Il y a un petit gars de Victoriaville qui joue à Québec. Il s'appelle Béliveau et c'est un naturel.

Conn et King éclatent de rire jusqu'à s'étouffer:

— Béliveau? Il ne fera jamais rien de bon, s'esclaffa Smythe. Nous l'avons vu jouer contre Barrie en coupe Memorial et ils l'ont mis dans leur petite poche.

Gorman père dévisage le tandem de Toronto avec stupéfaction:

— Vous allez porter un jugement sur la foi d'une partie?

— Nous avons vu ce que nous avions à voir, se fit-il répondre sèchement. Et par surcroît, nous avons un petit gars qui s'appelle Eric Nesterenko qui fera vite oublier ce Béliveau.

Les Gorman ont découvert par la suite les raisons de cette défaite de 8-3 de Béliveau et de ses coéquipiers devant Barrie. Prendre l'avion était encore une épopée au début des années cinquante, et les *Citadelles* avaient attendu douze heures à l'aéroport avant de s'envoler vers Toronto où ils étaient arrivés à peine quelques minutes avant la partie.

Et Joe Gorman de confier:

— Vous pensez si mon père a eu confiance dans les talents d'éclaireur de Smythe après ça!

Malgré le fait qu'il faisait office de corde dans la partie de tiraillage que se disputaient Frank Byrne et Frank Selke, Jean a joué deux années extraordinaires de hockey junior. Les meilleurs juniors qui avaient signé des Formulaires B ou C étaient invités au camp d'entraînement du *Canadien* en septembre chaque année, et Béliveau ne faisait pas exception. Le Gros Bill, Geoffrion, Moore, Dollard St-Laurent et Don Marshall ont tous impressionné les dirigeants du Canadien.

Toutefois Béliveau était la perle rare et sa valeur augmentait chaque fois que, poliment mais fermement, il refusait l'offre de Selke et s'en retournait à Québec. La tension monta sérieusement une fois que Geoffrion et Moore eurent signé dès leur junior terminé. Ces deux petits gars talentueux avaient besoin d'un joueur de centre! Toute l'équipe avait besoin d'un joueur de centre! Elmer Lach était au bout de son rouleau.

Mais Béliveau considérait qu'il avait des obligations envers la ville de Québec et ne voulait pas partir avant de les avoir toutes remplies. À sa dernière année junior, l'équipe et les partisans de Québec lui avaient acheté une automobile Nash 1951 portant la plaque minéralogique 9-B, en l'honneur de son numéro 9. Jean avait endossé les produits d'une compagnie laitière et l'équipe senior des *As* parlait d'égaler toute offre des *Canadiens* pour garder Béliveau à Québec.

— J'étais très bien payé à Québec; Frank Selke ne pouvait m'offrir plus parce que j'aurais été mieux payé que des joueurs comme Maurice Richard, ce qui était inconcevable pour son équipe. Les trois années où je suis venu au camp d'entraînement des *Canadiens*, ils avaient peur. À cette époque, les joueurs qui avaient signé un Formulaire B étaient placés sur une liste spéciale de négociations, et les équipes ne pouvaient en garder que deux ou trois. Dès qu'ils avaient engagé ou renvoyé un joueur, ils pouvaient en protéger un autre.

À l'instar de plusieurs équipes senior, les *As* de Québec étaient la propriété entière d'une compagnie, la Anglo-Canadian Pulp and Paper. L'argent n'était pas un problème. Surtout si on tient compte du fait que Béliveau attirait à lui seul entre 3000 et 4000 spectateurs supplémentaires à chaque partie jouée à Québec.

Quelle était la popularité de Béliveau à cette époque?

En octobre 1952, la revue *Weekend Magazine* envoya Andy O'Brien, le doyen des journalistes de hockey du Canada anglais, à Québec pour savoir de quoi il retournait. Jean Béliveau devait être l'objet d'une page couverture en couleurs qui avait comme titre: «He's Hockey's Most-Wanted» (L'homme le plus recherché du hockey).

Voici ce qu'il a écrit:

> Nous nous sommes rendus à l'auditorium dans une luxueuse décapotable couleur crème; il s'agit de la deuxième voiture que ses admirateurs ont offerte au jeune prodige de ving et un ans (il a reçu la première à dix-neuf ans). Elle porte une plaque spéciale du Québec au numéro 2-B; c'est le premier ministre, Maurice Duplessis qui a la plaque 1-B.

Jean stationne sa voiture devant l'entrée principale du célèbre Château Frontenac, et nous montons à ma chambre. Il se verse une bière et est en train de s'allumer un cigare quand on frappe à la porte. J'ouvre et laisse entrer un policier de la ville de Québec. Tenant sa casquette de fourrure dans ses mains, il dit:

— Si tu me donnes tes clefs, Jean, je vais aller stationner ton automobile.

Sans interrompre son propos, Jean lui lance ses clefs. Le policier se retire avec des excuses. Franchement, j'étais impressionné — mais je n'aurais pas dû l'être.

Pour Jean Béliveau, la consécration. Guy Lafleur raconterait une histoire similaire vingt ans plus tard lorsque, avec sa famille, il vint assister à la séance de repêchage de la LNH qui allait faire de lui un joueur du *Canadien.* Perdus dans le centre-ville, ils cherchaient désespérément l'hôtel Reine-Elizabeth. Quand ils le trouvèrent, il y avait un autre problème, ils étaient dans le mauvais sens du boulevard Dorchester et il n'y avait pas moyen de tourner à gauche pour atteindre l'hôtel. À un feu rouge, un policier reconnut Guy et arrêta la circulation pour lui permettre de faire un demi-tour illégal, coupant ainsi les cinq voies du boulevard Dorchester. Guy avait rendez-vous avec son destin; les lois sont faites pour les simples mortels.

En 1950-1951, Jean Béliveau était toujours un junior. Lors de la deuxième joute d'un essai de deux parties avec le *Canadien*, il donna un léger aperçu de son talent aux amateurs de hockey en marquant un but et en fournissant une aide contre Chicago. À la fin de la saison junior, tout laissait croire qu'il se dirigerait vers Montréal. Ou il signerait avec le *Canadien*, ou il trouverait un emploi et jouerait dans la Ligue senior.

Après mûre réflexion et après un camp d'entraînement qui fit saliver les dirigeants du *Canadien*, Béliveau retourna à Québec. Il joua cette fois pour les *As*, sous Punch Imlach. Jean portait bien ses 77 kg et il était prêt à affronter les joueurs les plus costauds. Mais comment pouvait-il être payé par les *As* si le *Canadien* détenait les droits professionnels acquis par la signature du Formulaire B? Très simple. La Ligue senior au Québec était classée semi-professionnelle, même si tous les joueurs étaient rémunérés. Quelques-uns, dont Béliveau, recevaient des salaires équivalant à ceux des professionnels, mais pourquoi se chicaner pour si peu?

Les *As* formaient une équipe pouvant rivaliser avec les meilleures équipes de la Ligue américaine de hockey, et comprenaient des joueurs comme Dick Gamble qui jouerait pour Toronto et Montréal, Marcel Bonin, frais émoulu des rangs juniors et qui jouerait pour Detroit et Montréal, Ludger Tremblay, le frère aîné de Gilles, et l'ancien *Leaf* Gaye Stewart. Après un départ lent,

Béliveau explosa et gagna le championnat des marqueurs, avec 45 buts et 83 points. Il fut nommé recrue de l'année, choisi centre de la première équipe d'étoiles, considéré comme le joueur le plus prometteur de la Ligue et reçut la mention de «joueur le plus utile» aux *As*.

Il était, selon l'inévitable réponse de Punch Imlach à la sempiternelle question: «le meilleur joueur de hockey que j'aie jamais dirigé».

C'était aussi un joueur de hockey qui mûrissait rapidement et qui était convoité tant pour ses talents de hockeyeur que pour ses qualités de leader.

— Je pense que ce qui a toujours frappé les gens, outre son talent énorme, c'est son leadership, dit Punch Imlach. Au début, il prêchait d'exemple sur la glace: il passait, il mettait en échec, marquait des buts. Puis, surtout la deuxième année, c'est lui qui s'occupait du leadership de l'équipe. Ç'a été très naturel, il ne l'a pas cherché, c'est plutôt le contraire qui s'est produit.

La saison 1952-1953 de la Ligue senior de hockey a été moitié hockey, moitié téléroman. Béliveau a rempli les arénas du circuit, il a attiré régulièrement 15 000 personnes au Forum et au Colisée. Était-ce bien seulement Béliveau? Assurément! Si le Gros Bill était blessé, les arénas étaient à moitié vides; si Béliveau jouait, il n'y avait que de la place debout.

Le téléroman aurait pu s'intituler «L'Acte de foi». Les spectateurs de la Ligue senior de hockey du Québec allaient voir Béliveau, persuadés que chaque partie était sa dernière dans cette ligue, et que le *Canadien*, qui bataillait pour la coupe Stanley, ne pouvait se permettre de le laisser jouer à Québec. On savait que le Gros Bill s'était engagé envers Frank Byrne et Roland Mercier. Mais on savait aussi que Frank Selke voulait Béliveau et que Selke obtenait habituellement ce qu'il voulait.

Punch Imlach laissa tomber le gant devant le monde du hockey:

— La LNH sait que mon gars se compare seulement à des joueurs de la trempe de Gordie Howe ou du Rocket, dit-il aux journaux.

C'est Béliveau qui releva le défi lancé par Imlach. Rappelé pour un essai de trois parties — le maximum permis par les règles de la LNH —, Béliveau endossa l'uniforme numéro 12 de Dickie Moore et marqua cinq buts, dont trois contre les *Rangers* de New York. Cette fois-ci ce n'était pas un junior qui affrontait les défenseurs de la LNH.

Béliveau mesurait 1 m 87 et pesait 92 kg, un vrai géant devant les défenseurs adverses qui, en moyenne, mesuraient 10 cm de moins et pesaient 10 kg de moins. Son coup de patin était souple et trompeur; il maîtrisait un demi-élan très appuyé sur son lancer frappé qui pouvait arracher la mitaine de la main du gardien de but. Mais ce qui le rendait plus redoutable encore pour l'adversaire, c'était son incroyable portée qui lui permettait de s'emparer de la rondelle même quand il y parvenait simultanément avec ses adversaires. Béliveau faisait peur quand il fonçait devant un défenseur: «Va-t-il lancer?

Va-t-il s'envoler de ma mise en échec? Va-t-il me déjouer avec sa vitesse? Ou va-t-il simplement me ridiculiser avec deux ou trois feintes et me contourner comme si je n'étais pas là?» Quelques entraîneurs et directeurs gérants de la Ligue étaient plutôt sarcastiques face au défi courageux d'Imlach. Ils se vantaient du fait que les meilleurs joueurs au monde étaient dans la LNH.

— Pas encore, rétorquèrent les joueurs qui s'étaient frottés aux *As* de Québec. Pas encore.

Ce furent des moments difficiles pour Béliveau, et la légende qu'il était en train de se forger dans la Ligue senior ne simplifiait pas les choses.

— Tout comme Guy Lafleur des années plus tard, je me trouvais dans un étau. Et les médias serraient la vis en s'attendant à ce que je pulvérise tous les records à ma première présence sur la glace. Cela était impossible et cela me compliquait la vie.

Béliveau supporta les choses avec son stoïcisme habituel et préféra en voir le bon côté.

— Évidemment, quand est venu le temps de négocier mon premier contrat, j'avais un as dans la manche.

Après l'essai de trois jours, face à une attaque quasi hystérique des médias, Selke offrit au joueur de Victoriaville le contrat suivant: au total, 53 000 $; 20 000 $ à la signature, et un contrat de trois ans à, respectivement, 10 000 $, 11 000 $ et 12 000 $. Le seul joueur du *Canadien* dont le salaire s'approchait de celui-là était un ailier presque inconnu du nom de Richard!

Béliveau refusa.

Le sénateur Raymond fit dire à Selke:

— M. Selke, je sais que l'on vous a donné carte blanche pour diriger l'équipe comme vous l'entendiez; je ne veux pas m'immiscer, mais il nous faut Béliveau.

La réponse de Selke fut rapide et inattendue de la part du directeur gérant toujours prêt à défendre son fief contre toute attaque réelle ou imaginaire:

— Vous avez raison.

Cet été-là, l'idole de la ville de Québec épousa une belle de la vieille capitale, et des centaines d'amis sincères leur souhaitèrent la plus douce des lunes de miel.

Trois mois plus tard, une autre romance culminait, avec une dot des plus étranges. Frank Selke, fatigué de se faire repousser par celui que plusieurs considéraient comme le meilleur joueur de hockey du Québec — le Rocket Richard compris —, avait trouvé la solution à ses problèmes.

Si le Formulaire B signé par Béliveau stipulait que ses droits professionnels appartenaient au *Canadien* et que c'était un secret de polichinelle que Béliveau se faisait aussi bien payer par les *As* que Richard par le *Canadien*, il était grand temps d'établir le statut professionnel de la Ligue senior de hockey du Québec. Pour y arriver, le *Canadien* pouvait s'y prendre de deux façons. Il pouvait passer par la voie des tribunaux et plaider que, la Ligue senior étant une ligue professionnelle, Béliveau appartenait par conséquent au *Canadien*. Ceci aurait exigé du temps et beaucoup d'argent.

L'autre solution, peut-être tout aussi onéreuse, permettait d'économiser beaucoup de temps: acheter la Ligue. Selke choisit la deuxième solution et la Ligue senior de hockey du Québec devint la Ligue professionnelle de hockey senior du Québec.

En octobre 1953, sous les regards des caméras, Jean Béliveau signa un contrat d'une valeur de 110 000 $. Le contrat était garanti pour cinq ans et comprenait un boni important accompagné d'une série d'autres bonis. Dick Irvin qui se trouvait derrière Béliveau lors de la signature fit le «V» de la victoire au-dessus de la tête de Béliveau, et Selke esquissa un de ses rares sourires. Peu après, lors d'une de ses premières entrevues télévisées, on demanda à Selke comment le *Canadien* avait réussi à convaincre l'étoile des *As* de signer.

— Très simple, répondit Selke du ton de celui qui aurait dû y penser avant. J'ai tout bonnement ouvert les coffres-forts du Forum et j'ai dit à Jean de se servir.

Le ton était peut-être léger, mais Selke ne blaguait pas.

Dans les années 80, il est plus facile de se rappeler le battage publicitaire qui a entouré l'arrivée de Guy Lafleur chez le *Canadien* et la déception subséquente lorsque la nouvelle recrue connut des premières saisons difficiles. Les débuts de Lafleur avec le *Canadien* ressemblèrent en tout point à ceux de son idole.

Les deux joueurs se joignaient à une équipe qui venait de gagner la coupe Stanley: Béliveau après que Montréal eut défait Chicago et Boston pour gagner la coupe, terminant le calendrier régulier de 1952-1953 en deuxième place; et Lafleur après que le *Canadien* eut éliminé Boston, Minnesota et Chicago pour gagner la coupe en 1970-1971. Dans les deux cas, les partisans du *Canadien* envisageaient déjà une série de coupes successives et une gloire personnelle immédiate pour les anciens héros de la ville de Québec. Dans les deux cas, ils se trompaient.

Béliveau déçut ceux qui le voyaient déjà gagner le championnat des marqueurs. Gêné par des blessures, il ne joua que 44 des 70 parties du calendrier régulier de la saison 1953-1954 et finit au 26e rang des marqueurs avec 34 points, dont 13 buts. Il fit cependant ses preuves en séries éliminatoires avec 8 buts et 2 passes en 10 parties et les observateurs aguerris prévoyaient une explosion imminente.

À sa deuxième saison, Béliveau gravit plusieurs échelons au classement des marqueurs avec 37 buts et 36 assistances pour 73 points en 70 parties jouées, et il ajouta 13 points supplémentaires en 12 parties éliminatoires. Ses 73 points en saison régulière lui assuraient le troisième rang des marqueurs, deux points derrière Geoffrion et un derrière le Rocket, lequel avait vu ses espoirs de gagner son premier championnat des marqueurs s'éteindre avec la fameuse suspension qu'il écopa pour avoir frappé un juge de lignes à Boston.

— Le plus décevant, c'est que nous n'ayons pas gagné la coupe Stanley ces deux premières années. C'était à notre portée: les deux fois nous avons perdu contre Detroit en sept parties, avec le Rocket suspendu en 1955. Quand nous sommes arrivés au camp d'entraînement en 1955, nous savions que nous allions accomplir quelque chose.

Uni à ses anciens adversaires des rangs juniors — Moore, Talbot, Plante, Geoffrion, St-Laurent, Marshall — et avec un petit gars nommé Henri Richard qui venait rejoindre son grand frère chez le *Bleu-blanc-rouge*, Béliveau était l'étoile de tous ces jeunes qui allaient aider le *Canadien* pendant la prochaine décennie, à réaliser enfin ses promesses.

C'est pendant la saison 1955-1956 que Béliveau s'est épanoui et qu'il a révélé ses talents de vedette au monde du hockey. Ce fut, comme Doug Harvey l'a dit: «l'année où Béliveau s'est endurci».

— Les deux premières années, Béliveau avait montré à tout le monde qu'il pouvait jouer, mais il avait encaissé beaucoup de coups. Nos adversaires le frappaient autant qu'ils le pouvaient et Jean répliquait rarement. Le Rocket, Dickie Moore et moi-même en parlions constamment. Au camp d'entraînement de cette troisième année, je lui ai dit qu'en cas d'escarmouche, il devrait se diriger vers son agresseur et que nous serions tous derrière lui.

Dans ses deux premières années Béliveau avait écopé respectivement 22 et 58 minutes au banc des pénalités. En 1955-56, il menait presque la Ligue avec 143 minutes. Les deux années suivantes, il subissait 105 et 93 minutes de pénalités; après cela, on l'a laissé tranquille. Ces nouveaux *Canadiens* agressifs frappaient tout ce qui bougeait jusqu'à ce que tout soit calme. Et quand cela risquait de déborder, des pugilistes expérimentés comme Moore, Olmstead, Richard et autres étaient là pour veiller au grain.

À la fin de la saison, Béliveau avait remporté son premier championnat des marqueurs, totalisant 47 buts et 88 points, neuf de plus que Gordie Howe. Cela lui valut le trophée Art Ross, et le trophée Hart, accordé au joueur le plus utile; il fut choisi au sein de la première équipe d'étoiles.

Le meilleur était encore à venir. Ses 19 points (dont 12 buts) en 10 parties éliminatoires représentaient un sommet dans la Ligue et menaient le *Canadien* à la coupe Stanley, la première de cinq consécutives. En 80 parties, Béliveau avait marqué 59 buts et obtenu 48 passes pour un total de 107 points, le genre de performance qu'on ne verra qu'après l'expansion de la LNH mais qu'il a réalisée lorsqu'il n'y avait que les six équipes originales. Le joueur de hockey avait fait ses preuves, le grand leader s'imposait de plus en plus.

Comment Béliveau en est-il venu à assumer ce rôle? Pourquoi pas Bernard Geoffrion, Doug Harvey, Dickie Moore ou un autre?

L'arbitre de longue date Red Storey voit dans cette troisième année l'année-charnière:

— Jean Béliveau avait une grande classe et une grande habileté. Je me souviens de son arrivée dans la Ligue; il était très talentueux mais aussi très timide. C'était un gentleman et il jouait comme un gentleman: il ne répliquait jamais. Donc, tout le monde le frappait. Au cours de l'été, après la saison, j'ai l'impression qu'il s'est fait dire comment se servir de son bâton, de ses coudes et de son corps. Une année plus tard, il avait mérité le respect de ses adversaires et n'avait plus rien à prouver.

Dans cette guerre de tranchées, Béliveau avait su dominer ceux qui l'entouraient et il participa dès lors au brouhaha avec un sens quasi aristocratique de la tradition et une dignité que de simples statistiques ne peuvent décrire.

— Vous pouviez constater l'impact de Béliveau sur l'équipe, une équipe d'endurcis comme Harvey et le Rocket Richard. Vous pouviez voir que le Rocket, qui ne brillait pas dans la communication avec ses coéquipiers, était presque content que Béliveau s'occupe de cet aspect. Jean parlait à ceux qui l'entouraient, il éduquait et entraînait ses pairs et les recrues. Il a travaillé avec diligence pour le *Canadien* dès son arrivée et le fait encore aujourd'hui.

— En ce qui me concerne, Béliveau représente tout ce que le hockey est ou devrait être. Des gars de son âge comme Moore ou Geoffrion ne jalousaient pas son leadership. Ils l'écoutaient tout autant que les recrues.

Floyd Currie faisait partie du groupe de vétérans qui accueillirent sans rancoeur l'arrivée de ce joueur qui avait tant de maturité. Ce n'était pas le genre de recrue à qui vous pouviez raser les cheveux ou que vous pouviez taquiner sans merci. Jean a échappé à l'initiation par laquelle tous ses coéquipiers avaient dû passer.

— Béliveau transcende toute notion de classe. Je le connais maintenant en tant qu'homme d'affaires, et son travail, ce qu'il fait et la façon dont il le fait dépassent de loin le domaine du hockey. Jean est aimé de tous, même de ceux qui ne le connaissent pas bien. Vous n'avez qu'à jeter un regard sur lui pour sentir sa grande présence.

Son rôle de meneur s'est accentué au fil des ans et, après que Harvey eut été échangé à New York en 1961, Béliveau fut nommé capitaine de l'équipe. Curry considérait que le rôle de Béliveau consistait plus à inspirer qu'à affronter.

— Jamais quiconque, sur la glace ou dans la chambre des joueurs, n'avait été désigné unanimement comme leader. L'équipe avait toujours six ou sept meneurs et le reste de l'équipe suivait. La tradition du «comité de vétérans» est toujours en vigueur aujourd'hui, trente ans plus tard.

Gump Worsley, venu à Montréal en 1963 en vertu de l'échange qui conduisit Jacques Plante à New York, voyait le côté pratique du leadership:

— L'entraîneur, c'est le psychiatre de l'équipe, il doit mettre vingt ego au service de la collectivité. Le capitaine, lui, doit garder les joueurs unis. C'est son travail de voir à ce que la chambre des joueurs soit calme, de voir à ce qu'il n'y ait pas de prises de bec entre les joueurs ou entre leurs femmes, ce qui peut être épineux. Si deux épouses se disputent, vous avez vite deux joueurs sur les bras qui ne se parlent plus et cela peut créer de la dissension au sein de l'équipe.

L'inspiration qu'on peut ressentir hors patinoire n'est efficace que si elle est accompagnée de bonnes performances valables sur la glace, surtout quand cela va mal. Malgré une carrière qui a eu ses hauts et ses bas (18 buts en 1961-1962 et seulement 12 en 1966-1967), Béliveau a toujours été à la hauteur. L'endurance et la grâce dont il faisait preuve dans le feu de l'action devinrent l'endurance et la grâce du *Canadien* dans le feu de l'action. Quand il était blessé, son absence sur le banc devenait un gouffre.

Le leadership de Béliveau à Montréal eut pour effet de priver deux grandes équipes, les *Black Hawks* de Chicago des années soixante et les *Bruins* de Boston de la fin des années soixante et du début des années soixante-dix, de ce qui aurait dû leur revenir à juste titre. Les *Black Hawks*, avec des vedettes comme Dennis et Bobby Hull, Glenn Hall, Stan Mikita et Pierre Pilote, auraient dû gagner, en effet, plus de coupes Stanley qu'ils ne l'ont fait. Après avoir brisé la série de cinq coupes consécutives du *Canadien* en les éliminant en demi-finale de la campagne de 1960-1961, les *Hawks* battaient New York et remportaient leur première coupe depuis les beaux jours de Tommy Gorman. Elle serait leur dernière.

En 1961-1962, les *Leafs* de Punch Imlach munis d'une véritable muraille à la défense battirent Chicago en six parties. C'était la première d'une série de trois coupes Stanley pour Toronto. Trois ans plus tard, cette série de victoires du Toronto terminée, Montréal et Chicago se disputèrent la septième partie de la série finale au Forum.

Dans la plupart des sports, l'avantage du terrain disparaît quand le championnat ne dépend que d'une partie. Les partisans montréalais le savaient bien, et savaient aussi que Glenn Hall, malgré sa surprenante manie de régurgiter avant chaque partie importante, était le genre de gardien capable de contenir «le Déluge» (Johnstown Flood) durant 60 minutes.

Ils n'auraient pas dû s'en faire. Le Gros Bill fit scintiller la lumière rouge au bout de 14 secondes en début de match, ce qui constituait déjà un record. Avant la fin de la période, le *Canadien* devait ajouter trois buts, et contenir tous les efforts des *Hawks* durant le reste de la partie. Ironie savoureuse: Béliveau devint le premier récipiendaire du trophée décerné au joueur le plus remarquable des éliminatoires, le trophée Connie Smythe. Durant la cérémonie de présentation, Smythe ne riait pas autant qu'il l'avait fait vingt ans auparavant lors de la visite de Tommy Gorman au Maple Leaf Gardens.

Six années plus tard, les gros méchants *Bruins*, (Big Bad Bruins) comme on les appelait, de l'ère Orr-Esposito, après avoir terminé le calendrier avec 24 points d'avance sur le *Canadien*, étaient en voie de l'éliminer. Les *Bruins* avaient gagné la première partie des quarts de finale 3-1, et menaient facilement 5-1 au milieu de la deuxième période de la deuxième partie. Les tumultueux partisans des *Bruins* regardaient calmement le massacre: la partie, les séries, c'était dans le sac! Quoi qu'ait pu faire le *Canadien* à domicile, il ne parviendrait jamais à stopper la machine à compter des gros méchants *Bruins*.

C'est pourquoi à peine quelques murmures fusèrent dans le Boston Garden quand, à 15 min 33, Henri Richard déroba la rondelle à Bobby Orr et déjoua Eddie Johnston pour remettre le *Canadien* dans la partie. L'attaque jusqu'alors moribonde du *Canadien* secoua ses puces mais ne parvint pas, dans les quatre dernières minutes, à déjouer un Johnston rendu vigilant par le but de Richard.

Mais peu de Bostoniens ou de Montréalais sont près d'oublier ce qui s'est passé après la pause.

Béliveau avait récolté une aide sur le premier but de la rencontre de l'ailier droit Yvan Cournoyer avant que les *Bruins* ne reviennent avec cinq buts sans réplique. À 2 min 17 du troisième engagement, l'arbitre Art Skov punit Esposito pour double échec, et le trio Béliveau-Cournoyer-John Ferguson (finesse, vitesse et menace à l'état pur) se mit au travail. Cournoyer virevoltait dans la zone des *Bruins* comme une libellule au-dessus de l'eau, Ferguson patrouillait l'enclave tel un char d'assaut, la rondelle allait de l'enclave à la pointe. Ferguson lança et Béliveau marqua sur le retour. C'était 5-3 Boston.

Avec deux buts de retard, le *Canadien* semblait bouillonner tandis que le jeu des *Bruins* ramollissait à vue d'oeil. Dès son retour sur la patinoire Béliveau marqua sur des passes de Ferguson et de Cournoyer à 4 min 22; un silence funèbre régnait au Garden de Boston. Du haut du balcon, un cri douloureux retentit:

— Allez les Brooons!

On sentait la catastrophe imminente, il y avait de l'électricité dans l'air.

À 8 min 34, Frank Mahovlich et Wayne Cashman furent punis pour bâtons élevés. À cinq contre cinq, Jacques Lemaire s'empara d'une rondelle libre à la ligne bleue du Boston et décocha un puissant lancer; la rondelle pénétra dans le filet tout juste sous la barre transversale. Il restait une seconde avant le milieu de la période.

Le sentiment de catastrophe imminente fit place à une impression d'inéluctable. Quand Béliveau, Cournoyer et Ferguson sautèrent sur la glace avec cinq minutes à jouer, il y eut un bourdonnement dans la foule. À l'autre bout de la patinoire, une grande asperge de recrue, Ken Dryden, venait d'abasourdir Esposito en stoppant son tir de l'enclave ainsi que le retour. Espo, assis sur le banc, avait l'air égaré.

Jean Béliveau, à quatre mois de ses quarante ans, aurait dû chercher son souffle sur le banc pendant que les jeunes turcs se disputaient les tranchées. Au contraire, ce furent les jeunes joueurs des *Bruins* qui étaient sur leur banc, la tête basse. Avec cinq minutes à jouer, Béliveau prit son tour régulier sur la patinoire, l'air tendu. Cournoyer avait l'air impatient et Ferguson, meurtrier! À 15 min 23, le numéro 4 passa le disque au numéro 12 pour le but vainqueur. Trois minutes plus tard, Mahovlich marqua le but d'assurance. Montréal 7, Boston 5. La série était à égalité.

À 19 min 14, comme pour réparer un oubli, le «jeune turc» de Boston, Derek Sanderson, cingla Béliveau, et le Gros Bill lui rendit la pareille. Béliveau sourit imperceptiblement en se rendant au banc des punitions pour un repos bien mérité avec son bourreau-victime de 23 ans. Jean marqua deux buts et fournit deux aides dans cette partie; il ne recueillit que trois aides durant les cinq autres parties de la série qui se terminèrent par la victoire surprenante du *Canadien* en sept parties avec deux victoires remportées à Boston.

Frank Mahovlich, avec ses 27 points, fut le meilleur marqueur des séries cette année-là, alors que le *Canadien* remportait la coupe après avoir battu Chicago et Minnesota. Les 6 buts et 16 passes — 22 points — de Béliveau contribuèrent grandement à la victoire des *Canadiens* durant les dernières séries de Béliveau.

Le leadership inspiré de Béliveau avait vite été remarqué par Frank Selke et Sam Pollock qui surent diriger ce leadership à l'extérieur de la patinoire. L'enfant de choeur à la maturité précoce, au dévouement forcené à son sens du devoir, au comportement exemplaire, allait devenir un ambassadeur pour le *Canadien* et, par extension, pour la Ligue nationale de hockey.

Alors que Béliveau jouait ses dernières parties, le monde du hockey se transformait. De nouveaux besoins de marketing, de développement organisationnel et de relations publiques faisaient leur apparition. Il n'était plus question de prendre un joueur vedette, avec quinze années de brillantes performances sur la glace, et de le propulser au deuxième étage, ou derrière le banc, sans un entraînement adéquat en ressources humaines. Et ce, tant pour le joueur que pour l'employeur.

De grandes vedettes, tels Gordie Howe et Bobby Orr, ont connu, eux, des difficultés lorsqu'ils ont eu des «promotions», pas tant parce qu'ils n'étaient pas prêts que parce que leur équipe n'était pas prête pour eux. Où les placer? Quelles tâches leur confier? Souvent, l'administration de l'équipe n'en avait pas la moindre idée. Comme l'a dit Howe à propos de son court séjour dans les bureaux des *Red Wings* de Detroit avant son retour au jeu:

— Ils se contentaient de me garder dans la garde-robe à faire pousser des champignons, et ouvraient la porte occasionnellement pour y ajouter de l'engrais.

C'était, une fois de plus, le syndrome Maurice Richard: dès que l'étoile vieillissante n'est plus en uniforme, trimballez-la à tous les banquets sportifs imaginables et faites-lui signer des autographes ou distribuer des sous-verres. C'était une insulte à l'intelligence de personnes astucieuses comme Richard, Howe ou Orr; tous les trois se sont rebellés.

Quant à Béliveau, il n'a jamais été question de le transformer en machine à signer des autographes pour représenter le *Canadien*; son comportement et son habileté politique ne permettaient pas de lui faire jouer un rôle si effacé. Il avait démontré, il y a plusieurs années, que sa connaissance et sa compréhension des besoins organisationnels ainsi que son sens aigu de la justice le menaient droit au coeur des problèmes.

L'atout principal de Béliveau pour l'organisation du Forum c'était que, même à l'époque où il portait encore l'uniforme, il était sur la même longueur d'ondes que la compagnie qui siégeait au deuxième étage. Il se comportait avec confiance et volonté dans toutes sortes de situations. C'était un orateur efficace, qui répondait directement et sans équivoque, tout en respectant son interlocuteur, quelles que soient les circonstances.

Plusieurs de ses coéquipiers ont répété que Béliveau ne laissait planer aucun doute sur ce qu'il pensait des questions importantes. Si vous demandiez un service à Béliveau, si vous vouliez plus de renseignements pour vous faire une meilleure idée sur un sujet, si vous lui demandiez une analyse à long terme des conséquences d'une décision, ou encore une évaluation du potentiel actuel, vous receviez une réponse complète, perspicace et simple.

Ces qualités ont fait de Béliveau non seulement le grand capitaine d'une équipe légendaire, mais également un administrateur estimé. Le passage de jeune recrue à leader de l'équipe, en passant par précieux «vétéran», a pris huit ans.

— J'ai été particulièrement chanceux de m'être joint à l'équipe quand les voyages s'effectuaient en train. Nous passions beaucoup de temps ensemble, dans le train, dans les halls d'hôtels et dans les restaurants, ce qui soudait l'équipe. On trouvait toujours quelque chose à se dire ou à partager.

Pour ce qui est de Béliveau, ses conversations étaient discrètes, privées et le plus souvent de courte durée. Parfois cependant, Béliveau pouvait passer une heure ou deux à tenter de convaincre une recrue de faire telle ou telle chose qui augmenterait son apport à l'équipe.

— Je me souviens d'une soirée lors de ma septième ou huitième saison. Butch Bouchard était parti, Elmer Lach aussi: l'équipe changeait vraiment. Henri Richard était arrivé en 1955 et on avait l'impression qu'il y avait un nouveau joueur chaque année. Je me suis soudain rendu compte que j'avais de nouvelles responsabilités. J'étais un des «vétérans» et on comptait sur moi pour mener l'équipe. L'année suivante, j'étais élu capitaine, ce qui m'a surpris quelque peu puisque je n'avais même jamais été capitaine adjoint. Maintenant, mon engagement envers l'équipe était plus grand.

Une autre des aptitudes spéciales de Béliveau était son habileté à comprendre ses coéquipiers.

— Tout le monde est tendu avant une partie... les joueurs de hockey ont des hauts et des bas. Je crois que même les plus confiants d'entre nous ressentent de la nervosité. Les gens disaient que Doug Harvey ne s'énerverait pas si la foudre tombait tout à côté de lui, mais je n'en suis pas si sûr. Certains joueurs aimaient donner l'impression de se contrôler, alors qu'ils bouillonnaient en dedans.

Craig Ramsay, un entraîneur des *Sabres* de Buffalo et un attaquant défensif dominant de la LNH pendant quatroze ans, partageait les sentiments de Béliveau.

— J'aurais souhaité, en tant que joueur de hockey, connaître autre chose que des hauts et des bas, ne pas être renvoyé de Pierre à Paul. Qu'est-il arrivé à la bonne vieille médiocrité?

Pour Béliveau et les *Canadiens*, la médiocrité est un anathème. La pression a toujours été intense et les attentes toujours accablantes. Ces dernières ne se faisaient pas seulement sentir par la direction et les joueurs mais aussi par les partisans de Montréal, ceux qui achetaient des billets pour voir Jean Béliveau jouer. L'adversaire, évidemment, faisait tout ce qu'il pouvait pour que le jeu de Béliveau ne soit pas exactement brillant.

— Je jouais contre Dave Keon depuis des années, il devait donc être capable de contrer mon style de jeu. Mais c'est ce que nous faisions tous, n'est-ce pas? Quand quelqu'un essayait de me contrer, je faisais la même chose. J'ai joué contre Frank Mahovlich des années durant, surtout quand il était avec Toronto, et toujours de la même façon. Il fallait le mettre en échec dans sa zone quand on pouvait, parce que, quand il était parti, il était très difficile à arrêter.

L'habileté qu'avait Béliveau à comprendre l'essence de la compétition, à l'élever au-dessus d'une simple guerre sur glace, a fait de lui un meilleur joueur et un leader dans le sens le plus pur du terme.

Tout compte fait, Jean a mené sa carrière d'ancien joueur tout comme il a mené sa carrière sur glace. En 1969, un an avant sa retraite, il fonda une compagnie pour profiter des offres qu'on lui faisait à l'extérieur du hockey. Béliveau rendit visite à Sam Pollock. Il avait connu sa pire saison depuis des années: 19 buts, 30 passes, 49 points. En capitaine, il prit bonne note de sa contribution amoindrie, l'analysa et chercha une solution.

— C'est le temps de prendre ma retraite. J'aimerais abandonner le jeu actif maintenant et passer au deuxième étage.

Le *Canadien* était en mutation. Un solide noyau de joueurs — Ferguson,

Terry Harper, Jacques Laperrière et Yvan Cournoyer — était entouré d'une pléthore de jeunes recrues, et la chimie de l'équipe laissait beaucoup à désirer. De plus, Pollock avait assemblé un groupe formidable de jeunes professionnels qui deviendraient les *Voyageurs* de Montréal l'automne suivant. Pollock demanda une faveur à Béliveau.

— Reste encore un an, s'il te plaît. Nous avons plusieurs bons jeunes joueurs dans l'équipe et nous sommes en période de transition. Je veux que tu restes pour les jeunes — nous avons besoin de quelqu'un qui puisse leur parler et en qui ils aient confiance. Je ne me préoccupe pas de ta production de buts, tu en auras ta part.

Pollock était bon prophète. À sa dernière saison, Béliveau marqua 25 buts et fournit 51 passes pour 76 points; il mena la jeune génération du *Canadien* à un autre championnat. Puis vint le succès en séries éliminatoires: Béliveau participa pour la dixième fois à la conquête de la coupe Stanley.

L'année supplémentaire jouée par Béliveau lui valut son 500e but, jalon important de sa carrière. Et, noblesse oblige, ce grand événement porta la touche Béliveau.

Au début de la partie du 11 février contre Minnesota, Béliveau avait 15 buts pour l'année et 497 en carrière. À 5 min 55 de la première période, quelques secondes après la sortie de Ferguson du banc des punitions, le Gros Bill fit équipe avec Terry Harper et Jacques Laperrière pour donner une avance de 1-0 au *Canadien*. On ne pouvait être plus opportuniste: Béliveau sautant sur la glace en tant qu'attaquant supplémentaire lors d'une pénalité à retardement.

Deux changements plus tard, à 8 min 39, Béliveau s'empara de la mise au jeu, s'avança sans être importuné et déjoua Gilles Gilbert. La foule jubilait. Il restait 51 minutes à jouer, et Béliveau avait de bonnes chances de marquer son 500e but et d'obtenir un tour du chapeau par la même occasion. La foule sentait qu'elle risquait d'être témoin d'un événement historique. Si Béliveau marquait, il deviendrait membre du club des 500 de la LNH, rejoignant le Rocket, Gordie Howe et Bobby Hull.

Béliveau fit quatre autres présences durant la première période sans avoir l'occasion de marquer. Il y avait six minutes et demie d'écoulées en deuxième période, quand Mahovlich ramassa la rondelle à sa ligne bleue et se dirigea dans la zone du Minnesota. Il laissa le disque à Phil Roberto (qui remplaçait Yvan Cournoyer) et, filant à toute allure, exécuta un virage à droite, entraîna un défenseur avec lui, mais laissa la rondelle à la hauteur du cercle. Béliveau, ayant le champ libre, fonça sur Gilbert et tira du revers. La rondelle se dirigea vers le but. Mahovlich était à côté du but, et la rondelle passa très près de son bâton. Allait-elle pénétrer? Pouvait-il se permettre de ne pas la pousser à l'intérieur du but quand la partie était à 2-1?

Le grand M avait fourni une passe lors du 700e but de Gordie Howe à

Detroit; il savait reconnaître une occasion historique. Il retira son bâton de la trajectoire de la rondelle, elle toucha l'intérieur du poteau et pénétra dans la cage. Numéro 500 pour le numéro 4. Les 16 158 partisans applaudirent durant cinq minutes.

Six semaines plus tard, Rollie Hébert, Punch Imlach et Toe Blake, au centre de la patinoire, rendaient hommage au capitaine qui, accompagné de ses parents, de sa femme et de sa fille de quatorze ans, Hélène, recevait gracieusement les accolades de tous.

Le Club organisa la Soirée Jean Béliveau mais uniquement après avoir respecté les exigences de leur super-étoile.

— Jean a refusé que nous lui donnions un cadeau comme une automobile ou un chèque, nous dit Sam Pollock. C'est ainsi que la Fondation Jean Béliveau a été créée avec un fonds de départ de 155 000 $.

Le *Canadien* profita une fois de plus de l'occasion et battit ce soir-là Philadelphie 5-3. La seule ombre au tableau: à son retour à la maison, Béliveau constata qu'il avait été cambriolé; les voleurs s'étaient emparés de bijoux et autres objets de valeur.

La dernière saison de Béliveau aura donc permis au *Canadien* de mettre un terme à sa carrière de la même façon qu'elle avait été entreprise: avec classe. Cette année-là a donné au *Canadien* le temps de préparer son départ et d'assurer la transition tout comme cela s'était produit dix-huit ans plus tôt au début de sa carrière.

Ses préparatifs en vue d'un retour dans le monde hors patinoire auront été inutiles. Pendant que Béliveau jouait au hockey, il travaillait à temps plein pour la Brasserie Molson pendant l'été, et même pendant la saison.

— Nos exercices étaient à 10 heures et se terminaient vers midi. Quand nous étions à Montréal, j'allais à la Brasserie et je lunchais à la cafétéria avec les employés, puis je travaillais. J'avais un petit bureau et, un hiver, j'étudiais tout le matériel disponible sur le marketing; l'hiver suivant, sur la production; puis sur le transport. Quand j'ai terminé ma carrière, ça faisait dix-huit ans que je travaillais pour Molson.

Maurice Richard a connu une transition difficile à la fin de sa carrière. Pour Jean Béliveau, il n'y a pas eu de transition.

— Je pense que la seule transition qu'il y ait eu, c'est que je ne descendais plus endosser mon uniforme, dit-il. J'ai commencé à accomplir plus d'ouvrage, simplement parce qu'il n'y avait plus les exercices de dix heures ou les voyages pour m'en empêcher.

Quand est arrivé le temps de la retraite, Jean est parti avec grâce, applaudi par ses pairs. Le 9 juin 1971, la veille du jour du repêchage de Guy Lafleur, Jean Béliveau prononçait un discours d'adieu ému, devant un auditoire de journalistes et de gens de hockey qui remplissaient à craquer la grande salle de bal de l'hôtel Reine-Elizabeth.

La coupe Stanley était chez elle, et l'heure de la retraite était venue, déclara le vétéran de trente-neuf ans. À ses côtés se trouvaient Sam Pollock, et le président du Club canadien, J. David Molson. M. Molson prit ensuite la parole.

— J'ai le grand plaisir d'annoncer que Jean Béliveau a accepté un poste d'administrateur au sein du Club. À partir d'aujourd'hui, il devient vice-président et directeur des relations corporatives. En plus d'être administrateur de l'équipe, il est responsable du développement des relations corporatives et plus spécialement des relations avec la presse et les médias électroniques. En fait, il devient le porte-parole officiel du Club de hockey canadien.

La présentation de M. Molson était en retard de dix ans. Ça faisait bien une décennie que Béliveau était le porte-parole officieux du Club.

Deux étés plus tard, quelqu'un à Québec eut une meilleure idée. Les *Nordiques* de l'Association mondiale de Hockey avaient un urgent besoin d'identification auprès du public. L'équipe jouait dans une ligue nettement inférieure, dans une ville éloignée des sentiers battus par les médias d'Amérique du Nord. Jean Béliveau leur apporterait une respectabilité instantanée, si seulement il acceptait d'effectuer un retour au jeu. L'offre tournait autour du million de dollars. Québec et le Colisée souhaitaient le retour du Gros Bill et ils étaient prêts à payer le prix.

Jean pesa la situation une semaine durant. Il savait bien qu'il tenait à son poste d'administrateur et que sa fille de seize ans était ravie de sa présence — à retardement — à la maison.

— Je savais que j'étais heureux mais on n'écarte pas un million de dollars du revers de la main. Ils voulaient que je joue parce qu'ils avaient besoin de moi sur la glace pour vendre des billets. Je me répétais: non; mais les billets dansaient devant mes yeux. Finalement, mon non a été définitif et je le leur ai dit.

Au début d'un après-midi d'août 1985, Jean Béliveau réfléchit sur sa carrière, confortablement assis dans son bureau. Il planifie un long voyage. À titre de capitaine honoraire de l'équipe canadienne des Jeux de Macchabée en Israël, il s'apprête à partir dans deux jours. La semaine dernière il prononçait l'éloge funèbre de Frank Selke.

C'est à 10 000 km du Forum que la magie Béliveau refera surface. Presque quinze ans après sa retraite, le Gros Bill devient la plus importante attraction de la délégation canadienne. C'est de bonne grâce qu'il se prête à la signature d'autographes à Tel Aviv. Il n'est pas seulement entouré des jeunes membres de la délégation canadienne, dont beaucoup sont trop jeunes pour se souvenir de son jeu, mais également par de nombreux Israéliens qui ont grandi à Montréal et qui «retournent à la maison» quelques instants avec le Gros Bill.

Chapitre 7

Les incroyables années cinquante

Camil Desroches, qui appartient à l'organisation du *Canadien* de façon officielle ou officieuse depuis 1938, s'anime quand il est question des extraordinaires années cinquante et des vrais *Flying Frenchmen.* C'est avec la conviction de celui qui y a réfléchi longtemps qu'il déclare:

— Nous avons eu beaucoup de grandes équipes à Montréal, mais je crois qu'aucune n'approchait celle de 1959-1960.

Petit homme au sourire facile, Desroches est une mère poule pour les joueurs du *Canadien.* Il n'accepte de parler qu'une fois qu'on lui a expliqué en détail le propos du livre. Si d'autres membres de la hiérarchie du *Canadien* ont pu être accusés de xénophobie et critiqués pour se regarder un peu trop le nombril, rien de tel chez Desroches. Cela fait quarante-huit ans qu'il est là et il a vu passer toutes sortes de patrons. Par surcroît, les jeunes gens au regard confiant qu'on voit sur les photographies de hockey génération après génération ne sont pas seulement des héros légendaires du sport, ils sont aussi ses amis. Une fois convaincu de votre bonne foi, Desroches deviendra une source intarissable de renseignements.

Le bureau de Camil n'est peut-être pas le plus grand du Forum côté rue Lambert-Closse, mais tous les souvenirs qui y sont accumulés compensent amplement l'étroitesse de la pièce. Les quatre murs sont recouverts de photographies soigneusement encadrées de joueurs, les grands et les presque grands. La conversation revient toujours sur la fameuse question: laquelle des équipes du *Canadien* était la meilleure?

Camil se lève, contourne son bureau et contemple le mur qui lui fait face. C'est là que se trouve, tout près de l'embrasure de la porte, une photographie aux couleurs vives du *Bleu-blanc-rouge*, du *Canadien.* Tous les bureaux du deuxième étage du Forum possèdent ces photographies, et l'on n'y prête plus attention. C'est quand Desroches vous force à regarder de plus près que vous constatez qu'un bon nombre des joueurs de l'équipe actuelle du *Canadien* n'étaient pas nés quand cette photographie a été prise.

— Vous voulez savoir ce qui rendait les cinq coupes Stanley si spéciales? dit-il en désignant du doigt les joueurs de l'équipe de 1959-1960. Junior Langlois, Marcel Bonin, Phil Goyette, Henri, Jean Béliveau, Dickie Moore, Donnie Marshall, André Pronovost, Claude Provost, Jean-Guy Talbot, Boum Boum, Doug Harvey, le Rocket, Jacques Plante, Charlie Hodge... tous des gars de Montréal.

— Pas tout à fait, pourrait-on objecter, Plante est né à Mont-Carmel et a grandi à Shawinigan, Pronovost à Shawinigan Falls, Langlois à Magog...

— Ça fait pas de différence. Quand un petit gars de Québec se retrouvait à Montréal, il devenait un Montréalais. Ces gars-là habitaient à Montréal; ils ne retournaient pas chez eux l'été, après la saison. Ils étaient fiers de demeurer à Montréal. Ils étaient fiers de ce qu'ils représentaient pour la communauté et ils y étaient engagés. Quand venait le temps de jouer au hockey, cela représentait plus pour eux que pour beaucoup de joueurs des autres équipes.

L'équipe des années cinquante avait été montée de toutes pièces par Frank Selke et elle montrait combien ses commandites des clubs des ligues mineures étaient en progression. Le *Canadien*, pratiquement frappé d'interdit en Ontario, s'était retourné vers les Prairies qui regorgeaient de joueurs talentueux. Parmi les gars de Montréal souriant sur la photographie de Desroches se trouvent Ab McDonald et Tom Johnson de Winnipeg, Bert Olmstead, le fils favori de la Saskatchewan, Bob Turner et Bill Hicke de Regina. Ralph Backstrom de Kirkland Lake était le seul Ontarien; arraché aux griffes des *Leafs* et des *Bruins* lorsqu'il avait seize ans, il avait joué quatre ans de hockey junior à Montréal.

Ce mélange de «flair gallois» et de «durs des Prairies», pour reprendre l'expression des journalistes sportifs de l'époque, était imbattable, comme les cinq autres équipes d'alors ont pu le constater. Ce qu'il y avait de mieux, c'est que les gars des Prairies avaient aussi du flair et que les Montréalais étaient également des durs.

Cependant, comme nous l'avons déjà dit, il n'est pas question de prétendre que le *Canadien* formait la seule bonne équipe des années cinquante.

L'équipe que Tommy Gorman avait assemblée gagna la coupe Stanley en 1943-1944 et en 1945-1946, mais connut par la suite une disette de sept ans, en duel perpétuel avec Toronto et Detroit. À preuve cette statistique surprenante: après que Boston eut gagné la coupe en 1940-1941, elle devint la chasse gardée des *Leafs*, des *Red Wings* et du *Canadien* et ce, jusqu'en 1960-1961, année où Chicago l'emporta. Pendant les huit années suivantes, Toronto et Montréal devaient partager la coupe!

L'équipe bâtie par Gorman était solide. Selke n'avait eu à remplacer que quelques joueurs — dont les grands Toe Blake et Kenny Reardon, pour que l'équipe dispute le premier rang aux *Red Wings* de Detroit et aux *Maple Leafs* de Toronto. Entre 1948-1949 et 1954-1955, les *Red Wings* établirent un record inégalé et sans précédent: sept trophées Prince-de-Galles consécutifs, en hommage à l'organisation de Jack Adams et aux talents des Howe, Abel, Lindsay, Kelly, Reibel et Sawchuk. Detroit gagnait par de fortes marges durant six de ces sept années; ce sont les *Leafs* de 1950-1951 qui s'approchèrent le plus des *Red Wings* avec un retard de six points (101-95).

Toutefois, durant ces mêmes sept années, les *Wings* ne devaient gagner que quatre coupes, perdant deux fois devant Toronto et une fois devant Montréal. Il y a des chances qu'ils n'en auraient gagné que trois si Clarence Campbell n'avait pas fait preuve d'autant de largesse en suspendant Maurice Richard pour les séries. Dans les faits, la coupe Stanley de 1954-1955 devrait être baptisée la coupe Clarence Campbell et les archives de la coupe devraient conserver un astérisque à côté de cette année-là. La décision draconienne de Campbell envers Richard ou, disons, plus que généreuse envers les autres équipes, eut trois conséquences principales: Detroit dépassa le *Canadien*, privé du Rocket dans la dernière semaine du calendrier, et mérita le trophée Prince-de-Galles tout en bénéficiant de l'avantage de la glace pendant les séries; le Rocket perdait sa seule chance de jamais gagner le championnat des marqueurs; et, finalement, Detroit, poussé par l'inflexible *Canadien* à une septième partie, jouée à domicile (merci M. Campbell), gagnait la coupe.

Une décision prise loin de l'action par un président de ligue ou un commissaire d'un sport majeur a-t-elle jamais eu autant de conséquences? Le fait que Detroit n'ait jamais pu remporter la coupe depuis relèverait-il d'une justice cruelle?

Ce qu'il y a de triste dans cette histoire, c'est que Detroit n'y était pour rien, à part le lobbying usuel de Jack Adams au niveau exécutif de la Ligue après l'incident Richard-Laycoe à Boston. Mais, historiquement, si une équipe a souffert de la décision de Campbell, c'est bien Detroit puisque, aujourd'hui encore, mêmes les joueurs de Detroit ne sont pas certains qu'ils auraient gagné la coupe si le Rocket avait joué avec le *Canadien.*

De 1948-1949 à 1954-1955 Detroit a gagné sept championnats de suite, mais pendant la même période, le *Canadien* s'est rendu cinq fois en finale de la coupe Stanley (il l'aura fait dix fois de suite, record jamais égalé comte tenu du fait qu'il y a maintenant quatre divisions). Après avoir perdu la coupe en 1950-1951 aux mains de Toronto à la suite d'un but de Bill Barilko en période supplémentaire de la cinquième partie, le *Canadien*, en 1951-1952, s'inclinait, à juste titre, en quatre parties devant les *Red Wings* qui l'avaient devancé par 22 points au classement régulier. L'année suivante, cependant, Sid Abel était à Chicago et Boston, troisième au classement, élimina Detroit en six parties avant de s'incliner devant le *Canadien* en cinq parties. Detroit allait un peu sauver la face en gagnant la coupe les deux années suivantes, les deux fois en sept parties. Le règne du *Canadien* s'annonçait.

L'équipe de 1952-1953 était une formule de transition, moitié Gorman, moitié Selke. Gerry McNeil était le gardien régulier, et Jacques Plante, son auxiliaire. Les partisans d'aujourd'hui auraient de quoi s'émerveiller du genre de performances qu'offrait pareil duo de cerbères, s'ils songent à la façon dont la tâche est partagée maintenant, 50-50, ou 70-30 au pire. Jacques Plante nous rappelle comment cela fonctionnait à l'époque:

— Gerry était le gardien. J'étais à Buffalo. Les équipes jouaient 70 parties dans ce temps-là, et on s'attendait à ce que le gardien en joue 70 s'il le pouvait. Peu d'équipes avaient deux gardiens. Le substitut arrivait seulement quand le partant était sérieusement blessé et ne pouvait continuer.

Plante joua trois parties cette saison-là, allouant quatre buts pour une moyenne de 1,33. Mais il était loin de déloger McNeil, ce natif de Québec qui avait permis 140 buts en 66 parties pour une moyenne de 2,12, avec dix blanchissages. Seconde étoile de l'équipe, McNeil ajouta deux autres blanchissages en huit parties éliminatoires avant d'être blessé. Plante enregistra, lui, un autre blanchissage dans les quatre autres parties.

Les statistiques de Plante firent mentir son état d'esprit durant cette série contre l'équipe de Chicago, plus déterminée que jamais à gagner. Plante était une très jeune recrue:

— Je jouais à Buffalo quand on m'a appelé pour remplacer McNeil, blessé. Gerry a été blessé à nouveau durant les séries. Nous perdions la série 3-2 et devions jouer à Chicago devant la foule la plus bruyante de la Ligue. Nous résidions à l'hôtel LaSalle, et l'équipe s'apprêtait à partir pour la patinoire quand j'arrivai dans le lobby. Dick Irvin me fit venir et me dit: «Jacques, tu joues ce soir et tu vas nous donner un blanchissage.» Je me suis mis à trembler si fort que j'ai eu peine à me rendre à la patinoire. Je n'étais pas prêt pour ce genre de pression.

Plante s'habilla pour la partie mais se trouva devant un problème imprévu: il tremblait tellement qu'il était incapable de lacer ses patins. Spectacle assez déconcertant pour ses coéquipiers qui se préparaient dans un vestiaire plus silencieux qu'un service du Vendredi saint. Le Rocket se dirigea vers le gardien et s'assit paisiblement à ses côtés. Jacques ne savait pas à quoi s'attendre mais il avait fréquenté l'équipe assez longtemps pour savoir que Maurice n'était pas l'homme des grands discours.

— T'en fais pas avec ça, lui dit Richard doucement. Il n'y a pas un gars ici qui ne tremble pas en dedans comme toi. Tu te sentiras mieux quand nous serons sur la glace.

Trois minutes après le début de la partie, Pete Badando, seul devant Plante, le fit tomber sur le derrière avec une feinte habile. Plante étonna l'attaquant de Chicago et toute la foule en exécutant un plongeon désespéré et en stoppant la rondelle avec son patin. Quelque dix-neuf ans plus tard, un autre gardien-recrue, nommé Dryden, changerait lui aussi le cours d'une série à Chicago en commettant un larcin similaire à l'endroit de l'ailier Papin.

— Après cet arrêt, il n'y eut plus de pression. Nous avons gagné cette partie 3-0 et, de retour à Montréal, gagné la dernière partie 6-1. J'ai fini la série contre Chicago et joué les deux premières parties contre Boston. Nous avons gagné la première, perdu la deuxième, puis Gerry McNeil est revenu et nous a gagné les deux dernières parties.

Jacques-le-trembleur allait devenir Jacques-le-tombeur, membre du Temple de la Renommée. Mais Plante, un des symboles du *Bleu-blanc-rouge*, faillit faire carrière chez les *Red Wings*, si détestés.

— J'ai grandi à Shawinigan avec Marcel Pronovost. Nous étions de bons amis et jouions souvent au hockey ensemble. J'ai failli me retrouver à Detroit avec lui. Un éclaireur de Québec qui travaillait pour les *Red Wings* est venu à Shawinigan pour voir quatre joueurs, Marcel, les deux frères Wilson, Johnny et Larry, et moi. Je n'y étais pas ce soir-là. Il a fait signer les trois autres et s'en est retourné. J'ai eu de la chance de ne pas signer avec eux. Leur gardien régulier était Harry Lumley, et ils avaient dans leurs filiales Glenn Hall et Terry Sawchuck; je n'aurais peut-être jamais eu la chance de jouer. J'aurais été enterré quelque part, probablement en Ontario où Detroit avait ses clubs-écoles, moi qui ne parlais pas un mot d'anglais. J'aurais été perdu. Jouer pour l'organisation de Montréal a été la meilleure chose qui aurait pu m'arriver.

Plante remplaça McNeil graduellement au cours de trois saisons avant d'obtenir le poste attitré en 1954-1955. L'équipe subit plusieurs autres changements dans la transition des années quarante aux années cinquante.

Les piliers défensifs des champions de 1952-1953 étaient des vétérans comme Émile Butch Bouchard et Doug Harvey. Ils étaient habilement secondés par les jeunes Tom Johnson et Dollard St-Laurent qui étaient devenus des réguliers respectivement en 1950-1951 et 1951-1952.

À l'avant, il y avait des vieux de la vieille comme Elmer Lach, le Rocket, Billy Reay, Kenny Mosdell et Floyd Curry et des petits jeunes comme Bernard Geoffrion, Dickie Moore et Bert Olmstead.

Le *Canadien* avait besoin de renforts au centre. Reay prit sa retraite après la victoire de la coupe Stanley, et la saison 1953-1954 fut la dernière de Lach, blessé à plusieurs reprises. Toutefois, ils furent remplacés de façon adéquate quand Jean Béliveau, mettant finalement un terme au suspense, signa avec le *Canadien* et qu'Henri Richard se joignit à l'équipe en 1955-1956. À ce moment-là, la machine de Selke passa en troisième vitesse et les jeunes joueurs talentueux, venant surtout du Québec et de l'Ouest, suffirent à l'alimenter régulièrement.

Un petit tableau est encore ce qui décrit le mieux le pont aérien mis en place par Selke. La liste qui suit indique les années de la première arrivée de ces joueurs chez le *Canadien.* Beaucoup sont retournés plusieurs fois dans les mineures avant de rester pour de bon avec le gros Club.

Ce fut la première récolte de la ferme ensemencée et cultivée avec tant de soin par Selke, Reardon et Pollock.

Ces joueurs formaient le noyau de la reconstruction des *Canadiens.* Les astérisques à côté des noms de Bert Olmstead et de Marcel Bonin indiquent que ces valeureux ailiers ont été obtenus grâce à des transactions, Olmstead en provenance de Chicago, et Bonin, qui avait commencé sa carrière dans la LNH à Detroit, venant de Boston.

Les autres provenaient du système Selke: la vitesse du Québec et le muscle des Prairies.

La majorité des grandes étoiles — Johnson, Harvey, Béliveau, Geoffrion, Moore et Henri Richard — faisaient partie des récoltes exceptionnelles de la Ligue junior du Québec ensemencées au début des années cinquante.

Après les déceptions de 1953-1954 et 1954-1955 à Detroit, l'équipe qui se réunit en 1955-1956 au camp d'entraînement sentit qu'un changement radical allait se produire.

— Nous étions trop bons pour qu'on puisse nous retenir bien longtemps, dit Doug Harvey. Toronto et Detroit avaient fait des changements, mais ce n'était pas assez. Nous avions perdu plusieurs vétérans, et Butch Bouchard nous avait prévenus que ce serait sa dernière année. Mais nous avions tous ces superbes jeunes joueurs et nous étions affamés. En plus, le Rocket était comme une bombe prête à exploser. On lui avait enlevé le championnat des compteurs l'année précédente et il ne laisserait plus personne lui enlever quoi que ce soit.

Le catalyseur fut Richard, mais pas celui dont tout le monde parlait. C'était un petit joueur de centre, 1 m 70, 72 kg, Joseph Henri Richard, de quinze ans le cadet de son frère, Joseph Maurice Richard.

— On l'avait fait venir presque par courtoisie, juste pour voir, se remémorait Selke. Il avait très bien joué l'année précédente avec le *Canadien junior* et il n'avait que dix-neuf ans. Il avait été invité avec d'autres de nos jeunes joueurs et nous avions bien l'intention de le retourner au junior pour une autre année.

Année	Joueur	Position
1950-51	Bernard Geoffrion	Ailier droit
	Tom Johnson	Défenseur
	Dollard St-Laurent	Défenseur
	Bert Olmstead	Ailier gauche**
	Paul Masnick	Centre
	Paul Meger	Ailier gauche
	Jim McPherson	Défenseur
1951-52	Dick Gamble	Ailier gauche
	Dickie Moore	Ailier gauche
	John McCormack	Centre
1952-53	Jacques Plante	Gardien
1953-54	Jean Béliveau	Centre
1954-55	Charlie Hodge	Gardien
	Don Marshall	Ailier gauche
	Jackie LeClair	Centre
1955-56	Henri Richard	Centre
	Jean-Guy Talbot	Défenseur
	Claude Provost	Ailier droit
	Bob Turner	Défenseur
1956-57	André Pronovost	Ailier gauche
	Phil Goyette	Centre
1957-58	Marcel Bonin	Ailier gauche**
	Albert Langlois	Défenseur
1958-59	Ab McDonald	Ailier gauche
	Ralph Backstrom	Centre
1959-60	Bill Hicke	Ailier droit
	Jean-Claude Tremblay	Défenseur

Un beau jour de septembre, Frank Selke s'occupait de la paperasse du bureau quand un employé du Forum fit irruption dans son bureau:

— M. Selke, venez vite. Richard vient d'être mis knock-out!

— Lequel?

— Les deux!

Maurice et Henri jouaient l'un contre l'autre lors de la pratique quand le Rocket a «zigué» et le Pocket a «zagué». Paf!

Le Rocket se réveilla dans la salle du soigneur pour voir le regard anxieux de son petit frère qui avait grandi en l'idolâtrant. Henri avait été réanimé le premier et n'avait eu besoin que de quelques points de suture. Leurs têtes s'étaient cognées; plus petit, Henri s'en était le mieux tiré.

— Je pense que Maurice a eu quinze points de suture à la suite de ce coup, dit Henri.

Maurice secoua la tête deux ou trois fois pour s'éclaircir les esprits et regarda sévèrement le jeune Pocket qui lui tendait encore des sels.

— Henri, il faut que tu fasses attention. Tu aurais pu te faire mal.

Deux semaines après, alors que le camp d'entraînement tirait à sa fin, le petit gars invité par courtoisie était encore là. Toe Blake ne put que le garder puisque Henri ne laissait personne d'autre toucher à la rondelle. On en était arrivé aux derniers joueurs à retrancher et, pour Selke et Blake, c'était un casse-tête.

— Il n'y a rien de mal à le retourner chez les juniors pour une autre année, dit Selke, qui aimait les situations claires, nettes et prévisibles.

— Le gars est prêt maintenant, répond Blake et les choses en restent là.

Cette année-là, Montréal joue sa dernière partie d'exhibition contre Chicago, et Henri est en uniforme. Il compte deux buts et fournit des aides sur trois autres. Quelques jours plus tard, Henri se retrouve dans le bureau de Selke. Comme il comprend très peu l'anglais, Maurice lui sert d'interprète.

Maurice aborde la discussion de façon simple:

— Henri veut jouer pour le *Canadien.*

Selke avait déjà discuté l'affaire plusieurs fois avec Blake, et il réplique avec l'argument «une autre année chez le junior», plutôt pour la forme puisque les faits l'avaient ébranlé. Maurice traduit, et Selke regarde le Pocket secouer la tête. Pas question. Quelle que soit la langue.

— Combien veut-il?

Le Rocket traduit. Si une blessure devait mettre fin à sa carrière, une carrière l'attendait sûrement à l'ONU.

— L'argent n'a pas d'importance, M. Selke. Tout ce qu'il veut c'est jouer pour le *Canadien.*

Henri et Maurice discutent le coup, et le Rocket propose:

— Que diriez-vous d'un bonus de 2 000 $ à la signature et le salaire d'une recrue, 100 $ par partie (7 000 $)?

Selke sort un contrat et Henri le signe.

— Nous sortions de son bureau quand M. Selke nous dit d'attendre une minute, se souvient Henri. Il reprit le contrat, le déchira et augmenta mon bonus à 5 000 $. Maurice m'a dit que M. Selke ne voulait pas que je pense plus tard qu'il avait profité de ma jeunesse. Il ignorait que j'étais quasiment prêt à le payer pour jouer pour le *Canadien*.

Deux années après, Henri fut choisi comme joueur de centre de la première équipe d'étoiles. Il prendrait sa retraite après onze coupes Stanley, un record.

Dans un livre qui tente de cerner la personnalité des Trois Grandes Étoiles du Québec, nous ne rendrions pas justice au *Canadien* si nous laissions de côté les acteurs de soutien.

Maurice Richard, Jean Béliveau et Guy Lafleur n'ont pas été entourés par de simples joueurs de qualité. Ils ont eu de grandes étoiles comme coéquipiers. Doug Harvey a gagné le trophée Norris, décerné au meilleur défenseur de la Ligue, sept fois entre 1955 et 1962. Sa série n'a été interrompue qu'une seule fois quand Tom Johnson a gagné le trophée en 1959.

Jean Béliveau, Dickie Moore et Boum Boum Geoffrion ont gagné, à eux trois, cinq championnats des marqueurs (deux pour Geoffrion et deux pour Moore). Les 96 points de Moore en 1958-1959 ont tenu bon, menacés une fois par Geoffrion en 1960-1961, surtout à cause de ses 50 buts, jusqu'à ce que Bobby Hull en marque 97 en 1965-1966.

Jacques Plante gagna le trophée Vézina, remis au meilleur gardien de but, cinq fois de suite entre 1956 et 1960, et une fois encore en 1962. Les vétérans du hockey affichaient des sourires heureux quand Plante et Glenn Hall, tous deux âgés de quarante ans, firent équipe pour mériter un autre trophée Vézina en 1969.

De 1950 à 1960, il y a eu 120 postes possibles dans les équipes d'étoiles de la LNH. Treize différents joueurs du *Canadien* ont obtenu le tiers de ces postes.

De 1952 à 1961, parce que les Donnie Marshall, Phil Goyette, Ralph Backstrom, Bob Turner, André Pronovost, Dollard St-Laurent, Jean-Guy Talbot et Charlie Hodge épaulaient les grandes étoiles du *Canadien*, celui-ci a gagné six coupes Stanley et est venu tout près d'en gagner trois autres. Et aussi parce que les grandes étoiles avaient du caractère.

— Henri Richard était peut-être le plus endurci des joueurs que j'aie vus, dit Dickie Moore.

— Dickie Moore était peut-être le meilleur du groupe, dit Harry Sinden. Ce type a gagné deux championnats des marqueurs sur une jambe. Ses genoux étaient complètement amochés, et pourtant son jeu était physique à cent pour cent.

— Doug Harvey était le meilleur défenseur que j'aie jamais vu parce qu'il pouvait contrôler une partie comme personne d'autre, dit Red Storey. Bobby Orr pouvait ouvrir le jeu et c'était un joueur incroyable. Mais Harvey pouvait dominer une partie. Si Montréal avait un but d'avance et que Harvey décidait que nous n'allions plus compter, c'était fini. On pouvait aller prendre sa douche, la partie était terminée.

Des témoignages comme ceux-là au sujet de Plante, Béliveau, Geoffrion, le Rocket et Tom Johnson sont monnaie courante.

Camil Desroches est assis dans son bureau. Nous regardons ensemble la photographie en couleurs de l'édition 1959-1960 du *Canadien.* Nous les auteurs, sommes d'une génération plus jeune et avons tendance à préférer l'édition 1975-1976, celle des Lafleur, Shutt, Mahovlich, Gainey et Lemaire à l'avant, les *Big Three* à la défense et Dryden devant le filet. Mais les partisans, eux, sont d'accord avec Desroches.

En 1984, un sondage auprès des partisans sur l'équipe idéale du *Canadien* choisissait cinq membres de celle de 1959-1960: Plante, Harvey, le Rocket, Moore et Béliveau. Le seul autre joueur sélectionné était Larry Robinson. La deuxième équipe choisie n'était pas nommée, mais vous pouvez imaginer la bataille pour les deux postes de défenseurs: Johnson, Butch Bouchard, Savard et Lapointe! Ou encore dans les buts: Dryden, McNeil ou Durnan.

Qui les amateurs auraient-ils choisi pour l'attaque de la deuxième équipe? Steve Shutt, Guy Lafleur, Jacques Lemaire et Pete Mahovlich ou Henri Richard, Boum Boum Geoffrion, Toe Blake et Elmer Lach? Et où placer des étoiles comme Yvan Cournoyer, Jacques Laperrière, Gump Worsley, Ralph Backstrom et Mats Naslund?

Laquelle des équipes fut la meilleure? Celle des années cinquante ou celle des années soixante-dix?

Un expert tel que Sam Pollock donne la palme à une troisième édition, celle des années soixante qui, mise à part une défaite surprenante en 1967 devant les *Leafs* et un Terry Sawchuck irréductible, aurait, elle aussi, gagné cinq coupes Stanley consécutives.

— De toutes les équipes que nous ayons eues, c'est celle-là que tout le monde semble oublier, dit Pollock d'un air peiné. Béliveau, Le Pocket, Backstrom, Ted Harris, Terry Harper, J.-C. Tremblay, Gilles Tremblay, John Ferguson, Savard, Claude Larose, Dick Duff, Cournoyer, Gump Worsley et Roggie Vachon, cette équipe était aussi puissante que n'importe quelle autre.

Les observateurs de longue date sont divisés. Dick Irvin, fils de l'ancien entraîneur du *Canadien* et doyen des annonceurs actuels de la LNH, choisit l'équipe des années cinquante parce que, dit-il, il n'est pas besoin de beaucoup d'imagination pour voir à quel point cette équipe est venue près de gagner l'incroyable nombre de huit coupes Stanley consécutives. Ils ont gagné en 1952-1953 et, l'année suivante, ils se sont fait battre 2-1 à la septième partie de la finale contre Detroit par un but, en supplémentaire, de Tony Leswick. L'année suivante, sans le Rocket, ils se rendirent encore à la septième partie. Vous voyez qu'il s'en est fallu de peu pour qu'ils en gagnent huit de suite! Et à l'autre bout, en 1960-1961, ils ont perdu à la septième partie contre Chicago, en deuxième période supplémentaire et après s'être vu refuser deux buts.

Montréal a accepté avec sa grâce habituelle la fin de sa série de coupes consécutives: Toe Blake éreinta l'arbitre Dalton McArthur!

Les *Black Hawks* remportèrent la coupe en 1960-1961, et pour cause: ils alignaient Dollard St-Laurent, Ab McDonald, Eddie Litzenburger, Murray Balfour et Reg Fleming, tous d'anciens joueurs du *Canadien*.

Les sceptiques peuvent prétendre que la mémoire est sélective. Si les partisans du *Canadien* pouvaient récrire l'histoire avec une déviation par-ci, une décision judicieuse de l'arbitre par-là, le contraire ne serait-il pas aussi vrai? Dans le cas de la série légendaire de cinq coupes consécutives, est-ce que les mêmes malchances n'auraient pas pu se produire au désavantage du *Canadien*?

Pas tout à fait. Durant ces cinq années, Montréal n'a été poussé qu'une seule fois à une sixième partie en série finale, en 1957-1958. Ils ont gagné trois fois en cinq parties et une fois en quatre. Ça ne laisse pas beaucoup de place au hasard, pour une rondelle déviée par-ci ou un but refusé par-là.

Enfin et surtout, que serait-il arrivé si Jean Béliveau s'était joint à l'équipe une ou deux années plus tôt?

C'est au cours de délicieux arguments en famille de ce genre qu'on se rend à l'évidence. C'est cela qu'on veut dire lorsqu'on parle de dynastie.

Chapitre 8

Sam, cet habile troqueur

En 1978, l'hôtel Reine-Elizabeth trouva une façon originale de célébrer ses vingt ans à Montréal. L'hôtel commandita une soirée d'excellence dans différentes sphères d'activités au cours de ces deux décennies. Le gala des Grands Montréalais obtint un succès sans équivoque; il a lieu maintenant chaque année, pour rendre hommage à ceux que les Montréalais considèrent comme leurs plus prestigieux concitoyens.

Dans la catégorie sports, le premier comité de sélection avait l'embarras du choix: Sam Etcheverry, Hal Patterson, George Dixon, Peter Dalla Riva et Terry Evanshen, tous de la Ligue canadienne de football et des *Alouettes* de Montréal; Maurice et Henri Richard, Jean Béliveau, Guy Lafleur, Serge Savard, Larry Robinson, Guy Lapointe, Yvan Cournoyer et Jacques Lemaire des *Canadiens*; Claude Raymond, Ron Piché, Bill Stoneman des *Expos* du base-ball professionnel; ainsi qu'un brochette d'athlètes tant professionnels qu'amateurs. Chacun avait son préféré et il fut vite évident que le choix final serait des plus controversés.

C'est pourquoi la première sélection du comité était un tant soit peu ironique: c'était un petit homme boulot qui ressemblait à un sportif de salon, bref, l'antithèse de l'athlète. Il n'avait jamais joué une minute au Forum, ni au stade de Lorimier, ni au stade Molson, ni au parc Jarry, ni à l'Autostade non plus qu'au stade Olympique. Mais c'était de loin le meilleur choix et personne n'y trouva à redire.

Le premier Grand Montréalais, dans la catégorie sports, fut Sam Pollock, vice-président et directeur gérant du Club de hockey canadien Inc. D'aucuns voient en lui l'administrateur le plus averti d'une concession sportive en Amérique du Nord à son époque. Sam-le-troqueur, l'homme qui reçut les rênes de l'organisation des mains de Frank Selke et l'améliora à tous les niveaux. L'homme qui donna au *Canadien* neuf coupes Stanley en quatorze ans d'exercice de pouvoir. Seul Red Auerbach des *Celtics* de Boston peut se vanter d'une pareille fiche, surtout si on prend en considération le fait que, l'année qui suivit la retraite de Pollock, le *Canadien* remportait son dixième championnat en quinze ans. Sam n'était peut-être plus là, mais les gagnants de la coupe 1978-1979 étaient ses gars.

— Il était tout simplement le meilleur, dit Lou Nanne, directeur gérant des *North Stars* du Minnesota, quand Pollock annonça sa retraite, en 1978, dans le but de poursuivre sa carrière d'homme d'affaires. Je considère que non seulement Montréal, mais toute la Ligue a perdu un homme extraordinaire. Il était le plus grand meneur du hockey de l'époque. Je sais que, lorsque j'étais dans l'association des joueurs, nous parlions toujours de parité. J'ai dit, à ce moment-là, que la meilleure façon d'y parvenir serait de prêter Pollock à chaque équipe pour un an. Il ne tergiversait jamais. C'était un grand innovateur et un leader. C'est par émulation que nous allons suivre ses idées et son exemple. Il avait du succès parce qu'il précédait toujours les autres de quelques foulées.

Voilà des propos bien dithyrambiques et qui sont unanimes aussi. Bien que beaucoup de ses collègues aient considéré qu'à l'occasion Pollock avait facilement eu l'avantage sur eux au cours de négociations, ils savaient aussi qu'il leur avait appris quelque chose. Si Pollock échangeait quelqu'un un jour, c'était toujours pour des avantages d'avenir; personne ne pouvait le blâmer si ses prévisions se révélaient toujours justes. C'est une leçon que beaucoup de dirigeants ont eu de la difficulté à avaler; mais une fois apprise, elle allait hausser le calibre des dirigeants de toute la Ligue. Parmi ses nombreux legs, Pollock a laissé à la Ligue nationale de hockey un sens des affaires de premier ordre. Finis les jours des vieux guerriers mal à l'aise dans leur complet trois pièces. C'étaient des professionnels du hockey qui participaient maintenant aux séances de repêchage et aux différentes rencontres de la Ligue. Et parmi ceux qui, pour avoir le mieux appris la leçon de Pollock, en ont le mieux profité, il y avait Bill Torrey des *Islanders* de New York, Cliff Fletcher des *Flames* de Calgary et Lou Nanne.

— Quand j'ai commencé, dit Pollock, la direction des équipes se servait de cinquante pour cent de sens du hockey et de cinquante pour cent de sens des affaires. Dans les années soixante-dix, la proportion était de vingt-cinq contre soixante-quinze pour cent. Maintenant je pense que c'est quinze pour cent de sens du hockey et quatre-vingt-cinq pour cent de sens des affaires.

Quant aux organisations dont la direction consistait en d'anciens joueurs qui ne contribuaient guère plus qu'un visage connu et un lien avec la tradition d'une grande équipe, ces organisations-là sont choses du passé. Si vous voulez réussir dans le hockey, il faut vous fier aux principes qui en affaires ont fait leurs preuves: peu de dépenses et beaucoup de profits. Si vous les respectez, vous vous acquittez bien de vos devoirs financiers.

Ce qui veut généralement dire que vous ferez aussi vos devoirs de hockey et que vous aurez une équipe compétitive. Ce qui importe c'est de gagner, et la meilleure façon d'y parvenir est de toujours faire ses devoirs. Parce que, comme sur la glace, il y a toujours quelque part quelqu'un qui fait aussi ses devoirs et qui attend que vous fassiez une erreur.

Si le gars qui dirige l'organisation a du mal à lire un bilan financier, l'organisation connaîtra des difficultés. L'administrateur dans le domaine du sport d'aujourd'hui doit être un homme d'affaires de premier ordre, prêt à saisir toutes les occasions qui se présentent.

Le jeune Pollock a prouvé sa vigilance et ses talents d'administrateur quand il s'est joint au *Canadien* à vingt et un ans. Sous la tutelle de Frank Selke, il a appris son hockey et ses talents d'administrateur en commençant au bas de l'échelle.

Sam venait de la zone démilitarisée située entre Snowdon et Notre-Dame-de-Grâce — quartiers de l'ouest de Montréal —, et c'est à Notre-Dame-de-Grâce qu'il a bâti sa réputation. Malgré son nom français, Notre-Dame-de-Grâce était un quartier majoritairement anglophone. «N-DI-DJI», comme on dit, était une véritable pépinière d'athlètes, d'où provenaient les meilleurs joueurs de hockey, de base-ball, de football du Québec. Jeune homme, Pollock était un vrai athlète, pratiquant non sans éclat les trois sports majeurs ainsi que les autres entre les saisons.

Malgré tout, Sam était bien meilleur quand il s'agissait de diriger les autres joueurs que de jouer lui-même. Presque tous les parcs, et même les rues de NDG, à l'époque, possédaient des équipes dans les trois sports. Si les joueurs ne participaient pas aux ligues de maisons ou interscolaires, ils se groupaient et jouaient de façon plus ou moins organisée dans ce qui ressemblait à des parties d'étoiles de NDG.

Fils d'un commerçant qui, grâce à un sens aigu des affaires, s'était constitué un portefeuille important dans le monde de l'immobilier, Sam semblait avoir le don de rassembler les joueurs les plus talentueux. À dix-sept ans, il gérait les meilleures équipes de hockey et d'excellentes équipes de base-ball. Il a même réussi à organiser des parties d'exhibition de base-ball avec des vedettes comme Toe Blake et Bill Durnan du *Canadien*. C'est ainsi que les différents dirigeants du monde du sport de Montréal ont commencé à remarquer «ce p'tit gars de NDG».

Après ses études secondaires, Sam, comme beaucoup de ses compagnons, fut embauché comme commis junior pour le chemin de fer, boulot populaire à l'époque. En 1946, le *Canadien* engagea Pollock en tant que surveillant à temps partiel pour la région de Montréal. Essentiellement, le travail de Sam consistait à suivre tous les joueurs de l'organisation du *Canadien* dans les ligues mineures et à s'assurer qu'ils ne soient pas approchés par ses homologues des six autres organisations de la LNH. Sam fut également embauché en tant que directeur du *Canadien junior*.

Sam s'acquittait de ces deux rôles avec le panache et le perfectionnisme qui le caractérisaient et, de plus, il manifestait ses talents d'éclaireur. C'est pour toutes ces qualités qu'à l'âge de vingt et un ans Sam devint le plus jeune entraîneur du *Canadien junior*.

— Sam Pollock a eu le job parce qu'il travaillait le plus fort et qu'il était le plus malin, dit Frank Selke. Financièrement, il était l'un des plus habiles que j'aie jamais connus. Il a sollicité sa chance de devenir l'entraîneur du *Canadien junior*, et je la lui ai donnée. Si quelqu'un le méritait à cet âge, c'était Sam. Nous avons bâti une bonne organisation, gagnant la coupe Memorial, la coupe Allan et la coupe Stanley.

Quand Frank Selke reçut la bénédiction du sénateur Raymond pour construire l'organisation du *Canadien* comme il l'entendait, il ne perdit pas de temps, et le jeune Sam Pollock se vit offrir la chance de sa vie d'être dans le feu de l'action.

— Nous avons travaillé fort pour assembler tous les morceaux ensemble à la fin des années quarante, raconte Pollock. La plupart des gens ne le croiraient peut-être pas aujourd'hui, après trois décennies de succès, mais le *Canadien* de Montréal n'était pas du tout organisé avant que Frank n'arrive de Toronto et ne commence à installer le système. J'ai été incroyablement chanceux d'être là au bon moment. J'étais l'entraîneur du *Canadien junior* et je m'occupais aussi des affaires du Club.

— À cette époque, continua-t-il, la direction n'était pas soutenue, comme aujourd'hui, par le personnel administratif. L'entraîneur formait les joueurs comme il le fait maintenant, mais il était aussi éclaireur, négociateur de contrats, payeur de factures et agent de voyages. Aux yeux des joueurs, l'entraîneur représentait toute l'organisation. C'était la meilleure des formations possibles dans le domaine de l'administration sportive.

Pollock profita pleinement de l'occasion d'allier son instinct des affaires au talent qui était le sien pour mener les athlètes et former des équipes qui se tiennent. En trois ans, le *Canadien junior* avait gagné la première de deux coupes Memorial avec Pollock comme entraîneur. Dickie Moore, un petit dur du quartier de Parc Extension qui devait participer à six conquêtes de la coupe Stanley avec le *Canadien*, faisait partie de l'équipe du *Canadien junior* qui a gagné sa première coupe Memorial en 1949-1950:

— Quelle sorte d'homme était Sam? se demande-t-il. Je pense que, de plusieurs façons, c'était une copie conforme de Frank Selke. Mais je pense aussi qu'il avait des idées personnelles. Sam était très, très astucieux et très intelligent.

Toutefois, Moore, un athlète dont le jeu était inspiré par l'émotion, se refuse à accréditer la notion populaire qui veut que Pollock ait été un robot froid, calculateur et sans âme, qui ramenait tout à des considérations financières.

— Je pense que c'était son jeu; il a vite appris qu'on ne se rapproche pas trop d'un joueur qu'on échangera peut-être demain, ajoute Moore.

Donc, Sam restait dans l'ombre, loin des feux de la rampe, mais je crois que c'est parce qu'essentiellement c'était un homme timide et réservé. Mais il se souciait de ses joueurs et de ses équipes; s'il le pouvait, il vous donnait un coup de main en cas de besoin. J'ai déjà vu Sam, à la télévision, dire que diriger une équipe de hockey, c'était comme diriger une ferme avicole. Il a dit que c'était des affaires, qu'il fallait oublier son coeur, que c'était de la «business». Je pense que c'était surtout une façade. Une façade derrière laquelle il y avait un homme astucieux qui savait qu'il fallait garder ses distances.

Ce qui ne veut pas dire que Sam était incapable d'émotion. Guy Lafleur conserve en mémoire l'image d'un Pollock dans le vestiaire des joueurs, l'air égaré, ravagé par une mauvaise partie des *Canadiens*.

— Vous saviez qu'il y avait de l'action dans l'air quand Sam se mettait à tordre son mouchoir dans ses mains, dit Lafleur en riant. Les anciens qui avaient de l'expérience regardaient les poches du manteau de Sam pour voir s'il n'y avait pas un billet d'avion pour Oakland ou un coin comme cela qui dépassait.

— Tout à fait juste, renchérit Steve Shutt. Une de nos plaisanteries consistait à demander: «Comment épelez-vous «soulagement»? Réponse: «A-I-R-C-A-N-A-D-A». C'est tout. Il n'y avait pas de problème de motivation quand Sam menait l'équipe — avec ou sans émotion.

En 1951, Frank Selke avait terminé la première phase de son projet de reconstruction. Le *Canadien* possédait désormais un réseau d'équipes amateurs à travers le Québec et le Canada, et construisait un solide système de clubs-écoles des deux côtés de la frontière. Le *Canadien* comme tel était parmi les meilleurs clubs de la Ligue et disputait toujours la coupe Stanley aux *Red Wings* de Detroit ou aux *Leafs* de Toronto. La deuxième phase du projet débutait.

Cette année-là, Selke consacra la plus grande partie de son attention à l'équipe senior et divisa la tâche de s'occuper du vaste système de clubs-écoles du *Canadien* entre Pollock et Ken Reardon, l'ancien défenseur-étoile du *Canadien*, gendre du sénateur Raymond. Pollock et Reardon s'attelèrent immédiatement à la tâche, renforçant les franchises les plus faibles en les alimentant de joueurs que leurs éclaireurs, de plus en plus nombreux, découvraient. S'il y avait un joueur talentueux quelque part au Canada, ou il jouait pour l'organisation du *Canadien*, ou il était en train de se faire soigneusement analyser par les éclaireurs du *Canadien*. Il était rare qu'un joueur arrive chez un adversaire du *Canadien* sans que celui-ci ait une fiche complète et à jour sur ce joueur.

— Les gens, dit Pollock, m'ont souvent demandé comment on s'y prend pour bâtir une tradition comme celle dont bénéficie le *Canadien* depuis si longtemps. C'est pourtant très simple. Vous bâtissez une organisation de premier ordre, animée par les meilleurs éléments possibles à tous les niveaux. Vous veillez à ce que tout le monde, sur la glace et dans les bureaux, accomplisse son travail, et, soudain, vous avez une équipe gagnante. Croyez-le ou non, c'est la partie facile de la tâche. Là où la plupart des organisations manquent le bateau, c'est lorsqu'elles se reposent sur leurs lauriers quand elles sont arrivées ou presque en haut de l'échelle.

— Quand vous êtes gagnant, ajoute-t-il, il faut chercher à vous perfectionner encore. Il faut effectuer les échanges et faire les changements qui renforcent l'équipe même s'ils ne sont pas populaires sur le coup. Il faut continuer à vous occuper de votre affaire. C'est là que nous sommes peut-être différents des autres organisations. Quand nous avons commencé à gagner, nous avons travaillé encore plus fort pour continuer à gagner. Trop d'organisations ont tendance à se laisser aller à ce moment-là.

Frank Selke et Sam Pollock ont réussi à imposer à l'organisation certaines des valeurs traditionnelles dont beaucoup sont encore enseignées avec un zèle presque évangélique aujourd'hui.

Visaient-ils à bâtir une tradition?

— Le but n'est jamais, a priori, de bâtir une tradition, affirme Pollock. Vous commencez par bâtir une équipe gagnante. Si la victoire se répète, vous aboutirez peut-être à une tradition, mais c'est un à-côté. On s'en rend compte après coup. Ce qui est clair, c'est que le succès engendre la tradition. Dans le cas du *Canadien*, la plus ancienne équipe du hockey professionnel, il a eu la chance de bénéficier, au fil des ans, des services d'une ou deux super-étoiles; il y a toujours eu des joueurs qui ont abouti au Temple de la Renommée. Ajoutez à ça le fait que la tradition se construit en gagnant, puisque, quand il s'agit d'une équipe de championnat, il y a beaucoup plus de stabilité que chez une équipe perdante. Les équipes gagnantes ne changent pas leurs joueurs, leurs entraîneurs, ou leurs administrateurs aussi souvent que le font les équipes perdantes. C'est là que la tradition se bâtit.

Pollock croit que, si éloignée une équipe fière soit-elle de ses jours de gloire, elle peut toujours trouver très vite à quoi se rattacher si elle se remet à gagner.

Il parle des *Yankees* de New York, surtout des équipes de la période de disette entre 1965 et 1974. Pendant une décennie, l'équipe encaissait revers sur revers, et pourtant, lorsque les Thurman Munson, Lou Piniella et Reggie Jackson ont mis le feu aux poudres à la fin des années soixante-dix, c'était comme si les *Yankees* n'avaient jamais perdu. Une décennie d'échecs était effacée d'un coup.

Durant la piètre saison de 1983-1984, la situation du *Canadien* était le reflet de celle qu'avaient vécue les *Yankees*. Après avoir terminé la saison avec une moyenne inférieure à 500 pour la première fois en quarante-trois ans, le *Canadien* se réveilla durant les séries, et ce fut comme si la saison n'avait jamais eu lieu.

— Je ne peux pas la préciser, mais je crois connaître la raison pour laquelle cela se produit, poursuit Pollock. Les gens se rappellent toujours les bons moments, et quand on leur présente quelque chose de bien, ils retournent vers ces bons souvenirs. Une fois que vous avez possédé, accompli, partagé quelque chose, vous pouvez y retourner. C'est intangible, mais vous pouvez vous en servir. Tous ceux qui ont été dans l'organisation partagent ce sentiment. C'est pourquoi les *Celtics*, les *Yankees* et les *Canadiens* sont tellement intimidants. Ils ont l'histoire de leur côté.

Après avoir été l'entraîneur du *Canadien junior* et tout en continuant de diriger la moitié du système des clubs-écoles, Pollock prit en main le *Canadien* de Hull-Ottawa et en fit une puissante équipe qui, à l'ombre du Parlement canadien, remporta deux championnats de la Ligue de hockey professionnel de l'Est. Pollock gravit les échelons; dans la Ligue centrale, il gagna deux championnats à Omaha et envoya une série de joueurs talentueux à Montréal.

C'est le poste qu'il détenait à la fin de la saison 1963-1964 quand Molson, la compagnie qui avait acheté le Club du sénateur Raymond et de ses associés en 1957, demanda à Frank Selke de prendre sa retraite. La politique de Molson stipule la retraite obligatoire à soixante-dix ans. Selke en avait soixante-douze quand il dut céder sa place.

D'un seul coup, un homme timide de l'organisation, l'un des secrets les mieux gardés du monde du hockey, se retrouva derrière le plus gros bureau du Forum, à la tête de la formation la plus célèbre du hockey professionnel. Le Vieux Singe n'était plus là, celui qui, en dix-sept ans, avait façonné le *Canadien* en superpuissance tout en s'assurant, sans bruit, une bonne partie de la gloire qui en découlait. Le *Canadien* était décidément l'équipe de Selke.

À sa place, se trouvait un homme d'affaires encore plus discret que lui, qui passerait ses quatorze années à la barre du *Canadien* à fuir la publicité de façon plus vigoureuse encore. Sam Pollock avait fait son entrée. La Ligue nationale de hockey ne serait plus jamais la même. (La simple lecture de ces deux phrases ferait rougir Sam, et le mettrait mal à l'aise.)

Après les longues années du règne de Selke, le *Canadien* possédait une des meilleures formations sportives au monde. Même si, quatre années de suite, elle avait été éliminée en première ronde des séries éliminatoires. C'eût été assez facile pour le *Canadien* de suivre le courant, de dormir sur ses lauriers et de jouer sûr. Pollock choisit de fonctionner à pleine vapeur et de consacrer toute son énergie et toute son habileté à la tâche qui l'attendait. Si le *Canadien* était devenu un bon club sous Selke, il allait devenir un grand club sous Pollock.

— Sammy Pollock a pris le contrôle d'un empire et je dirais qu'il a fait un sacré travail, raconte Red Storey, l'ancien arbitre de la LNH et membre du Temple de la Renommée. Sam Pollock avait un secret extraordinaire qui lui donnait plusieurs longueurs d'avance sur ses adversaires. Il était très, très dévoué et travaillait dix-huit, vingt heures par jour, tandis que les autres gérants travaillaient huit ou dix heures par jour. Non seulement il travaillait plus fort, mais il était plus intelligent que la moyenne. Un gars qui possède ces deux qualités va réussir mieux qu'un autre, ne croyez-vous pas?

Storey, qui a vu les meilleurs et les pires gérants durant ses décennies dans le hockey, juge que le caractère de Pollock était son plus grand avantage.

— Je l'aimais beaucoup parce qu'il était réaliste, il n'avait pas d'illusions de grandeur. Je pense que sa plus grande satisfaction provenait du fait qu'il avait du succès dans son travail. Il n'avait besoin de rien d'autre.

— Quand on répète cette remarque à Pollock, il réagit de façon typique. Il se tortille sur sa chaise, étend les jambes, se croise et se décroise les pieds, et bien sûr il tente d'éluder la question.

— Eh bien, je n'ai jamais pensé que c'était une question de personnalité, dit-il en rougissant. Si je pouvais accomplir le boulot, quelle différence cela pouvait-il faire que je le fasse de façon effacée ou devant les médias? Tout ce qui comptait c'est que quelqu'un s'occupe de l'affaire et que nous gagnions.

— Mais quelqu'un qui aurait fait le fanfaron devant les journalistes, les aurait cajolés ou se serait occupé de leurs fragiles ego, aurait gaspillé un temps précieux qu'il aurait dû consacrer à l'équipe, n'est-ce pas Sam?

La seule réponse est un regard sombre qui signifie: «Là, tu m'as eu».

— Il ne pouvait y avoir qu'un patron, qu'une personne qui décide de l'orientation de l'équipe et de l'organisation, déclare Pollock. La meilleure façon de perdre est de répondre aux médias, d'écouter les partisans. Les spectateurs sont merveilleux, mais ce qu'ils respectent le plus, c'est quelqu'un qui gagne.

— Et ce qu'ils connaissent le moins, continue-t-il, c'est comment diriger une équipe. Ils ont leurs favoris et y sont très attachés. L'administrateur d'une équipe ne peut penser de cette façon-là.

Ce genre de pragmatisme en affaires aida Pollock à échanger le populaire gardien Jacques Plante lorsque celui-ci devint trop carré dans ses déclarations; à échanger Doug Harvey, cette grande vedette, lorsque ses exigences furent devenues trop pressantes; à être plus patient que Ken Dryden lorsque le grand gardien voulut renégocier en plein milieu de contrat; et à échanger des joueurs populaires comme Ralph Backstrom, Peter Mahovlich et Ted Harris quand il pensa pouvoir renforcer l'équipe à long terme.

C'est de 1966 à 1975 que Pollock fut le plus utile au *Canadien*. Deux soulèvements d'importance allaient transformer le microcosme de la Ligue nationale de hockey: l'expansion de 1967 et, cinq ans plus tard, la création de l'Association mondiale de hockey.

Dans ce dernier cas, Pollock a été l'un des rares dirigeants de la LNH à ne pas céder face à l'assaut donné par l'AMH au milieu des années soixante-dix. Pendant que les autres équipes étaient prises de panique et offraient des contrats garantis à long terme à des étoiles tout comme aux joueurs ordinaires, Pollock a laissé des gars comme Frank Mahovlich, Jean-Claude Tremblay, Marc Tardif et Réjean Houle partir vers la nouvelle ligue. Pas un joueur, quelle qu'ait été sa contribution passée, n'était plus important que l'équipe elle-même dans sa structure organisationnelle. Un joueur peut être plus important qu'un de ses coéquipiers, mais il ne peut jamais être plus important que l'équipe. Il n'y avait qu'une politique pour ceux qui endossaient l'uniforme bleu-blanc-rouge, fussent-ils super-étoiles ou plombiers.

Ken Dryden l'a appris à ses dépens quand il a passé la saison 1973-1974 à faire son stage en droit à Toronto à 135 $ par semaine. Les autres étoiles en puissance de l'équipe — Guy Lafleur, Larry Robinson, Guy Lapointe, Serge Savard, Jacques Lemaire, Pete Mahovlich et Steve Shutt — ont tiré leçon de l'expérience de Dryden. Si Pollock était capable de tenir tête au gardien qui venait de gagner les trophées Calder (meilleure recrue) et Vézina (meilleur gardien de but), il était assurément capable de tenir tête à n'importe qui.

La politique était simple: les joueurs gagnaient d'abord leurs galons de super-étoiles avant d'être payés en conséquence.

— J'estimais qu'un joueur devait prouver sa valeur en tant qu'individu et en tant que membre de l'équipe avant d'être considéré comme une super-étoile, explique Pollock. Certains furent particulièrement agacés en entendant ma définition d'une super-étoile. J'estimais qu'une super-étoile, c'était un joueur qui avait eu une performance bien au-dessus de la moyenne durant une période de dix ans. Cette définition a été mise à rude épreuve durant la guerre contre l'AMH. Des équipes de cette ligue donnaient cent mille dollars par année à des joueurs ordinaires; des équipes de notre ligue emboîtaient le pas et j'essayais de convaincre nos joueurs que leur tour viendrait quand ils produiraient pour la meilleure équipe de hockey au monde.

Tant bien que mal, la stratégie de Pollock a fonctionné. Tous les grands jeunes joueurs restèrent avec l'équipe, sauf des exceptions notoires comme Marc Tardif et Réjean Houle, lequel d'ailleurs allait revenir. Et Pollock a économisé beaucoup d'argent en refusant de participer à la guerre des prix. Pollock était tellement respecté de ses joueurs pour le courage de ses convictions que Dryden, songeant à un retour éventuel, a dû tâter le terrain auprès d'intermédiaires:

— Va-t-il me parler? se demandait-il.

Bien que blessé par le départ de Dryden, Pollock était un homme d'affaires jusqu'au bout des ongles. Dryden serait accueilli à bras ouverts et, après quelques déboires durant les premiers mois, allait mener le *Canadien* à quatre autres coupes Stanley.

Aujourd'hui encore, bien des années après, l'épisode Dryden laisse un arrière-goût désagréable. L'année pendant laquelle Dryden ne joua pas fut l'une des deux où le *Canadien* ne s'est pas rendu en finale. Les deux jeunes gardiens, Wayne Thomas et Michel «Bunny» Larocque, ont bien joué; mais ils n'étaient pas des Ken Dryden.

Ce qui a aussi fait mal, à l'époque, c'était que deux joueurs exilés du *Canadien*, Tony Esposito et Rogatien Vachon, éblouissaient la Ligue avec leurs acrobaties devant le filet.

Et s'il y avait un joueur dans l'équipe pour comprendre Pollock, c'était bien Ken Dryden, ce diplômé de Cornell, intelligent et à l'esprit bien structuré. Il était à la fois le gardien de but numéro un du *Canadien* et l'étudiant en droit de l'Université McGill.

— Nous avons eu une honnête divergence d'opinions, dit Pollock pensivement.

— C'est en plein ça, acquiesce Dryden, qui protège sa vie privée aussi jalousement que Pollock.

Les deux refusent d'en dire plus sur l'épisode.

Le directeur gérant n'était pas inquiet de la position de force que les meilleurs joueurs avaient alors:

— La pire chose à ce moment-là, ce n'était pas les salaires que l'AMH payait aux meilleurs joueurs, dit Pollock. C'était plutôt que toute l'échelle salariale était dispersée aux quatre vents. Soudain, des joueurs qui avaient fait carrière dans les mineures, des recrues qui n'avaient pas fait leur preuves, recevaient des salaires qu'ils ne méritaient pas. Vous ne pouvez pas payer quelqu'un 50 000 $ par année s'il n'en vaut pas plus de 25 000 ! Bien des gens disaient que 25 000 $, ce n'était pas grand-chose quand nous contrôlions des budgets de plusieurs millions de dollars. Moi, je disais: multipliez cela par dix, et vous avez un quart de million de dollars.

La parcimonie de Pollock allait non seulement économiser de l'argent, elle allait aussi s'avérer rentable. Elle allait également faire l'envie de ses pairs — si par pairs on entend des gens qui occupent le même poste et non des égaux.

Il ne faut cependant pas croire que Pollock était une espèce de Séraphin qui gardait ses serviteurs en esclavage avec des rations de famine. Il fallait que Pollock trouve le juste milieu entre des contrats sans responsabilités et sans clauses incitatives qui rendaient les joueurs non productifs, et des contrats d'apprentissage qui ne tenaient pas compte des réalités du marché. Insister bêtement sur des contrats qui payaient pour des valeurs reçues aurait sans doute nui à l'équipe, quelle que soit la valeur des clubs-écoles.

La réponse était simple et consistait en des contrats synallagmatiques qui offraient aux joueurs à la fois des clauses incitatives et la sécurité. En 1975, Guy Lafleur signa ce genre de contrat. Il s'agissait d'un pacte de dix ans avec des augmentations progressives qui feraient de Lafleur un des athlètes les mieux payés de la Ligue, à condition qu'il joue comme un des meilleurs joueurs de la Ligue. Si l'une ou l'autre des parties n'était pas satisfaite, n'importe quand durant le contrat, on pouvait s'asseoir et discuter l'affaire rationnellement dans un contexte amical.

— J'ai appris à ce moment-là que les contrats à long terme ne servaient à rien s'ils ne comprenaient pas une clause raisonnable de renégociation, dit Pollock. Il fallait une certaine flexibilité puisqu'il était prévisible qu'éventuellement l'une ou l'autre des parties serait mécontente de quelque chose.

Ce pragmatisme était respecté par les joueurs et leur permettait de se concentrer sur leurs performances. Pollock a vite établi sa politique et l'a traduite dans les faits.

Si Pollock n'était pas hypergénéreux avec ses joueurs, il ne les sous-payait pas non plus. Quand Lafleur a été repêché en 1971, il fut la recrue la mieux payée de l'histoire du *Canadien*. Lafleur recevait 55 000 $ à la signature et 25 000 $ pour chacune des saisons 1971-1972 et 1972-1973, un total de 105 000 $. Le contrat comprenait également des clauses de bonifications qui valaient entre 1000 $ et 5000 $.

Ce traitement spécial ne vexa-t-il pas les vétérans?

— Pas du tout, réplique Pollock. Eux, mieux que quiconque, connaissaient le système de valeurs de l'équipe et l'importance accordée à la performance. Lafleur était récompensé pour ses performances de junior et parce qu'il avait été le premier choix au repêchage. Son salaire ne se démarquait pas de la politique salariale de l'équipe, et son jeu, en tant que membre de l'équipe, serait récompensé par une série progressive de bonifications. Au lieu d'ouvrir les coffres et de laisser les joueurs se servir, Pollock avait développé une stratégie originale. Il entrouvrait le coffre, laissait les joueurs y jeter un coup d'oeil, pas plus, et le refermait aussi vite.

Cette approche financière rationnelle n'a pas du tout été suivie par les autres directeurs gérants de la Ligue, qui embauchaient allègrement des joueurs de vingt-deux ans pour des contrats à long terme en ne leur demandant guère plus que d'endosser l'uniforme et de lacer leurs patins.

Sam le Silencieux préférait que ses protégés gagnent leur argent de la vieille façon: en le méritant. Le système des bonifications ramenait tout le monde sur un pied d'égalité à Montréal, et bon nombre de ces bonifications profitaient à toute l'équipe.

— Le système des bonifications était appliqué depuis une vingtaine d'années avant que Lafleur ne soit embauché et nous en avions une vaste expérience. Toutefois, je me dois de souligner que, lorsqu'on discute le salaire de base, c'est une tout autre histoire. Aucun jeune joueur, même Guy Lafleur, quelle qu'ait été sa performance dans les rangs juniors, ne peut s'attendre à recevoir un salaire plus élevé que celui qui est versé à un vétéran de longue date. Lafleur ne s'attendait certes pas à recevoir un salaire de base plus élevé que celui d'une étoile consacrée.

Cette approche équitable était respectée aussi bien par les joueurs que par leurs agents.

Malgré tout, même Pollock a été capable de faire une légère entorse à ses principes quand Lafleur a été attiré par l'AMH. Que les détenteurs de la nouvelle concession à Québec aient convoité les services de Lafleur, rien de plus naturel, lui qui avait été une étoile à Québec durant six ans avant de rallier les rangs de la LNH.

C'est en avril 1973, alors que le *Canadien* était réfugié dans sa tanière des Laurentides avant les séries éliminatoires, que les *Nordiques* firent leur offre à Lafleur: un contrat de trois ans à 90 000 $ par année et une prime de 50 000 $ à la signature. Ces chiffres, bien que mirobolants, n'impressionnèrent pas Lafleur puisque d'autres concessions de l'AMH avaient ouvert tout grand leurs coffres pour des joueurs comme Derek Sanderson, Bobby Hull et Gerry Cheevers. Lafleur et son agent exigèrent 200 000 $ par année, soit à peu près ce que Cheevers recevait des *Crusaders* de Cleveland.

La principale pierre d'achoppement à l'offre des *Nordiques* était de savoir si le contrat pouvait être garanti ou pas, vu la situation financière précaire de plusieurs équipes de l'AMH. Après que l'agent de Lafleur, Gerry Patterson, eut exprimé ses doutes à ce sujet, les *Nordiques* revenaient à la charge avec une offre finale, un contrat de trois ans d'une valeur globale de 465 000 $: 60 000 $ à la signature, et un salaire de 125 000 $ la première année, 135 000 $ la deuxième et 145 000 $ la troisième année.

La balle se trouvait maintenant dans le camp de Pollock, et il fallait beaucoup d'habileté pour la remettre en jeu. Pollock savait que, s'il y avait un joueur qu'il ne pouvait se permettre de perdre, c'était Lafleur, sur le point de devenir une supervedette. Qui plus est, il n'était pas question de laisser Lafleur filer à Québec où il permettrait aux *Nordiques* de vraiment concurrencer le *Canadien* pour la loyauté des partisans du Québec. Autre raison, et non la moindre, ce n'était pas le temps de briser l'harmonie du Club juste avant les séries éliminatoires. Un vrai terrain miné pour le gérant.

Les pressions exercées pour que Lafleur retourne à Québec étaient formidables. Guy avait toujours rempli le Colisée quand il jouait pour les *Remparts*; il était constamment harcelé par les chasseurs d'autographes quand il allait à Québec, surtout après les séries tumultueuses de la coupe Memorial en 1971. La métropole avait volé Jean Béliveau à Québec dans les années cinquante, et elle avait récidivé avec l'héritier de Béliveau. Mais maintenant, l'AMH offrait à Québec la chance de rapatrier Lafleur. Les partisans faisaient circuler des pétitions, les lignes ouvertes alimentaient les passions. Quelques hommes d'affaires influents, comme Marius Fortier et Roger Barré, se mirent même de la partie.

Voilà à quoi Pollock devait faire face quand il se présenta devant le conseil d'administration du *Canadien*.

— C'est précisément le seul gars que nous ne pouvons nous permettre de perdre, dit-il à ses patrons. D'ici quelques années, il va nous mener à la coupe Stanley, et probablement à plusieurs coupes Stanley. S'il passe à l'autre ligue, il donnera de la crédibilité à Québec, une crédibilité que l'AMH n'a que dans les endroits où jouent des gars comme Bobby Hull et Frank Mahovlich. Nous perdons sur plusieurs tableaux.

Le conseil d'administration accorda un vote de confiance au jugement de Sam-le-troqueur, et celui-ci retourna voir Gerry Patterson, l'agent de Lafleur. Pollock s'entendit sur un contrat de dix ans pour un million de dollars, en plus d'un boni à la signature et d'un autre associé à la performance. Lafleur avait la possibilité de renégocier après trois et six ans au cas où l'échelle salariale de la LNH monterait plus vite que son contrat. Et, finalement, le *Canadien* prit une police d'assurance d'un million de dollars sur Lafleur.

Patterson et Lafleur s'accordèrent pour dire que c'était une entente extraordinaire qui ferait de Lafleur le premier joueur du *Canadien* à être millionnaire. Une semaine plus tard, Irving Grundman et Sam Pollock convoquaient avec fierté une conférence de presse suivie d'une réception pour annoncer la signature du nouveau contrat.

Quelle fut la portée du tour de force de Pollock? Un mois plus tard, un autre ailier droit du *Canadien* devait marquer le but qui donna la coupe Stanley au *Canadien* en battant les *Hawks* de Chicago et Tony Esposito 6-4 dans la sixième partie. Et un autre mois plus tard, Lafleur épousait la fille de Roger Barré, l'un des négociateurs de Québec.

À la jolie réception qui regroupa la famille et les proches au domicile Barré, à Sainte-Foy, lorsqu'on eut trinqué à la santé des nouveaux mariés, Barré prit Gerry Patterson à part et lui dit du ton de l'amoureux déçu:

— Tu sais, Gerry, seul le temps pourra nous dire si tu as pris la meilleure décision en ce qui concerne Guy.

Patterson ne put s'empêcher de répondre:

— Roger, c'est Guy qui a pris la décision. Je n'ai rien eu à voir avec sa décision d'épouser ta fille.

Au moment où la LNH et l'AMH étaient en guerre ouverte, Pollock, le patriarche du *Canadien*, était reconnu comme l'homme le plus important des haut-gradés de la LNH.

Pollock avait fait son entrée en 1964, au moment où on commençait à parler d'élargir les cadres de la Ligue nationale de hockey. Très conscient du fait que la télévision devenait le média le plus important du monde du sport, et persuadé que la LNH ne pourrait jamais mettre la main sur l'argent américain sans une meilleure distribution géographique de ses équipes, la Ligue envisageait une expansion. Quelques équipes favorisaient une expansion graduelle — deux équipes tous les deux ans pendant une dizaine d'années environ.

Pollock menait le groupe qui recommandait que la Ligue double immédiatement ses effectifs. Pollock et ses alliés devaient combattre les éléments modérés de la Ligue qui pensaient que pareille expansion aurait des effets dévastateurs sur la Ligue et sur son calibre de jeu pendant toute une génération. Ces derniers ne voyaient pas les nouvelles possibilités, notamment le fait que l'Europe et les États-Unis fourniraient un énorme réservoir de joueurs talentueux. C'étaient évidemment les mêmes qui se plaignirent, par la suite, de la présence dans la Ligue d'éléments dit étrangers.

— Leur approche n'aurait pas fonctionné, dit Pollock. Nous devions garantir un équilibre géographique dès le départ. Il était impossible de croire que les réseaux américains s'intéresseraient à nous si nous n'avions aucun club dans l'ouest, par exemple. Nous devions nous implanter dans les marchés importants, et le plus tôt possible.

Pollock et quelques autres visionnaires oeuvrèrent énergiquement pour une expansion importante, la recommandant comme une bonne affaire. D'autres, parmi lesquels plusieurs puristes dévoués à la qualité du jeu, craignaient de diluer le potentiel du réservoir de joueurs.

— Diluer le potentiel du réservoir de joueurs, diminuer la qualité du produit, comme certains le prétendaient, n'avait pas une importance aussi essentielle que l'expansion, se souvient Pollock. Il fallait pénétrer les marchés importants de l'ouest et du centre des États-Unis. Chicago avait grand besoin de la compétition du Minnesota et de St.Louis. New York pouvait mettre à profit la compétition de Pittsburgh et de Philadelphie. Nous avions aussi besoin d'équipes en Californie pour couvrir les États-Unis d'un océan à l'autre. Voilà les considérations qui étaient primordiales si nous devions effectuer une percée auprès du marché américain de la télévision.

Pourquoi se soucier de la diminution de la qualité si peu de gens allaient s'en rendre compte? pouvait-on se demander. De plus, beaucoup de joueurs poireautant dans les Ligues américaine et du Pacifique avaient le talent nécessaire pour jouer dans les nouvelles équipes de la LNH.

La Ligue vota en faveur d'une expansion de six équipes, et les postulants retenus furent Philadelphie, St.Louis, Minneapolis-Saint-Paul, Pittsburgh, Los Angeles et Oakland-San Francisco.

Il fallait maintenant décider de la question de la parité. Comment fournir des joueurs à ces équipes pour qu'elles deviennent compétitives en un été? Très peu des six équipes originales désiraient perdre leurs meilleurs joueurs. Beaucoup des directeurs gérants craignaient de perdre les juniors qui étaient sur leur liste de joueurs protégés et qui, un an plus tard, auraient assez d'expérience pour jouer dans la LNH.

Toutefois, le plus important, c'est qu'ils ne voulaient vraiment pas abandonner leurs territoires protégés, comme Montréal pour les *Canadiens*, d'où venaient tellement de bons joueurs chaque année.

— Mais beaucoup de choses devaient changer, dit Pollock, ou alors l'expansion ne serait pas possible. Une des solutions qui s'offraient à nous, c'était d'instaurer un repêchage universel pour les joueurs amateurs, où les douze équipes pourraient avoir une chance d'obtenir les meilleurs joueurs juniors et universitaires. L'équipe qui s'était classée dernière dans la LNH la saison précédente aurait le premier choix.

En reconnaissance du fait que les équipes d'origine avaient développé le système junior, qui allait bientôt être démantelé afin de fournir des joueurs pour les six nouvelles équipes dans le nouveau repêchage, Montréal eut le droit de choisir deux joueurs canadiens-français en remplacement de leurs deux premiers choix au repêchage des années 1965-1969. Toutefois, à cause de l'étalement de la période d'entrée en vigueur, les *Canadiens* ne purent bénéficier de cette provision spéciale qu'en 1969. Ils choisirent Réjean Houle et Marc Tardif. Si le système avait duré un an de plus, Montréal aurait pu repêcher Gilbert Perreault l'année d'après.

— Je ne sais pas combien de fois les journalistes sportifs ont écrit que nous maintenions notre force à cause de ce prétendu avantage injuste, dit Pollock. Cela ne s'est jamais passé comme ça.

Pollock recommanda également qu'il y ait un moratoire de deux à cinq ans sur les transactions mettant en cause les choix au repêchage, afin que les équipes puissent se développer avec ces joueurs et, même si elles devaient en souffrir pendant deux ou trois ans, se retrouver avec un solide noyau après cinq ans.

Les autres équipes ne retinrent pas cette suggestion. Cette myopie devait leur coûter cher, puisque Pollock se révéla comme le meilleur jongleur de vétérans expérimentés et de choix au repêchage que la Ligue ait jamais eu. Pollock se préparait à faire son entrée dans la Ligue en expansion avec l'équipe la mieux organisée et la plus riche. De bons jeunes joueurs et de bons vétérans attendaient leur tour à Houston, Cleveland, Springfield et ailleurs.

De nouvelles concessions demandèrent de l'aide à Pollock dans l'espoir de devancer leurs adversaires. Elles l'obtinrent, mais elles durent en payer le prix.

En 1969, dernière année du repêchage protégé des Canadiens français, le *Canadien* avait choisi Réjean Houle et Marc Tardif comme premier et deuxième choix et, au 32e rang, un marchand de vitesse des *Black Hawks* de St.Catharines, Bobby Sheehan. L'année suivante, Pollock mit la vapeur. Le gardien Ray Martiniuk des *Bombers* de Flin Flon fut choisi au cinquième rang, et l'attaquant Chuck Lefley de l'équipe nationale du Canada, au sixième. À un rang inférieur, le *Canadien* choisit Rick Wilson de l'Université de North Dakota, qui devait jouer à la défense une saison pour le *Canadien* avant d'être échangé en retour d'autres choix au repêchage.

Une année plus tard, bingo. Guy Lafleur fut choisi numéro un de la Ligue au repêchage. Mais ce n'était pas le seul choix du *Canadien*: le septième choix était Chuck Arnason de Flin Flon et le grand et habile patineur des *67* d'Ottawa, Murray Wilson, était le onzième choix. Comme si ce n'était pas assez, Pollock misa sur un défenseur maigrichon des *Rangers* de Kitchener au 26e rang, et Larry Robinson devint membre du *Canadien*. Plus tard au repêchage, le *Canadien* choisit des joueurs comme Greg Hubick, Mike Busniuk et Peter Sullivan qui tous allaient jouer dans l'organisation du *Canadien* quelques années, avant d'être échangés à d'autres organisations en retour de choix au repêchage.

Le choix de Lafleur fut, évidemment, le meilleur exemple de la politique de Sam-le-troqueur qui consistait à échanger un joueur aujourd'hui en pensant à demain. En 1970, Pollock avait offert l'attaquant Ernie Hicke et un choix au repêchage à Oakland en retour de leur premier choix au repêchage de 1971.

Telle était la réputation de Pollock que bientôt tout le monde voyait des motifs cachés à toutes ses transactions. Vers la fin de la saison, il semblait que Sam avait été trop généreux puisque les *Seals* menaçaient de devancer les *Kings* de Los Angeles. Sam voulait que les *Seals* finissent bons derniers pour que le *Canadien* ait le premier choix au repêchage l'année suivante. Il s'empressa donc d'échanger Ralph Backstrom aux *Kings*, celui-ci fit son travail et améliora suffisamment la fiche des *Kings* pour qu'ils devancent Oakland.

Cette histoire circule depuis quinze ans, et une version prétend même que les *Canadiens* avaient obtenu les droits de retransmission du premier combat de boxe entre Muhammad Ali et Joe Frazier au Forum. Ce à quoi Pollock répond: «Balivernes.»

En 1972, le *Canadien* se servit de ses choix accumulés pour sélectionner Steve Shutt, Michel Larocque et Dave Gadner respectivement aux quatrième, sixième et huitième tours. Les défenseurs John Van Boxmeer et Bill Nyrop furent choisis au 14e et 66e rangs.

Et ainsi de suite. Que le premier choix réussisse à faire carrière ou non (par exemple Cam Connor en 1974), le *Canadien* se retrouvait habituellement avec une abondance de choix au premier ou deuxième tour. Même une fois que les autres équipes ont commencé à refuser d'échanger leurs premiers choix, le *Canadien* tirait son épingle du jeu en trouvant de bons joueurs avec leur choix des derniers tours. En 1974, Montréal repêchait Connor, Doug Risebrough, Rick Chartraw, Mario Tremblay, Gilles Lupien, Marty Howe, Jamie Hislop et, au 199e rang, Dave Lumley, tous des joueurs qui oeuvreraient dans la Ligue pour différentes équipes. Trois années plus tard, le *Canadien* choisissait Mark Napier, Normand Dupont, Rod Langway, Alain Côté, Gordie Roberts, Robert Holland, Richard Sévigny, Mark Holden et Craig Laughlin.

Montréal pouvait choisir parmi les premiers ou les derniers. Deux célèbres policiers, Chris Nilan du *Canadien* et Louis Sleigher des *Bruins*, étaient des choix de Montréal au repêchage de 1978 aux 231e et 233e rangs. Des vedettes de l'heure comme Mats Naslund et Guy Carbonneau étaient 37e et 44e choix de l'année 1979; Rick Wamsley, maintenant des *Blues* de St. Louis, était le 58e choix de la même année. En 1980, l'année de Doug Wickenheiser, Montréal dénicha Craig Ludwig (61e), Mike McPhee (124e) et Steve Penney (166e).

Sam-le-troqueur troquait pour obtenir un meilleur rang et il offrait des joueurs de qualité aux équipes de l'expansion. Quand les experts d'aujourd'hui, avec l'avantage du recul, blâment Wren Blair des *North Stars* du Minnesota pour avoir échangé des premiers choix au *Canadien*, ils oublient que les Ted Harris, Gump Worsley, Danny Grant, Jude Drouin, Dave Balon, André Boudrias et Claude Larose ont été, durant des années, le coeur des *North Stars* et ont bien failli surprendre le *Canadien* en demi-finale des séries de 1971.

Les *Blues* de St.Louis ont reçu une fournée de joueurs des clubs-écoles du *Canadien* et se sont retrouvés en finale de la coupe Stanley trois années de suite, de 1968 à 1970. Noël Picard, Jimmy Roberts, Red Berenson, Ernie Wakely, Bill McCreary, Christian Bordeleau et Fran Huck étaient des noms familiers au Missouri.

— Il était important pour nous d'avoir de nouveaux joueurs, et nous nous sommes vite rendu compte que le repêchage était un domaine d'une importance capitale, dit Pollock. Ce qui voulait dire que nous devions augmenter le nombre de nos éclaireurs pour nous assurer qu'ils voient et évaluent tous les bons joueurs disponibles. Et également que nous repêcherions des joueurs précis avec des talents précis.

Bob Gainey, le capitaine actuel du *Canadien* que la plupart des observateurs reconnaissent comme le meilleur attaquant défensif de tous les temps, en est un bon exemple. Aussi étrange que cela puisse paraître, Montréal a mis la main sur Gainey en perdant cinq rangs dans l'ordre de sélection.

— Le repêchage de Gainey découle de plusieurs circonstances, dit Pollock. J'essayais toujours d'avoir en tête une image globale: combien de joueurs avions-nous, combien devions-nous en protéger telle ou telle année. Rarement ma philosophie a été d'avoir d'abord une bonne équipe et de m'occuper du championnat par la suite. Parce que si on se préoccupe de gagner le championnat une année en particulier, on peut commettre des erreurs sérieuses.

Deux choses, continue-t-il, ont démarqué le repêchage de 1973. Premièrement, c'était probablement l'année de la plus féroce compétition entre l'AMH et la LNH. Deuxièmement, il y avait davantage de bons joueurs disponibles cette année-là, bien que le premier choix, Denis Potvin, les devançât tous de plusieurs coudées. Il n'y avait absolument aucune chance d'effectuer un échange pour Potvin; Bill Torrey avait clairement dit que Potvin était un joueur capital pour les *Islanders* et qu'il serait un *Islander* toute sa carrière.

Montréal échangea le deuxième choix aux *Flames* d'Atlanta en retour de deux choix de premier tour, le cinquième cette année-là, et un autre choix de premier tour l'année suivante. Les *Flames* choisirent Tom Lysiak, un spectaculaire joueur de centre autour duquel ils comptaient bâtir leur équipe. Peu après, les *Blues* cognèrent à la porte disant qu'ils voulaient absolument obtenir le gardien des *Centennials* de Calgary, John Davidson. Les *Blues* craignaient que Boston, qui avait le sixième choix, ne repêchent Davidson sur lequel ils comptaient pour bâtir leur équipe. Si le *Canadien* laissait son cinquième choix contre le septième de St. Louis, les *Blues* seraient prêts à leur concéder un choix de premier tour à une date ultérieure.

Pollock trouve que c'était un bon pari. Les éclaireurs du *Canadien* étaient certains de savoir quels joueurs seraient choisis les cinq premiers, et Montréal pariait deux nouveaux premiers choix au repêchage que ni Boston ni Pittsburgh ne choisiraient Gainey. Et cela a marché. Boston préféra un ancien coéquipier de Guy Lafleur avec les *Remparts*, un spectaculaire joueur de centre, nommé André Savard, et Pittsburgh opta pour l'ailier Blaine Stoughton, un grand marqueur.

— C'est ainsi que nous avons obtenu Gainey, qui avait la réputation d'être un grand joueur défensif et qui avait appris son jeu défensif du meilleur homme qui se puisse, Roger Neilsen à Peterborough.

On aurait pu entendre une mouche voler dans l'hôtel Mont-Royal quand le *Canadien* annonça son choix au repêchage. «Bob qui? Combien de buts a-t-il marqués dernièrement?» On pensait déjà entendre crier Harry Brown en bas au Press Club.

Quand venait le moment d'analyser le potentiel des joueurs disponibles au repêchage, les partisans de Montréal, ces soi-disant connaisseurs, choisissaient le tape-à-l'oeil comme tout le monde. Ils ne voulaient rien savoir d'attaquants défensifs, malgré le fait que les Kenny Mosdell, Claude Provost et Jimmy Roberts avaient protégé les arrières des talentueux marqueurs depuis des décennies au coin des rues Atwater et Sainte-Catherine.

Pollock admettait la critique mais soulevait un point qu'il n'avait jamais laissé tomber au fil des ans. Que les amateurs du *Canadien* s'y connaissent ou pas, que tous les chauffeurs de taxi de la ville puissent mieux gérer l'équipe que son directeur gérant, c'était Pollock qui menait l'équipe.

— Les partisans avaient le dernier mot et on pouvait mesurer l'étendue de nos succès d'après le nombre de spectateurs qui payaient pour venir au Forum voir évoluer nos joueurs, dit-il.

Néanmoins Sam ne pouvait tolérer que les partisans mènent l'équipe. Il y avait des décisions à prendre, basées sur les meilleurs renseignements disponibles et qu'on devait accepter. La même règle valait pour la race journalistique qui suivait de près la confrérie des as du volant.

Sam préparerait son plan à fond et, après l'avoir analysé de long en large, agirait, s'attendant pleinement à être de pied ferme jugé par l'histoire. Plus de douze ans plus tard, l'obtention de Gainey lui donna tout à fait raison.

— Comme dans tous les autres sports, les choix de premier tour ne sont généralement pas des joueurs de ligne et s'il n'y a pas un quart-arrière extraordinaire de disponible, ce sont généralement de grands joueurs offensifs qui sont choisis, dit Pollock. Nous recherchions un joueur défensif.

Diplomate, comme toujours, Pollock n'enlève rien aux journalistes et chauffeurs de taxi de Montréal.

— Comprenez-moi bien, nous étions très soucieux de nos partisans. Mais c'est nous qui dirigions l'équipe.

Après ses années d'apprentissage auprès de Frank Selke, et après avoir participé à la construction d'une organisation dont les tentacules rejoignaient les moindres recoins du hockey en Amérique du Nord, Sam Pollock était le premier homme de hockey à savoir quand il fallait se débarrasser d'opérations onéreuses et encombrantes.

— Nous étions victimes de l'ère de la télévision tout comme le base-ball et toutes les ligues mineures, raconte Pollock. Au milieu des années soixante, il était clair que la plupart des concessions des ligues mineures ne rentraient plus dans leurs frais pour la simple raison que les gens de ces villes pouvaient regarder gratuitement le hockey de la Ligue nationale à la télévision, au lieu de payer pour voir des équipes de la Ligue américaine ou d'une autre ligue.

Les joueurs autonomes, la télévision, l'expansion de 1967 étaient les premières étapes, et l'AMH la dernière. Pollock décida de réduire les dépenses inutiles. Le vaste système de clubs-écoles, fierté de Frank Selke, était démodé et ne faisait plus de profits. Sam, l'homme d'affaires, avait tranché.

Et Selke en aurait probablement fait tout autant. La différence entre

Selke et Pollock, c'était que Selke était un producteur de denrées premières, un fermier homme d'affaires, tandis que Pollock était l'entrepreneur par excellence, l'intermédiaire. Frank pensait en termes de semences, de désherbage et d'élevage, et songeait à apporter ses produits au marché. Pollock, lui, pensait aux tractations à effectuer au marché.

Selke et Pollock ont été à leur époque deux visionnaires. C'est ce leadership qui est au coeur même du succès traditionnel des *Canadiens.*

Chapitre 9

Les surprenantes années soixante

«Bénis ceux qui ne s'attendent à rien, car ils ne seront pas déçus.»

Cette citation de John Walcot, lord-maire de Londres au XVe siècle, s'applique à merveille à l'équipe du *Canadien* de Montréal des années soixante, avec ses succès et ses échecs.

— Je ne comprends vraiment pas pourquoi tout le monde veut tant comparer les *Canadiens* de Montréal des années cinquante à l'équipe de la fin des années soixante-dix. L'équipe qui était entre les deux aurait pu être meilleure. Elle était certainement aussi bonne.

C'est l'opinion de Sam Pollock, directeur gérant des *Canadiens* de Montréal de 1964 à 1978 et architecte de deux des trois équipes fortes des *Canadiens.*

Avec tout le respect que nous devons au lord-maire Walcot, le succès dont nous parlons, c'est d'avoir remporté cinq coupes Stanley. Notons que l'équipe des années soixante les gagna en 1965, 1966, 1968, 1969 et 1971. Le championnat remporté le 14 avril 1960 à Toronto fait partie de cette décennie, si on se base sur le calendrier; de même pour la coupe remportée le 18 mai 1971 à Chicago. N'eût été l'incroyable performance des gardiens de but Johnny Bower et du regretté Terry Sawchuck pendant les éliminatoires de

1967, les *Canadiens* des années soixante auraient répété l'exploit de remporter cinq coupes consécutives.

À qui serait tenté de paraphraser Gertrude Stein «Un calendrier est un calendrier est un calendrier», répondons que le calendrier mentirait.

La coupe de 1960, la cinquième d'affilée, appartenait sans l'ombre d'un doute à l'équipe des années cinquante des *Canadiens.* Le championnat de 1971 mettait un terme glorieux à un chapitre de l'histoire de l'équipe qu'il est injuste de passer sous silence. Comme pour la coupe de 1973, le mieux qu'on puisse dire c'est qu'elle a été gagnée par une équipe en pleine transition, deux ans après la retraite gracieuse de l'équipe des années soixante et deux ans avant que l'équipe des années soixante-dix ne commence à défier toute concurrence.

Pour vous aider à comprendre notre point de vue et expliquer pourquoi ce chapitre commence par une citation d'un lord-maire de Londres ayant vécu cinq siècles et demi avant que les *Canadiens* des années soixante ne patinent au Forum, nous devons nous reporter aux années cinquante.

Il n'y avait aucune raison de croire que les *Canadiens* de Montréal, qui avaient remporté cinq coupes Stanley consécutives, s'arrêteraient en si bon chemin. À l'avant, il y avait Jean Béliveau, Bernard Geoffrion et Dickie Moore, tous trois âgés de vingt-neuf ans; d'autres joueurs robustes comme Henri Richard, Ralph Backstrom, Billy Hicke, Phil Goyette et Don Marshall, étaient plus jeunes encore.

À la ligne bleue, Doug Harvey, Tom Johnson, Jean-Guy Talbot et Bob Turner ancraient une défensive des plus radines. Ils avaient respectivement trente-six, trente-deux, vingt-huit et vingt-six ans. Les gardiens de but Jacques Plante et Charlie Hodge avaient trente et un et vingt-sept ans. De plus, des recrues très compétentes comme les Tremblay, Gilles et Jean-Claude, et Bobby Rousseau, se taillaient petit à petit une place régulière au sein de l'équipe. Les *Canadiens* avaient aussi des légions de bons jeunes joueurs qui, éparpillés partout en Amérique du Nord, n'attendaient que d'être appelés au Forum.

Pendant le camp d'entraînement de septembre, après avoir compté quatre buts à l'entraînement matinal, Maurice Richard avait un jour accroché ses patins; mais l'équipe qui avait ravagé la Ligue durant dix ans demeurait intacte à la base, comme les *Canadiens* l'ont prouvé en finissant premiers au classement de la saison régulière avec 92 points, le même total que la saison précédente, et mieux encore, avec 98 points la saison suivante. À tous points de vue, l'équipe des années cinquante se portait à merveille.

Le déraillement s'est produit pendant les éliminatoires, comme ce fut le cas au début des années quatre-vingts.

— Nous avions toujours une équipe très compétitive, se rappelle Frank Selke, et nous n'avons eu que peu de changements à faire au cours de ces deux années. On ne défait pas une équipe de première place à cause d'un contretemps en séries éliminatoires. L'équipe était solide en 1960-1961 et nous avions toutes les raisons de croire qu'elle serait à la hauteur dans les éliminatoires.

Les *Canadiens* étaient-ils vraiment si forts? Jean Béliveau et Bernard Geoffrion avaient terminé premier et deuxième dans la course au meilleur marqueur, Boum Boum avait marqué 50 buts, exploit accompli pour la seconde fois seulement. Dickie Moore et Henri Richard avaient rejoint leurs coéquipiers dans les dix premiers marqueurs. Béliveau, Geoffrion et Harvey avaient fait partie de la première équipe d'étoiles, Moore et le Pocket de la seconde.

Lors des éliminatoires, ils se mesurèrent à une équipe des *Black Hawks* de Chicago qu'il avait fallu presque dix ans pour construire. Jim Norris et Arthur Wirtz avaient dépensé beaucoup d'argent à la fin des années cinquante pour doter Chicago d'une équipe gagnante et ils avaient reçu une aide importante. La Ligue nationale de hockey était très consciente de la nécessité d'avoir une concession à Chicago et elle savait que ce qui retenait les *Black Hawks* était d'importance primordiale: l'habilité à jouer en équipe.

Après avoir remporté quelque succès pendant les années trente, les *Black Hawks* avaient pris le chemin de l'enfer de la Ligue et y avaient élu leur résidence permanente. Entre deux coupes Stanley (en 1938 et en 1961), les *Black Hawks* terminèrent dix fois bons derniers au classement et jamais plus haut que troisièmes. Émile Francis, gardien de but de l'équipe en 1950-1951, se souvient que les bons joueurs ne faisaient pas long feu à Chicago.

— Cette année-là, dit-il, nous avions une recrue à l'aile gauche qui s'appelait Bert Olmstead, et on apprit que les *Canadiens* le convoitaient. Avant de pouvoir crier ciseau, Montréal, Detroit et les *Black Hawks* avaient conclu un échange tripartite, et Olmstead prenait le chemin du Forum. Ce n'était pas facile de jouer pour Chicago à cette époque; c'était là que les équipes se délestaient de leur excédent de bagage.

Redorer le blason des *Black Hawks* devint pour la LNH une priorité comparable au Plan Marshall qui avait réussi à ressusciter l'Europe dans les années d'après-guerre. Des joueurs comme Eddie Litzenberger, Ab McDonald, Dollard St-Laurent, Reggie Fleming, Murray Balfour et Bob Turner, venus de Montréal, furent rejoints par des joueurs rejetés par Toronto comme Tod Sloan, Eric Nesterenko et Jim Thomson; par les anciens *Red Wings* Al Arbour et Ted Lindsay, ainsi que par Jack Evans, longtemps un robuste défenseur des *Rangers* de New York. Ces quatre derniers joueurs ainsi que St-Laurent de Montréal furent envoyés à Chicago par leurs équipes respectives comme punition pour avoir tenté vainement, en 1957, de former une association de joueurs. Au début de la saison 1960-1961, ils n'avaient toutefois plus à s'en plaindre.

Ils s'unirent alors à la première récolte des *Black Hawks*, formée dans le réseau des clubs-écoles de Chicago, surtout à St.Catharines en Ontario: Bobby Hull, Pierre Pilote, Stan Mikita, Kenny Wharram et Chico Maki. Le gardien Glenn Hall fut acquis lors d'un échange avec Detroit, et le joueur de centre Red Hay était frais émoulu des équipes universitaires.

C'est cette équipe qui écrasa les *Canadiens* de Montréal lors des demi-finales de 1961 et 1962, remportant la coupe Stanley la première année en six parties contre Detroit, pour la perdre à Toronto la saison suivante après le même nombre de parties.

Les *Canadiens* étaient encore une forte équipe, et avaient terminé premiers au classement général en 1962 avec 98 points, 13 de plus que Toronto qui, pour sa part, jouissait d'une avance de 10 points sur Chicago.

Frank Selke s'en souvenait:

— Toronto ne nous avait causé aucun problème pendant la saison, mais les blessures subies par nos joueurs, alliées au jeu très dur de l'équipe de Chicago, furent les artisans de nos défaites, deux années de suite.

Les premiers licenciements au sein de l'équipe des années cinquante eurent lieu pendant la morte saison de 1961, quand Doug Harvey fut échangé aux *Rangers* de New York, après avoir été choisi pour faire partie de la première équipe d'étoiles et avoir mérité le trophée Norris accordé au meilleur joueur de défense de la Ligue. Il a toujours pensé que cet échange était la punition pour son activité syndicale qui, quatre ans plus tôt, avait été la cause d'un si grand nombre de billets simples vers Chicago.

— Évidemment, c'était cela. Si je n'avais pas remporté le trophée Norris de 1957 à 1960 et si nous n'avions pas gagné tous ces championnats, j'aurais été échangé il y a belle lurette. Mais Selke n'était pas fou; il savait très bien qu'on l'aurait lynché au coin d'Atwater et de Sainte-Catherine s'il m'avait échangé.

Harvey, Turner et St-Laurent furent remplacés par Jean-Claude Tremblay, Jean Gauthier et Lou Fontinato, tous d'habiles défenseurs. Un an plus tard, Jacques Plante fut échangé et Bernard Geoffrion, souvent blessé, prenait sa retraite. C'était en 1964.

Si les *Canadiens* de Montréal avaient un grave point faible au début des années soixante, c'était la taille de ses joueurs. Il arrivait trop souvent que les petits avants du *Canadien* se fassent rentrer dans la bande par des joueurs plus lourds, et les éliminatoires devenaient une épreuve. Frank Selke et, plus tard, Sam Pollock, décidèrent de remédier le plus rapidement possible à cette situation.

En 1963, les renforts ne tardèrent pas à arriver. Trois colosses, surtout pour l'époque, furent ajoutés à la défensive de l'équipe: Jacques Laperrière, Terry Harper et Ted Harris. Bryan Watson, un quatrième défenseur qui jouait parfois à l'avant, fut aussi embauché. Plus jamais les *Canadiens* de

Montréal ne seraient intimidés. Par mesure de sécurité, Frank Selke recruta de la Ligue américaine de hockey un joueur qui avait la réputation d'obtenir le respect immédiat des adversaires à l'endroit de ses coéquipiers.

Gilles Tremblay se souvient de l'arrivée de ce nouveau policier.

— Il est arrivé au camp d'entraînement avec la réputation d'un bon joueur de hockey qui n'avait jamais perdu une bataille dans la LAH. Il était aisé de voir pourquoi tant d'équipes le convoitaient. Dès notre première partie à Boston, à la première mise au jeu, engagé dans une bataille avec Ted Green, il prit rapidement le dessus et, tout à coup, nous pouvions de nouveau patiner à notre aise.

La mission de John Ferguson était simple: il allait devenir le plus grand salaud de la LNH et s'empressait de l'annoncer en personne aux bancs des joueurs des cinq autres équipes. À l'inverse de beaucoup d'autres joueurs, c'est lui qui avait choisi d'être avec les *Canadiens* au lieu d'être choisi.

— Je jouais à Cleveland dans la LAH et j'avais été choisi pour faire partie de l'équipe des étoiles en 1962. Les *Black Hawks* de Chicago s'intéressaient sérieusement à moi, et j'avais l'occasion d'aller soit à Boston avec les *Bruins*, soit à New York avec les *Rangers*, mais j'étais depuis toujours un fervent admirateur des *Canadiens*. J'ai dit à Jackie Gordon que je préférais aller jouer à Montréal. Si ça ne marchait pas, je pourrais toujours faire carrière dans les deux autres villes.

En fin de compte, Ferguson arriva à Montréal où son travail redoutable et son acharnement permirent aux *Canadiens* de devenir les *Flying Frenchmen*.

Ce que les adversaires du pugilat dans la LNH ne semblent jamais vouloir admettre, ainsi qu'en fait foi un reportage publié en 1985 dans une importante publication sportive américaine sur la violence dans le hockey et ses soi-disant fiers-à-bras, c'est que ces confrontations font, depuis toujours, partie intégrante du jeu et sont acceptées comme telles. Il ne fait pas de doute qu'il y a peu de place pour les rixes, qui ne font que faire perdre du temps et ralentir les parties. Clarence Campbell, ancien président de la Ligue, décrivait clairement la place qu'occupaient les batailles lors d'une interview faite à ce sujet il y a dix ans.

— On ne pourra jamais l'éliminer du jeu parce que le pugilat est un exutoire, une soupape de sécurité qui permet aux joueurs de se débarrasser d'une partie de la tension accumulée et de continuer à jouer. Si on tentait de l'arrêter, l'animosité entre les joueurs s'accroîtrait et persisterait au point de provoquer de regrettables accrochages avec les bâtons. J'en suis convaincu.

La grande majorité des joueurs sont d'accord. Plusieurs joueurs européens, dont Mats Naslund des *Canadiens*, sourient doucement lorsqu'on leur parle de la grosse méchante LNH et de tous ses Rambo prêts à relever le gant pour un oui ou pour un non.

— Croyez-vous vraiment qu'il n'y a pas de coups bas chez nous? Les Russes sont les meilleurs au monde avec leurs bâtons et leurs patins, et un coup de patin derrière la jambe est bien plus dangereux qu'un coup de poing sur le nez. Ce qui est étrange c'est le brouhaha soulevé ici par les batailles; chez nous on en fait peu de cas, peut-être parce que les spectateurs ne voient pas vraiment les coups de bâton.

Le pugilat occupe une place historique dans la dynamique du hockey. Très peu d'amateurs de hockey savent comment le sport a commencé. La plupart d'entre eux pensent peut-être que le jeu fut un effet du hasard sur quelque rivière ou lac glacé au siècle dernier. Rien n'est plus loin de la vérité. Le hockey a toujours été un jeu rude.

Au XIXe siècle, plusieurs jeux de balle et bâton avaient cours sur glace dans le nord de l'Angleterre, aux Pays-Bas et en Amérique du Nord. Il semblerait que la première version du hockey sur glace ait mis à profit plusieurs des jeux européens et qu'elle fut jouée pour la première fois au Canada au début du XIXe siècle. Selon l'histoire officielle du jeu, des soldats britanniques en garnison à Halifax et à Kingston, vers 1850, auraient joué à des formes du «bandy» et du «shinty», qui deviendrait «shinny». Le hockey aurait commencé à la même époque dans la garnison du lac Ontario.

Voici ce qu'en dit *The Canadian Encyclopedia*:

> En 1879, la première équipe organisée, le *McGill University Hockey Club*, vit le jour et, une fois jetées les règles de base, le sport devint rapidement populaire à travers le Canada...
>
> Au début, le hockey se jouait dans des conditions rudimentaires, surtout à l'extérieur sur des surfaces de glace naturelle, les congères faisant office de bandes, et on utilisait des bouts de bois comme buts. Chaque équipe alignait neuf joueurs et la passe avant était interdite. La règle «en jeu» et la version primitive de la mise au jeu, «bully», venaient du rugby. La vitesse et la robustesse du jeu attirèrent de nombreux adeptes et favorisèrent le développement de fortes rivalités locales.

La plupart des premières étoiles du hockey étaient des joueurs de rugby qui cherchaient à se maintenir en forme durant les longs mois inactifs de l'hiver. Ainsi, la première version du hockey était en fait le rugby sur glace. Et on se trompe si l'on adopte la croyance populaire selon laquelle l'influence du rugby aurait eu tôt fait de disparaître du hockey. La période de vingt minutes ne fit son apparition qu'en 1910, et le règlement régissant la passe avant ne fut assoupli qu'en 1918, année qui vit naître la LNH. La passe avant pouvait désormais s'effectuer en zone neutre, entre les lignes bleues.

Il faudra attendre la treizième saison de la LNH, en 1930-1931, avant que la passe avant ne soit permise à la grandeur de la patinoire. Des joueurs comme Howie Morenz, Aurèle Joliat, les Cleghorn, Frank Nighbor, jouaient un jeu qui ressemblait beaucoup plus au rugby qu'au hockey moderne. Morenz était particulièrement précieux parce que sa grande rapidité lui permettait de déjouer les défenseurs et ensuite soit de tirer au but, soit de laisser la rondelle à un coéquipier, soit de faire une passe latérale à ses ailiers. Il n'hésitait pas par contre, ainsi que les autres joueurs de centre, à défoncer la ligne défensive de l'équipe adverse, à l'instar des joueurs de rugby, afin de créer une ouverture.

Les défenseurs, d'autre part, avaient toute liberté de plaquer un joueur d'avant qui tentait d'avancer la rondelle, comme au rugby, et presque tous les contacts physiques se faisaient au centre de la glace et non le long des bandes comme c'est le cas de nos jours. Toute cette activité au centre de la patinoire, tous ces coups de bâton, de coude, de patin et de genou, favorisèrent un jeu de bâton qui ferait rougir les sages bourgeois d'aujourd'hui et qui dégénérait à l'occasion en rixes qui débordaient parfois jusqu'aux spectateurs.

En conséquence, quand John Ferguson, Ted Harris, Terry Harper, Jacques Laperrière et Bryan Watson firent leur apparition en 1963, tout le monde savait pourquoi ils avaient été appelés.

— Nous savions que nous aurions de la difficulté à gagner tant que nous ne pourrions contrôler le jeu rude, dit Gilles Tremblay. Nous avions besoin de ces joueurs afin de pouvoir jouer notre jeu. Sur une équipe de dix-huit à vingt joueurs, certains ont des rôles à jouer. Yvan Cournoyer, Bobby Rousseau et moi-même étions là à cause de notre rapidité à l'aile et de notre habileté à trouver des occasions de compter. Jean Béliveau, Henri Richard et Ralph Backstrom étaient là pour créer ces occasions de compter et Ted Harris, Jacques Laperrière et Terry Harper contrôlaient notre zone défensive. Fergy, Claude Larose et compagnie nous donnaient de la place pour manoeuvrer, facilitaient notre boulot, tout en bloquant l'adversaire. Je ne connais aucune équipe ayant remporté une coupe Stanley qui ne se soit servie de ses joueurs robustes pour contenir l'adversaire.

La place occupée par le soi-disant policier de l'équipe est un autre aspect de la dynamique de l'équipe qui peut soulever la curiosité d'un nouvel amateur du sport. À entendre huer la foule, on en déduirait que ce joueur est marginal, banni à tout jamais du groupe, qu'on n'en parle pas en société et qu'il n'est jamais accepté par ses coéquipiers dits plus honnêtes.

C'est carrément faux. Le joueur qui se bat pour ses coéquipiers, ou qui accepte de laisser tomber les gants pour que les joueurs moins portés sur le pugilat puissent jouer leur rôle, ce joueur-là occupe une place aussi importante au sein de l'équipe que tout autre. Et on l'accepte comme tel, il contribue à part entière au succès de l'équipe.

— Nous avons tous une tâche à accomplir dans l'équipe, a dit Yvan Cournoyer. Et nous respectons un joueur qui fait son travail parce qu'il apporte une contribution spéciale à l'équipe. John était un joueur dur et acharné parce que les *Canadiens* de Montréal avaient besoin d'un joueur de cette trempe. Sans lui, et sans des joueurs comme Terry Harper et Ted Harris à la défense, nous ne serions pas devenus ce que nous sommes.

Les coéquipiers de Ferguson le respectaient et le lui faisaient savoir.

— J'accordais énormément d'importance au fait que mes coéquipiers m'appréciaient. Une année, je fus élu par les vétérans des *Canadiens* le joueur le plus important. C'était l'année où Cournoyer avait mené l'équipe au chapitre des buts marqués. Ce qui m'avait impressionné, c'est que, chez les *Canadiens*, vous pouviez être un leader non seulement comme marqueur de buts mais comme bagarreur.

John Ferguson assuma le leadership, mais c'était exceptionnel. Il n'a fallu que douze secondes, lors de sa première partie, pour qu'il se batte avec Ted Green. Ce dont ses pires détracteurs ne se souviennent sans doute pas, c'est qu'il a compté deux buts dans cette même partie, un match nul de 4 à 4.

— Fergy sema la zizanie chez l'adversaire, partout sur la patinoire, dit Jean Béliveau. En zone adverse, le gardien devait le surveiller constamment, ce qui nous aidait à monter des jeux et à tirer au but. Mais il nous était précieux aussi hors patinoire. John haïssait la défaite, et ses coéquipiers le craignaient un peu. Avec un joueur comme lui dans une équipe, on ne niaise pas. Il n'a même pas à ouvrir la bouche, un regard suffit, comme le Rocket dans le temps. Mais il traitait ses coéquipiers de façon admirable.

Ferguson était convaincu de l'importance d'adopter une attitude positive dans le vestiaire des joueurs.

— Je sentais que je devais partir le bal et encourager les gars à donner le meilleur d'eux-mêmes. Si j'en voyais un atteint de léthargie, je savais quels mots lui dire pour qu'il se reprenne en main, je lui redonnais confiance en lui-même, tout en l'assurant qu'il pouvait toujours compter sur moi.

Sa présence était importante et, lorsque les jeunes *Bruins* effrontés de Boston se pavanèrent au Forum en avril 1969, avant de disputer la première partie de la demi-finale de la coupe Stanley, c'est Ferguson qui prit la situation bien en main.

Avant même la première partie de la demi-finale, toutes les conversations avaient porté sur l'intimidation, et la seule question qui se posait c'était laquelle des deux équipes gagnerait la guerre d'usure. Au milieu de la première période, Green et Ferguson furent confrontés. Ferguson prit rapidement l'avantage sur son adversaire, lui fit passer son chandail par-dessus la tête et s'en donna à coeur joie et à poings redoublés au détriment du joueur de défense du Boston. Ferguson le domina sans équivoque, et Montréal élimina les *Bruins* en quatre parties.

— En fin de compte, je m'efforçais d'être le pire «enfant de chienne» sur la glace. Dans la chambre des joueurs, nous usions d'autres méthodes. Nous étions très près les uns des autres, et l'équipe avait sa part de comiques qui savaient toujours comment faire disparaître la pression, des gars comme Larose, Laperrière et Harper. Ils n'arrêtaient jamais et, grâce à eux, nous étions tous détendus.

Les gens qui le voyaient évoluer sur la patinoire, ou qui savaient qu'il ne fraternisait jamais avec les joueurs des autres équipes, même durant la morte saison, seraient surpris d'apprendre que Ferguson était un des meneurs chez les *Canadiens* au chapitre des frasques et des coups pendables. Lorsque le populaire Bryan «Bugsy» Watson fut échangé aux *Black Hawks* de Chicago en 1965, il téléphona au vestiaire des joueurs des *Canadiens* deux semaines plus tard et demanda au responsable des équipements de lui faire parvenir ses patins préférés. Quelle ne fut pas sa surprise de les recevoir, dix jours plus tard, peints en rose «nanane». Les deux équipes en rigolèrent longtemps.

Quelle importance accorder aux qualités de leader de Ferguson? En 1971, quand Béliveau et Ferguson annoncèrent qu'ils prenaient leur retraite, Sam Pollock convoqua Ferguson et lui offrit de devenir capitaine de l'équipe s'il jouait une autre saison.

— J'ai refusé mais j'ai vivement apprécié le geste de Sam, dit Ferguson. Cela m'a montré que ma contribution aux *Canadiens* de Montréal avait été appréciée.

Si les *Canadiens* de Montréal étaient beaucoup plus robustes pendant les années soixante, ils étaient un peu moins doués à l'offensive que les formations précédentes ou subséquentes. Les gros marqueurs étaient à Boston, Detroit et Chicago. En 1965, les *Canadiens* remportèrent leur première vraie coupe Stanley de la décennie. Le meilleur marqueur de l'équipe cette année-là était Claude Provost, dont la réputation était habituellement basée sur son habileté à empêcher Bobby Hull de marquer des buts. Provost termina sixième dans la course au championnat des compteurs de la LNH tandis que Ralph Backstrom était neuvième. Béliveau et Richard, durement touchés par les blessures cette année-là, terminèrent plus loin au classement.

Les quatre années de la décennie où les *Canadiens* de Montréal remportèrent la coupe Stanley, aucun joueur de l'équipe ne s'était classé mieux que troisième au classement (Bobby Rousseau, en 1966).

— Ce genre de statistiques prouve ce que nous, les joueurs, savions fort bien, dit Béliveau, la valeur de Toe Blake pour les *Canadiens* de Montréal. Au cours des années soixante, nous avions une très bonne équipe mais nous ne surpassions pas le reste de la Ligue autant que pendant les années cinquante. Ce qui faisait la différence, c'est que nous avions le meilleur entraîneur de hockey, un homme qui savait aller chercher le meilleur rendement possible de ses joueurs en tout temps.

Les éloges à l'endroit de Blake font l'unanimité.

— Pour moi, Toe était le plus grand, dit John Ferguson, l'actuel directeur gérant des *Jets* de Winnipeg. Il est comme mon père. Je le respecte et je considère qu'il est le meilleur entraîneur de tous les temps. Les gars jouaient pour Toe. C'était un bourreau de travail qui exigeait et obtenait le respect. Mais le plus important c'est que ce n'était pas à sens unique. Si vous méritiez son respect, il vous l'accordait, ce que trop peu d'entraîneurs savent faire.

Pendant les éliminatoires de 1985-1986, Ferguson fit une visite au Forum lors de la septième partie de la finale de la division Adams contre Hartford.

— Toe était la première personne que je voulais voir. Je venais de reprendre du service derrière le banc et je voulais m'assurer que je n'étais pas trop rouillé. Nous avons parlé longuement.

Tom Johnson, qui faisait partie de l'équipe durant les années cinquante et qui occupe maintenant le poste de directeur gérant adjoint des *Bruins* de Boston, raconte l'anecdote suivante pour exprimer ce qu'il ressent envers son ancien entraîneur.

— Il y a trois ou quatre ans, notre entraîneur, Gerry Cheevers, est venu me voir pendant l'été afin que j'autorise un déboursé de plusieurs centaines de dollars. Lorsque je lui ai demandé pourquoi, il m'a expliqué qu'il voulait s'inscrire à une clinique spéciale pour entraîneurs, située dans les Laurentides, dirigée par Gary Green, l'ancien entraîneur des *Capitals* de Washington.

Johnson regarda son entraîneur et lui dit:

— J'ai une meilleure idée.

Fouillant dans sa poche il en ressortit un billet de vingt dollars.

— Prends cela et va faire un tour à la taverne de Toe Blake à Montréal. Tu apprendras plus là en une heure qu'en quatre jours dans les Laurentides.

Le dernier mot de l'histoire?

— Je ne blaguais pas, dit Johnson.

Pour Terry Harper, la plus grande contribution de Blake était le pouvoir qu'il avait de former une équipe homogène à partir des personnalités les plus disparates.

— C'est la grande diversité des personnalités des joueurs des *Canadiens* qui faisait leur succès. Chaque joueur pouvait donner libre cours à son individualité mais ce qui ressortait, c'était l'homogénéité du groupe, et Toe en fit une équipe. Il n'essaya pas de changer tout le monde ou de faire d'un joueur le *Canadien* idéal. Il voulait que tous soient ce qu'ils étaient. Il était au-dessus de tout autre entraîneur pour qui j'ai joué ou que j'aie rencontré. Il s'intéressait plus à l'aspect mental d'un joueur.

Blake était fort dans la préparation d'une partie et plus fort encore durant le match.

— Toe savait comment profiter du repos entre les périodes, ajouta Harper.

— Parfois, il entrait dans la chambre des joueurs et ne disait absolument rien. À d'autres moments, il nous engueulait jusqu'au moment où nous devions reprendre la partie. Et il lui arrivait aussi d'entrer et de nous raconter quelque chose de si drôle qu'il nous faisait rire comme des fous. L'important c'est qu'il savait exactement laquelle des trois attitudes adopter. Si nous étions trop tendus, il nous laissait nous relaxer, mais si nous avions l'air trop contents de nous-mêmes, il nous sautait dessus. Il possédait un merveilleux sens de l'équipe.

— Par-dessus tout, il a fait progresser toute l'équipe, pas seulement un ou deux joueurs... tout le monde. Il avait foi en ses joueurs et ces derniers le lui rendaient bien.

Le travail de Blake, l'inspiration des vétérans meneurs tels Béliveau et Richard, la nouvelle robustesse personnifiée par Ferguson, Harris, Harper et Larose, ainsi que la sûreté des gardiens de but Gump Worsley, Charlie Hodge et, plus tard, Rogatien Vachon, tous ces facteurs caractérisèrent l'équipe des années soixante. À partir de 1963-1964, alors que la mutation de l'équipe des années cinquante était accomplie, les *Canadiens*, en huit ans, ont remporté le trophée Prince-de-Galles quatre fois, pour avoir terminé premiers au classement, et ont gagné cinq coupes Stanley.

Mais pour une raison difficile à cerner, ils seront toujours l'équipe que Montréal oublia.

Peut-être les amateurs de Montréal regrettaient-ils l'élan des années cinquante. Pendant des années, la foule du Forum se comparait à celle des championnats mondiaux de patinage artistique. Les amateurs montréalais accordaient des points tant pour la performance technique que pour le mérite artistique. À Montréal, il ne suffisait pas de remporter la victoire, il fallait le faire avec style et panache. Et même si l'équipe des années soixante gagnait avec régularité, elle manquait d'éclat. Au début de la décennie, l'éclat de la LNH se trouvait à Chicago, où évoluaient Bobby Hull et Stan Mikita. Vers la fin des années soixante, les regards étaient tournés vers Boston, où Bobby Orr, Phil Esposito et compagnie avaient captivé l'imagination de tous les amateurs de hockey offensif. Les *Canadiens* étaient magnifiques à la défensive et compétents à l'avant mais, à part quelques exceptions, comme Yvan Cournoyer, ils gagnaient généralement en donnant l'impression qu'ils ne faisaient que leur boulot.

Terry Harper et Jacques Laperrière, deux grands efflanqués, contrôlaient la zone défensive des *Canadiens*, bloquant les rondelles et l'adversaire avec leurs bras, leurs coudes, leurs bâtons et leurs jambes, à tel point que Montréal remporta trois trophées Vézina à cette époque.

Peu de *Canadiens* furent choisis pour constituer la première équipe d'étoiles ces années-là. De 1963 à 1971, les joueurs de Montréal ont placé cinq joueurs sur la première équipe et treize sur la seconde. Pour la même période, Chicago en avait respectivement vingt et cinq; Toronto trois et huit; New York quatre et sept; Detroit six et sept et Boston neuf et cinq.

Aucun joueur ne représentait l'éthique du travail et l'esprit de sacrifice personnel chez les *Canadiens* de Montréal autant que Harper. Au Forum par contre, aucun joueur ne fut autant chahuté par les amateurs, dont la réputation de connaisseurs a été, à plusieurs reprises, exagérée.

Harper, natif de Regina, avait subi de graves brûlures à douze ans dans un accident. Pour un temps, on ne savait pas s'il pourrait remarcher, mais à force de confiance en soi et de travail acharné, Terry retrouva sa forme et devint un vigoureux défenseur au sein des *Pats* de sa ville natale.

Arrivé à Montréal tard en saison 1962-1963, il évolua avec les *Canadiens* durant dix saisons. Ce défenseur de 1 m 85, près de 90 kg, était l'antithèse de tout ce que les amateurs montréalais attendaient du sport, côté éclat. Harper a une fois compté quatre buts dans une même saison et a même remporté un combat de boxe en début de carrière, alors qu'il était au banc des punitions avec Bob Pulford. Toutefois, il n'était pas un Jean-Claude Tremblay ni un John Ferguson au chapitre de l'intimidation ou des prouesses offensives.

C'est sans doute Derek Sanderson qui l'exprime le mieux, dans son autobiographie *I've Got To Be Me*:

> Harper ne sait pas se battre pour deux sous mais il est courageux et revient constamment à la charge, même s'il se fait tabasser le plus souvent.

Sanderson aurait pu ajouter que ses *Bruins* ne purent jamais vaincre les *Canadiens* lorsqu'il le fallait, à cause de gars comme Harper.

Pendant les années soixante, alors qu'il était à son apogée, on a demandé à Bobby Hull quels défenseurs lui donnaient le plus de fil à retordre, à l'époque où Hull ne faisait qu'une bouchée des défensives adverses, soir après soir.

— Terry Harper me joue aussi bien sinon mieux que tout autre joueur de défense de la Ligue. J'ai énormément de difficulté à le contourner.

Les soi-disant connaisseurs montréalais, dans leur jugement sans merci à l'égard de Harper, ont également fermé les yeux sur ses talents de patineur. Il était gauche, peu gracieux, tout coudes et genoux. Mais au cours des exercices, les joueurs d'avant qui l'affrontaient avaient appris une chose: il n'y avait pas moyen de le contourner. Lorsqu'il patinait à reculons il ternissait l'éclat de ses codéfenseurs. Si on ajoute à cela la longue portée de ses bras qui lui permettait aisément de faire sauter la rondelle du bâton de l'adversaire, il n'est pas surprenant que Frank Selke et Sam Pollock aient ignoré pendant dix ans le braiment des Jos-connaissants assis dans les bancs rouges.

L'habileté de Harper allait aussi offrir un des moments les plus dramatiques dans l'histoire de la coupe Stanley, surtout au Forum. C'était le dimanche 9 mai 1971, au cours de la troisième partie de la série finale contre Chicago. Montréal avait perdu les deux premiers matchs à Chicago, 2-1 et 5-3, malgré les efforts inouïs de Ken Dryden, et les *Black Hawks* étaient confiants: ils remporteraient la victoire finale s'ils pouvaient arracher une partie aux *Canadiens* au Forum.

Plus tôt dans la partie, Chicago avait marqué à la suite d'une bévue de Harper, et la foule mécontente le conspuait chaque fois qu'il s'approchait de la rondelle. Au milieu de la deuxième période, il s'empara du disque derrière ses buts et s'élança vers le côté gauche.

— Shououououou! clame la foule sur les gradins.

Harper évite une mise en échec à la ligne bleue des *Canadiens* et bifurque vers le centre de la glace.

— Shououououou!

Il coupe à gauche, déjouant un autre joueur de Chicago et se dirige vers la ligne bleue des *Black Hawks* où ses coéquipiers appliquent les freins pour ne pas causer de hors-jeu.

— Shououououou! Tout le monde est debout.

À l'intérieur de la zone adverse Harper évite de nouveau une mise en échec et porte la rondelle derrière le filet du Chicago, où il se fait accueillir durement par deux *Black Hawks* à la fois. En tombant, il réussit quand même à passer la rondelle devant le filet où John Ferguson est seul devant Tony Esposito. C'est une occasion qui ne se rate pas, et les *Canadiens* font une remontée pour gagner 4-2.

Un coéquipier qui désire conserver l'anonymat pour des raisons évidentes résume à merveille la situation:

— C'est le plus beau «je t'emmerde» qu'il m'a été donné de voir en carrière. Beaucoup de joueurs contrôlaient difficilement leur envie de faire un bras d'honneur à la foule.

Harper se dégagea des deux *Black Hawks* et se leva sous les clameurs du public en délire; ce qui lui arrivait rarement, il reçut une ovation de la foule debout alors que tous ses coéquipiers sur la glace se dirigeaient vers lui, plutôt que vers Ferguson qui avait compté. Jamais une foule d'amateurs n'aura ressenti autant de gêne collective pour avoir décrié et bafoué un joueur de hockey si merveilleux.

Harper, Ferguson, Laperrière, Harris, Provost et Larose, c'était la version montréalaise du *Lunch Pail Athletic Club* de Boston; on les reléguerait volontiers dans l'oubli si ce n'était d'une chose.

Personne ne leur avait appris à perdre.

Ils gagnaient grâce aux jeux impossibles de Harper et à la combativité de Ferguson, déjouant même les outrecuidants *Bruins* de Boston de 1968. Ils gagnaient grâce à la finesse d'un Jean-Claude Tremblay qui, tout au contraire de ses codéfenseurs, ne prisait pas le jeu rude mais savait faire danser la rondelle.

Ils gagnaient alors qu'ils auraient dû perdre, contre Boston en 1969 et encore en 1971. Ils gagnaient avec des vétérans de la trempe des Richard, des Béliveau et des Backstrom et avec des jeunes tels Mickey Redmond, Serge Savard, Guy Lapointe et Phil Roberto. Ils gagnaient avec des recrues comme Rogatien Vachon et Ken Dryden dans les buts. Ils ne collectionnaient que les coupes Stanley.

Les trophées individuels, à part quelques exceptions, c'était pour les autres équipes. Claude Provost remporta le trophée Bill Masterton en 1968; Jean Béliveau, Serge Savard et Ken Dryden, le trophée Conn Smythe; Jacques Laperrière, le trophée Norris en 1966 comme meilleur défenseur; Laperrière, le trophée Calder en 1964 à titre de meilleure recrue; enfin Béliveau, le trophée Hart, décerné au joueur le plus utile à son équipe.

Avec les trois trophées Vézina mentionnés plus haut, les joueurs des *Canadiens* remportèrent dix trophées individuels entre 1964 et 1971. Aucun joueur des *Canadiens* ne remporta le trophée Art Ross remis au champion des marqueurs. Toutefois, il est inconcevable que l'équipe qui était la moins pénalisée et qui marquait le plus grand nombre de buts, n'ait pas gagné le trophée Lady Bing depuis 1946, sous Toe Blake. Il est tout à fait évident que des joueurs comme Henri Richard, Jean Béliveau et Guy Lafleur ont été privés de cet honneur parce qu'ils jouaient pour une équipe qui gagnait régulièrement la coupe Stanley.

Ce qui est encore plus ridicule, c'est que les *Canadiens* ont même été pénalisés pour leur succès remporté après la saison régulière. Le trophée Conn Smythe, accordé au joueur le plus utile à son équipe en séries éliminatoires, n'a été remis que trois fois, depuis 1965, à des joueurs de l'équipe perdante. Dans chaque cas, les *Canadiens* avaient remporté la victoire: en 1966 (Roger Crozier, Detroit), en 1968 (Glenn Hall, St.Louis) et en 1976 (Reggie Leach, Philadelphie). Montréal avait remporté les championnats 4-2, 4-0 et 4-0, pour un total cumulatif de 12-2, et malgré cela, les soi-disant experts n'avaient pu trouver un joueur de Montréal digne de cet honneur.

Pour retourner à John Walcot, lord-maire de Londres en 1402, les *Canadiens* des années soixante avaient peut-être peu de héros individuels, mais, comme équipe, ils n'ont déçu personne.

Chapitre 10

Guy Lafleur: l'envol du lion

Journée typique au début du printemps, à Verdun, banlieue ouvrière de Montréal, venteuse, grise, houleuse, une de ces journées qui font douter de l'arrivée du beau temps. Le seul fait de savoir que l'hiver est bel et bien terminé n'a rien à voir avec le temps qu'il fait. Il est 19 heures en ce mardi maussade, et il fait encore clair! Une clarté diffuse peut-être mais quand même une clarté, annonciatrice de la fin prochaine de l'hiver. Les automobiles et les autobus avancent lentement dans les rues de Verdun, évitant soigneusement les parties de hockey sur asphalte, que jouent les enfants de cinq à quinze ans. Il vente et il fait à peine 5°C, mais la plupart des jeunes joueurs portent le même uniforme: espadrilles, jeans usés et chandails de hockey. Leur équipement va du bâton à la lame reluisante en fibre de verre au bâton dont la lame n'est plus qu'une mince aiguille de bois. Partout, les balles de tennis détrempées filent vers des filets improvisés. Partout aussi, les équipes de petits gars accomplissent ce que les professionnels n'arriveront jamais à faire: jouer à fond de train des heures durant, sans arrêt, tout en imitant René Lecavalier ou Danny Gallivan.

«Il lance... et compte!» clame un petit rouquin de dix ans, vêtu d'un chandail délabré des *Black Hawks* de Chicago, enfilant la balle dans le coin supérieur. La réplique du gardien est étouffée par le bruit environnant mais on n'a pas besoin de l'entendre pour savoir ce qu'il dit. C'est une vérité que, dans la rue, les premiers enfants à jurer comme des charretiers sont les gardiens de but.

Peu après 19 heures, les rues se vident comme par miracle. D'habitude, on jouerait encore pendant une bonne demi-heure, mais pas ce soir. Quelques minutes plus tard, des attroupements de futures étoiles, vêtues de coupe-vent (il faut bien faire plaisir à maman), agrippant un précieux billet d'un dollar, sortent des triplex collés les uns sur les autres et se dirigent vers l'angle des rues Church et Lasalle. C'est là qu'est située cette sorte de grange en briques brunes qu'est l'Auditorium de Verdun, domicile des *Maple Leafs* de Verdun de la Ligue junior de hockey du Québec. Ce soir, en éliminatoires, les *Leafs* reçoivent la visite des célèbres *Remparts* de Québec. Ce soir, les héros locaux vont jouer contre des joueurs de dix-huit et dix-neuf ans déjà célèbres, les Jacques Richard, André Savard et Guy Lafleur. Une piastre, ça paye le billet d'entrée qui coûte soixante-quinze cents, ainsi qu'un boisson gazeuse ou un sac de croustilles à la pause.

Les *Canadiens* de Montréal et leur nouvelle merveille de gardien de but — un grand type à l'air intellectuel — ont une journée de répit dans leur série contre les puissants *Bruins* et ne jouent pas ce soir. Les *Leafs* offrent la seule partie en ville.

À l'intérieur, une foule bigarrée de plus de cinq mille personnes remplit les gradins de l'Auditorium. Les partisans habituels de l'équipe, les habitants de Verdun et les petits gars sont présents mais ils sont accompagnés de centaines d'amateurs montréalais plus fortunés. Les éclaireurs de la Ligue nationale de hockey sont là eux aussi. La chaleur et le bruit sont presque insupportables. Les *Remparts*, en uniforme rouge foncé et noir, sont les premiers à entrer sur la glace; ils patinent avec l'aisance et la confiance que seules possèdent les meilleures équipes. Ils semblent dire:

— On va vous battre ici, on va vous battre n'importe où.

Au beau milieu d'un groupe de quatre joueurs tournant autour de la zone défensive des *Remparts*, le numéro quatre bavarde avec les autres et patine sans effort. Vêtu de l'uniforme rouge foncé avec le grand «R» encerclé, portant un petit casque protecteur noir d'où dépassent ses longs favoris, Lafleur ressemble plus à un chasseur d'hôtel qu'à un joueur de hockey. Mais c'est lui qui a rempli l'Auditorium de Verdun. C'est lui la machine à marquer des buts — 103 l'an dernier et 130 cette année, ainsi que 79 passes pour un total incroyable de 209 points! C'est du jamais vu, même dans le monde frénétique du hockey junior. Ses 135 minutes passées au banc des pénalités témoignent des efforts, pas toujours légaux, de certaines équipes de la Ligue junior A du Québec, de le stopper à tout prix.

— Il a compté 100 buts, deux fois? Pas possible. (Tous les yeux sont tournés vers lui.)

Cet examen minutieux prend fin lorsqu'un vacarme annonce l'arrivée des *Leafs* dans leur uniforme blanc bordé de bleu. Toute la soirée, on entendra «Hé, Hé, Hé, Goodbye!» Contrairement aux années quatre-vingts où ce refrain tournera en dérision l'équipe perdante vers la fin des parties, à l'époque, l'accent portait plutôt sur le «Hé, Hé, Hé», et le refrain populaire était répété *ad nauseam* à chaque arrêt du jeu et durant les pauses.

La partie débute au milieu du tintamarre, et tous les regards convergent de nouveau vers le grand maigre de 1 m 80 vêtu de rouge. Il patrouille son aile facilement, presque désinvolte et, au bout de dix minutes, un spectateur, assis à notre droite, se tourne vers son voisin et lui dit:

— C'est ça le grand joueur que Sam Pollock va repêcher au premier rang? Arrête de te moquer de moi! Y a rien là, lance-t-il selon l'expression québécoise qui traduit un profond scepticisme allié au caractère définitif de la justice.

Son compagnon, observateur aguerri du monde du hockey, reste de marbre:

— C'est quoi le problème?

— Il fait du patinage de fantaisie. Il n'a rien et ne semble même pas intéressé. S'il a marqué tous ces buts-là, c'est que cette ligne n'a aucune notion de ce qu'est une défensive.

Notre ami imperturbable a le dernier mot:

— Il ne patine pas, hein? Comme Frank Mahovlich ne patine pas. Qui le surveille?

— Normand Cournoyer, le frère de l'autre, comme on dit ici. Yvan Cournoyer du *Canadien* est surnommé le «Roadrunner», et son frère qui joue à Verdun en est la copie conforme, très rapide sur ses patins.

— Surveille Cournoyer et dis-moi si Lafleur tire de la patte, ajoute l'ami.

Deux rotations plus tard, c'est clair. Lafleur n'a peut-être pas l'air de se déplacer rapidement mais Cournoyer, son surveillant, patine à toute vitesse tout le temps, ses courtes jambes pompent comme des pistons et, malgré tout, c'est de justesse qu'il se maintient à la hauteur de Lafleur. À y regarder de près, on remarque que Lafleur possède la même qualité que Bobby Orr, cette facilité d'accélérer sans avertissement et sans effort et de se déplacer de gauche à droite ou de droite à gauche à toute vitesse, sans perdre de temps. Il force l'adversaire à reculer. Quelle que soit l'habileté des hockeyeurs professionnels, ils sont comme des enfants qui en sont à leurs premières armes sur les étangs gelés: ils préfèrent effectuer les virages sur la même jambe et sur le même côté et, lorsqu'ils tournent sur leur côté faible, ils perdent de la vitesse. Orr, Lafleur et quelques autres sont aussi rapides des deux côtés. Pour eux, la patinoire est bien plus grande.

Vers la fin de la première période, Lafleur saisit une rondelle libre dans la zone neutre et se dirige dans le territoire de Verdun le long de l'aile droite. Un défenseur recule à toute vitesse pour couper l'angle; Cournoyer s'est fait surprendre sur le changement de lignes et patine fort pour rattraper Lafleur. Un mètre cinquante à l'intérieur de la ligne bleue et presque sans recul, Lafleur décoche un lancer vers le but. La rondelle frappe le fond du filet et rebondit un mètre quatre-vingts dans l'enclave avant que le gardien étonné ne puisse réagir.

La foule prend encore plus de temps à réagir. Elle est abasourdie par la rapidité de l'exécution. Puis, dans un «oh» collectif, on laisse aller son souffle et tout le monde parle en même temps. Personne n'applaudit ou ne chahute vraiment; cinq mille amateurs de hockey ont l'air d'analyser le but.

— Pas pire, hein? sourit l'homme flegmatique. Ce lancer-là aurait battu la plupart des gardiens professionnels que j'ai vus à l'oeuvre.

À la fin de cette partie passionnante, inéluctablement gagnée par les *Remparts*, Lafleur a marqué trois fois avec une précision chirurgicale. Les éclaireurs de treize des quatorze équipes de la LNH quittent l'Auditorium, l'air très songeur. Les membres de l'état-major du *Canadien* sont tout sourires lorsqu'ils enfilent leur paletot tout en discutant avec animation.

Les petits gars de Verdun, la cuisante défaite déjà oubliée, jouent encore au hockey à la balle le lendemain. Sur une échappée, plusieurs décrivent l'action avec un «Lafleur s'approche du filet» avant de placer la balle dans le haut du but. Dans les années à venir, ils seront imités par d'autres enfants, d'un océan à l'autre.

Guy Damien Lafleur, originaire de Thurso au Québec, a dix-neuf ans; il n'est guère plus âgé que ces enfants dont il sera l'idole dans la décennie qui suivra. Mais la différence d'âge est trompeuse. À beaucoup de points de vue, Guy Lafleur est un professionnel depuis l'âge de quatorze ans, ce qui lui a apporté une maturité qui n'a rien à voir avec son âge. D'autre part, il présente aussi un curieux mélange de sophistication et de naïveté, comme si certaines leçons avaient été oubliées.

— Quand le temps est venu de quitter la maison pour la première fois, je ne sais pas si j'étais prêt, dit Lafleur avec un sourire en se souvenant d'avoir, à quatorze ans, quitté le petit monde de Thurso, une ville de l'ouest du Québec, plus près d'Ottawa que de Montréal.

Jusque-là, il s'agit de l'histoire habituelle: un petit campagnard québécois grandit; d'enfant de choeur qu'il était il devient un athlète formidable tout en faisant un tas de coups plus ou moins pendables, tel Huckleberry Finn.

— Il n'y avait rien de spécial dans mon enfance, se remémore Lafleur. Comme tous les enfants de mon âge, je faisais partie de la gang du coin, avec mes cousins. J'étais peut-être un peu plus tannant que les autres parce que, chez nous, j'étais le seul garçon et que j'avais quatre soeurs. La bagarre, ça ne manquait pas. Mon père venait d'une grosse famille de sept enfants et, presque chaque dimanche, toute la famille allait manger chez ma grand-mère.

Nous étions quasiment cinquante. Les parents parlaient dans la maison, et la plupart des enfants jouaient dehors; on faisait du sport, on jouait aux cow-boys et aux Indiens, n'importe quoi. Et on s'attirait des ennuis, on avait des frondes et plus tard, des carabines à plombs, on tirait sur les oiseaux, sur les animaux ou sur nos copains!

Guy a connu la plus grande peur de sa vie quand il a lancé une pierre qui a brisé le pare-brise d'une voiture de police.

— Le policier était un ami de mon père, et j'ai eu tellement peur que j'ai couru à la maison me cacher derrière le réfrigérateur, dit Lafleur.

Le hockey débuta pour lui avec sa première paire de patins à l'âge de cinq ans. Réjean Lafleur, soudeur de son métier, faisait une patinoire derrière la maison tous les hivers et soudait des tuyaux en forme de buts. Des sacs de jute remplaçaient les filets, mais cela ne dérangeait en rien la vingtaine d'enfants qui y jouaient tard tous les soirs.

— Personne ne jouait à une position précise, mais je n'ai jamais joué dans les buts; il fallait être fou pour ça.

Guy Lafleur faisait partie du groupe et ignorait ce qu'il valait parce que ces parties improvisées réunissaient des joueurs de tout âge.

— Tout ce que je sais, c'est que, dès l'âge de sept ans, je prenais le hockey plus au sérieux que certains de mes amis, à tel point que je dormais avec mon équipement pour être prêt à jouer le lendemain matin. Mon père m'a souvent trouvé profondément endormi dans mon lit avec tout mon équipement — sauf mon casque — et il me déshabillait sans me réveiller. En semaine, on commençait à jouer dès sept heures du matin. À l'école on jouait contre les autres classes à l'heure du déjeuner. Après l'école, on jouait contre les autres équipes du coin. C'était du hockey, du hockey, et encore du hockey, et on adorait ça.

Plus âgé, Guy passait de plus en plus de temps à s'entraîner avec les Frères de l'école Sainte-Famille.

— Je n'oublierai jamais mon professeur de mathématiques. Il nous disait que Paul Anka (qui venait d'Ottawa, juste à côté) avait dû faire beaucoup de sacrifices pour réussir et que, si nous voulions être des athlètes, il nous faudrait faire des sacrifices, même à notre âge.

Ces mots frappèrent Lafleur et il entreprit à l'âge de neuf ans un «entraînement sérieux» qui comprenait la vidange de la soue de la ferme d'un ami et un coup de main à la traite des trente-cinq vaches laitières. C'est alors, dans cette existence à haut régime, que débute la passion de Lafleur pour les véhicules automobiles.

— J'adorais conduire leur camion et leur tracteur.

Pour développer ses jambes et son endurance, il se mit à faire du jogging après le travail, parcourant souvent des distances de quinze kilomètres et plus.

— Beaucoup de gars de l'école me prenaient pour un fou.

Lafleur jouait toujours sur des patinoires extérieures jusqu'au moment du carnaval de l'école où avec ses coéquipiers il alla sur la patinoire intérieure locale pour la première fois. Après cela, on ne pouvait plus le sortir des patinoires. Le fabricant de machine à coudre Singer, le plus gros employeur de Thurso, avait fait construire la patinoire intérieure et l'avait vendue plus tard à la municipalité pour la somme de un dollar. Elle était assez délabrée.

— Les planches du toit étaient plutôt écartées; par endroits on voyait la lumière du jour.

Mais c'était un véritable paradis pour la future étoile et, de bonne heure, tous les matins, il se faufilait entre deux planches et patinait seul, à loisir.

Tout cet entraînement, sur la glace ou non, commençait à porter des fruits.

— J'avais neuf ans quand ma carrière a débuté — notre équipe avait participé au tournoi Pee-Wee de Québec trois années de suite — en 1962, 1963 et 1964 — et j'y ai gagné le championnat des marqueurs la première année. Je ne l'oublierai jamais parce que c'est Red Storey qui m'a remis le trophée. On a aussi parlé de moi une couple de fois dans les journaux du coin.

La gloire du jeune joueur dépassait son patelin. Paul Dumont, une des sommités du hockey amateur de la ville de Québec, avait été tellement impressionné par le jeu de Lafleur au tournoi de Québec, qu'il avait appelé Réjean Lafleur pour lui demader si Guy pouvait déménager à Québec et jouer midget ou même junior B.

— Mon père m'a demandé si je voulais y aller et je lui ai dit oui. Je l'achalais tout le temps pour y aller. Pourtant je n'avais que douze ans et j'ignorais ce que ça impliquait à cet âge. Il y a réfléchi longtemps et a refusé. J'étais trop jeune. L'année suivante, M. Dumont a rappelé. Cette fois-là, mon père a consenti.

Comme pour beaucoup d'athlètes au seuil de la puberté dans le Québec rural, une autre voie s'ouvrait à Lafleur. Guy avait été enfant de choeur durant cinq ans.

— J'ai dû donner l'impression de beaucoup aimer ça puisque les prêtres avaient décidé que j'avais la vocation. Le vieux prêtre est venu à la maison pour s'assurer que je prenais la bonne décision en choisissant de jouer au hockey. Est-ce que le fait de partir pour jouer au hockey signifiait que je renonçais à la prêtrise?

Soupesant toutes ces questions sérieuses, un tout jeune garçon, inexpérimenté, prend l'autobus fatidique vers Québec, pour jouer pour l'équipe junior B de Canadian Tire.

— C'était dur pour un petit gars de quatorze ans. Je crois que je pleurais tous les soirs; j'ai appelé mon père plusieurs fois pour lui dire que je voulais rentrer à la maison. Mon père ne voulait rien savoir. Il m'a dit: «Tu as pleuré une année pour y aller, tu vas endurer. Pas question de revenir.» Maintenant que j'ai deux enfants, je songe à la douleur qu'il a dû ressentir à dire ces mots-là; après tout, j'étais son seul fils, et aucun père ne veut dire à son fils qu'il ne peut pas rentrer à la maison. Mais, il a été fort à ma place.

Le père de Guy n'a pas seulement été fort à sa place, il l'a aussi encouragé. Réjean prenait souvent la route de Québec, route dangereuse, deux fois par semaine pour voir jouer Guy. Il remontait tout de suite en voiture après la partie et faisait plus de trois cents kilomètres pour arriver à temps au travail le lendemain matin.

Le fils aîné de Guy, Martin, a dix ans. Guy se l'imagine-t-il en pareilles circonstances quittant la maison dans quatre ans à peine pour aller jouer au hockey à trois cents kilomètres de la maison? Guy pourrait-il s'adapter au rôle de père anxieux?

— Jamais en cent ans, réplique nerveusement Guy. Je ne sais pas comment mon père a eu la force de me laisser partir. Moi qui suis père maintenant, je sais que cela serait plus difficile pour mon fils. De plus, les choses sont très différentes aujourd'hui. Il y a peu de gars de quatorze ans qui doivent quitter la maison pour jouer au hockey. D'habitude, ils trouvent une place près de chez eux. Pourtant, si mon fils avait le talent et le désir de réussir, il serait difficile pour moi de l'arrêter. Mais s'il n'avait pas le talent, ce serait mon devoir de le lui dire. Je ne voudrais pas que mon fils devienne un minable du hockey junior, qu'il gaspille cinq ou six ans de sa vie s'il n'a pas d'avenir dans le hockey.

Dès sa deuxième année à Québec, Guy s'était fait quelques amis à l'école et dans l'équipe, et la vie loin de la maison devenait plus agréable. La troisième année, tous ses amis étaient à Québec, et Thurso était l'endroit où il allait après la saison de hockey.

J'étais bien à ce moment-là. Je ne voulais plus retourner à la maison.

La politique de l'équipe consistant à placer ses joueurs venus de l'extérieur en pension familiale a aussi aidé Guy à s'ajuster au changement. Quand Béliveau avait déménagé à Québec, il avait logé chez les soeurs McKenna. Guy logeait chez la famille Bariveau, 238, boulevard Benoît XV, à Limoilou, juste à côté du Colisée. Durant six ans, Mme Éva Bariveau fut la deuxième mère de Guy. Quand Lafleur prit officiellement sa retraite, le 16 février 1985, Mme Bariveau faisait partie de la famille de Lafleur au centre de la glace du Forum.

— Mme Bariveau est merveilleuse et est devenue ma deuxième mère, se souvient Lafleur. Avoir une vie familiale stable était important pour moi, parce que cela signifiait que j'avais ma place, que je n'étais pas un parfait étranger à Québec. Mais, même avec ça, ça n'a pas été facile. C'était dur à l'école, je manquais beaucoup de cours parce que j'étais sur la route.

Lafleur était inscrit à l'école secondaire Jean-de-Brébeuf mais chaque année, à la fin de la saison de hockey, il retournait à Thurso et terminait son année scolaire à l'école secondaire Saint-Michel, à Buckingham, Québec.

Lafleur menait la vie normale d'un joueur junior de l'époque; les études étaient reléguées au second plan. Quelques dirigeants du hockey junior, tout en prétendant attacher de l'importance à l'éducation de leurs joueurs, trouvaient que les études nuisaient à l'équipe et encourageaient les joueurs à les abandonner.

Cette attitude a changé un ou deux ans après que Lafleur eut terminé son hockey junior. Chez le *Canadien*, Lafleur s'est retrouvé avec des joueurs issus du système collégial, comme Rod Langway, Craig Ludwig, Ken Dryden et Chris Nilan.

— Je ne peux pas dire que je suis déçu de ne pas avoir reçu une meilleure éducation puisque cela n'était pas possible à l'époque. Si cela avait été possible, je ne sais pas ce que j'aurais fait; j'aurais probablement fait la même chose. Cependant, si, aujourd'hui, j'avais seize ou dix-sept ans et si je pensais à une carrière au hockey, je m'assurerais de recevoir une bonne éducation. Je sais que j'encouragerais les jeunes d'aujourd'hui à faire tout leur possible pour obtenir des bourses d'études ou trouver une façon d'allier hockey et études, parce que c'est très important d'être instruit. La loi de la moyenne joue contre vous au hockey; très peu de joueurs y font carrière. Si vous pouvez faire les deux, vous n'aurez pas perdu X années et vous ne serez pas obligé de tout recommencer à vingt et un ou vingt-deux ans.

Lafleur a joué dix parties pour le junior A à sa première année avec les *As* de Québec; il a marqué deux buts et fourni sept passes.

— M. Dumont ne voulait pas que je brûle les étapes; j'étais beaucoup plus jeune que les autres joueurs et je ne pesais que 133 livres à l'époque.

Lafleur a fait l'équipe l'année suivante; il passa trois ans avec les *As* et deux autres avec les *Remparts* après le changement du nom de l'équipe.

Lorsqu'il avait seize ans, pour les éclaireurs de la LNH il était celui qui ne pouvait manquer son coup. Trois années plus tard (les jeunes n'étaient pas admissibles au repêchage avant l'âge de vingt ans à cette époque), changeant d'étiquette, il était le joueur sur qui on pourrait construire une concession. Guy Lafleur allait apporter quelque chose de très spécial au monde du hockey professionnel.

Les éclaireurs du *Canadien* s'intéressaient tout spécialement au joueur des *Remparts* qui portait le numéro 4, en honneur de son idole, Jean Béliveau. Cette époque vit une montée extraordinaire de jeunes joueurs canadiens-français. Réjean Houle, Marc Tardif et Gilbert Perreault avec le *Canadien junior* et Marcel Dionne des *Black Hawks* de St.Cathatines de la Ligue de hockey junior de l'Ontario défrayaient régulièrement les manchettes. En 1969-1970, Marcel Dionne, originaire de Drummondville, obtenait 55 buts, 77 passes pour un total de 132 points — trois records de la Ligue —

en 54 parties. Perreault, de Victoriaville, le suivait de près avec des chiffres de 51-70: 121. Les chiffres de Lafleur étaient incroyables: 103-67: 170 en 56 parties (et 25-18: 43 en 15 parties éliminatoires!). Cependant, beaucoup d'observateurs faisaient peu de cas de cette performance, sous prétexte que la LHJQ était faible par rapport à la LHJO. Si cet argument resta assez valable durant une autre saison, Lafleur allait une fois pour toutes l'anéantir.

La question de l'heure était de savoir si le *Canadien* allait choisir Perreault, un joueur extrêmement populaire, superbe fabricant de jeux et gros travailleur, ou Dionne, machine offensive possédant un sens extraordinaire du hockey, ou bien la «machine tranquille» de Lafleur de la Ligue du Québec.

— D'une certaine façon la décision nous a échappé à partir du moment où la Ligue nationale de hockey a décidé d'ajouter deux équipes de plus, dit Sam Pollock. Perreault, né en 1950, un an avant les deux autres, allait donc être sujet au repêchage de 1970. Le premier choix allait être tiré au sort entre les *Sabres* de Buffalo et les *Canucks* de Vancouver, et les deux meilleurs joueurs du pays, Gilbert Perreault et Dale Tallon des *Marlboros* de Toronto, allaient être choisis aux premier et deuxième rangs. Il n'était pas question de tenter un échange avec Punch Imlach pour son premier choix après qu'il eut gagné le tirage.

Punch connaissait ses joueurs, surtout depuis qu'il avait été l'entraîneur de Jean Béliveau à Québec au début des années cinquante. Imlach était l'un des rares Canadiens anglais du monde du hockey à bien s'entendre avec les joueurs de hockey du Québec. Il avait construit de puissantes équipes avec les *Leafs* et aurait aimé bénéficier de ses contacts dans la Belle Province, mais il était contré par son patron, Conn Smythe.

— Les Canadiens français ne représentent ni les *Leafs*, ni Toronto, s'était-il fait répondre chaque fois qu'il abordait le sujet.

Maintenant, Imlach agissait à son compte et il savait lequel des deux, entre Perreault et Tallon, réussirait. Il choisit Perreault, et cette super-étoile tranquille et modeste, allait devenir Monsieur *Sabres* de Buffalo pour toute sa carrière. Tallon, grand joueur de hockey junior, a joué au-dessus de la moyenne pour Vancouver, Chicago et Pittsburgh, mais sans atteindre le statut de super-étoile.

À cause de l'expansion, Montréal n'a pu participer au repêchage de Perreault, mais Sam-le-troqueur était encore en affaires: le *Canadien* choisit le gardien Ray Martiniuk des *Bombers* de Flin Flon au cinquième choix et le rapide ailier Chuck Lefley de l'équipe nationale du Canada au sixième rang d'un repêchage qui comprenait des joueurs comme Reg Leach, Darryl Sittler, Dan Maloney, Daniel Bouchard et un centre des *67* d'Ottawa nommé Bill Clément, originaire de la ville natale de Guy Lafleur, Thurso. Darryl Sittler fut choisi au huitième rang cette année-là, ce qui s'inscrit contre l'omniscience de Sam Pollock.

— Ce repêchage nous a fait redoubler d'efforts pour obtenir Lafleur l'année suivante, raconte Pollock. L'année 1970 avait été bonne pour le repêchage et 1971 promettait d'être encore meilleure. Lafleur et Dionne étaient en bonne compagnie cette année-là: le *Canadien junior* avait l'ailier de Perreault Richard Martin, le centre Bobby Lalonde et le défenseur Jocelyn Guèvremont; il y avait aussi des joueurs comme Ron Jones, Chuck Arnason, Steve Vickers, Terry O'Reilly, Craig Ramsay, Larry Robinson et Rick Kehoe.

La production de Lafleur cette année-là fut encore plus exceptionnelle qu'en 1970: 130 buts, 79 passes, 209 points en 62 parties de saison et 22-21: 43 en quatorze parties éliminatoires; 76 parties en tout avec 152 buts (deux par partie) et exactement 100 passes. Dionne ne chômait pas non plus: 62-81: 143 en seulement 46 parties de la LJHO; il avait produit plus de trois points par partie.

L'étiquette «bon joueur, mauvaise ligue» disparut ce printemps-là lorsque les *Remparts* de Québec affrontèrent les *Black Hawks* de St.Catharines pour la coupe Memorial. Québec surprit les *Black Hawks* dans cette série, éclaboussée par de fréquentes bagarres; tous les doutes concernant la qualité de la LHJQ s'effacèrent.

Ce qui ne veut pas dire que le *Canadien* ait été incertain de son choix.

— Nous savions depuis deux ans que nous voulions Lafleur, dit Pollock. Si nous n'avions pu l'avoir, Dionne aurait été un bon prix de consolation.

Le 10 juin 1971, le président de la Ligue, Clarence Campbell, annonça l'ouverture du repêchage de la LNH, le premier choix appartenant à Montréal. La salle n'en croyait pas ses oreilles quand Sam-le-troqueur reconnut le fait et demanda un ajournement. Trois minutes plus tard, de retour au jeu dans une salle bourdonnante, Guy Damien Lafleur, à l'âge de vingt ans, neuf mois et vingt jours, devint un joueur du *Canadien* de Montréal. Marcel Dionne, qui allait être condamné à pratiquer son art dans la quasi-obscurité de la lointaine Califormie, fut choisi par Detroit quelques secondes plus tard. Environ une heure s'écoula, avant qu'un grand rouquin dégingandé nommé Larry Robinson rejoignît Lafleur au sein du *Canadien*. Lafleur se joindrait au *Canadien* immédiatement, et Robinson jouerait à ses côtés deux ans plus tard. Mieux que quiconque, ces deux joueurs allaient représenter l'image du *Canadien* des années soixante-dix.

Des années plus tard, après avoir été choisi par les partisans du *Canadien* pour faire partie de l'équipe de rêve de tous les temps du *Canadien* (à la défense avec Doug Harvey), Robinson sourit et se considère chanceux de ne pas avoir eu à subir la tension causée par le fait d'être né au Québec et d'avoir été le premier choix au repêchage.

— J'ai été choisi vingtième cette année-là, en fait le quatrième choix du

Canadien (Chuck Arnason et Murray Wilson suivaient Lafleur) et il n'a jamais été question que je me joigne à l'équipe cet automne-là. Je me suis présenté au camp d'entraînement en espérant bien jouer et me tailler une place au sein de l'organisation.

C'est ce que ce fils de fermier de Winchester en Ontario réussit en se taillant une place au sein des *Voyageurs* de la Nouvelle-Écosse, où ses mises en échec retentissantes allaient faire sourciller la Ligue entière. Il jouerait une autre demi-saison avant d'être rappelé et de rester pour de bon avec le *Canadien*.

— D'autre part, Guy a pratiquement reçu le chandail de Jean Béliveau et s'est entendu dire qu'il était le remplaçant du joueur du *Canadien* le plus populaire de tous les temps. Ce genre de pression aurait détruit la carrière de bien des joueurs de n'importe quelle ville de la LNH, sans parler de Montréal. Cela m'aurait fait vieillir d'une couple d'années.

Le timide joueur blond, arborant de larges favoris, qui s'est présenté à son premier camp d'entraînement en ce mois de septembre, est d'accord avec Robinson.

— J'avais très peur, et ce que racontaient les journaux ne m'aidait pas. On me considérait comme une espèce de sauveur d'une équipe qui venait de gagner deux coupes Stanley et qui alignait des joueurs comme Henri Richard, Yvan Cournoyer, Jean-Claude Tremblay et les frères Mahovlich.

La première décision de Lafleur fut judicieuse: il refusa le dossard numéro 4 et opta pour le numéro 10 qu'avait porté Frank Mahovlich l'année précédente pour deux parties à l'étranger, après avoir été obtenu de Detroit.

— Je pouvais me passer de ce genre de pression instantanée, dit Lafleur.

Le paisible hockeyeur fêta son vingtième anniversaire au camp d'entraînement, assuré de passer la saison avec le *Canadien* de Montréal. Quelque quinze ans plus tard, à sa retraite et président des *Chevaliers* de Longueuil, Lafleur disait ne pouvoir imaginer comment des jeunes de dix-huit ans peuvent supporter pareille tension.

Quand Lafleur fut choisi, le repêchage ne permettait que la sélection des meilleurs joueurs de vingt ans. Au milieu des années soixante-dix, l'AMH créa beaucoup de tension sur la LNH en repêchant des joueurs non admissibles de dix-huit ans, dont Wayne Gretzky qui avait à l'origine signé avec les *Racers* d'Indianapolis, qui cédèrent son contrat aux *Oilers* d'Edmonton, suite aux déboires financiers de Nelson Skalbania. Ce furent les *Bulls* de Birmingham qui firent le plus mal au repêchage de la LNH en repêchant une pléiade de jeunes joueurs en prévision des saisons 1977-1978 et 1978-1979. Les *Bulls* comptaient alors sur les services des étoiles actuelles de la LNH — Rick Vaive de Toronto, Mark Napier d'Edmonton, Rob Ramage de St.Louis et Craig Hartsburg de Minnesota.

En 1980, la LNH commence à repêcher des joueurs de dix-huit ans (il y avait bien eu quelques exceptions dans le passé comme Bobby Orr en 1968 et Mario Tremblay en 1974). On s'est plaint de ce qu'en réduisant ainsi l'âge d'admissibilité des joueurs, la LNH avait nui au hockey junior au Canada.

— Le repêchage des joueurs de dix-huit ans par les équipes de la LNH est un vrai désastre, dit Lafleur. Cela a nui à tout le système du hockey, mais surtout aux joueurs repêchés. Quand j'avais vingt ans, je m'ennuyais de ma famille à ma première année professionnelle. Cela doit être encore pire pour beaucoup de ces joueurs qui n'ont pas encore la maturité nécessaire.

Il ajoute qu'on nuit à ces jeunes joueurs de plusieurs façons.

— Beaucoup de ces joueurs sont repêchés, vont au camp d'entraînement de leurs équipes de la LNH et sont renvoyés à leur équipe junior pour mûrir un peu. Mais c'est presque impossible pour ces gars-là de redescendre sur terre. Ils reviennent à leur équipe junior avec des contrats de soixante-quinze ou cent mille dollars en poche, alors que leurs coéquipiers en font cent par semaine. Ils perdent toute leur motivation et, souvent, arrêtent de progresser. Et il n'y a pas un entraîneur qui en sache plus que leur agent, selon ces jeunes. Pour eux, le hockey junior est devenu un passe-temps en attendant de retourner dans la LNH.

Lafleur a vécu l'incertitude de la première saison en tant que recrue dans la LNH. C'était encore plus difficile pour lui, l'héritier de Jean Béliveau, le joueur de hockey le plus aimé du Québec. De plus, Lafleur allait jouer dans cet aquarium qu'est le Forum.

En février 1972, beaucoup de ceux qui assistèrent au tournoi Pee Wee de Québec furent surpris de trouver Guy Lafleur dans la galerie de la presse, lui qui avait été la vedette de ce tournoi dix ans plus tôt. Coquettement vêtu d'un veston sport marine, en pantalon gris et cravate, le jeune joueur étoile du hockey bavardait avec des amis comme le chroniqueur Roland Sabourin du *Soleil* et d'autres journalistes, signant des autographes pour les jeunes qui avaient pris leur courage à deux mains et envahi la galerie de la presse.

Plus tôt dans la journée, le *Canadien* avait joué contre les *Black Hawks* de Chicago dans une des rares parties d'après-midi de la LNH.

— Guy est ici tout le temps, confiait paisiblement Sabourin, dévoilant ainsi le grand secret des médias de Québec.

Les journalistes de Montréal qui auraient voulu un peu du temps et de l'attention de la jeune recrue auraient été bien en peine de la trouver à son appartement à Longueuil, puisque chaque fois que le *Canadien* jouait chez lui, Lafleur rentrait à Québec, faisant l'aller-retour (pas loin de 500 km) à chaque occasion.

— Ça faisait six ans que j'habitais Québec et j'y retournais régulièrement parce que je connaissais Québec et que je ne connaissais pas Montréal, se rappelle Lafleur. Quand je suis arrivé à Montréal, presque tous les joueurs étaient mariés. Je pense que le seul célibataire était Pierre Bouchard, pour des raisons évidentes, dit Lafleur en riant. Il est encore célibataire aujourd'hui et il n'a pas changé.

Lafleur redevient sérieux et songe à la douleur des premières années.

— Tous mes amis étaient à Québec et j'y retournais constamment. Ils me manquaient beaucoup. À Montréal, j'étais perdu. Même si Québec était pas mal grand, ce n'était quand même pas Montréal.

Tous les journalistes couvrant le secteur des sports et des spectacles pour les grands quotidiens de Montréal et qui étaient à la recherche d'articles du genre «La Recrue s'empare de Montréal», avec un Lafleur exhibant ses favoris et ses chemises à fleurs devant les jolies filles de la rue Saint-Denis ou de la rue Crescent, tous allaient être déçus. Lafleur n'avait rien contre le fait d'aller faire une bordée en ville, mais ce n'était pas la ville que l'on croyait.

Quand Lafleur n'avait pas le temps d'aller se réfugier à Québec, il arpentait son appartement de Longueuil, tel un lion en cage. Non pas parce qu'il était introverti et qu'il se cachait, mais plutôt parce qu'il préférait reconnaître le terrain avant de s'y risquer. Après avoir passé des années à faire les manchettes et à être adulé à Québec, Lafleur avait une assurance naïve qui plaisait à beaucoup de gens. Il préférait contrôler les situations, plutôt que de se laisser mener par elles.

Notre Huckleberry Finn de Thurso refaisait surface dans les circonstances les plus étranges. Son emprisonnement volontaire dans son appartement, allié à son insouciance naturelle, favorisa sa rencontre avec la future Madame Lafleur.

Sans doute pour pallier la solitude, Lafleur s'était lié d'amitié avec le surintendant de l'édifice à appartements où il habitait et ils se parlaient souvent.

— Comment se fait-il qu'un beau gars comme toi ne sorte pas plus souvent? lui demanda le surintendant, posant la question délicate. Les plus belles femmes du monde sont à Montréal: il y en a plein le centre-ville.

Quelque peu décontenancé par la tournure que prenait la conversation, Lafleur prétexta qu'il était souvent sur la route et qu'il n'avait pas le temps de rencontrer beaucoup de filles.

— J'ai ce qu'il te faut, lui répliqua le surintendant. Il y a une hôtesse de l'air qui demeure au onzième étage; tu devrais la rencontrer. Elle vient même de Québec.

Aiguillonné et talonné, Lafleur se retrouva sans crier gare dans l'appartement de la jeune femme qui, à quatre pattes, lavait son plancher de cuisine. Après les présentations d'usage, Lafleur lui fit le coup du charme:

— Si vous voulez sortir avec moi, il va falloir que vous perdiez environ cinquante livres.

Lise Barré se montra à la hauteur de la situation:

— Dehors!

Deuxième chapitre de *L'hôtesse de l'air et le joueur de hockey*. Le copain surintendant de Lafleur lui avait refilé une clef passe-partout pour qu'il puisse prendre un sauna à n'importe quelle heure. Trois mois plus tard, Lafleur, avec son passe-partout, entra chez l'hôtesse de l'air. Le surintendant lui avait dit que la voie était libre et qu'elle volait.

— Je ne sais vraiment pas ce que j'avais dans la tête, se souvient Lafleur. Je voulais peut-être mieux la connaître en regardant son appartement. Je ne l'avais pas vue de près depuis qu'elle m'avait jeté hors de son appartement, mais il me semblait qu'elle avait vraiment perdu du poids.

Notre anthropologue amateur fit le tour de l'appartement, examina les meubles, la chaîne stéréophonique, les disques. Il trouva une bouteille de cognac à côté du sofa, s'en versa un verre et écouta de la musique bien calé dans le sofa. Il en était à son deuxième verre lorsque la locataire des lieux arriva vers les quatre heures du matin.

Notre subtil amoureux montra alors la rapidité de réflexe qui allait terroriser ses adversaires pendant une décennie.

— Qu'est-ce que vous faites là un jour plus tôt que prévu? lui demanda-t-il.

La future Madame Lafleur avait vu elle aussi les films de Doris Day et de Rock Hudson.

— Dehors! fit-elle, dans une virulente reprise de leur dernière scène d'adieux, ou j'appelle la police!

Pour éviter ce genre de surprise matinale, elle retourna à Québec sans terminer son bail en disant à la direction que son immeuble n'était pas assez grand pour elle et pour ce joueur de hockey qui demeurait au premier étage.

— Pour qui se prend-il? Maurice Richard?

Lafleur se servit de ses contacts et découvrit son adresse à Québec. Il alla à Québec, se présenta, contrit, et balbutia quelques mots sur le coup de foudre et son mystère. Quand il retourna à Montréal, celle qui allait devenir sa femme l'accompagnait.

Sur la glace aussi, la vie était pleine de rebondissements. Lafleur y était peut-être moins timide mais il devenait partie intégrante d'une équipe qui, dans sa montée, avait tous les éléments nécessaires pour redevenir une équipe championne. Cette année-là, le *Canadien* finit au troisième rang de la division Est avec 108 points, derrière Boston (119 points) et les *Rangers* (109 points) — le même classement que l'année précédente. Phil Esposito et Bobby Orr des *Bruins* finirent aux premier et deuxième rangs des marqueurs devant les Jean Ratelle, Rod Gilbert et Vic Hadfield des *Rangers*. Le *Canadien* était dignement représenté chez les dix premiers marqueurs par Frank Mahovlich, Yvan Cournoyer et Jacques Lemaire.

Bien que Lafleur n'ait pas eu à attendre, à l'instar d'Yvan Cournoyer au milieu des années soixante, deux saisons complètes avant de faire partie de l'alignement régulier, il joua la plus grande partie de la saison sur les troisième et quatrième trios, terminant la saison avec le total respectable de 64 points: 29 buts, 35 passes. C'était quand même treize points derrière Dionne des *Red Wings* (28-49: 77), et dix points derrière Richard Martin des *Sabres* (44-30: 74). Quelques murmures de mécontentement fusèrent des bancs rouges.

Lafleur ne gagna pas le trophée Calder, décerné à la meilleure recrue en 1971-1972, pas plus que Dionne ou Martin d'ailleurs. Cependant, les partisans du *Canadien* s'apaisèrent lorsque le trophée fut remis à Ken Dryden; ils étaient d'autant plus contents qu'il s'agissait de la deuxième récompense pour le grand gardien qui avait gagné le trophée Conn Smythe, accordé au meilleur joueur en séries éliminatoires de la saison précédente. Les partisans n'étaient plus très heureux quand les *Rangers* éliminèrent le *Canadien* avant de s'incliner en finale devant les *Bruins*.

L'année suivante, Montréal termina au premier rang du classement, 13 points devant Boston, avec une fiche de 52 victoires, 10 défaites et 16 parties nulles, et gagna la coupe Stanley au détriment de Chicago. Malgré ce championnat, les mécontents critiquaient Lafleur dont la production avait diminué quelque peu avec 28 buts et 27 passes pour 55 points, en 69 parties. L'ailier droit ajouta trois buts et cinq passes en 17 parties d'éliminatoires. Mais les Montréalais étaient nerveux. Dionne avait marqué 40 buts et fourni 50 passes avec les *Red Wings* de Détroit et Martin avait marqué 44 buts avec Buffalo.

L'année suivante, ce fut pire encore. Richard Martin atteignit le plateau des 50 buts, finit au sixième rang des marqueurs avec 52 buts et 34 passes totalisant 86 points. Dionne le talonnait avec 78 points, et de jeunes vedettes comme Bobby Clark et Darryl Sittler commençaient à émerger avec Philadelphie et Toronto. Pour la première fois en quatre ans, le *Canadien* n'eut aucun joueur parmi les dix premiers marqueurs et subit l'élimination face aux *Rangers* en éliminatoires. La production de Lafleur descendit à 21 buts et 35 passes pour 56 points, soit 30 points de moins que Martin, statistique sans cesse répétée par les soi-disant connaisseurs sur les lignes ouvertes des stations radiophoniques. Pire que cela, en six parties éliminatoires contre les *Rangers*, Lafleur ne réussit à fournir qu'une maigre passe.

L'avis général était que le *Canadien* avait manqué son coup. Sam Pollock n'était donc pas infaillible. Pensez à ce qu'un marqueur naturel comme Martin aurait pu faire à Montréal, chez lui (c'était vite oublier que Martin réussissait si bien parce que son ancien centre du *Canadien junior*, Gilbert Perreault jouait avec lui). Ne serait-il pas merveilleux que le *Canadien* ait un fabricant de jeux de la trempe de Marcel Dionne? C'était oublier qu'il est bien plus facile de jouer pour une équipe qui ne va nulle part.

Le seul élément positif dans la défaite des *Canadiens* contre les *Rangers* en éliminatoires, c'est qu'une autre recrue, Steve Shutt, qui n'avait obtenu que 15 buts et 20 passes en 70 parties de saison régulière, s'était réveillé dans les séries et avait obtenu cinq buts et trois passes en six parties.

Claude Ruel, qui avait, durant quelques mois, été l'entraîneur du *Canadien* après le départ de Toe Blake, poste qu'il assumerait de nouveau après le départ de Bernard Geoffrion, Ruel donc était celui qui s'occupait de l'entraînement des jeunes joueurs.

— Nous avions choisi Guy Lafleur au premier rang parce qu'il était le meilleur joueur disponible au repêchage de 1971, dit Ruel. Nous savions que Dionne était un très bon joueur de hockey; même chose pour Martin — nous n'avions pas à aller loin pour le voir, il jouait dans notre propre enceinte. Mais Lafleur était le meilleur des trois et il ne lui restait qu'à faire ses preuves dans la LNH. C'était évidemment une question de confiance; un joueur possédant sa vitesse, son tir qui avait produit tant de buts dans le rang junior, ne perd pas tous ses talents du jour au lendemain. Surtout à vingt-deux, vingt-trois ans. Il allait enfiler des buts, ce n'était qu'une question de temps.

Le fait que Lafleur ait beaucoup joué à une position autre que la sienne, durant ses trois premières saisons, a nui à son développement. Le *Canadien* possédait une riche fournée d'ailiers: à droite, Yvan Cournoyer, Claude Larose, Réjean Houle (bien qu'il tirât de la gauche), Phil Roberts, Chuck Arnason et Jim Roberts; à gauche, Marc Tardif, Frank Mahovlich, Chuck Lefley, Houle et trois recrues, Murray Wilson, Steve Shutt et Yvon Lambert.

Avec la retraite de Béliveau et l'échange de Ralph Backstrom à Los Angeles (pour obtenir Lafleur au repêchage), l'équipe montréalaise avait l'impression qu'elle manquait de joueurs de centre. Ce n'était qu'une impression, car Jacques Lemaire et Pete Mahovlich allaient prendre de l'assurance en jouant à ces positions et devenir les meneurs de l'équipe pendant dix ans. Toutefois, quand Lafleur rejoignit les *Canadiens*, son habileté à patiner, sa taille et sa vitesse furent remarquées et on l'inséra dans l'alignement, comme joueur de centre.

— Beaucoup de gens l'oublient lorsqu'ils évaluent les trois premières années de Lafleur, dit Ruel. Il ne jouait pas à sa position normale, et ne s'en plaignait pas. La position de centre est plus exigeante que celle d'ailier et constitue un grand changement pour un ailier. C'est beaucoup plus facile pour un centre de jouer à l'aile. Ce qu'il y a de bon dans cette histoire, c'est que le jeu de passe de Guy s'est grandement amélioré pendant ces trois saisons, ce qui lui donnerait un bon coup de main pendant ses grosses années, plus tard. Il était clair pour tout le monde que Lafleur était un marqueur-né. Et, au faîte de la gloire, il était aussi le meilleur fournisseur de passes pour ses ailiers.

En effet, peu d'ailiers ont fourni 80 passes dans une saison comme Lafleur l'a fait en 1976-1977.

Après trois années d'injustes comparaisons avec des joueurs qui, eux, avaient eu la chance d'avoir trente minutes de glace en début de carrière, sans pression, le «Flower» allait-il enfin éclore?

Cette question trouverait sa réponse à la quatrième saison de Lafleur et plusieurs facteurs allaient y contribuer. L'AMH avait séduit Réjean Houle et Marc Tardif la saison précédente, et Frank Mahovlich s'était joint aux *Toros* de Toronto après la saison 1973-1974. Le vétéran défenseur Jacques Laperrière avait pris sa retraite, Chuck Lefley avait été échangé et, soudain, le *Canadien* se retrouvait avec des joueurs comme Van Boxmeer, Risebrough, Tremblay et Chartraw. Lafleur était un vétéran et, selon la tradition du *Canadien*, on s'attendait à ce qu'il soit un meneur et non un suiveur.

L'automne suivant, au camp d'entraînement, Lafleur abandonna le casque protecteur. Le «Démon blond» était né. Lafleur prit position aux côtés du vétéran Pete Mahovlich et de Steve Shutt, le grassouillet franc-tireur natif de Toronto qui avait montré une rare habileté autour des buts durant les séries de l'année précédente, et les trois joueurs prirent leur envol.

Maurice Richard et Bernard Geoffrion avaient été les premiers joueurs à marquer 50 buts en une saison dans la Ligue nationale de hockey. Le fait qu'ils soient francophones et canadiens était en soi une source intarissable de fierté pour les partisans de Montréal.

Depuis cette époque, on avait l'impression que toutes les équipes de la Ligue avaient leurs marqueurs de 50 buts. Le *Canadien* gagnait peut-être la coupe Stanley mais les autres équipes avaient des marqueurs prestigieux qui remplissaient les filets, les Bobby Hull, Phil Esposito et Johnny Bucyck, ce qui ulcérait les partisans dans une ville qui jugeait ses joueurs tant au plan artistique qu'au plan technique. Au Forum, le *Canadien* devait non seulement gagner, mais le faire avec style.

Les Montréalais ne pouvaient dissimuler leur frustration quand un Vic Hadfield (selon eux, un joueur ordinaire) ou un Mickey Redmond (que le *Canadien* avait échangé contre Frank Mahovlich) atteignait le plateau magique de 50 buts. Avant que Boum Boum Geoffrion ne déjoue Cesare Maniago de Toronto à la dernière fin de semaine du calendrier régulier de la saison 1960-1961, Jean Béliveau avait frôlé l'immortalité en 1955-1956, avec 47 buts, et en 1958-1959 avec 45 buts. Yvan Cournoyer avait émoustillé ses partisans avec 43 buts en 1968-1969, et avec 47 buts en 1972-1973, l'année pendant laquelle son compagnon de ligne, Jacques Lemaire, en marquait 44. Frank Mahovlich, qui s'était approché aussi près de la fameuse marque avec 48 buts en jouant pour les *Leafs* et 49 pour les *Red Wings* de Detroit, avait compté 43 buts en 1971-1972.

Mais personne, chez le *Canadien*, ne parvenait à ce plateau. Les *Flying Frenchmen* n'atteignaient pas les sommets vertigineux des grands marqueurs. Pire encore, la dernière fois qu'un joueur du *Canadien* avait gagné le championnat des marqueurs remontait à la saison 1960-1961, où Geoffrion et Béliveau avaient terminé aux premier et deuxième rangs avec 95 et 90 points respectivement. Depuis, le championnat des marqueurs semblait être le prix de consolation des équipes qui ne gagnaient pas la coupe: les *Black Hawks* (Bobby Hull, deux fois; Stan Mikita, quatre fois), les *Bruins* (Phil Esposito, cinq fois; Bobby Orr, deux fois) et Gordie Howe (une fois avec Detroit), avaient gagné le titre durant cette période de quatorze ans.

Cette situation allait changer le 29 mars 1975. Denis Herron revêtait l'uniforme bleu, rouge et doré des *Scouts* de Kansas City et portait son masque de gardien comme un masque de guerrier. Armure redoutable certes, mais pas assez pour arrêter Guy Damien Lafleur. Bien qu'il ait manqué dix parties à cause d'un pouce cassé après avoir reçu un vicieux coup de bâton au cours d'une partie contre les faibles *Capitals* de Washington, Lafleur entreprit la 76e partie du calendrier avec 49 buts à son actif. En début de partie, Lafleur, assisté de Mahovlich, marqua son cinquantième but: le Forum était en liesse.

Après ce but, le malheureux Denis Herron deviendrait la victime préférée de Lafleur, et lui concéderait son 50e but en 1977, de nouveau avec les *Scouts* et en 1979, après que les *Scouts* eurent déménagé à Pittsburgh. Peu après, Herron, originaire de Chambly, bénéficia d'un coup de chance et fut échangé à Montréal, où il vit Richard Sévigny accorder les 50es buts de Wayne Babych de St. Louis et de Jacques Richard du Québec. Quittant Montréal pour Pittsburgh en 1982, Herron retrouva sa guigne de quinquagénaire et devint la victime des 50es buts de Michel Goulet et de Tim Kerr en 1984, et de Wayne Gretzky en 1985.

En 1974-75, Lafleur, après avoir joué dix parties de moins que ses compétiteurs, termina au quatrième rang des marqueurs avec 53 buts et 66 passes, derrière Bobby Orr, Phil Esposito et Marcel Dionne. Mahovlich se classa cinquième, deux points derrière Guy. Montréal termina la saison au premier rang, à égalité avec Philadelphie et Buffalo, avec 113 points. Ce qui était plus important pour les partisans, Lafleur devançait Martin par 24 points. Ce dernier allait obtenir sa revanche lorsque Buffalo éliminerait le *Canadien* dans les séries cette année-là.

Cela serait la dernière déception des séries pour la décennie. Au cours des trois années suivantes, Lafleur allait dominer la Ligue, et Montréal gagnerait quatre coupes Stanley consécutives. Le jeune homme qui, à peine trois ans plus tôt, s'était exilé à Longueuil, allait découvrir ce que signifiait vraiment la vie dans l'aquarium du Forum.

Au début de leur mariage, les Lafleur s'installèrent à Verchères, ville francophone de la rive Sud du Saint-Laurent, vis-à-vis de Montréal. C'était un endroit agréable.

— Trop agréable, se souvient Lafleur. Il y avait trop de partisans dans le coin, et nous recherchions le calme et la tranquillité.

Les Lafleur ne s'attendaient certes pas à être exposés, ainsi que leur fils Martin, né en 1975, à des menaces concrètes; pourtant, c'est ce qui arriva.

Béliveau, qui avait été victime d'un cambriolage à Longueuil alors qu'il disputait une partie télévisée au Forum, prit l'affaire en main pour le *Canadien*. Il était en communication constante avec le service de police.

— J'ai dû consacrer presque tout mon temps à cette affaire. La maison de Guy était constamment sous surveillance policière. Guy était toujours protégé par des gardes.

Ce qui a vraiment blessé Lafleur, c'est que ses partisans du Forum l'ont hué à cause de l'irrégularité de ses performances durant les deux premières séries contre les *Black Hawks* de Chicago et les *Islanders* de New York.

Lise Lafleur s'est vite portée à la défense de son mari.

— Si les gens avaient su ce qu'il a dû endurer, ils n'auraient pas été aussi injustes envers lui. C'est incroyable comme cette affaire l'a tourmenté; il a perdu douze livres en trois semaines.

L'épreuve dura trois semaines pour les Lafleur. Durant la première semaine, Mme Lafleur et son fils emménagèrent à l'hôtel Bonaventure, résidence de l'équipe pendant les séries éliminatoires. La semaine suivante, elle retourna chez ses parents à Québec.

L'entourage des *Canadiens* est tellement important que peu de ses coéquipiers soupçonnèrent qu'il y avait anguille sous roche, même avec la présence de gardes de sécurité supplémentaires.

— Ça arrivait souvent que l'équipe engage des gens pour assurer notre tranquillité durant les séries, dit Pete Mahovlich. La plupart d'entre nous pensaient que ces gardes étaient là pour toute l'équipe. Guy ne nous avait jamais parlé de cette menace d'enlèvement. C'est pratiquement la seule chose de sa vie privée que la super-étoile aura pu garder secrète à la fin des années soixante-dix.

Le jeune homme, qui avait passé une bonne partie de sa première saison à profiter de toutes les occasions de prendre la route 40 pour aller à Québec, était devenu l'idole de Montréal. Les traits bien ciselés du visage de Lafleur faisaient la une des revues hebdomadaires ou mensuelles de sport, de patinage, de mode ou encore d'actualité. Il menait une vie de vedette nationale. Il s'envola pour Monaco pour tourner un message publicitaire pour les voitures Monte-Carlo de General Motors... Mais il conduisait une Ferrari dans sa vie quotidienne. Lui qui s'enfermait dans son appartement de Longueuil, voilà que la rue Crescent semblait lui appartenir; il avait sa table aux *Beaux Jeudis* ou à l'*Auberge Saint-Trop!* Jerry Petrie, son nouvel agent d'affaires, recevait des offres de toutes parts; il en acceptait quelques-unes et en refusait beaucoup plus.

Il se peut que Lafleur n'ait pas été plus populaire que Maurice Richard et Jean Béliveau en leur temps et, comme eux, il dut partager la gloire des *Canadiens* avec quantité d'étoiles comme Shutt, Dryden, Lemaire et le «Big Three». Mais c'est lui qui arriva au meilleur moment, à l'âge de la télévision, à l'ère de ce que McLuhan a qualifié de Village global. Plus de gens étaient à même de voir et d'apprécier la magie de son jeu. Et, ce qui est tout aussi important, le Québec français s'affirmait politiquement, socialement et économiquement. Le Parti québécois prit le pouvoir avec fierté. Des gens comme Gilles Villeneuve, Robert Charlebois, Diane Dufresne, le financier Paul Desmarais et Guy Lafleur symbolisaient cette nouvelle vigueur nationale. Un nouvau panthéon d'idoles nationales surgit et la plupart des Québécois les vénérèrent.

Dans un Québec fier de ses nouveaux atouts, le style devint une question importante. Guy Lafleur participa au nouvel élan du Québec. Lorsqu'il se débarrassa de son casque protecteur et que ses cheveux blonds volèrent au vent comme la comète de Halley, quand il compta avec panache ses buts spectaculaires, Lafleur occupa le centre de la scène.

D'autres joueurs de la LNH marquaient des buts à profusion: Phil Esposito, Richard Martin, Reggie Leach, Jean Pronovost, Danny Grant, Marcel Dionne et Pierre Larouche. Seul le style de Larouche peut rivaliser avec celui de Lafleur, mais Larouche évoluait dans l'anonymat de Pittsburgh. Montréal considérait que ces joueurs étaient des «pousseux» de rondelles, qui avaient un gros tir, qui décochaient des boulets de canon dans le filet. Lafleur, lui, était un *artiste* capable de soulever dix-huit mille personnes avec ses montées d'un bout à l'autre de la patinoire. À Montréal, le compagnon de ligne de Lafleur, Steve Shutt, fonctionnait avec un coefficient de quinze en augmentant sa production de 15 à 30 à 45 et à 60 buts, mais personne ne considérait qu'il pût déloger Lafleur de son piédestal. Shutt était un gars très intelligent qui cachait cette intelligence derrière un sourire de façade et un badinage constant. Il se libérait de la tension en se décrivant comme «un vidangeur qui reste dans les parages et ne fait que ramasser les restants de Lafleur, Lemaire et Mahovlich».

Pendant que l'histoire d'amour des Québécois avec eux-mêmes était à son apogée, Lafleur, lui, déménageait, sans tambour ni trompette, à Baie d'Urfé, une banlieue anglophone de l'ouest de l'île de Montréal. Bien que Lafleur ne parlât pas de politique en public, il fit savoir au PQ, et à d'autres, qu'il n'avait pas été séduit par leur politique. Il a été cité une fois (et c'est une rare occasion) sur le sujet dans une revue canadienne-anglaise.

— J'essaie de comprendre le Parti québécois, mais, jusqu'à maintenant, ça ne marche pas. Je demeure dans une banlieue anglophone de Montréal, je veux que mon fils aille à l'école anglaise. Je veux qu'il apprenne l'anglais. J'ai dû l'apprendre moi-même pour jouer à Montréal. Dans l'équipe, ça se partage cinquante-cinquante. C'est une famille, un pour tous, tous pour un. Je ne prends pas de position politique publique, mais j'ai mon idée sur la façon dont les choses se passent. Et je dirais que je suis antiséparatiste.

Ce commentaire aide à comprendre pourquoi, lorsque Lafleur a été impliqué dans une tapageuse dispute contractuelle en 1982, le premier ministre René Lévesque, qui faisait passablement moins d'argent que Lafleur, a été prompt à critiquer la super-étoile. Que la lune de miel du Québec avec le PQ ait été terminée et qu'une des raisons de la dispute contractuelle de Lafleur ait été le système onéreux de taxation (attribué à l'inaptitude financière du PQ), tout cela était relégué au deuxième rang.

À ce moment-là, Lafleur pouvait, impunément, faire ou dire pratiquement n'importe quoi à Montréal. Notre Huckleberry Finn canadien-français réapparut et prospérait allègrement dans le monde mirobolant du *Canadien* de Montréal. Toutes les nouvelles revues aux couvertures reluisantes étaient à l'affût de ses moindres paroles.

— Qu'est-ce que M. Lafleur pense de la mode printanière? Quelle sorte d'automobile M. Lafleur conduit-il? Est-ce que la vie d'un riche athlète est difficile dans les années soixante-dix? Est-ce que tout va bien au sein de la famille Lafleur?

Guy aimait la vie de joueur de hockey et n'hésitait pas à le dire avec ce mélange de naïveté sophistiquée et d'honnêteté désarmante qui le caractérisent.

— Le hockey tient la première place dans ma vie, proclamait-il. Je dois être franc et avouer que le hockey passe avant ma femme et ma famille, ajoutait-il d'un ton qui voulait dire: J'ai travaillé toutes ces années, enfant et adolescent, pour devenir un joueur de hockey, et non un mari ou un père. Les deux autres, c'est arrivé comme ça.

À la maison, Lise Lafleur, jeune femme remarquablement forte, tendait l'autre joue. Parfois, elle mettait les freins, par exemple la fois où Guy se fit photographier avec son fils Martin pour une couverture de revue. Guy se fit rappeler, d'un ton sec, que dans la vraie vie la famille avait passé des heures infernales dans la crainte d'un enlèvement pendant trois semaines en 1976.

— Je ne veux pas que des fous sachent de quoi Martin a l'air, dit-elle. Plus de couvertures de revues.

Guy passait beaucoup de temps sur la rue Crescent avec ses coéquipiers. Steve Shutt en garde un souvenir heureux:

— On jouait fort, et on s'amusait fort aussi.

Guy a expliqué sa philosophie au *Weekend Magazine* en 1978:

— Elle connaissait la situation avant de m'épouser et elle la comprenait. C'est dur pour moi et c'est dur pour elle de l'accepter. Lise n'est pas vraiment un amateur, mais je crois qu'elle est mon plus grand supporteur. Je veux qu'elle soit heureuse. Nous avons, d'un commun accord, nos propres activités. Si je suis à la maison une seule fois dans la semaine et si c'est son soir de sortie, parfait. Dans le fond, je suis un homme de famille, mais quand je suis à la maison, je ne tiens pas en place. Après que j'ai lavé l'automobile et joué avec Martin, je rends ma femme folle parfois.

— Parfois, je pense qu'elle est contente de se débarrasser de moi. On parle d'avoir d'autres enfants, mais je n'en veux pas tout de suite. Je ne veux pas les faire puis retourner sur la route. Ce n'est pas correct.

Lafleur reprit ces thèmes dans diverses entrevues; il ne semblait pas entendre les rumeurs concernant un éventuel divorce. Le Québec avait vraiment changé: si Béliveau ou Richard avaient prononcé de telles paroles, ils auraient vite été dénoncés du haut de toutes les chaires de la province.

En 1982, alors qu'il éprouvait des difficultés sur la glace, Guy Lafleur eut une conversation avec un homme qu'il aimait et respectait, son beau-père, Roger Barré, qui était mourant.

— Guy, tu vieillis et ta carrière de joueur de hockey s'achève, dit-il à la super-étoile de trente et un ans. Tu dois, pour toi, pour Lise et Martin, te calmer pour un bout de temps.

Il y avait une raison derrière cette conversation. Au mois de mars de l'année précédente, Guy avait soupé aux *Beaux Jeudis* avec son coéquipier Robert Picard. Entre sa dispute avec l'impôt et certaines difficultés conjugales, Guy était mentalement fatigué. Les deux hommes avaient bu du vin en mangeant et deux ou trois pousse-café après le repas, puis ils étaient allés dans une discothèque du coin prendre un dernier verre. À deux heures du matin, Guy sauta dans sa Cadillac (l'équipe lui avait demandé de se départir de sa Ferrari) et prit la route de Baie d'Urfé, à environ 40 km par l'autoroute 20. Picard avait suggéré à Lafleur de ne pas conduire.

— Je suis correct, répliqua Lafleur.

Le chroniqueur Ted Blackman de *La Gazette* a écrit:

«Lafleur était connu pour fumer comme une locomotive, mais pas pour sa tolérance à l'alcool. C'est une blague courante dans le milieu que *La Presse* obtient son «scoop» annuel («Lafleur dénonce son entraîneur, ses coéquipiers, sa mère et la tarte au sucre») durant un long voyage de l'équipe en provenance de Los Angeles, quand il a eu le temps de prendre un troisième cocktail et se libère de ses frustrations.»

Vingt minutes après avoir quitté la rue Crescent, la Cadillac de Lafleur quitta la route, accrocha un panneau lumineux et arracha environ vingt mètres d'une clôture Frost. Un poteau de clôture traversa le pare-brise et effleura Lafleur à l'oreille. Il manqua de se faire décapiter à quelques millimètres près. L'accident se produisit parce que Lafleur s'était endormi au volant. Ironie: son sommeil lui a peut-être sauvé la vie.

C'est avec ce bagage d'émotions que Lafleur eut cette conversation avec son beau-père. M. Barré lui donna également quelques bons conseils financiers.

— Il m'a dit que c'était le meilleur moment pour négocier un meilleur contrat.

Il restait encore quatre années avant l'échéance du contrat qui lui donnait 375 000 $ par année. Il alla voir Larry Robinson, qui était lui-même en négociation, et lui suggéra de faire front commun. C'est ce qu'ils firent; tous deux obtinrent une augmentation. Ils se firent cependant peu d'amis auprès des partisans, ou du premier ministre, en se plaignant du système de taxation canadien. La remarque de Lafleur selon laquelle il serait mieux traité en jouant pour une équipe américaine est particulièrement désobligeante.

Si Lafleur était encore un joueur vénéré en 1982, sa popularité diminuait. Ses débordements causés par ses frustrations sur la glace, désillusionnèrent beaucoup de partisans. La première déclaration explosive de Lafleur était survenue en 1978, quatre ans plus tôt, quand il demanda que son contrat soit renégocié.

La dispute de 1978 à propos du contrat annonçait d'autres désaccords publics que Lafleur aurait avec la direction de l'équipe. Le fait que Sam Pollock, parti en septembre après la vente de Molson, ne fasse plus partie de la direction est significatif.

La plupart des partisans de hockey et le deuxième étage du Forum furent désarçonnés lorsqu'un journal français rapporta, on ne sait d'où, que Lafleur avait été affligé d'apprendre, par le biais d'un journal torontois, qu'il ne gagnait que 180 000 $ par année, alors que Dryden était censé ramasser entre 325 000 $ et 350 000 $.

Le corps journalistique légendaire qui couvrait le Forum s'empara de l'affaire comme des commandos survoltés. Jerry Petrie fut convoqué à une rencontre d'urgence avec le nouveau directeur gérant de l'équipe, Irving Grundman. Ce dernier dut éviter l'obstacle avec célérité puisqu'on l'accusait encore d'avoir perdu le populaire Pierre Bouchard en le mettant sur la liste des joueurs non protégés le mois précédent.

Il faut se rappeler trois faits importants dans cette affaire. Lafleur est, dans ses prétentions, très loin de la vérité quant au salaire de Dryden et des autres vétérans de l'équipe. C'est également vrai pour les médias qui ont rapporté que Lafleur avait posé un ultimatum à l'équipe et qu'il n'endosserait pas l'uniforme pour les rencontres à venir si ses exigences n'étaient pas acceptées. (Cela a eu comme conséquence que, au cours du match à Toronto le 25 octobre, il y avait plus de journalistes que de joueurs dans le vestiaire.) Ce qui a été nié par la suite par Petrie et par Grundman. Finalement, c'est Lafleur qui a gagné le duel, et Grundman lui a donné un contrat renégocié. Ce que Pollock n'aurait jamais fait, à en croire certains membres de l'organisation du *Canadien*.

Lafleur joua sans éclat dans ce match nul et tenta de faire marche arrière élégamment devant une situation devenue explosive. Juste avant que ne débute la partie, Petrie lut aux médias un texte censément préparé par Lafleur:

— Certaines remarques regrettables ont été faites à certains membres de la presse, ce qui a eu pour effet de gonfler l'affaire un peu hors de proportion. Je veux simplement consacrer tout mon temps et toutes mes énergies à jouer au hockey pour le *Canadien* et à aider mon équipe à gagner une autre coupe Stanley.

C'est exactement ce qu'il fit. Il marqua 52 buts, y ajouta 77 passes pour 129 points et termina troisième au classement des marqueurs derrière Bryan Trottier et Marcel Dionne. Il ajouta encore 10 buts et 13 passes en 16 parties éliminatoires, et le *Canadien* gagne sa quatrième coupe Stanley consécutive. Mais ce n'était plus pareil. C'était impossible à définir, mais la conduite de Lafleur avait frappé une corde sensible chez le *Canadien*; après tout, Richard et Béliveau n'avaient jamais menacé de ne pas participer à une partie au cours de leur carrière. Quelque chose était irrémédiablement perdu, mais il était difficile de mettre le doigt dessus. Avant sa retraite, Lafleur accorderait d'autres entrevues, tantôt au sujet des négociations salariales, tantôt au sujet des faiblesses de la direction. On chuchotait à propos des plaintes que Lafleur entretenait au sujet des joueurs désignés pour jouer avec lui, à propos des insinuations sur le fait que Shutt aurait ralenti, ou que le nouvel arrivé, Keith Acton, ne lui remettait pas la rondelle assez souvent.

Mais d'autres facteurs contribuaient aussi au changement. Guy Lafleur s'apprêtait à faire face à beaucoup de compétition pour le titre officieux du joueur le plus spectaculaire de la LNH.

La saison 1979-1980 allait être spéciale. Les *Nordiques*, les *Jets* de Winnipeg, les *Whalers* de Hartford et les *Oilers* d'Edmonton et leur jeune sensation, Wayne Gretzky, avaient rejoint les rangs de la LNH. Depuis les dernières saisons, le *Canadien* était très conscient de l'ascension des *Islanders* de New York et de leurs étoiles montantes, les Bryan Trottier, Mike Bossy, Denis Potvin et Clark Gillies. En 1978-1979, les *Islanders* avaient devancé le *Canadien* au classement général (116 points contre 115) avant de se faire surprendre en séries par leurs voisins de New York, les *Rangers*.

Cette même année, Lafleur atteignit de nouveau le cap des 50 buts, de justesse, y ajoutant 75 passes pour 125 points, mais la magie s'estompait quelque peu. Gretzky et Dionne terminent au premier rang des marqueurs avec 137 points; Bossy marque 51 buts pour les *Islanders*. Ce dernier, originaire de Montréal, avait échappé au filet de repêchage du *Canadien*, malgré une campagne pro-Bossy menée par la presse montréalaise, la preuve que le *Canadien* partageait l'opinion selon laquelle les exploits offensifs du hockey junior du Québec étaient surfaits. Ce qui fit que Bossy fut le premier choix au repêchage de 1977 de Bill Torrey, mais le quinzième choix au total après que des joueurs comme Dale McCourt, Barry Beck, Robert Picard, Jere Gillis et

Lucien Deblois eurent été repêchés. Montréal avait le dixième choix et sélectionna Mark Napier qui avait marqué 60 buts avec Birmingham dans l'AMH la saison précédente et qui en avait marqué 156 en trois saisons de hockey junior en Ontario.

Pendant cette période, Bossy avait marqué 308 buts en quatre saisons juniors avec le *National* de Laval et était considéré comme un marqueur naturel. Toutefois, personne ne garantissait son aptitude à jouer défensivement.

— Va me chercher le marqueur, avait dit Al Arbour à Torrey.

— Nous lui apprendrons à jouer défensivement.

Bossy fut un succès immédiat dans la LNH; il gagna le trophée Calder décerné à la meilleure recrue, établit un record de 53 buts et fut choisi comme élément de la deuxième équipe d'étoiles derrière Lafleur. Lafleur marqua 60 buts cette année-là, la seule fois qu'il en marquerait plus que Bossy.

Tous les ans par la suite, Bossy marqua plus de buts que Lafleur et, même à Montréal, on se demandait qui était vraiment le meilleur ailier droit de la Ligue. Lafleur a été le premier joueur à obtenir six saisons consécutives de 50 buts et plus, avant que cette série ne soit interrompue en 1980-1981. Bossy n'a jamais obtenu une saison de moins de 50 buts jusqu'à maintenant, en neuf saisons dans la LNH.

Montréal était encore une superpuissance en 1979-1980, terminant le calendrier au troisième rang avec 107 points. Mais le total du *Canadien* était quelque peu surfait, compte tenu du fait que celui-ci jouait dans la faible division Norris composée des *Kings* de Los Angeles, des *Pingouins* de Pittsburgh, des *Whalers* de Hartford et des *Red Wings* de Detroit. Buffalo jouait dans la difficile division Adams avec Boston, Minnesota, Toronto et Québec. Les *Flyers*, eux, devaient se mesurer aux *Islanders*, aux *Rangers*, aux *Flames* d'Atlanta et aux *Capitals* de Washington.

Ce printemps-là, Montréal entreprit ses séries éliminatoires avec un trois de cinq contre les *Whalers* et une bonne chance de remporter une cinquième coupe Stanley de suite, ce qui égalerait le record de l'historique équipe de la fin des années cinquante. Le *Canadien* balaya la série 3-0, mais vers la fin de la troisième période de la troisième partie, un joueur ordinaire, Pat Boutette, donna un coup de genou à Lafleur qui passait devant lui.

Lafleur, blessé pour le reste des séries, rejoignit l'autre marqueur de 50 buts du *Canadien*, Pierre Larouche, sur les lignes de côté. Avec 100 buts de moins dans son alignement, le *Canadien* perdit en sept parties devant des *North Stars* du Minnesota en pleine ascension. Cela ne serait jamais arrivé avec Lafleur et Larouche dans l'alignement, mais ainsi s'éteignit le rêve d'une cinquième coupe consécutive. Plus tard ce printemps-là, les *Islanders* entamèrent leur série de quatre coupes consécutives.

Contrairement à la mythologie populaire en cours au milieu des années quatre-vingts, le *Canadien* de Montréal n'a pas déclaré forfait dans les années qui ont suivi. L'équipe se maintint parmi les meilleures de la Ligue surtout en saison régulière, terminant au premier rang de la division Norris en 1980-1981 et au premier rang de la nouvelle division 1981-1982 avant de glisser au deuxième rang, derrière Boston, en 1982-1983. La mythologie populaire, créée quotidiennement par les médias locaux, dépeignit ce qui a été qualifié d'«années Grundman» comme un échec sur toute la ligne, une toile d'infâmies futiles accrochée au Forum. Ce n'est pas vrai du tout.

Cependant, deux facteurs s'unirent pour accrocher une étiquette d'ineptie à la concession autrefois glorieuse. Le premier fut la pauvre fiche des *Canadiens* en séries éliminatoires: en 1980-1981, le *Canadien* fut éliminé de façon embarrassante 3-0 par les tout nouveaux *Oilers* d'Edmonton; en 1981-1982, il perdit une série cuisante en temps supplémentaire à la cinquième partie des demi-finales de division contre les redoutés *Nordiques*; en 1982-1983, le *Canadien* fut balayé 3-0 à la série d'ouverture contre les *Sabres*.

Le deuxième facteur, et le plus important, c'est que Guy Lafleur, en chute libre, ne produisait plus comme auparavant. En 1980-1981, une blessure lui fit manquer 29 parties et le Démon blond termina la saison avec 27 buts et 43 passes pour le maigre total de 70 points. Il resta bloqué à 27 buts les deux années suivantes, avant d'en réussir 30 en 1983-1984. Ce qui frustrait Lafleur, et les partisans de Montréal, c'est que n'importe quel joueur habile marquait facilement 50 buts, comme les Rick Kehoe, Dennis Maruk, Dino Ciccarelli et Al Secord l'ont prouvé. Bossy, égal à lui-même, maintenait une moyenne de 60 buts par saison et 20 par séries éliminatoires. Gretzky, lui, était tout simplement sublime, il marquait 55-92-71-74 buts alors que Lafleur en marquait 27-27-27 et 30.

On ne saura jamais si Lafleur faisait lui-même la comparaison avec Gretzky. Tous deux ont joué pour *Équipe Canada* en 1981 et se sont bien entendus. Les partisans d'Edmonton criaient «Guy! Guy! Guy!» quand Lafleur touchait à la rondelle. Malheureusement, *Équipe Canada* se fit humilier par l'équipe soviétique dans ce tournoi.

Pire encore, tous deux se sont mesurés dans la série de quart de finale de 1980-1981, et Gretzky a dominé leur première confrontation. Si Lafleur se refusait à faire des comparaisons, ses coéquipiers, eux, ne se gênaient pas; quand, à la veille des séries, le gardien Richard Sévigny déclara: «Guy va le mettre dans sa poche avant la fin de la série», le coup porta. Tout ce que put obtenir Lafleur, ce fut une passe et une punition mineure. Gretzky termina ses séries avec 7 buts et 14 passes pour 21 points.

Personne ne pouvait prévoir que Lafleur ne marquerait plus que deux buts en séries éliminatoires durant sa carrière, les deux en 1981-1982 contre les *Nordiques*. Son dernier but en séries éliminatoires survenu le 10 avril 1982 lors d'un jeu de puissance à 19 min 34 de la troisième période sauva le *Canadien* de l'humiliation d'un blanchissage.

L'année suivante, après sa pire saison en mémoire (35 victoires, 40 défaites et 5 nulles en 80 matchs), le *Canadien* resurgit en séries et défit les *Bruins*, puis les *Nordiques* et prit une avance de 2-0 contre les *Islanders* avant de s'incliner en six parties. Lafleur ne fournit que trois passes durant ces douze parties. Sa fiche de 30 buts, 40 passes en saison est trompeuse. Il compta la majorité de ses points dans la première moitié du calendrier.

Vers la fin de février, alors que la fiche du *Canadien* était de 28-30-5, l'entraîneur Bob Berry fut congédié; Jacques Lemaire, l'ancien compagnon de ligne de Lafleur, le remplaça. Dans les 17 parties qui restaient dans la saison régulière et les 12 parties éliminatoires, Lafleur ne marqua que deux buts, terminant la saison 1983-1984 dans une léthargie de 26 parties sans but.

Durant l'été 1984, comme l'année précédente, Lafleur travailla fort à son conditionnement physique et se présenta au camp d'entraînement en excellente forme. Mais sa magie était irrémédiablement perdue. En 19 parties, il ne marqua que deux buts — un contre Buffalo et un contre Philadelphie — et ce au mois d'octobre. Il ne put fournir que trois passes, la dernière sur un but de Mark Hunter le 1er novembre lors d'une victoire de 6-5 contre les *Islanders*. Flower passa de grands bouts de la partie cloué au banc par Jacques Lemaire, amateur de jeu défensif. Pourtant, le coup de patin de Lafleur et son jeu défensif étaient meilleurs qu'ils ne l'avaient jamais été depuis des années.

Il patinait bien, et ses adversaires étaient les premiers à l'admettre. Craig Ramsay, Larry Playfair et d'autres membres des *Sabres* ont discuté du jeu de Lafleur à sa dernière saison, l'après-midi de la cérémonie de la retraite de Flower.

— Ce qu'il y a d'étrange, c'est qu'il patinait beaucoup mieux cette saison qu'au cours des deux dernières, dit Ramsay qui allait gagner cette année-là le trophée Frank Selke décerné au meilleur attaquant défensif de la LNH. Il n'enfilait pas la rondelle dans le filet comme auparavant, mais j'ai toujours eu l'impression que, s'il avait marqué une couple de buts, il serait revenu à la normale. Avant chaque partie, notre entraîneur nous disait quelque chose du genre: «Laissez à une autre équipe le soin de le réveiller, ne laissez pas Lafleur nous massacrer.»

Playfair était d'accord.

— Vous pouvez dire ce que vous voulez sur la galerie de la presse; quand vous êtes sur la glace, c'est un autre Lafleur que vous voyez et celui-là peut encore jouer au hockey.

Le samedi 24 novembre, Montréal battit Detroit 6-4 lors d'une partie sans éclat disputée au Forum. Cette victoire donna au surprenant *Canadien* une fiche de 13-4-2 et le Club joua superbement avec le style défensif prôné par Lemaire. Au fil de la jeune saison, le *Canadien* défit ses adversaires de division, Buffalo, Boston et Québec (deux fois). Le *Canadien* a également vaincu la crème des équipes de la LNH: les *Islanders* de New York, les *Flyers* de Philadelphie, les *Oilers* d'Edmonton et les *Black Hawks* de Chicago. Curieusement, trois de ses quatre défaites survinrent contre des équipes moins fortes, Detroit, les *Maple Leafs* de Toronto et les *Pingouins* de Pittsburgh.

Quand l'équipe quitta la glace après cette partie du 24 novembre, peu d'amateurs se doutaient que cette 961e partie disputée par Lafleur avec le *Canadien* de Montréal serait sa dernière.

En dépit du fait que Lafleur ne marquait pas de buts, ses coéquipiers et les amateurs le supportaient encore. Mais il était une plaie ouverte et infectée, que la direction de l'équipe voulait cautériser. C'est avec frustration que Lafleur prenait place sur la glace, devenu l'ombre du joueur qui avait terrorisé une génération d'équipes de la LNH. Comme les *Sabres* l'ont fait remarquer, son coup de patin était encore là, mais quand il touchait à la rondelle, on aurait dit qu'il faisait toujours instinctivement le mauvais jeu. Chaque fois qu'il retournait au banc après son tour sur la patinoire, on entendait un soupir de soulagement venir des gradins. Tout le monde souffrait de voir le lion souffrir, incapable de sortir de sa léthargie. Les parties disputées au Forum devinrent des sessions d'identification collective.

De plus, bien que la direction de l'équipe refusât de l'admettre, Lafleur offrait trop d'opposition à l'autorité de Jacques Lemaire. À trente-trois ans, Lafleur, encore jeune, aurait dû avoir quelques bonnes saisons devant lui. Richard et Béliveau avaient bien joué jusqu'à respectivement trente-neuf et quarante ans. Eux aussi avaient connu des léthargies de fin de carrière mais avaient fini en force. Et, fait encore plus important, tous deux avaient terminé leur carrière avec une équipe qui avait gagné la coupe Stanley.

Cependant, ils ne s'étaient pas rebellés contre la direction de l'équipe au cours de leur carrière. Le Club craignait une autre explosion verbale de Lafleur, qui, selon la direction, serait néfaste à cette jeune équipe en pleine reconstruction. Depuis la célèbre envolée d'Henri Richard à l'endroit d'Al McNeil durant les séries 1971, la direction était hypersensible à toute critique en provenance d'un vétéran.

Le vendredi précédant la partie contre Detroit, le lendemain d'une victoire de 3-2 contre Chicago au Forum durant laquelle Lafleur n'avait presque pas joué, celui-ci eut une longue réunion avec Lemaire. Ils discutèrent de la contribution de Lafleur à l'équipe.

— Avant ma retraite, je patinais bien, mais on ne me laissait pas jouer, dit Lafleur. Je jouais huit ou neuf minutes par partie, et ce n'était pas assez pour me permettre de bâtir ma confiance. Et on savait que je perdais confiance. C'était une guerre psychologique.

Lafleur demanda à plusieurs reprises à Savard de l'échanger.

— On ne peut t'échanger, tu fais partie des meubles, répondait Savard.

— Puis Serge me disait: «Va parler à Jacques», ce qui était une façon de se laver les mains de l'affaire. Je parlais à Jacques, mais il avait son style de jeu. Ce que je respectais. Le vendredi avant que je prenne ma retraite, je me suis assis avec Jacques et je lui ai dit: «Écoute, Jacques, on a joué ensemble, on a eu beaucoup de succès et je jouais vingt-cinq minutes par partie. Si tu penses qu'à mon âge, je ne suis plus capable, dis-le-moi, mais je sais que je peux encore jouer si tu me donnes la chance de le prouver.» Il ne semblait pas y avoir de problème. Nous avions une partie contre Detroit le lendemain, et il m'a dit que je jouerais sur une ligne régulièrement, sur les jeux de puissance et que je jouerais peut-être sur une autre ligne ou en désavantage numérique. Je voulais jouer dix-sept ou dix-huit minutes, pas vingt-cinq ou trente minutes — de façon à retrouver ma confiance.

Lafleur rentra à la maison et parla de sa rencontre avec sa femme.

— Elle n'en croyait pas un mot; elle m'a dit que je me faisais des illusions si je pensais que Lemaire allait faire ça pour moi. Je lui ai dit que je pensais que les choses allaient s'arranger.

Le samedi matin Lafleur se présenta pour l'exercice de patinage en grande forme. Il était tellement énervé qu'il retourna au Forum à trois heures de l'après-midi où il surprit le président de l'équipe, Ronald Corey, qui était dans la salle d'exercice de l'équipe.

— Qu'est-ce que tu fais ici? demanda-t-il à Lafleur.

— Je me prépare, répondit Lafleur. J'ai parlé à Lemaire et je vais avoir de la glace ce soir.

— C'est parfait, dit Corey. J'espère que ça va bien aller et que tu vas marquer une couple de buts.

Lafleur fut sur la glace une fois en première période et deux fois en deuxième.

— Après la deuxième période, j'ai demandé à M. Charest (le policier du Forum qui est en fonction à côté du vestiaire de l'équipe) d'aller chercher Serge Savard, lui disant que c'était urgent. Savard n'est pas descendu parce qu'il savait. Quand il est descendu après la partie, je lui ai dit: «C'est fini. Tu as eu ce que tu voulais. C'est fini.»

Deux semaines seulement avant que Lafleur ne prenne sa retraite, Steve Shutt avait été échangé aux *Kings* de Los Angeles.

— Ça faisait partie du plan. M. Corey était arrivé avec un plan de cinq ans pour rebâtir le *Canadien*, et j'ai toujours pensé que son attitude était pleine de bon sens. Et quand Serge Savard a été nommé directeur gérant, j'ai pensé qu'ils avaient choisi un homme qui saurait quoi faire. Mais peu après qu'il eut pris charge de l'équipe, j'ai découvert par quelqu'un qui avait des sources impeccables — qui avait un «scoop» comme on dit — que Savard avait dit qu'il se débarrasserait de tous les joueurs qui avaient joué avec lui et

Lemaire d'ici trois ans. Je ne le croyais pas au début mais cette personne m'a dit que c'était le mandat de Savard.

— Quand Steve est parti, je savais que je serais le suivant.

Un peu plus de trois mois plus tard, avec une foule qui scandait «Guy! Guy! Guy!» cinq minutes avant qu'il ne fasse son apparition, Lafleur patina sur la glace du Forum pour la dernière fois. Le *Canadien* portait son uniforme blanc du club qui reçoit, les *Sabres* portaient leur uniforme bleu et doré, Guy endossait l'uniforme porté sur la route, le bleu-blanc-rouge légendaire.

Debout au centre de la glace, les parents de Guy, Réjean et Pierrette, Mme Bariveau, sa deuxième mère de Québec, Lise et son fils Martin l'attendaient. Il semble que ce fut la première fois de sa vie que Lise vit vraiment le monde de son mari. Elle était là, vêtue d'une élégante robe bleue garnie d'un corsage doré, et semblait renversée par l'ovation; elle regardait sans comprendre alors que Guy s'enivrait une dernière fois de l'adulation des partisans. C'est comme si les partisans disaient: «Le monde fantasmatique de Guy est aussi réel que n'importe quel autre. Cette ovation est bien réelle. Sa carrière spéciale et la signification qu'elle a pour nous, c'est bien réel.»

Il y avait plus de dix-huit mille spectateurs payants, deux cents journalistes et techniciens et quelque quarante hockeyeurs professionnels dans l'enceinte; tous participaient sans gêne aucune à cette ovation debout qui a duré à peine moins de cinq minutes. Le Forum comptait peu d'yeux secs ce soir-là, certainement pas ceux de Lise Lafleur. Devant elle, Martin se mordillait bravement les lèvres durant les présentations spéciales.

L'entraîneur adjoint des *Sabres*, Roger Crozier, debout sur le banc des visiteurs, applaudissait sans cesse et poussait certains de ses joueurs au centre de la glace, où ils se retrouvèrent au milieu d'une phalange de journalistes. Les «Guy! Guy! Guy!» fusaient des gradins. Les joueurs des *Sabres* et des *Canadiens* frappaient les bandes et la glace de leurs bâtons. C'est le genre d'hommage que seuls Morenz, Richard et Béliveau ont reçu dans cet édifice.

Guy patina vers ses anciens coéquipiers, défila devant le banc en serrant les mains, glissa un mot à Mario Tremblay, dit une farce à Larry Robinson. Et puis, sous les clameurs de la foule, il reprit l'exercice devant le banc des *Sabres*. Des durs comme Larry Playfair et Mike Foligno, oubliant toutes les animosités du passé, souriaient à se fendre la bouche. Ils avoueront par la suite leur émotion. Sous les éclairs des appareils photographiques qui miroitaient dans la baie vitrée derrière eux, Lafleur s'arrêta et partagea un moment paisible avec Gilbert Perreault. Deux ou trois joueurs des *Sabres* étaient derrière la meute de journalistes, et Lafleur ne pouvait pas les voir; croyant avoir fait le tour de tous les *Sabres*, il serra la main de Foligno et retourna au centre de la glace après avoir échangé un dernier mot avec Perreault. On pouvait lire la déception sur le visage de Paul Cyr du haut de la galerie de la presse.

Comme Bobby Clark l'avait déjà dit:

— Il y a des joueurs dans cette ligue qui font que les autres joueurs deviennent des partisans. Lafleur était de ceux-là. C'était le genre de joueur que, lorsque vous jouiez contre lui, vous regardiez à l'oeuvre quand vous n'étiez pas sur la glace.

Après l'émotion de la conférence de presse du 26 novembre durant laquelle un Lafleur déconcerté annonça sa retraite, la machine administrative du *Canadien* se mit en branle. Guy fut tranquillement inscrit à des cours d'administration et fit désormais partie de l'équipe du deuxième étage.

Pendant un bout de temps, on aurait dit que ça marcherait. Le guerrier ébranlé qui annonçait sa retraite avait disparu quand Lafleur se présenta au dîner du Publicité Club en février, une semaine avant la cérémonie de ses adieux sur la glace.

Bronzé après des vacances dans le Sud, Lafleur était détendu; son complet trois pièces à rayures lui allait bien. Les trois cents hommes d'affaires scandaient «Guy! Guy! Guy!» pendant que celui-ci se rendait au podium.

Faisant allusion aux notes qu'il tenait à la main, Lafleur lança:

— La différence entre ma nouvelle vie et ma vie d'il y a trois mois c'est que je n'étais pas obligé de traîner un bout de papier avec moi sur la glace. Je ne suis plus un joueur de hockey. J'aborde une nouvelle carrière et j'ai l'intention d'y consacrer autant d'énergie qu'au hockey. Pour ceux d'entre vous qui parlent toujours de rumeurs de mon retour au jeu pour les éliminatoires, je dois dire que je ne reviendrai pas au jeu cette saison.

Puis, après une pause, il ajouta:

— Je ne reviendrai jamais au jeu.

Faisant allusion à ses désaccords passés avec la direction de l'équipe, Lafleur dit:

— Maintenant, je comprends comment ils pensent en haut. Ils sont maintenant à mon niveau... le deuxième étage.

Toujours, c'est très long, surtout si vous êtes un homme de trente-trois ans qui vient de passer deux décennies sous les feux de la rampe. Pour Lafleur, «toujours» au deuxième étage du Forum aura duré moins d'un an. Au milieu de septembre, le *Journal de Montréal* rapporta que Lafleur était engagé dans une autre dispute salariale, cette fois-ci au sujet de son salaire éventuel à titre d'officier de relations publiques avec le *Canadien*. Une année avant la fin du contrat lui assurant plus de 400 000 $ par année en tant que joueur, Lafleur se vit offrir le généreux salaire de 75 000 $ par année, avec un généreux compte de dépenses et une augmentation de dix pour cent par an à compter de 1987.

La réponse de Flower était prévisible:

— Je ne m'attends pas à être payé comme un joueur, mais je ne suis pas un simple commis de bureau et n'entends pas être payé comme tel.

Il suggéra enfin que, s'il déménageait à Québec, il pourrait travailler dans l'industrie automobile et s'occuper des relations publiques pour les *Nordiques*.

Cette fois-ci, cependant, le deuxième étage resta de marbre.

— Je suis désolé de la décision de Guy de démissionner, dit Corey. Considérant ce qu'il a dit publiquement au sujet d'une affaire privée, je n'ai d'autre choix que d'accepter sa démission, effective immédiatement.

«On m'a dit que je démissionnais», dit Lafleur. Quelques jours plus tard, Lafleur jonglait avec l'idée d'effectuer un retour au jeu et obtint la permission de Savard de s'entretenir avec d'autres équipes. Il y eut des pourparlers avec les *Rangers* de New York, les *Pingouins* de Pittsburgh et les *Kings* de Los Angeles, mais ils n'aboutirent pas.

— Rogatien Vachon (le directeur gérant des *Kings*) est le meilleur ami de Savard, il n'y avait donc pas grande chance à Los Angeles. Les *Rangers* étaient en train de laisser tomber leurs vétérans, comme Mike Rogers et Pierre Larouche, donc cela ne mena pas à grand-chose de ce côté-là non plus. Pittsburgh offrait une vraie possibilité parce qu'Eddie Johnson aimait l'idée de me faire jouer avec Mario Lemieux, mais il fallait l'accord d'Eddie deBartolo, le propriétaire.

Lafleur donna à toutes les équipes jusqu'à 5 heures de l'après-midi (heure avancée de l'Est) le vendredi 11 octobre, pour s'entendre avec lui. Pittsburgh ne put respecter ce délai. Plus tard, le même jour, il annonça qu'il ne reviendrait pas au jeu. S'il y avait une certaine revanche dans l'affaire, c'est que le *Canadien* avait dû inscrire le nom de Lafleur sur la liste des dix-huit joueurs protégés plus tôt dans la semaine afin qu'il ne soit pas sujet au repêchage des joueurs non protégés.

Serge Savard ne vit pas cela du même angle:

— Nous avons protégé Guy afin qu'il puisse choisir son équipe s'il désirait retourner au jeu. Si nous ne l'avions pas protégé, il n'aurait peut-être pas voulu jouer pour l'équipe qui l'aurait repêché. Après tout ce qu'il a été pour le *Canadien* pendant si longtemps, ça aurait été injuste de le placer dans cette situation.

Et si Lafleur désirait revenir avec le *Canadien*?

— Pas question, répondit Savard.

C'est un lendemain de Noël venteux à Paris en 1985, pas tellement différent de ce froid jour d'avril d'il y a bien longtemps à Verdun. Et s'il n'y a pas d'enfants qui jouent au hockey à la balle dans les rues, beaucoup se dirigent vers un édifice de métal et de béton, le Palais Omnisport Paris-Bercy. Cet impressionnant complexe sportif est l'hôte des deux premières parties d'un tournoi international de hockey. Guy Lafleur, qui n'a pas revêtu l'uniforme de joueur de hockey durant le calendrier régulier, est assis paisiblement dans le vestiaire des *Français volants*, l'équipe de Paris de la première division de France. Les *Français volants* portent des couleurs bleu-blanc-rouge et sont, littéralement, les *Flying Frenchmen*. Ils feront face bientôt au *Dynamo* de Riga, de la Ligue Élite d'Union soviétique.

Pour une fois, le salaire de Lafleur n'est pas une pomme de discorde:

— Ils me payent mille dollars et me fournissent les billets d'avion et ma chambre à l'hôtel Intercontinental, dit Lafleur en souriant.

Les joueurs de hockey professionnel portent des combinaisons sous leur uniforme et leurs épaulettes, jambières et autre équipement de protection. C'est ainsi que s'habillent les *Français volants*, dont font partie des anciens joueurs professionnels comme Patrick Daley, compagnon de ligne de Mike Bossy à Laval et Larry Skimmer d'Ottawa, anciennement des *Rockies* du Colorado. Lafleur, lui, est habillé comme s'il allait jouer au hockey dans sa cour: une camisole, des caleçons de sport et de vieilles épaulettes auxquelles sont attachés des protecteurs pour les coudes.

Il saute sur la patinoire du Palais Omnisport Paris-Bercy avec ses nouveaux coéquipiers pour livrer bataille aux Soviétiques. Trois heures plus tard, c'est les yeux au plafond qu'il répond aux questions des journalistes suspendus à ses lèvres.

— Qu'est-ce que ça fait de perdre 16-1? est la première question.

— Pas de bien du tout, réplique-t-il, esquissant un sourire. Mais ces gars-là auraient donné du fil à retordre à beaucoup d'équipes de la LNH. Je ne suis pas ici en tant que sauveur de l'équipe; je suis ici pour aider à vendre le hockey.

Lafleur et ses compagnons de trio, Daley et Christian Pouget, un rapide centre qui joue pour les *Draveurs* de Trois-Rivières de la Ligue de hockey junior majeur du Québec, sont les seuls capables de se tirer d'affaire contre le *Dynamo* de Riga; ils terminent la partie avec une fiche de moins un, ayant été sur la glace pour le 14e but du *Dynamo*.

En un sens, le POPB est la réplique du Forum. Beaucoup d'expatriés québécois et canadiens (et quelques-uns vous font savoir qu'il y a une différence) sont presque de service pour assister à la partie. Ici et là, on peut apercevoir un chandail adulé du *Canadien*.

La plupart sont en poste à Paris auprès de la Maison du Québec ou de l'ambassade canadienne depuis plusieurs années et n'ont pas eu à vivre les frustrations de la fin de carrière de Lafleur. On peut les entendre pousser des «Oh!» et des «Ah!» à chacun de ses gestes et étouffer un grognement à chaque jeu serré. Les Soviétiques augmentent leur avance 11-1, 12-1, 13-1, mais la foule reste. Un but du Démon blond panserait les plaies. Mais leur attente est vaine. Lafleur a peut-être chaussé les patins une dizaine de fois depuis quatre mois et il est essoufflé après ses brèves prestations sur la patinoire. De plus, les Soviets se mettent à deux pour le surveiller durant les trois périodes. Chaque fois qu'il met le patin sur la glace, il est couvert par un défenseur et par un ailier.

Samedi, les *Français volants* joueront une finale de consolation contre une équipe que le promoteur a appelée par euphémisme la *Sélection* de Montréal. Il s'agit en fait des *Bisons* de Granby, bons derniers de la Ligue de hockey junior majeure du Québec, appuyés pour l'occasion par un centre et un grand gardien des *Titans* de Laval, Mario Brunetta, un choix au repêchage des *Nordiques*.

Naturellement, ils vénèrent tous Lafleur et, avant la partie, font un pèlerinage au vestiaire des *Français volants* pour les autographes d'usage. Durant la partie, cependant, les *Bisons* ne font pas de quartier, et bien qu'ils montrent un sage respect pour Lafleur, ils frappent et accrochent les *Français volants* à chaque occasion. Le seul qui semble vouloir frapper Lafleur est le jeune Stéphane Roy, dont le frère Patrick gardera les buts le soir même pour le *Canadien* contre les *Devils* du New Jersey.

Plus de sept mille personnes — la deuxième assistance en nombre à un match de hockey à Paris — regardent avec intérêt les deux équipes se frapper à qui mieux mieux, délaissant le style européen pour pratiquer le jeu d'Amérique du Nord. Mais nous sommes bien à Paris. L'annonceur maison, un croisement entre Bill Murray et René Lecavalier, entretient un feu roulant de commentaires durant la partie.

— Quelle mise en échec, Mesdames et Messieurs! Allez, on applaudit nos Paris volants!

À ses côtés, au niveau de la patinoire, se trouve l'organiste de l'enceinte qui joue comme un dément à chaque pause dans le jeu. Le complexe de 17 000 places a ouvert ses portes en février 1984 et possède une vaste patinoire européenne; le champ de vision des spectateurs n'est jamais obstrué, et les sièges rembourrés ont la fâcheuse propriété d'absorber le bruit que font les rondelles perdues et qu'on perd de vue puisque les lumières sont éteintes durant la partie.

La casse se poursuit sur la patinoire jusqu'à ce que le défenseur Mario Barbe du Granby soit puni à 4 min 57. Une minute plus tard, les *Français volants* marquent et la foule applaudit chaleureusement. Quelques instants plus tôt, Lafleur avait frappé le poteau d'un tir de la pointe.

À la deuxième période, les équipes marquent tour à tour et, avec vingt minutes à jouer, l'équipe locale mène 2-1. Alors que les amateurs français font la queue pour acheter des «chiens-chauds» (saucisse française et moutarde de Dijon sur un pain baguette) dans les corridors du POPB, on ne parle que de Lafleur.

— Va-t-il finir par marquer?

La foule semble se résigner au fait que la magie a disparu; ce sont les expatriés québécois et canadiens qui accusent le coup le plus durement.

Aussie Whiting

Toe Blake, David Molson et Sam Pollock célèbrent le Sacre du printemps à Montréal: un autre défilé de la coupe Stanley.

La photo d'équipe des *Canadiens* de Montréal, saison 1930-1931: Aurèle Joliat et Howie Morenz sont respectivement les neuvième et onzième joueurs à partir de la gauche, alors que le propriétaire, Léo Dandurand, apparaît à l'extrême droite.

David Bier Photo Inc.

L'entraîneur Dick Irvin montre sa joie et Frank Selke est tout sourire lors de la signature du premier contrat dans la LNH de Jean Béliveau, en octobre 1953, après que les *Canadiens* lui eurent fait la cour durant deux ans. Comment Selke réussit-il ce coup de maître ? «C'est simple, dit-il, j'ai ouvert les coffres du Forum et je lui ai dit: 'Sers-toi Jean'.»

Denis Brodeur

Les robustes joueurs des années soixante: John Ferguson (en haut), Yvan Cournoyer, le gardien Charlie Hodge et Claude Provost (après une victoire en éliminatoires en 1964). Aucun de ces joueurs ne se vit offrir un contrat de publicité après cette photo, mais ils gagnèrent la partie.

Rice Photo Montreal

Denis Brodeur

Scotty Bowman, alors entraîneur des *Blues* de St. Louis, le capitaine Jean Béliveau et l'entraîneur de Montréal, Claude Ruel, après que les *Canadiens* eurent remporté la coupe Stanley en 1969 à St. Louis. C'était la seizième Coupe pour Montréal. Trois ans plus tard, Bowman serait l'entraîneur en chef des *Canadiens*.

Le Forum, vers 1966. Le temple du hockey semble quelque peu tombé en décrépitude avant que ne débutent les importantes rénovations en 1968.

David Bier Photo Inc.

David Bier Photo Inc.

Maurice Richard déjoue Sugar Jim Henry lors des éliminatoires de 1953. Les *Canadiens* remportèrent la coupe Stanley cette année-là.

Jean Béliveau glisse le disque à côté de Gilles Gilbert du Minnesota, sous les yeux de Frank Mahovlich. La date: le 11 février 1971. Au chronomètre: 6 minutes, 42 secondes en deuxième période. L'occasion: le troisième but de Béliveau dans la victoire de 5 à 3 des *Canadiens* et le 500e de sa carrière illustre.

Denis Brodeur

Denis Brodeur

Guy Lafleur marque un but contre Philadelphie en séries éliminatoires.

Denis Brodeur

La rencontre des générations: Jean Béliveau, Guy Lafleur et Maurice Richard.

Denis Brodeur

Ken Dryden. C'est grâce à des arrêts comme celui-ci que cet avocat/gardien de but fut intronisé au Temple de la Renommée de la LNH avant même d'avoir 35 ans.

Lise Lafleur, son fils Martin et la seconde mère de Guy, Mme Eva Bariveau, assistent tout émus à l'ovation monstre qui accueille Lafleur au Forum, le 16 février 1985, lors de la cérémonie officielle marquant sa retraite.

Denis Brodeur

Reportagebild, Stockholm

Mats Naslund, 5 ans, a toujours su qu'il jouerait pour les *Canadiens* de Montréal. Cette photo fut prise en mars 1967, presque 20 ans et deux mois avant que «le petit Viking» ne célèbre sa première coupe Stanley avec les vrais *Canadiens*.

Finies les promotions ordinaires chez les *Canadiens* de Montréal. Seigneur, vice-président du marketing du club, se fait photographier avec «le petit Viking» (Mats Naslund), après que ce dernier eut lui-même fait l'objet de la page couverture d'un magazine.

Bob Fisher

Denis Brodeur

Patrick Roy excelle une fois de plus en éliminatoires, alors que Rick Green lui vient en aide. Roy, une recrue, a mérité le trophée Conn Smythe remis au meilleur joueur des éliminatoires de la coupe Stanley 1986.

Claude Lemieux élimine les *Whalers* de Hartford d'un haut revers lancé par-dessus l'épaule gauche de Mike Liut, après 5 min., 55 sec. en prolongation, lors de la septième partie.

Denis Brodeur

On fête à 30 000 pieds d'altitude! Claude Lemieux, Gaston Gingras et Serge Boisvert (arborant une rose sur l'oreille) célèbrent le championnat de la coupe Stanley sur le vol qui les rapatrie à Montréal.

Bob Fisher

La troisième période débute sur une mauvaise note pour l'équipe locale alors que Granby, après seulement treize secondes, marque durant un jeu de puissance et force le jeu pour prendre l'avance. Lafleur mène plusieurs descentes et effectue plusieurs bons tirs frappés de l'intérieur de la ligne bleue. Mario Brunetta mesure 1 m 85, et c'est un gardien qui reste debout. Il sort pour couvrir les angles, emmitoufle la rondelle dans ses jambières et repousse les retours dans les coins de la patinoire.

Les partisans sont surexcités quand, après un peu plus de six minutes de jeu, Lafleur reprend sa manoeuvre, hésite et tire. Brunetta effectue l'arrêt facilement, mais l'hésitation de Lafleur était volontaire. Son joueur de centre Pouget fonce sur le gardien à travers l'enclave, et Daley, qui n'a pas oublié le hockey violent d'Amérique du Nord, met en échec le défenseur qui se dirigeait vers la rondelle que Brunetta a repoussée trop rapidement. Daley part de l'aile droite et fonce derrière le filet, Lafleur le suit et plaque le défenseur. Son élan entraîne les deux joueurs loin de la rondelle qui se trouve un peu en arrière à la droite de Brunetta. Lafleur s'envole, s'empare de la rondelle et, se déplaçant de côté d'un mouvement fluide, la loge dans le coin éloigné du filet alors que le gardien étonné achève son demi-tour. Et le Rocket et le Gros Bill ont marqué leur dernier but sur des jeux amorcés derrière le filet.

Daley et Pouget, leurs bâtons en l'air, foncent vers Lafleur. Il faut plus de temps aux spectateurs pour réagir; ils ont l'air abasourdis par la rapidité de ce qui vient de se passer. Puis s'élève un «Oh!» général, on relâche son souffle et tout le monde semble applaudir et parler en même temps.

Chapitre 11

Les années soixante-dix

À Philadelphie, par une douce journée de septembre 1975, plus précisément le 21, tous les esprits étaient tournés vers «The Bull» Lefty et Mike dit «The Hammer» Schmidt au moment où les *Phillies* tentaient par tous les moyens de s'emparer de la couronne de la division Est de la Ligue nationale de base-ball. En même temps, Dic Vermeil, un jeune entraîneur de la côte ouest, était en train de démontrer qu'un dévouement fanatique au travail pouvait transformer ses *Eagles* de la Ligue nationale de football en prétendants sérieux au championnat. Et l'équipe améliorée des *76ers* était fin prête pour entreprendre une nouvelle saison dans la National Basketball Association.

Au Spectrum, de l'autre côté de la rue du Veteran's Stadium, les détenteurs de la coupe Stanley, les *Flyers* de Philadelphie, connus aussi sous le nom de *Broad Street Bullies*, se préparaient à semer la zizanie sur la patinoire afin d'obtenir leur troisième championnat consécutif. La partie d'exhibition de ce soir-là serait la seconde de la fin de semaine contre les *Canadiens* de Montréal, une équipe qui devenait de plus en plus menaçante et qui pouvait mettre la suprématie des *Flyers* en péril.

Avec cela en tête, les *Flyers* avaient durement frappé et battu en brèche les *Canadiens* le samedi soir au Forum, remportant la victoire au compte de 5 à 4. Il y avait eu vingt et une pénalités durant l'affrontement, incluant des pénalités majeures à Dave «The Hammer» Schultz et à l'enflammé Doug

Risebrough des *Canadiens*. Schultz ajouta l'insulte à l'injure en marquant le but gagnant avec moins de trois minutes à jouer, après avoir fait dévier un tir de Ed Van Impe.

Partie d'exhibition malgré tout; les *Flyers* avaient livré leur message: «La coupe nous appartient; si vous la voulez, il faudra nous l'arracher. Amitiés, les *Flyers* de Philadelphie, R. E. Clarke, capitaine.»

Risebrough et Schultz avaient croisé le fer après que l'ailier de Philadelphie eut renforcé le message avec une dure mise en échec contre Yvan Cournoyer, le nouveau capitaine des *Canadiens* (Henri Richard avait pris sa retraite durant l'été). Le message fut reçu clair et net par Guy Lapointe, et le défenseur poids lourd se lança courageusement à l'aide de son capitaine en proférant des menaces épouvantables à l'endroit de Schultz... à une confortable distance de 6 m et par-dessus les têtes des deux juges de lignes et de l'arbitre, Bryan Lewis.

Après la partie, William Scott Bowman félicita Risebrough de sa témérité et de son bon sens: le jeune joueur de centre avait attaqué Schultz par derrière, lui serrant la tête dans un étau et s'agrippant au colosse jusqu'à ce qu'il crie grâce. Bowman émit ensuite quelques gloussements significatifs à l'intention des plus gros spécimens de joueurs arborant le chandail blanc au Forum.«Le jeune Douglas ne pèse que 80 kg, et l'instructeur pense qu'il met des piles dans ses poches avant de monter sur la balance, dit-il de sa voix faussement douce. Il y en a d'autres dans cette chambre que je ne nommerai pas dans l'intérêt de l'unité de l'équipe, mais qui font largement plus de 1 m 80 et 90 kg, sans pile en poche. C'est à eux que je m'adresse pour dire que nos honorables adversaires de Philadelphie sont au comble de la joie quand quelqu'un comme M. Schultz met brutalement notre capitaine en échec et que nos joueurs se contentent de lui faire quelques remontrances polies. Messieurs, je vous laisse réfléchir à la question suivante, sur laquelle vous aurez tout le loisir de méditer pendant notre envolée vers le magnifique État de Pennsylvanie: À votre avis, comment les *Flyers* auraient-ils réagi, si, Dieu nous en garde, un de nos joueurs avait osé administrer le même traitement à leur capitaine, à savoir Robert Earle Clarke?»

Le lendemain, les *Canadiens* en chandail rouge qui apparurent sur la patinoire du Spectrum pour la période de réchauffement semblaient beaucoup plus costauds que l'équipe en chandail blanc de la veille. L'alignement affichait de jeunes mangeurs de viande rouge en bonne santé, tels Sean Bryan Shanahan (1 m 87, 93 kg), Glenn Michael Goldup (1 m 80, 84 kg), Pierre «Butch Jr» Bouchard (1 m 85, 92 kg) et Rick Raymond Chartraw (1 m 85, 95 kg).

Tard en troisième période, Montréal menait 6 à 2 quand le jeune monsieur Risebrough se mit en tête de trouver la réponse à la question posée la veille au soir par son entraîneur. Alors que lui-même et monsieur Clarke retournaient à leurs bancs respectifs, il y eut échange de plaisanteries. Passant de la parole aux actes ils laissèrent tous deux tomber les gants pour s'en prendre l'un à l'autre. La réponse à la question de Bowman ne se fit pas attendre et fut délivrée en personne par Schultz qui avait quitté le banc des siens pour sauter dans la mêlée. Les deux bancs se vidèrent alors.

Pour citer Stephen John Shutt, certes plus éloquent comme marqueur de buts que comme historien:

— On leur a servi la raclée de leur vie.

Schultz, qui récolterait des trios de pénalités durant la soirée (trois mineures, trois majeures et trois inconduites) fut intercepté par Chartraw, et les deux reprirent où ils l'avaient laissé un pugilat amorcé en première période. Résultat: Chartraw 2, Schultz 0. M. Jack McIlhargey reçut une tripotée en règle de monsieur Bouchard et balbutia:

— J't'aurai à la prochaine partie!

La réplique de Bouchard, toujours volubile dans les deux langues officielles, ne se fit pas attendre:

— J'suis pas inquiet. T'auras été relégué aux mineures à ce moment-là!

M. Gary Dornhoefer, surnommé «High Cheeks» à cause de son habitude d'obscurcir le champ visuel des gardiens de but adverses dans l'enclave, se faisait étrangler par un grand *Canadien* devant le banc de Montréal.

— Pour l'amour du ciel, Scotty, retiens-le. Je ne peux plus respirer, implorait-il.

Pendant ce temps, McIlhargey susnommé qui s'était séparé de Bouchard avec l'aide de juges de lignes dépassés par les événements, tomba face à face avec monsieur Goldup. Hélas, ce n'était pas sa soirée. Même les joueurs réputés pour leur pacifisme participaient au bingo, tels Jim Roberts et Bill Barber, Guy Lafleur et Mel Bridgman (Lafleur allait alors découvrir qu'il était un pacifique et non un bagarreur), Mario Tremblay et ce même monsieur Bridgman (qui allait découvrir, à son grand dépit, que le jeune Mario était un amoureux... de la bagarre), sans oublier les deux joueurs qui avaient ouvert les jeux, messieurs Clarke et Risebrough.

— L'arbitre du match, Bruce Hook, donna 322 minutes de pénalités en tout, dont 250 comme résultat direct des festivités qui avaient vidé les deux bancs. André dit «Moose» Dupont, anciennement du *Canadien Junior*, écopa cinq minutes pour avoir frappé William Scott Bowman durant la mêlée.

— Je me disais que tout ça était la faute de Scotty, fulmina-t-il après la pseudo-partie.

Dix ans plus tard, Shutt livra ses commentaires au sujet de l'innocente rencontre:

— Nous avons remporté la coupe Stanley ce soir-là. Ce n'est qu'au mois de mai suivant que c'est devenu officiel. Pour battre les champions de la coupe Stanley, il faut adopter leur jeu parce que c'est eux qui donnent le ton.

Philadelphie avait une rude équipe, et il fallait leur montrer que nous étions encore plus rudes, les briser psychologiquement. Et même si nous n'avions pas remporté toutes les bagarres, ce que nous avons fait de toute façon, ils avaient compris que ce n'était pas en se bagarrant avec nous qu'ils nous vaincraient.

— Assis dans la chambre des joueurs après la partie, bien des gars souriaient. On savait qu'on les avait eus. Mieux encore, ils le savaient eux aussi. Après les avoir battus à leur propre style de jeu, nous pouvions leur imposer le nôtre et nous savions que jamais ils ne pourraient patiner comme nous.

Scotty Bowman abondait aussi dans ce sens, en réfléchissant à l'importance de cette partie d'exhibition qui eut lieu il y a dix ans.

— Les *Broad Street Bullies* jouaient leur style de jeu avec efficacité. Jamais je n'ai pensé à critiquer la composition de leur équipe, ou bien le travail de Fred Shero comme entraîneur, car on travaille avec ce qu'on a. Et si Dave Schultz et moi-même avons eu des points de vue divergents au cours des années, je ne pouvais pas critiquer son style de jeu. Il fallait lui faire crédit... il a joué pendant neuf ans dans cette ligue et s'en est tiré avec deux bagues de la coupe Stanley. Il a fait ce qu'il devait. Nous devions tout simplement chercher à contrecarrer ce qui faisait la force des *Flyers*.

Huit mois plus tard, avec Rick Chartraw et Pierre Bouchard à l'avant, les *Canadiens* éliminaient les *Flyers* en quatre parties dans une série relativement calme. L'équipe de Sam Pollock des années soixante-dix était arrivée et allait remporter quatre championnats de suite tout en raflant plusieurs records de la Ligue.

Si jamais les repêchages de Pollock ont porté fruit, c'est avec l'équipe qu'il assembla pendant les années soixante-dix. Les repêchages de 1968 et 1969 représentaient la fin d'une époque et la disparition des territoires protégés. Toutefois cela n'empêcha pas Pollock de réunir une impressionnante distribution de talents locaux.

Les joueurs suivants formaient l'équipe de 1975-1976:

Dans les buts: Michel Larocque et Ken Dryden.

À la défense: John Van Boxmeer, Guy Lapointe, Serge Savard, Larry Robinson, Don Awrey, Pierre Bouchard et Rick Chartraw.

À l'avant: Jim Roberts, Doug Risebrough, Guy Lafleur, Yvon Lambert, Yvan Cournoyer, Mario Tremblay, Glenn Goldup, Ron Andruff, Murray Wilson, Pete Mahovlich, Doug Jarvis, Steve Shutt, Bob Gainey, Jacques Lemaire et Sean Shanahan.

Tous, sauf Dryden, Awrey, Lambert, Mahovlich et Jarvis, avaient été repêchés par les *Canadiens* ou, dans le cas de certains vétérans, venaient des rangs des équipes juniors commanditées par les *Canadiens*. Dryden avait au début été repêché par Boston; Awrey avait été obtenu dans un échange avec St.Louis. Lambert était au départ un choix au repêchage de Detroit,

Mahovlich fit partie d'un échange avec Detroit, et Jarvis, d'une transaction avec Toronto.

Durant l'hégémonie de Montréal sur quatre coupes Stanley, il y avait un va-et-vient continuel de joueurs. Au nombre des nouveaux venus qui remporteraient au moins une coupe Stanley, on trouve Bill Nyrop, Brian Englom, Réjean Houle (de retour de l'AMH), Pierre Mondou, Gilles Lupien, Pierre Larouche, Pat Hughes, Rod Langway, Cam Connor et Mark Napier. Nyrop fut repêché en 1972, Connor et Lupien en 1974, Mondou, Engblom et Hughes en 1975, Napier et Langway en 1977. Seul Larouche avait fait l'objet d'un échange.

En tout, cela voulait dire que seize joueurs qui avaient été repêchés par les *Canadiens* remporteraient au moins une coupe Stanley au cours des quatre remportées par l'équipe de 1975 à 1979. Cela voulait dire également que les *Canadiens* réussissaient à faire ce qu'aucune autre équipe n'avait accompli: reconstruire et rajeunir leur formation tout en remportant des championnats.

Les *Canadiens* des années soixante-dix accusèrent un an de retard. Très peu de partisans des *Canadiens* s'attendaient à ce que l'équipe remporte la coupe Stanley en 1970-1971 et ils lui en furent fort reconnaissants. Ils allaient toutefois être bien déçus par l'épidémie de départs après la saison. Jean Béliveau et John Ferguson prirent leur retraite, ce dernier afin de mieux se consacrer à ses intérêts dans le monde des affaires. Ralph Backstrom fut échangé afin que soit garanti le repêchage de Lafleur, et Rogatien Vachon prit lui aussi le chemin de l'Ouest en 1972. Un an plus tard, nouveaux changements avec le départ de Houle, Tardif et J.C. Tremblay qui passaient à l'Association mondiale de hockey, tandis que Terry Harper et Chuck Lefley étaient échangés.

L'équipe qui avait gagné en mai 1971 était celle des années soixante. En 1975-1976, les détenteurs de la coupe Stanley de 1970-1971 n'étaient plus qu'un souvenir. Seuls demeuraient Lapointe, Cournoyer, Savard, Mahovlich, Lemaire, Bouchard et Dryden et, parmi eux, seuls Cournoyer, Savard et Lemaire venaient des années soixante. Tous les autres avaient été acquis pendant la période transitoire et allaient devenir la pierre angulaire des années soixante-dix.

Malgré tous ces départs en quatre ans, Montréal réussit quand même à remporter, en 1972-1973, une coupe Stanley.

On n'avait pas besoin d'aller loin en 1970 pour se rendre compte à quel point les *Canadiens* des années soixante-dix allaient être forts. À un moment ou l'autre durant la saison, les *Voyageurs* de Montréal de la Ligue américaine de hockey alignaient les joueurs suivants: Mahovlich, Bouchard, Dryden, Lapointe, Dennis Hextall, Jude Drouin, Guy Charron, Chuck Lefley, Bob Murdoch, Phil Roberto, Reynald Comeau et Bobby Seehan. Ils firent un carnage dans la LAH, et plusieurs experts sentirent, à voir la faiblesse de certaines équipes de la division Ouest, que si les *Voyageurs* avaient joué dans cette division de la LNH, ils se seraient rendus aux éliminatoires.

Un an plus tard, la concession des *Voyageurs* serait transférée à Halifax où ils continueraient de dominer la LAH. Halifax deviendrait la première demeure professionnelle des futurs *Canadiens* Gainey, Tremblay, Risebrough, Chartraw, Lambert, Guy Carbonneau et Keith Acton.

Comme nous l'avons dit plus haut, les *Canadiens* des années soixante se rendirent au printemps de 1971, à la victoire-surprise aux dépens des *Bruins* qui les mènerait à leur dix-septième coupe Stanley. Le scandale Henri Richard, qui avait invectivé l'entraîneur Al MacNeil après que ce dernier lui eut fait réchauffer le banc pendant la cinquième partie de la série contre Chicago, allait avoir des répercussions à long terme dont l'équipe se ressentirait pour le reste de la décennie. Henri ramassa sa fierté et marqua les buts égalisateur et gagnant lors de la victoire sur les *Black Hawks* au compte de 3-2, serrant MacNeil dans ses bras sur la patinoire après la partie.

Mais il ne pouvait retirer ce qui avait été dit. L'un des deux devait partir. Serait-ce le capitaine canadien-français de l'équipe, porteur du nom de Richard qui faisait la fierté des *Canadiens*? Féroce compétiteur qui ne donnait ni ne demandait de quartier à des adversaires bien plus gros que lui, Henri faisait partie des meubles à Montréal.

C'est donc MacNeil qui partit et de son propre gré, ses critiques à l'endroit de Richard ayant attiré sur lui et sur sa famille des menaces de mort.

— Plusieurs éléments avaient contribué à ce que je devienne l'entraîneur des *Canadiens*, dit MacNeil. Je connaissais Sam Pollock depuis des années, bien avant qu'il ne devienne le directeur gérant des *Canadiens*. J'étais capitaine de son club à Hull-Ottawa, et il m'avait demandé d'y demeurer pour devenir l'entraîneur de l'équipe. J'avais refusé parce que je voulais tenter ma chance comme joueur dans la Ligue nationale de hockey.

MacNeil commença à Montréal et joua huit ans dans la LNH, surtout pour les *Black Hawks* de Chicago. À sa retraite comme joueur, Pollock vint lui offrir le choix entre Cleveland et Houston, deux clubs-écoles des *Canadiens*. MacNeil choisit Houston et devint l'entraîneur de futures étoiles comme Guy Lapointe, Jude Drouin et Tony Esposito. Un an plus tard, il se retrouva entraîneur des *Voyageurs* de la LAH.

Pollock n'eut pas loin à aller en décembre 1970 pour trouver un entraîneur des *Canadiens* de Montréal lorsque Claude Ruel décida que la tension était trop forte pour lui.

— En prenant la relève, je m'attendais à passer de nombreuses années derrière le banc des *Canadiens*. J'étais entraîneur de carrière et je m'entendais bien avec les jeunes joueurs comme Tardif, Houle et Lapointe, même si certains vétérans me donnaient du fil à retordre. L'équipe était bien établie et les anciens n'acceptaient pas tout ce que je voulais qu'ils fassent.

L'année connut des hauts et des bas pour Montréal, à cause surtout d'une faiblesse dans les buts, mais on fit appel à Ken Dryden qui éblouit tout le monde lors de la défaite de Boston en sept parties et le triomphe de Montréal en six parties sur le Minnesota. MacNeil se retrouva entraîneur des *Canadiens* dans la finale de la coupe Stanley.

— Je faisais beaucoup jouer les jeunes, et après la cinquième partie, Henri, que j'avais laissé sur le banc, laissa libre cours à sa colère, et me traita de mauvais entraîneur. Après cet incident, le Forum commença à recevoir des appels à la bombe. Il faut se rappeler que ceci se passait tout juste après la Crise d'octobre et la Loi des mesures de guerre, et que les relations entre les anglophones et les francophones étaient très tendues.

Aux deux parties suivantes, des gardes du corps étaient derrière MacNeil au Forum et à Chicago, tandis que Mme MacNeil et leur jeune fille faisaient également l'objet d'une surveillance à la maison.

Après la victoire de la coupe Stanley, la famille MacNeil prit des vacances en Floride. À son retour, MacNeil, natif des Maritimes, signifia à Pollock qu'il ne voulait plus être l'entraîneur des *Canadiens*.

Quinze ans plus tard, Henri regrette encore que l'incident ait impliqué des rapports français-anglais.

— Ce n'était qu'une situation joueur-entraîneur, rien de plus. J'ai dit ce que j'avais sur le coeur et je l'ai regretté deux minutes plus tard quand j'ai vu la tournure que prenaient les événements. Al et moi sommes redevenus amis quand tout a été terminé, mais sa femme ne voulait pas m'adresser la parole après l'incident; en vérité je la comprends.

Nonobstant le baume apporté par une autre coupe Stanley, il était bien plus simple de donner de l'avancement, sans tambour ni trompette, à cet anglophone entraîneur par intérim, en le nommant directeur gérant des nouveaux *Voyageurs* de la Nouvelle-Écosse, et de trouver quelqu'un pour le remplacer derrière le banc des *Canadiens*. Sam Pollock souleva l'ire de certains qui lui en voulaient de ne pas avoir soutenu son entraîneur, mais c'est MacNeil qui avait pris la décision. Pollock accepta cette décision parce qu'il était un habile joueur des pourcentages. Il n'y avait pas d'affaire de pourcentage à tomber durement sur Richard, ce professionnel par excellence qui venait de procurer la coupe Stanley aux *Canadiens* et qui se donnait toujours à 99,9 p. 100.

Aussi n'aurait-il aucune difficulté à trouver un entraîneur — Scotty Bowman, un des protégés de Pollock, avait fait des miracles avec des échanges et avec des vétérans arrivés en fin de carrière, et ses *Blues* de St. Louis s'étaient rendus en finale de la LNH trois années durant. Toutefois, les récents propriétaires des *Blues*, les frères Solomon, s'entendaient mal avec Bowman, qui ne leur permettait pas de s'amuser avec leur nouveau jouet. La vie devenait tendue dans la métropole du Missouri.

Sam et Scotty avaient fait pas mal de chemin ensemble dans l'organisation montréalaise. Bowman, un petit gars de Verdun d'où venaient Donnie Marshall et Budy O'Connor, avait joué avec les *Canadiens juniors* jusqu'à ce qu'une blessure à la tête mette fin à sa carrière de joueur en 1951-1952. Pendant la troisième période d'une partie, Bowman, qui s'échappait vers le filet adverse, fut brutalement arrêté par un coup de bâton assené à deux mains par Jean-Guy Talbot.

— Ce fut la fin pour moi. Je n'ai jamais été le même après. Je n'avais plus confiance. J'avais de fréquents maux de tête et j'ai eu la vision embrouillée pendant la saison morte; alors le Club a recommandé que j'arrête de jouer.

Le Club assuma ses frais d'inscription pour des cours d'administration à l'Université Sir George Williams et Bowman entreprit en échange une carrière d'entraîneur au niveau midget. Deux ans plus tard il passait dans le système des *Canadiens* et, en 1957, devenait l'adjoint de Pollock avec les *Canadiens juniors* de Hull-Ottawa, qui allaient remporter la coupe Memorial.

Les avantages inhérents à la tradition des *Canadiens* étaient évidents quand Bowman alla à St.Louis en 1967 avec carte blanche.

— Frank Selke et Sam Pollock avaient mis sur pied le plus important réseau, et les entraîneurs et directeurs gérants du réseau des *Canadiens* faisaient l'envie de toutes les nouvelles équipes. Après tout, nous savions où étaient tous les bons joueurs, et les nouvelles équipes voulaient profiter de cette connaissance. Elles avaient bien raison.

Bowman recourut immédiatement à ses contacts avec les *Canadiens* et remplit son équipe d'anciens joueurs des *Canadiens* et de leurs clubs-écoles. Il en retira tout de suite les avantages, et les *Blues* devinrent la coqueluche de St.Louis. Lors de la finale de la division Ouest, éperonnés par les robustes Dickie Moore, Noël Picard et Bill McCreary, les *Blues* menaient les *Flyers* de Philadelphie 1 à 0 et trois parties à deux, tard durant la sixième partie. Les *Flyers* marquèrent un but chanceux pour égaliser les chances et un but encore plus chanceux en prolongation. Les *Blues* étaient abattus et les *Flyers* s'attendaient à remporter la septième partie.

Pendant les éliminatoires, Bowman surveillait de près le club-école des *Blues* à Kansas City, dont l'entraîneur-joueur était un certain Doug Harvey.

— Je pensais vraiment que Doug nous aiderait mais je ne pouvais pas le faire venir avant la fin de leur série. Après notre sixième partie, il m'a téléphoné pour me dire que son équipe avait été éliminée. Je lui ai dit de rappliquer, car nous avions besoin de lui.

Harvey récolta la première étoile dans la victoire 3-1 des *Blues*.

Montréal élimina St.Louis, quatre parties à zéro, en finale de la coupe Stanley en mai de cette année-là, ce qui ne rend pas justice à la tâche immense accomplie par Bowman. Les comptes finaux étaient 3-2-1-0, 4-3 et 3-2 alors qu'une «brochette» de vétérans près de la retraite et de jeunes recrues livrait bataille aux *Canadiens* avec acharnement. Un an plus tard, les *Canadiens* éliminaient de nouveau les *Blues* en quatre parties aux marques respectables. En 1969-1970, les *Blues* participaient à leur troisième finale d'affilée, cette fois contre les *Bruins*. Ils furent là aussi éliminés en quatre parties.

Observant son ancien adjoint qui obtenait de superbes résultats des *Blues*, Pollock attendait. Quand l'affaire Richard-MacNeil fit la une des journaux, Pollock était bien déterminé à embaucher Bowman.

Cette décision allait se révéler aussi importante que l'acquisition de n'importe quel joueur qui a joué pour les *Canadiens* pour le reste de la décennie. Bowman mena les *Canadiens* en transition vers une troisième place respectable dans la division Est en 1971-1972, à un point derrière les *Rangers* de New York et à onze points derrière Boston.

Après quelques transactions effectuées en saison morte, les *Canadiens* menèrent leur division en 1972-1973 et gagnèrent la coupe Stanley, la première de cinq gagnées en huit ans par Bowman à Montréal. Ce pourcentage de victoires rivalisait avec les résultats obtenus par l'immortel Toe Blake des années cinquante et soixante.

Il y avait toutefois un monde de différence entre les deux styles.

Peter Mahovlich sourit lorsqu'il se souvient de l'homme qui fut son entraîneur pour trois de ses quatre coupes Stanley avec Montréal.

— Tout d'abord, il faut que vous vous fassiez à l'idée que Scotty est un menteur. Il dirait et ferait n'importe quoi pour faire gagner l'équipe. D'aucuns diraient que nous avons gagné malgré Scotty ou même en dépit de Scotty, ce qui est faux. C'était un excellent entraîneur, spécialement dans les parties serrées. Il était tout à fait terrible dans ses relations personnelles... il n'en avait pas.

Des joueurs comme Shutt, Henri Richard et Lafleur se souviennent d'une des particularités de Bowman:

— Ce qui était le plus étrange chez Scotty, dit Shutt, c'est que plus nous menions dans une partie, plus il s'agitait. Si la partie était serrée, 2 à 1, il se tenait tranquille et ne disait rien. Mais si nous avions une avance de quatre ou cinq buts, il devenait fou... il criait après nous de ne pas lâcher, de ne pas ralentir, de ne pas laisser l'autre équipe entrer dans la partie.

Que se disent donc les joueurs lors des mini-caucus avant la mise au jeu? La scène suivante est imaginaire mais ne doit pas être bien éloignée de la vérité.

(Montréal mène 8 à 3 contre une équipe de l'expansion et bénéficie d'un jeu de puissance tard dans la partie.)

GUY LAFLEUR (jetant un regard vers le banc des *Canadiens* où Bowman, en proie à la plus vive agitation fait les cent pas, croquant des glaçons au même rythme qu'un Cuisinart): Viens Shuttie, allons en compter une couple d'autres.

STEVE SHUTT: Seigneur! je sais pas! Ça serait vraiment tourner le fer dans la plaie. La partie est presque terminée.

LAFLEUR: Je veux voir si on peut y faire faire une crise cardiaque.

SHUTT: Y a pas un gars sur le banc qui lui donnerait le bouche-à-bouche.

LAFLEUR: Je le sais ben. Je veux voir lesquels de nos gars sauteront sur les ambulanciers St-Jean pour les en empêcher.

SHUTT: O.K.!

Le style de Toe Blake était de parler aux joueurs individuellement et en privé, quitte à enguirlander toute l'équipe s'il en ressentait le besoin. Pour sa part, Bowman châtiait ses mécréants devant leurs coéquipiers, et même les joueurs qui ne s'entendaient pas entre eux déploraient cette habitude.

Henri Richard fut impliqué avec Savard dans le célèbre incident de la gifle à Vancouver au mois de septembre 1972. L'équipe venait de retourner au vestiaire des joueurs après avoir subi une défaite humiliante de 9 à 1 contre les *Canucks* quand Jacques Laperrière, encore furieux d'un article de journal paru la veille, s'écria:

— Ne laissons pas entrer les maudits journalistes dans la chambre!

L'équipe, depuis la haute direction jusqu'aux plus bas échelons, était dans une de ses passes d'humeur massacrante.

Certains joueurs étaient «en maudit» au sujet d'un article humoristique sur les voyages à l'extérieur paru dans un quotidien montréalais. Personne ne l'avait lu, mais des extraits leur avaient été communiqués par téléphone. On avait dit à d'autres joueurs de paraître fâchés. La direction voulait ainsi mettre les médias en garde.

— Bonne idée, renchérit Savard.

Ce superbe joueur de défense était revenu au jeu après avoir subi des fractures aux jambes deux saisons de suite, pour remporter le trophée Conn Smythe en série 1969 de la coupe Stanley. Il était devenu le meneur de la faction volubile des jeunes turcs, constamment en chicane avec la presse depuis la série Canada-Union soviétique présentée deux mois plus tôt.

Richard, à sa deuxième saison comme capitaine de l'équipe et «très vieille école», intervint:

— Ça va faire! Ils ne font que leur boulot.

Après un chaud échange de propos, Savard lança au capitaine de l'équipe:

— Si tu les aimes tant, pourquoi tu couches pas avec?

De nombreux coéquipiers et adversaires vous diront que des deux Richard, c'était Henri et pas Maurice qui avait la mèche la plus courte. Livide, le capitaine (1 m 67) s'avança vers le défenseur (1 m 85) et le gifla de toutes ses forces. Le coup s'entendit à l'extérieur du vestiaire.

— J'ai ouvert mon poing à la dernière seconde, avoua-t-il.

Les autres joueurs intervinrent pour séparer les belligérants et tous furent d'accord pour que l'incident ne sorte pas du vestiaire des joueurs. Il n'en fut rien, plusieurs joueurs en ayant été très ébranlés. Richard et Savard ne se parlèrent pour ainsi dire plus pendant longtemps.

Un an plus tard, Savard ne se présenta pas à un entraînement, et Bowman en fit toute une histoire devant les autres joueurs, ce qui dérangea Richard.

— On était tendus à la fin de l'entraînement, dit Richard et nous trouvions tous à un bout de la patinoire, appuyés sur nos bâtons, quand Scotty commença à traiter Savard de toutes sortes de noms et à dénigrer un gars que Savard voyait beaucoup à l'époque, disant que le gars en question venait de divorcer, qu'il traînait Savard dans les bars, que les joueurs de hockey ne devraient pas être niais au point de se laisser entraîner dans de telles situations, parce que toute l'équipe en souffrait.

Le petit capitaine de l'équipe s'interposa:

— Scotty, si t'as quelque chose à dire à Serge, dis-le à Serge. Il n'est pas ici maintenant.

L'entraîneur comprit le message.

— Il n'y a pas de doute que Scotty avait ses joueurs préférés, et il aimait comparer les joueurs entre eux, ajoute Mahovlich, lui-même impliqué dans une chicane classique avec Bowman en 1977, quand il fut échangé à Pittsburgh. Bowman n'était pas souvent satisfait de son grand joueur de centre et le disait aux journalistes. Peter, qui avait aussi des amis parmi les médias, lui rendait la pareille jusqu'à ce que Pollock rende service à tout le monde en envoyant Mahovlich à Pittsburgh.

— L'important c'est que la manière de Scotty fonctionnait. Ses équipes pouvaient le haïr, il en faisait ressortir le meilleur, ce dont peu d'entraîneurs peuvent se vanter. Que vous soyez ou non d'accord avec lui, que vous l'aimiez ou que vous la haïssiez, il gagnait, et c'est de ça que les gens se souviennent aujourd'hui.

Ce commentaire est chaudement approuvé par Al Strachan, journaliste sportif au *Globe and Mail de* Toronto, qui couvrait à l'époque les *Canadiens* pour la *Gazette*.

Les joueurs haïssaient Scotty trois cent soixante-quatre jours par année. Le trois cent soixante-cinquième, ils encaissaient leur chèque de la coupe Stanley. Scotty se servait des médias comme d'un bon violon, et cela dérangeait beaucoup de ses joueurs. Mais son objectif était de gagner à tout prix, et il avait toute la confiance des joueurs derrière le banc. Il était assez solitaire mais il nous invitait souvent à déjeuner et répondait à toutes nos questions.

Strachan se souvient d'un incident qui est du Bowman classique.

— L'équipe, forte d'une bonne série de victoires, venait d'arriver à Minnesota lorsque Scotty convoqua les journalistes et leur annonça qu'il retirait Shutt de l'alignement de ce soir-là. C'était l'année où Shutt allait terminer la saison avec 60 buts et il était vraiment écoeuré. Il apprit la nouvelle à Lafleur, qui n'était pas très heureux lui non plus de perdre son ailier gauche, et on convoqua une réunion du comité des vétérans. Ils soumirent leur grief à Bowman qui se laissa convaincre de laisser jouer Shutt ce soir-là. Et les *Canadiens* détruisirent les *North Stars*.

Cela avait fonctionné. Bowman refusait que son équipe ne devienne trop sûre d'elle-même. Il avait toujours une longueur d'avance sur ses joueurs, et ceux-ci le savaient fort bien.

Malgré tous ces conflits internes, l'équipe des *Canadiens* de 1975-1976 était formidable. Shutt et Lafleur, qui jouaient avec Henri Richard depuis deux saisons, avaient maintenant rejoint Mahovlich sur la «ligne du beigne», ainsi nommée par Pierre Bouchard («avec un trou dans le centre»).

Les vétérans Jacques Lemaire et Yvan Cournoyer faisaient partie d'un deuxième trio avec différents ailiers gauches dont le fin patineur Murray Wilson. Le trio défensif était le meilleur qu'on puisse trouver, avec Doug Jarvis au centre, une recrue issue de «l'École pour une meilleure défensive» des *Petes* de Peterborough et un des meilleurs gagnants de mise au jeu de la Ligue. Il jouait avec le vétéran Jim Roberts et l'incomparable Bob Gainey, qui était à la défensive ce que Lafleur était à l'attaque.

Le quatrième trio regroupait les «Maraudeurs de Piton», Doug Risebrough, Mario Tremblay et Yvon Lambert, trois jeunes joueurs qui frappaient tout ce qui bougeait, marquaient des buts importants et faisaient des ravages dans la zone ennemie. Piton était le surnom de Claude Ruel qui restait souvent après les séances d'entraînement pour travailler avec les recrues.

— Et si vous réussissiez à vous défaire de ces avants, dit Don Cherry, ancien entraîneur des *Bruins*, vous deviez affronter le «Big Three» à la ligne bleue et Dryden dans les buts. Il se peut que les équipes des *Canadiens* de 1975-1976 et 1976-1977 aient été les meilleures de tous les temps de la LNH. Elles étaient certainement meilleures que les *Oilers* des années quatre-vingts à cause de leur défensive.

Boston avait Borry Orr. Les *Flyers* avaient une défensive à toute épreuve formée de Tom Bladon, Ed Van Impe, les frères Watson et Moose Dupont. Mais Montréal avait Serge Savard, Guy Lapointe et Larry Robinson. Les trois pouvaient patiner, tirer au but et frapper avec autorité. N'importe lequel des trois pouvait ouvrir le jeu tout grand par une passe, par un élan ou avec une mise en échec. Savard et Robinson étaient passés maîtres dans des passes en plein sur la lame du bâton d'un joueur de centre lancé à fond de train au centre de la patinoire.

Lapointe était aussi un excellent passeur mais ses points forts étaient d'abord sa grande vitesse, grâce à laquelle il rejoignait souvent les avants lors d'attaques, ensuite sa maîtrise à jouer «la pointe» sur les jeux de puissance, et ses prouesses à la ligne bleue. Son tir dévastateur, bas et direct au but, que seul dépassait celui de Orr, était plus efficace encore que celui d'un autre superbe défenseur à New York nommé Brad Park.

Le «Big Three» partageait la défensive avec deux autres joueurs de grande qualité, Bill Nyrop et Brian Engblom, ainsi qu'avec l'homme à tout faire, Pierre Bouchard, qui jouait un rôle de premier plan lors des embouteillages.

Ken Dryden est mal à l'aise lorsqu'on fait des comptes rendus exaltés ou romanesques de ses exploits devant le but. Mentionnons toutefois qu'il fait partie d'une très rare élite de joueurs à avoir été nommés au Temple de la Renommée de la LNH avant même d'avoir trente-cinq ans. En un peu plus de sept ans avec les *Canadiens*, il avait une moyenne à vie de buts comptés contre lui de 2,24, et 4 jeux blancs à son actif.

En séries éliminatoires, il a joué chaque minute de chaque partie, menant Montréal à six coupes Stanley, pour une moyenne de 750, la plus élevée dans la LNH pour un joueur actif pendant cinq saisons ou plus. Beaucoup de gens pensent que les *Canadiens* auraient remporté un des championnats des *Flyers* si Dryden n'avait pas décidé de ne pas jouer durant la saison 1973-1974 à cause d'une dispute salariale. Il est également le seul joueur dans l'histoire de la LNH à avoir remporté un important trophée de la LNH *avant* de gagner le trophée Calder accordé à la meilleure recrue. (Il gagna le trophée Conn Smythe pour avoir été le meilleur joueur lors des séries éliminatoires de 1970-1971, et remporta le Calder en 1971-1972.)

Cette équipe allait donner aux partisans de Montréal le genre de hockey tout à fait enlevant auquel ils s'étaient habitués. En 1975-1976, les *Canadiens* finirent la saison régulière avec 58 victoires, 11 défaites et 11 parties nulles pour un total de 127 points, brisant du coup le record détenu par les *Bruins* de Boston en 1970-1971 de 57 victoires, 124 points. Et, chose incroyable, l'équipe de 1976-1977 fut encore meilleure, établissant des records encore intacts à ce jour: 60 victoires, 8 défaites (le plus petit nombre de défaites dans une saison de 80 parties) et le plus grand nombre de points, 132. L'année suivante, les *Canadiens* «glisseront» à 59-10-11 pour 129 points.

À notre époque des *Oilers* à sens unique, où les vétérans de trente ans, détenteurs de gros contrats mais sachant pas mal de choses sur la défense disparaissent mystérieusement pour faire place à des jeunes gens de dix-neuf ans, pas défensifs pour deux sous mais bien meilleur marché, à notre époque donc, les exploits des *Canadiens* au chapitre des buts marqués ne tiennent plus du prodige. Les *Bruins* de Boston marquèrent un incroyable total de 399 buts en saison régulière 1970-1971, et ce total ne serait pas dépassé avant 1981-1982, par les 417 buts marqués par les *Oilers* d'Edmonton, qui marqueraient 424, 446 et 401 buts dans leurs trois prochaines saisons.

Toutefois, Edmonton accorderait 295, 315, 314 et 298 buts durant ces mêmes saisons. Ce qui veut dire que les *Oilers* ont terminé ces saisons avec un rapport plus-moins de + 122, + 109, + 132 et + 103, de 1,25 à 1,5 but marqué par partie de plus que leurs adversaires.

L'équipe de Montréal était bien équilibrée et beaucoup plus dévastatrice. Les *Canadiens* des années soixante-dix établirent des records de ligue en points, victoires et défaites, parce que pendant qu'ils inondaient les filets adverses de buts, ils n'en accordaient que peu. De 1974-1975 à 1978-1979, les rapports plus-moins de Montréal se lisaient comme suit: 374-225 (+ 149), 337-174 (+ 163), 387-171 (+ 216!), 359-183 (+ 176) et 337-204 (+ 133). Au cours de ces cinq saisons, Montréal compta 837 buts de plus que ses adversaires en 400 parties de saison régulière, ou 2,09 buts par partie. En 1976-1977, la différence par partie a atteint le chiffre phénoménal de 2,7 buts par partie! Jamais cette équipe n'aurait été battue 11 - 0 par les *Whalers* de Hartford ou 11 - 9 par les *Maple Leafs* de Toronto, comme cela est arrivé aux *Oilers* même dans une mauvaise partie.

À d'autres égards, 1971 fut encore une année de transition pour les *Canadiens*. Le 31 décembre, quelques heures à peine avant l'entrée en vigueur des nouvelles stipulations de la Loi de l'impôt sur le gain en capital, la famille Molson vendait le Canadien Arena Company (les *Canadiens* de Montréal et le Forum) à un consortium formé par Edward et Peter Bronfman, la Banque de Nouvelle-Écosse et Baton Broadcasting de John Bassett à Toronto, pour à peu près quinze millions de dollars. Le groupe acquéreur s'appelait Placement Rondelle. Peter, David et William Molson avaient acheté l'équipe pour cinq millions de dollars en 1968 à leurs cousins Hartland et Tom, qui eux avaient acheté le Canadian Arena Company au sénateur Raymond en 1957.

Les Molson avaient été bénéfiques pour les *Canadiens* de Montréal et avaient permis à Frank Selke et à Sam Pollock de mener la dynastie à leur guise, tout en garantissant les neuf millions et demi de dollars nécessaires aux rénovations de 1968, rénovations qui ont fait du Forum une des meilleures patinoires de hockey au monde.

Jacques Courtois, avocat montréalais et conservateur bien connu, fut nommé président, alors que Bassett et les frères Bronfman devenaient membres du nouveau conseil d'administration. Tous les autres vice-présidents, Pollock, Toe Blake et Jean Béliveau, conserveraient leurs postes, et il y aurait peu de changements durant les sept années à venir. Les Bronfman amenèrent avec eux Irving Grundman, conseiller financier, qui allait s'occuper du côté affaires de l'exploitation de la Canadian Arena Company.

L'équipe fut de nouveau vendue en 1978. Ce changement de propriétaires se répercutait depuis l'administration jusque sur la patinoire.

Aussi bizarre que cela puisse paraître, la transaction débuta sur un terrain de base-ball, le pire terrain qui ait empoisonné les ligues majeures des temps modernes, le CNE Stadium à Toronto. En 1976, John Labatt Ltée, de London en Ontario, devenait propriétaire principal de l'équipe de l'expansion des *Blue Jays* de Toronto. À la stupéfaction de Labatt, cette transaction allait augmenter sa part du très lucratif marché de la bière en Ontario de deux pour cent, ce qui représentait un gain important dans la guerre sans merci que se livraient les brasseries.

Labatt comprit immédiatement l'importance des liens avec le sport et chercha à étendre sa participation dans ce domaine. L'achat des *Canadiens* serait une arme à deux tranchants. Non seulement Labatt serait associée à la meilleure équipe de hockey, mais elle pourrait aussi faire cesser l'hégémonie de la bière Molson sur les retransmissions télévisées des très regardés *Canadiens*.

Il y eut conférence de presse au siège social québécois de la Brasserie Molson, rue Notre-Dame à Montréal, pour annoncer la vente de l'équipe. À la sortie, Peter Bronfman, accompagné d'un des avocats, déambulait dans la rue ensoleillée à la recherche d'un taxi. Interrogé par un journaliste, il afficha l'expression d'un chat qui vient de manger le canari:

— C'était un marché de vendeurs, répondit-il.

Très au courant de l'intérêt manifesté par Labatt et voulant conserver à tout prix une association télévisée qui durait depuis plus de vingt-cinq ans, la Brasserie Molson venait de payer vingt millions de dollars pour les *Canadiens* de Montréal. Cette fois-ci néanmoins, l'édifice et l'équipe avaient fait l'objet de transactions différentes, ce qui expliquait la bonne humeur de Peter Bronfman. Il venait de signer un bail à long terme d'une valeur de trente millions de dollars, bail qui est encore en vigueur aujourd'hui.

La transaction se fit sentir jusqu'«en haut», dans le vestiaire des joueurs des *Canadiens*, à cause du départ de Sam Pollock. Tout au long du règne de sept ans des Bronfman, Pollock avait profité des occasions en prenant avantage des options d'achat d'actions et des programmes de participation aux bénéfices offerts par ses employeurs. Au moment de la vente, Pollock était très engagé avec les Bronfman et il hésitait à renoncer à ses avantages.

— J'avais été dans le hockey et avec les *Canadiens* de Montréal depuis la fin de l'école secondaire. Il était temps que je parte. Je n'ai pas douté une seconde que cela me manquerait, mais une occasion unique m'était offerte par les Bronfman et je voulais en profiter.

La retraite de Pollock eut des conséquences immédiates. Scotty Bowman s'attendait vraiment à être nommé directeur gérant à sa place, mais au début de la saison 1978-1979, c'est Irving Grundman qui allait occuper ce poste.

Grundman s'était joint aux *Canadiens* en 1972 pour être «les yeux et les oreilles» des Bronfman et avait suivi un cours avancé en «Sam Pollock». Ils avaient travaillé côte-à-côte durant six ans, et déjeunaient ensemble presque tous les jours, discutant de la complexité des affaires et des aspects du jeu des *Canadiens* de Montréal. Que Pollock ait joué ou non un rôle important dans la nomination de Grundman — ce qu'il a toujours nié —, Bowman s'est retrouvé sur la voie de garage.

— Scotty et moi nous étions toujours assez bien entendus et il n'y avait pas ce qu'on pourrait appeler un conflit de personnalités. Mais cet été-là, il m'a dit clairement qu'il ne travaillerait pas pour moi. Je lui ai répondu que c'était dommage parce que je pensais qu'il était le meilleur entraîneur de hockey disponible et je le pense encore. J'aimerais qu'il soit encore là.

Grundman tenta de persuader Bowman de demeurer avec l'équipe.

— Scotty, je ne me vois pas faire ce boulot durant plus de deux ou trois ans, au maximum. Je n'aurais aucune hésitation à te passer les rênes de l'équipe à ce moment-là. Tout ce que tu as à faire, c'est de patienter un peu.

Mais Bowman ne voulait pas attendre. Il demeura derrière le banc durant la saison suivante, et les *Canadiens* remportèrent leur quatrième coupe Stanley d'affilée. Et même s'il ne boudait pas en public, il était anormalement tranquille avec l'équipe.

— Ce n'était pas du grand Scotty, dit Steve Shutt. L'année fut étrange. Nous obtenions d'excellents résultats même si nous n'écrasions pas nos adversaires comme avant. Nous remportions encore les parties importantes contre les grosses équipes même si les *Islanders* nous menaient la vie dure. Et, à travers tout ça, Scotty gardait son calme, comme s'il était ailleurs.

Les réactions à la nomination de Irving Grundman furent très différentes. Il fut adulé après avoir montré qu'il avait bien suivi le cours en «Pollock 101» lorsque trois diplômés de l'AMH, Mark Napier, Cam Connor et Rod Langway rejoignirent l'équipe. Officiellement, ces trois joueurs avaient signé des contrats et participaient au camp d'entraînement, mais Grundman répétait qu'il restait quelques détails à régler et que leurs contrats n'avaient pas été enregistrés au bureau de la Ligue. C'est-à-dire qu'ils avaient le statut de choix au repêchage non assigné, et Montréal avait trois joueurs de moins sur la liste des joueurs non protégés lors du nouveau repêchage de la Ligue le Jour d'action de grâce.

Par contre, on lui tomba dessus lorsque les *Canadiens* perdirent Pierre Bouchard au profit des *Capitals* de Washington lors de ce même repêchage. Les deux équipes avaient monté le scénario suivant, digne du machiavélisme de Pollock: Washington repêchait Bouchard, et le mettait sur sa liste de joueurs protégés pour ensuite l'échanger aux *Canadiens* après le repêchage. Toutefois, la Ligue statua que ce procédé était en contradiction avec les règles de la liste des joueurs non protégés, et Bouchard dut rester à Washington.

— J'ai consulté des avocats et j'ai fait lire la règle à Sam; tous étaient d'accord pour dire que notre contrat d'échange était valide, dit Grundman plusieurs années plus tard. John Ziegler décida de légiférer contre nous.

Ce qui était arrivé en fait, c'est que Ziegler s'inquiétait de l'éventualité d'une grève des joueurs. Allan Eagleson, directeur du syndicat des joueurs avait fait miroiter la possibilité d'une grève après que toutes les parties concernées eurent conclu que la politique de joueurs autonomes de la LNH n'était qu'un tigre de papier. La liste des joueurs non protégés ne donnait qu'un semblant de mobilité aux joueurs.

Cet incident causa énormément d'embarras à Grundman et au club qui avait la meilleure réputation de la Ligue depuis si longtemps. Toutes sortes de rumeurs circulaient, même dans les bureaux administratifs. Selon certaines versions, Scotty Bowman aurait été le véritable instigateur de toute l'affaire. On disait que Bowman avait fait partie du comité qui avait rédigé la règle couvrant les échanges de joueurs non protégés et qu'il avait dit à Grundman qu'il pouvait sans inquiétude conclure la transaction avec Washington, sachant très bien que la transaction serait refusée par la Ligue. On dit que par la suite, il fit l'innocent devant la mine déconfite de Grundman. Bowman et Grundman nient tous les deux cette histoire; le fait demeure qu'il est très rare que des entraîneurs participent à l'élaboration des règles de la Ligue, ce qui donne peu de crédibilité aux rumeurs.

Sam parti, les partisans se lamentaient. Est-ce que les équipes gagnantes le suivraient dans cette retraite?

Une équipe gagnante demeura au poste. Le 21 mai 1979, vers 22 h 45, Serge Savard, capitaine de l'équipe, portait la vingt-deuxième coupe Stanley des *Canadiens* à bout de bras autour de la patinoire du Forum. Quelques instants plus tard, Bob Gainey se laissait hisser sur les épaules de ses coéquipiers après avoir été couronné le meilleur joueur individuel des éliminatoires. Les *Canadiens* avaient défait les *Rangers* de New York au compte de 4 à 1 dans la dernière partie, limitant la performance des *Broadway Blueshirts* à trois tirs au but en deuxième période et à quatre en troisième. Gainey avait joué un rôle de première importance dans cette victoire.

Sam Pollock et Frank Selke n'étaient peut-être pas là et le sourire victorieux de Scotty Bowman laissait peut-être à désirer, mais cette équipe était la deuxième seulement à remporter quatre coupes Stanley consécutives. Dans quelques mois, elle tenterait d'aller en cueillir une cinquième.

Bob Gainey avait vingt-cinq ans, Guy Lafleur, vingt-sept, Steve Shutt, vingt-six, Larry Robinson, vingt-sept et Pierre Larouche, vingt-trois. Plusieurs excellents jeunes joueurs s'étaient joints à eux durant la dernière année: Mark Napier, Rod Langway, Brian Engblom et Cam Connor. La transition vers l'équipe des années quatre-vingt s'annonçait sans douleur. La tentative pour l'obtention d'une cinquième coupe d'affilée offrirait du jeu plus qu'intéressant, et l'influence de Sam Pollock était toujours présente.

Les *Canadiens* et les autres équipes de la LNH retourneraient au Forum trois semaines plus tard, le 11 juin, pour le repêchage de la LNH. Cette année, les *Canadiens* ne seraient pas dans une situation idéale, loin de là, leur premier choix étant le 27e au classement général, en la personne d'un jeune joueur de défense, Gaston Gingras. Malgré tout, le 37e choix au classement serait un petit Suédois, nommé Naslund, le 44e choix serait un gros marqueur de Chicoutimi appelé Guy Carbonneau, et le 58e choix serait le gardien Rick Wamsley des *Alexanders* de Brantford.

Mieux encore, Montréal avait acquis le premier choix au repêchage pour l'année suivante, et tous les éclaireurs de la Ligue prévoyaient une récolte record pour 1980.

Chapitre 12

La guerre

En mai 1979, les *Canadiens* de Montréal emportaient leur vingt-deuxième coupe Stanley; le monde leur appartenait. Quatre mois et demi plus tard, ils s'attaquaient à un défi de taille, des rivaux importants ayant fait leur entrée sur scène: les *Nordiques* de Québec.

Les choses ne seraient plus jamais pareilles pour les *Canadiens*.

Images de la Guerre... Première partie

Les *Nordiques* de Québec et les *Flames* de Calgary viennent de terminer leur période de réchauffement et ont réintégré le vestiaire des joueurs. En cette fraîche soirée de novembre 1985, l'attention de la foule qui remplit à craquer le Colisée de Québec se porte sur un appareil bizarre suspendu six mètres au-dessus de la patinoire, à côté du cadran indicateur.

Tous se demandent à quoi peut bien servir cette boîte carrée noire et argentée et les «Qu'est-ce que c'est?» font le tour du Colisée comme la Grande Vague.

Quelques instants avant l'arrivée des joueurs qui s'apprêtent à sauter sur la glace, on tamise les lumières jusqu'à obtenir la pénombre. Une lampe de poursuite solitaire révèle un podium au centre de la patinoire où l'annonceur maison explique ce qui se passe.

— Ce soir, les *Nordiques* tiennent à honorer l'un des nôtres.

Il présente André-Philippe Gagnon, ce remarquable artiste québécois qui a récemment conquis Paris et Burbank en Californie avec son merveilleux *We are the World*, où il pastiche à s'y méprendre les Kenny Rogers, Willie Nelson, Bruce Springsteen et Bob Dylan, entre autres.

Et alors que l'auditoire en grande partie unilingue français retient son souffle, le mystérieux appareil noir et argent se métamorphose en écran de projection arrière. Le silence du Colisée est brisé par les accents familiers de «He-e-e-e-r-r-r-e-e's Johnnyyyyyy!», et un enregistrement vidéo du passage de sept minutes de Gagnon au *Tonight Show* de Johnny Carson est présenté aux spectateurs qui l'ovationnent.

Gagnon, nouvelle coqueluche du spectacle québécois (après le triomphe remporté à Carson, les billets pour ses deux semaines de spectacle à la Place des Arts se sont vendus en deux jours), est un petit gars de chez nous, natif de Loretteville tout près de Québec.

À la fin du vidéo, il est présenté à la foule en délire; c'est le président de l'équipe, monsieur Marcel Aubut, qui l'accompagne au centre de la patinoire où on lui remet un équipement complet des *Nordiques*, chandail, culotte, bas et protecteurs. Gagnon déride la foule avec ses imitations d'Aubut, de l'entraîneur Michel, dit «le Tigre», Bergeron et de Peter Stastny.

Comme chacun sait, tout est permis en amour comme à la guerre, et les *Nordiques* viennent de remporter une importante victoire hors patinoire sur leurs sempiternels rivaux, les *Canadiens* de Montréal. Johnny, Ed et Doc sont les tout derniers conscrits du *Fleurdelisé* dans le combat perpétuel qui l'oppose au *Bleu-blanc-rouge*.

Ce jeu représente beaucoup plus que soixante minutes de corps à corps sur une surface glacée. Tout Québécois le moindrement populaire peut s'attendre à y participer à tout moment.

Après les jeux Olympiques d'hiver et d'été 1984, les *Nordiques* comme les *Canadiens* avaient tenté de s'arracher les faveurs des médaillés d'or québécois Gaétan Boucher (patinage de vitesse) et Sylvie Bernier (plongeon). Cette lutte interne entre les deux concessions s'étend jusqu'aux moindres recoins de la collectivité française d'Amérique du Nord. Imaginez-vous Kojak en chandail des *Nordiques* ou des *Canadiens*, clamant «Who loves ya, baby!» avec un accent québécois.

Les activités sur glace de deux des équipes les plus hautes en couleur de la LNH ne sont parfois que le pâle reflet d'une guerre de marketing livrée sur tous les fronts.

Images de la Guerre... Deuxième partie

Le défenseur Brad Maxwell s'écrase, à bout de souffle, dans le vestiaire des joueurs visiteurs au Forum, la plus célèbre patinoire de hockey au monde. Ses épaulettes et son chandail bleu et blanc reposent pêle-mêle à ses pieds. Il porte encore un protecteur au coude et n'a que desserré les lacets de ses patins. Il est entouré d'une cohorte des meilleurs journalistes sportifs, des médias tant électroniques qu'imprimés. Une méchante contusion rouge apparaît sur son bras droit, exactement entre l'épaulette et le protecteur du coude.

Québec et Montréal viennent de faire match nul 4 à 4 en cette veille du Jour de l'an 1984, la deuxième partie en quatre jours mettant aux prises ces deux équipes.

— Ces gars-là se haïssent vraiment, dit-il sur un ton monotone.

Il semble aussi surpris que fatigué. Rien ne l'avait préparé à la guerre; après tout, il n'avait que huit années d'expérience et 450 parties jouées dans la LNH avant d'être échangé aux *Nordiques* deux semaines plus tôt, par les *North Stars* du Minnesota.

— La rivalité entre Minnesota et Chicago, ou entre Minnesota et St. Louis, a toujours été grande, mais sans rapport aucun avec ceci. Nous venons, en quatre jours, de disputer DEUX septièmes parties de finale de la coupe Stanley.

Pendant la saison 1984-85, les *Canadiens* et les *Nordiques* se disputèrent un nombre incroyable de parties, soit dix-sept: deux parties d'exhibition, huit parties régulières et sept parties lors de la finale de la division Adams, remportée en prolongation par Peter Stastny. À l'occasion de la première partie de la finale, après que les deux équipes eurent remporté des victoires époustouflantes de dernière minute contre les *Bruins* de Boston et les *Sabres* de Buffalo, toutes ces parties furent de vraies montagnes russes émotionnelles, dont la rare intensité évoquait la mémorable LNH à six équipes.

— Une partie d'exhibition entre Montréal et Québec, ça n'existe pas, dit Stastny avec un méchant sourire. La raison en est que les *Canadiens* de Montréal et les *Nordiques* de Québec mènent leur guerre sur plusieurs fronts: de la patinoire aux bureaux administratifs; depuis l'Abitibi jusqu'en Gaspésie, à la radio comme à la télévision; dans les réunions du conseil de la LNH et à la cour.

Qui aurait pu prévoir cela il y a seulement sept ans?

En 1976, au moment où la jeune Association mondiale de hockey montrait des signes de faiblesse à presque tous les niveaux, Marcel Aubut, un avocat de la vieille capitale âgé de trente ans, était nommé à la présidence des *Nordiques*, et son seul mandat était sans équivoque.

— Les *Nordiques* doivent faire partie de la LNH.

Il était inutile de préciser que sans cela, les *Nordiques* cesseraient d'exister.

Ce mandat, difficile à réaliser dans les meilleures conditions, devenait virtuellement irréalisable dans le monde du hockey québécois. En fait, tout se liguait contre Aubut. D'abord, la métropole, comme on désigne Montréal même à Québec, se trouvait à 225 km en amont. Ensuite, les *Canadiens* étaient en train de se farcir quatre coupes Stanley d'affilée, et c'était Sam Pollock, reconnu par tous comme le modèle de la nouvelle génération d'administrateurs de la LNH, qui contrôlait les *Canadiens*.

Même s'il le niait avec modestie, Pollock était l'administrateur de la LNH qui détenait le plus d'influence. En tant que fervent de hockey, il respectait les aspirations de Québec à être admise au sein de la LNH. En tant qu'homme d'affaires, il voyait en Québec à peine plus qu'une garderie pour de futures étoiles comme Jean Béliveau et Guy Lafleur. La ville de Québec appartenait à Montréal et il était inconcevable qu'on puisse l'abandonner à une équipe rivale.

C'était compter sans l'effronterie d'Aubut, un mélange de Rimbaud et de Rambo. Même s'il traite ses affaires en costume trois pièces rayé, on l'imagine sans peine en tenue militaire de combat, équipé d'un AK-47 et de munitions en bandoulière lui barrant le torse. Tout ce qu'on peut dire à propos des méthodes d'Aubut, c'est qu'il fit sauter systématiquement toute opposition qu'il rencontra sur son chemin.

— Marcel ne ressemble en rien au Québécois typique, soutient Claude Larochelle, chroniqueur de longue date au *Soleil*. Québec est une ville pas mal fermée, une ville de fonctionnaires qui ne favorise pas le développement de ce genre de personne que rien n'arrête.

Certains observateurs de l'extérieur iraient beaucoup plus loin dans leur évaluation de la pittoresque ville fortifiée de Québec, perchée tout en haut des falaises surplombant le Saint-Laurent.

— Elle n'est pas fermée, elle est cloîtrée, déclare un journaliste montréalais désireux de conserver l'anonymat. Vous connaissez la vieille blague: «Comment appelle-t-on un homme de soixante-quinze ans qui, né à Sherbrooke, est allé vivre à Québec tout enfant et y est resté toute sa vie? Réponse: Le Sherbrookois.»

Les différences entre la ville de Québec (un demi-million d'habitants, en grande partie francophones) et Montréal (un peu moins de trois millions, mélange cosmopolite comprenant des Juifs, des Grecs, des Italiens, des Portugais et, bien sûr, des Anglais) vont beaucoup plus loin que la langue parlée dans la rue et l'importance de la population.

Historiquement, la rivalité entre ces deux villes existe depuis bientôt quatre cents ans et remonte au temps où Samuel de Champlain et les coureurs des bois commencèrent à défricher des sentiers dans les forêts nordiques sur les deux rives du Saint-Laurent. La traite des fourrures ouvrit le chemin à l'agriculture et, partant, à la colonisation. Montréal et Québec étaient au début les centres du commerce des fourrures et prirent de l'importance au fur et à mesure que de hardis Bretons et des soldats français décidaient de se faire fermiers et d'élever leurs familles dans ces contrées sauvages.

En 1759, après que les troupes britanniques de Wolfe eurent déjoué les sentinelles postées au Cap Diamant pendant la nuit pour ensuite défaire l'armée française de Montcalm dans les Plaines d'Abraham, la compétition entre les deux villes battait son plein et affectait le comportement collectif de tous les habitants de la Nouvelle-France. Il faut dire sans exagérer que les Montréalais tournèrent en dérision les Québécois qui s'étaient fait prendre culottes baissées. Quinze ans plus tard, ce fut au tour des Québécois de rire des Montréalais, lorsque l'armée révolutionnaire américaine, sous les ordres du général Robert Montgomery, sortit de la Nouvelle-Angleterre, remonta le Richelieu et captura Montréal, avant d'être défaite devant Québec fortifiée, la veille du Jour de l'an.

Cette rivalité entre les deux villes remonte donc loin en arrière.

(Incidemment, rappelons que Montcalm et Wolfe sont morts tous deux à la suite de blessures subies sur le champ de batailles ce jour-là, ce dont les belligérants d'aujourd'hui se souviennent.)

Les deux villes, tour à tour, partagèrent l'importance économique, sociale et politique jusqu'à ce que Montréal prenne le dessus vers la fin du XIXe siècle, Montréal est devenue le moteur économique du Québec, vibrante métropole projetée sur la scène internationale par son maire, Jean Drapeau, toujours conscient des relations publiques. Partout au Canada et même à l'étranger, on a parlé de la Main, de Peel et Sainte-Catherine, du Mont-Royal, du métro, de la place Ville-Marie, de la gare Centrale.

Après la Deuxième Guerre mondiale, les Québécois abandonnèrent leurs racines rurales, et on assista à l'exode des jeunes hommes et des jeunes femmes vers Montréal, à la recherche d'emplois dans les usines de Northern Electric, Canadian National Railways, Steinberg's, Dominion Engineering et Canadair. Un mélange cosmopolite de Juifs, d'Italiens, de Grecs, d'Allemands, de Canadiens français et de Canadiens anglais vivaient en fragile harmonie et apprenaient à travailler ensemble à ce qui allait devenir une des deux métropoles canadiennes.

Les injustices sociales et la disparité économique favorisèrent à la longue la Révolution tranquille. À Montréal, de jeunes étudiants canadiens-français devenaient des Québécois et montaient les premières révoltes contre les restaurants comme *Murray's* dont les menus étaient unilingues anglais. Le Québec moderne y a trouvé ses racines. Un nationalisme nouveau, mis de l'avant par de jeunes révolutionnaires et encouragé par les artistes locaux de l'époque, auteurs-compositeurs, comédiens et dramaturges, favorisa l'émergence d'une fierté nouvelle et d'une nouvelle raison d'être.

Pendant que toute cette activité régnait à Montréal, la ville de Québec s'emmurait de plus en plus. Elle abritait l'Assemblée nationale, le gouvernement du Québec, et semblait captive d'un bulle dans le temps, toujours cinq ans en retard sur ce qui se passait à Montréal. L'impression qui se dégageait, c'est que Québec subissait un siège, et que ses citoyens bourgeois, satisfaits d'eux-mêmes, ricanaient du haut des remparts tout en observant avec curiosité le bas peuple tentant de s'approcher des murs à la nage. Québec était le paradis du fonctionnaire, tout confort et classe moyenne. Elle était aussi terriblement jalouse de l'effervescence montréalaise.

Que Marcel Aubut ait surgi dans un pareil décor, voilà qui a de quoi surprendre. Sa démarche est plutôt celle d'un brasseur d'affaires de la Main de Montréal que d'un bourgeois de bon ton de la Grande Allée. Et même si Aubut, membre en règle de l'élite québécoise, y a maintenant élu domicile, n'oublions pas qu'il est le fils d'un fermier originaire d'un petit village près de Rivière-du-Loup. Il a quitté la ferme à douze ans pour aller étudier à l'Académie de Québec mais il n'a jamais oublié ses racines. Trois véhicules sont stationnés dans son entrée de garage, deux voitures de luxe et une Toyota noire 4X4. Devinez lequel Aubut choisit pour dévaler à des vitesses folles les côtes tortueuses de Québec.

Après avoir obtenu son diplôme, premier de sa classe à l'Université Laval, Aubut ne tarda pas à se tailler une réputation comme avocat.

Lors d'une action en cour civile, il avait dû affronter Jean Lesage, pilier de la société québécoise, premier ministre du Québec de 1960 à 1966 et père incontesté de la Révolution tranquille au Québec. Si Aubut avait été issu d'une vraie bonne famille de la ville de Québec, il aurait compris qu'il n'était pas à sa place, en cour, à Québec, à vingt-cinq ans, faisant face à une légende vivante.

— J'ai eu la peur de ma vie pendant deux minutes, avoue-t-il avec sa candeur caractéristique. Ensuite je me suis attelé à la tâche. J'ai rapidement réalisé que je ne pouvais pas sortir perdant; se faire vaincre en cour par Jean Lesage n'avait rien de déshonorant pour un jeune avocat.

Aubut n'a pas pu mettre son hypothèse à l'épreuve; il gagna sa cause et se fit aussi un nouvel ami d'importance. Lesage, loin d'être rancunier, plaça le jeune avocat sous sa protection, et la carrière d'Aubut prit son envol. Beaucoup de Québécois pensent actuellement qu'un jour Aubut suivra les traces de Jean Lesage comme premier ministre de la province.

— Jean Lesage avait la réputation d'être un gagnant lorsqu'il quitta la vie politique, et il détestait perdre, se rappelle Aubut. Mais il dit avoir vu en moi quelque chose qu'il aimait, même si je l'avais battu.

Ce que l'ancien premier ministre avait vu, c'est la franchise et la volonté de réussir, deux atouts précieux dans une foule de situations. Lesage, en tant que membre du conseil d'administration des *Nordiques*, pensa que cet avocat jeune et frondeur pouvait être d'un grand secours à l'équipe.

Aubut s'est joint au Club en 1976, année de la prise du pouvoir par le Parti québécois de René Lévesque. Il allait représenter les *Nordiques* au premier tour des négociations visant à les intégrer à la Ligue nationale de hockey. Une tâche impossible. Clarence Campbell, président de la LNH et Montréalais de surcroît, ce qui n'était pas une coïncidence, avait dit qu'il était «impensable que Québec soit acceptée dans la Ligue». Aubut ajusta son tir sur Campbell et passa à l'attaque. Il échoua misérablement.

L'envie d'obtenir un chance de jouer contre les *Canadiens* de Montréal, quelles que soient les conditions, atteint le comble de la frénésie en 1977, après que les *Nordiques* eurent remporté le championnat de l'AMH, la coupe Avco, alors que les *Canadiens* gagnaient leur deuxième coupe Stanley consécutive.

Aubut se retroussa les manches et se remit de plus belle à la tâche. En 1979, au moment où l'AMH était au bord de la dissolution, il était encore «zéro en deux».

— Nous ne pouvions tout simplement pas contourner les conditions qu'ils nous imposaient pour faire partie de la Ligue. Ils répétaient sans cesse que la ville de Québec était trop petite et que le financement régional serait insuffisant pour supporter l'équipe. Nous leur disions de ne pas s'inquiéter, que la Brasserie Carling O'Keefe était prête à débourser de fortes sommes. Un autre de nos arguments, c'était que la proximité des deux villes favoriserait une saine rivalité. Ils répétaient que notre patinoire (l'ancien Colisée) ne répondait pas aux normes de la Ligue et qu'ils prendraient notre demande en considération si nous en construisions une meilleure. Et lorsqu'on demandait un soutien financier de la ville de Québec, elle nous disait d'obtenir d'abord une franchise, après quoi elle trouverait l'argent nécessaire pour la patinoire. Un cercle vicieux.

Aubut et deux autres représentants d'équipes de l'AMH, Michel Gobuty de Winnipeg et Howard Baldwin de Hartford, s'envolaient régulièrement pour Chicago où ils poursuivaient des rencontres de stratégie jusque tard dans la nuit. Ils divisèrent les dix-sept équipes de la LNH en trois et commencèrent une intense campagne de lobbying auprès des gouverneurs de la LNH pour obtenir le nombre de voix requises.

Aubut subissait toujours la défaite, malgré quelques événements de bon augure. En premier lieu, Clarence Campbell prit sa retraite et fut remplacé par un avocat de Detroit du nom de John Ziegler. Ensuite, Sam Pollock quitta l'organisation des *Canadiens* après que Peter et Edgar Bronfman eurent vendu l'équipe. Mauvaise nouvelle de ce côté-là: la Brasserie Molson avait acheté les *Canadiens* et les *Nordiques* appartenaient à une brasserie rivale.

Le représentant de Québec fit la navette en avion privé pendant des mois, visitant «son groupe», Boston, Detroit, Montréal et Toronto, et y créant la tension. Mais il ne pouvait contourner la pierre d'achoppement représentée par le vieux Colisée et, lorsque le président de la LNH, Ziegler, donna au trio de l'AMH jusqu'en février 1979 pour régler ses problèmes, même Aubut perdit espoir.

Mais ce n'est pas seulement dans le football du Texas ou dans la South West Athletic Conference (SWAC) que la politique et le sport font d'étranges compagnons d'alcôve. Guy Bertrand, un avocat séparatiste bien en vue qui représentait aussi quelques joueurs des *Nordiques* (il avait suscité quelques rires nerveux lorsqu'il avait suggéré, en 1976, la formation d'une *Équipe Québec* pour participer à la première coupe Canada), appela Aubut, fédéraliste reconnu. C'était avant le référendum de mai 1980 sur l'indépendance et l'appel était l'équivalent de celui d'un partisan de Castro se portant volontaire pour participer au Comité pour la réélection de Ronald Reagan.

Bertrand offrit à Aubut une rencontre avec le premier ministre René Lévesque, qui eut lieu quelques jours plus tard.

À l'époque, le gouvernement péquiste assistait, impuissant, à l'exode des multinationales qui ne voulaient pas risquer la séparation du Canada. Prudent, le premier ministre dit qu'il ne pouvait s'engager à trouver de l'argent sans obtenir, au préalable, quelque garantie de participation d'une grande entreprise.

— Je lui ai dit que je reviendrais accompagné d'un des directeurs de Carling O'Keefe, ce que je fis quelques jours plus tard, dit Aubut en souriant.

Aubut se présenta à la rencontre en compagnie de Jean Lesage, l'ancien patron de Lévesque dans le gouvernement libéral de 1960 jusqu'à ce que Lévesque renonce à un Canada uni. Lévesque, comme beaucoup de ses ministres et députés, conservait un grand respect pour Lesage. Une heure plus tard, Aubut et Lesage quittaient la réunion forts de cinq millions de dollars en subsides québécois. Le gouvernement fédéral, ne voulant pas se faire damer le pion par Québec en cette année préréférendaire, apporta une contribution de cinq millions, ainsi que la ville de Québec.

La LNH ne pouvait plus refuser même si lors du vote subséquent, le bloc Molson (plusieurs équipes canadiennes, incluant Montréal) se prononça contre.

Les *Canadiens* capitulèrent après que plusieurs régions de la province eurent décidé de boycotter la bière Molson en faveur de la O'Keefe. Aubut sourit d'un air suffisant lorsqu'on lui demande quel rôle il a joué dans la campagne anti-Molson qui avait «miraculeusement fait son apparition», comme il le dit.

— Je ne vends pas de bière, dit-il en riant.

Dès la première mise au jeu de la saison 1979-1980 de la LNH, la Ligue comptait quatre nouvelles équipes pas mal fières: les *Oilers* d'Edmonton, les *Jets* de Winnipeg, les *Whalers* de Hartford et les *Nordiques* de Québec.

Toutefois, dans le cas des *Nordiques* de Québec, le coût était très élevé et ils étaient des nouveaux membres presque secrets. Une partie du prix que les *Nordiques* avaient dû payer pour être admis dans la LNH et pour que soit reconnu l'impératif territorial originaire de Montréal, fut un moratoire de cinq ans sur le partage des revenus des droits de télévision au Canada. Après quelques années, Montréal et Québec (lire Molson et O'Keefe) commencèrent à préparer des plans pour d'éventuelles négociations concernant des droits télévisés.

Molson fut le premier à agir et offrit, en 1982, d'acheter les droits de Québec pour *La Soirée du Hockey*. Aubut se disait prêt à accepter, à la condition que la Brasserie O'Keefe puisse commanditer quelques parties pendant les éliminatoires, ce à quoi Molson s'opposa. Ce refus allait leur coûter très, très cher.

Aubut ne se fâcha pas, il se vengea. D'abord il acheta les droits de quelques parties de la LNH jouées aux États-Unis, pour les revendre à une station montréalaise de télévision payante. Molson contesta immédiatement cette transaction, disant qu'elle contrevenait à l'entente de diffusion de la Ligue.

— Nulle part il n'est fait mention de la télé-payante dans l'entente, dit Aubut. D'ailleurs, l'entente spécifiait des jeux canadiens.

Ziegler trancha en faveur d'Aubut.

Non content d'avoir obtenu à la télé-payante quelques parties des *Nordiques* jouées à l'extérieur, Aubut prépara le coup de grâce. Il avait bien saisi les courants de pensée circulant dans les réunions des différents conseils d'administration de la Ligue. Plusieurs propriétaires américains en avaient soupé d'être traités en parvenus et en parents pauvres par Montréal et Toronto, et Aubut fut bien reçu lorsqu'il expliqua aux Américains sa nouvelle idée pour les ententes concernant la télévison au Canada.

Il commença par les *Islanders* de New York, convaincu que les autres équipes suivraient s'il pouvait s'assurer le concours des champions de la coupe Stanley. Il avait visé juste et il se rallia les *Islanders* ainsi que les autres propriétaires américains. Suivit un large débat en cour, remporté de nouveau par Aubut. Depuis deux saisons maintenant, le réseau CTV diffuse un match de la LNH tous les vendredis soir et, à l'occasion, le dimanche après-midi. Radio-Canada présente toujours la traditionnelle *Soirée du Hockey* le samedi. La «cerise sur le sundae» c'est que Molson a dû débourser vingt-six millions de dollars pour garantir sa position du samedi soir, alors qu'il a suffi de dix millions de dollars à Aubut et O'Keefe pour obtenir les vendredis soir.

— J'ai procédé équipe par équipe parce que je savais que les propriétaires américains avaient leur voyage de l'axe Montréal-Toronto, ajoute-t-il. Chaque fois qu'ils signaient avec Molson dans le passé, ils n'avaient pas le choix. Je leur ai offert un choix et, en même temps, plus de force dans la Ligue. Ce qui faisait leur affaire, sans compter que chaque équipe recevait un million de dollars environ à la signature de la nouvelle entente.

Aubut appréciait cette nouvelle reconnaissance et ce nouveau pouvoir que l'entente TV accordait à Québec dans les bureaux administratifs de la LNH. Il fallait maintenant transférer ce nouveau pouvoir sur la patinoire.

Les *Nordiques* ne pouvaient vraiment pas concurrencer Montréal lorsqu'ils devinrent membres de la LNH. Les *Canadiens*, invincibles, venaient de remporter quatre coupes Stanley d'affilée et alignaient des Lafleur, Shutt et Lemaire, à l'avant, et le «Big Three»: Lapointe, Robinson et Savard, à la défense.

Peu à peu, les circonstances commencèrent à jouer en faveur de Québec. Un an après le départ de Pollock, remplacé par Irving Grundman comme directeur général, et après avoir, en mai, gagné une quatrième coupe Stanley de suite, la direction des *Canadiens* assista, impuissante, au départ des super-étoiles Dryden et Lemaire, ce dernier ayant accepté un poste d'entraîneur-joueur en Europe. Et puis Bowman, qui ne s'était pas remis de la rebuffade de Pollock, quitta Montréal pour Buffalo.

Les *Nordiques* ne pouvaient pas encore tenir tête aux *Canadiens*; ils tirèrent quand même leur épingle du jeu lors de rencontres individuelles, sans pour autant se rendre aux éliminatoires cette année-là. Les *Canadiens*, pour leur part, livrèrent une bataille rangée à Buffalo et aux *Islanders* de New York dans la course menant aux trois premières places au classement en saison régulière.

Les *Nordiques* se contentaient de remporter des victoires hors patinoire. Au départ, l'équipe qui évoluait dans l'AMH en 1974 portait un uniforme bleu foncé avec des galons rouges. Dès son entrée dans la LNH, l'équipe arborait le drapeau québécois avec l'écusson des *Nordiques*. Ils s'annonçaient sans vergogne comme l'équipe des Québécois pure laine. On traitait avec sarcasme les *Canadiens*, avec leur bleu-blanc-rouge et leur direction anglophone, d'équipe des Anglais.

Steve Shutt se rappelle:

— C'était vraiment un coup bas de leur part, et les problèmes qui en découlèrent ne valaient pas le coup. D'abord, les jeunes francophones de l'équipe se fâchèrent car ils n'étaient pas habitués à se faire traiter d'Anglais chez eux. À la fin des années soixante-dix, nous étions passés à travers la crise du nationalisme sans problèmes et voilà que, tout à coup, les pages sportives ressemblaient à des chroniques politiques. Si les *Nordiques* voulaient nous troubler, ils ont réussi. Nous les haïssions, ainsi que leurs méthodes, et un gars comme Lafleur, qui a pratiquement grandi à Québec, se trouvait dans une situation impossible.

Ces subtilités n'échappaient pas aux voraces chroniqueurs sportifs des deux villes, toujours à l'affût de nouvelles fraîches. Les quotidiens effectuaient des sondages afin de déterminer la cote de popularité des deux équipes; ils publièrent même des cartes du Québec divisées entre les *Bleus* de Québec et les *Rouges* de Montréal. L'émotivité, déjà à son comble dans les tavernes de la province, se répandait au Forum et au Colisée et, finalement, jusque sur la patinoire.

Lafleur, qui, comme Béliveau, avait joué son hockey junior à Québec avant de venir à Montréal, se faisait huer quand il revenait à son second domicile. Les parties perdirent de leur saveur. Les mordus de Montréal au Colisée et les mordus de Québec au Forum, de tolérés qu'ils étaient, devinrent la cible d'outrances verbales et parfois même d'agressions physiques.

— Je pense que nous avons traversé une crise d'adolescence, se rappelle Aubut. Et il s'est passé beaucoup de choses que je regrette. Entre autres, ce qui est arrivé lors de ce qui aurait dû être le plus grand moment de fierté de Québec: sa victoire contre les *Canadiens* au premier tour des éliminatoires en 1981-1982. Les amateurs du Colisée crachèrent sur le directeur gérant de Montréal, Irving Grundman et sur sa femme, ainsi que sur les épouses des joueurs des *Canadiens*. Grundman dut subir des épithètes antisémites, et les *Canadiens* exigèrent plus de mesures de sécurité de la part des *Nordiques*.

Cet incident éclipsa le brillant travail d'Aubut qui, moins d'un an après l'entrée de son club dans la LNH, allait modifier son équipe de façon draconienne. Vers la fin du printemps 1910, il lança son opération Europe et manigança la défection des frères Peter et Anton Stastny de Tchécoslovaquie.

Dans cette opération, digne des meilleurs romans d'espionnage, les frères furent enlevés en Mercedes rouge de leur hôtel à Innsbruck, menés à haute vitesse jusqu'à Vienne, où on leur remit des visas à l'ambassade canadienne avant qu'ils prennent l'avion à destination du Canada.

La saison suivante, Peter comptait 39 buts et obtenait 70 passes, nouveau record pour une recrue dans la LNH. Anton, pour sa part, amassait 39 buts et 46 passes, et les *Nordiques* se découvraient une soudaine respectabilité. C'est depuis l'arrivée des Stastny que les *Nordiques* sont devenus compétitifs.

— C'était comme avoir deux premiers choix au repêchage, ricane Aubut, ajoutant que toute l'histoire de ces défections serait sans doute un merveilleux sujet de livre, un de ces jours. Ils apportèrent la stabilité à notre équipe, ainsi qu'énormément de discipline et de dévouement. Nos joueurs québécois ont tendance à devenir trop nerveux sur la glace et à se fâcher. Peter, tout spécialement, a montré à nos gars comment se concentrer sur la partie.

C'était une lourde tâche pour Stastny, maintenant capitaine de l'équipe, qui à l'époque ne parlait qu'un peu d'anglais et pas du tout de français. Il devait aussi à l'occasion affronter l'entraîneur, un coq persifleur nommé

Michel Bergeron, qui avait la réputation de mâcher de la gomme à cinq mille tours minute derrière le banc, tout en accablant de sarcasmes les joueurs adverses pendant les périodes de réchauffement dans la Ligue junior du Québec. Bergeron avait aussi la réputation d'être un gagnant, un gars intense et nerveux qui harcelait sans cesse les officiels et les adversaires.

Bergeron s'est avéré être le deuxième coup de maître d'Aubut en 1980. Aubut avait trouvé un entraîneur possédant autant de conviction que lui et, dès ce moment, Québec s'éprit sérieusement des *Nordiques*.

L'enflammé Bergeron, 1 m 65, bagarreur et criard, qui a l'air de quelqu'un qui devrait jouer aux dés dans une ruelle (pendant qu'Aubut, non loin, tiendrait l'argent), possède le flair du hockey dissimulé sous des dehors explosifs. À Québec, on le surnomme «le Tigre» et il ferait n'importe quoi pour gagner.

Après avoir défait les *Canadiens*, équipe de première position, grâce à un but de Dale Hunter en prolongation dans la cinquième partie des finales de 1981-1982, les *Nordiques* éliminèrent Boston (classés deuxièmes) dans la finale de division avant de succomber devant les *Islanders* dans la finale d'association.

Une grande part du succès revient à Bergeron, qui s'est montré meilleur entraîneur que Bob Berry de Montréal et Gerry Cheevers des *Bruins* de Boston.

— J'ai deux priorités dans ma vie, dit le jeune Bergeron, ma famille et l'entraînement des *Nordiques*.

Ses proches pourraient remettre cet ordre en question. Ils se souviennent de ses voyages aller-retour quotidiens de 290 km quand il était l'entraîneur de hockey junior à Trois-Rivières. Après l'exercice de son équipe, Bergeron sautait dans sa voiture et allait à Montréal assister aux entraînements des *Canadiens* sous Bowman. Il passait beaucoup de temps avec son guru à le bombarder de questions.

— Comment apprendre autrement? Scotty avait la gentillesse de me parler et de m'aider et j'envisageais la carrière d'entraîneur assez sérieusement pour me déplacer.

L'an dernier, après que les *Sabres* de Bowman eurent subi l'élimination contre les *Nordiques* de Bergeron en première série éliminatoire, Bowman a dit des choses peu flatteuses à l'endroit de son ancien élève étoile.

— C'est le hockey, dit Bergeron en riant.

Mais Bergeron ne riait pas en novembre 1985 quand il commença à éprouver de violents maux de tête et à voir double. Après une semaine passée à l'hôpital, on diagnostiqua une encéphalite postvirale, et il dut se rendre à la célèbre clinique Mayo, dans le Minnesota, pour suivre un traitement.

Il souffrait encore de double vision lorsqu'il revint derrière le banc au mois de novembre. Les joueurs, à la fois soulagés de son retour (l'équipe avait une fiche de 3-8-1 sous l'adjoint entraîneur Simon Nolet, alors qu'elle était de 13-2 sous Bergeron), furent sans pitié.

— On dit que les *Flames* vont faire jouer neuf joueurs ce soir parce que Michel ne s'en apercevra pas, dit l'un d'eux.

— C'est rien ça, on dit qu'il retourne à la Ligue junior du Québec comme entraîneur des *Cataractes* de Shawinigan, rétorque un autre.

C'est ce genre d'humour terrible qui règne dans les vestiaires des joueurs d'équipes gagnantes.

À mesure que l'équipe devenait victorieuse, la direction modifiait ses politiques, sans tambour ni trompette. D'abord, tous les vestiges d'une mise en marché axée sur le nationalisme disparurent en douce. Aubut et les *Nordiques* avaient été vraiment embarrassés par les événements entourant la finale avec les *Canadiens*. Ensuite l'équipe abandonna sa politique de «francophone d'abord» et décida d'aller chercher les meilleurs joueurs possibles. Quand Réal Cloutier, un joueur local qui avait compté 283 buts en cinq ans avec les *Nordiques* de l'AMH et 122 buts en trois ans et demi dans la LNH, décida d'exiger un salaire impossible tout en minant l'autorité de Bergeron, la direction fut assez forte pour l'envoyer à Buffalo en échange de Tony McKegney, André Savard et Jean-François Sauvé. La personne la plus surprise à Québec fut Cloutier, qui avait pensé que les *Nordiques* n'échangeraient jamais une étoile locale.

Ce fut la première d'une série de brillantes transactions effectuées par Maurice Filion, le directeur gérant à Québec. McKegney et Savard ont largement contribué aux succès de l'équipe jusqu'à ce qu'une blessure mette fin à la carrière de Savard. McKegney fut échangé à Minnesota pour Maxwell et Brent Ashton. Le petit «Tattoo» Sauvé appuya le jeu de puissance de l'équipe avant d'aller jouer en Europe, et Ashton, en plus de compter trente buts par année, ajouta du muscle à la ligne Stastny.

Comme les *Canadiens* et leur Légion étrangère composée de huit Américains, deux Suédois et un Tchécoslovaque, les *Nordiques* possèdent un noyau de joueurs s'appelant Shaw, Price, Mann, Hunter, Siltanen, Kumpel, Moller, Gillis et Malarchuk.

Aux premiers jours de l'équipe, il y avait eu le «facteur Farrish», ainsi nommé à cause du joueur de défense Dave Farrish (*Rangers* de New York, Toronto et plusieurs équipes de la Ligue américaine de hockey). Après avoir été échangé par Québec, ce Canadien anglais s'était plaint que les anglophones étaient maltraités par l'équipe. L'histoire fit boule de neige en Amérique du Nord et les *Nordiques* ne pouvaient pas faire grand-chose pour réfuter l'accusation. En vérité, on aurait dû invoquer l'équation universelle dans le monde du sport pour déterminer la cause du mécontentement de Farrish: le ressentiment d'un joueur est inversement proportionnel au temps passé sur la glace.

Aujourd'hui, les joueurs non francophones trouvent risibles les suggestions de favoritisme linguistique au sein de l'équipe, et ne semblent pas éprouver de problèmes majeurs à s'installer dans une ville à quatre-vingt-quinze pour cent francophone.

Dale Hunter, originaire de Petrolia en Ontario, se pavane en sous-vêtements dans les corridors du Colisée avant une partie contre Gretzky et les *Oilers* tout en échangeant, en anglais, des plaisanteries avec deux officiers de sécurité. Il enlève à l'un sa casquette et fait le pitre, ce qui amuse tout le monde.

— Quiconque dit quoi que ce soit de mauvais de cette ville est cinglé, affirme-t-il avec l'humeur querelleuse qui est devenue sa marque de commerce tout en lui assurant le respect et l'inimitié de ses adversaires dans toute la Ligue. Cette ville est formidable. Ni trop grande — on n'a pas à s'y débattre continuellement —, ni trop petite — on y trouve tous les services offerts ailleurs dans la Ligue. La communauté anglaise locale nous aide à trouver des gardiennes et des écoles et facilite l'intégration de nos familles. Et les francophones sont merveilleux, surtout lorsqu'ils reconnaissent en vous un *Nordique*.

— Nous sommes dans les ligues majeures, dit Mark Kumpel de Wakefield au Massachusetts, membre de l'équipe olympique américaine en 1984. Aucun joueur de hockey en pleine possession de ses facultés ne devrait s'inquiéter de venir ici s'il ne parle pas français. Peut-on imaginer un gars qui déciderait de rester dans la Ligue américaine de hockey parce que son équipe serait aux États-Unis ou au Canada anglais? C'est insensé.

La ville de Québec est tout aussi populaire aux yeux des chroniqueurs sportifs et des joueurs des autres équipes. Pendant la finale de l'Association Campbell en 1984-1985, le regretté Pelle Lindbergh offrit des tours de calèche à ses coéquipiers de Philadelphie dans le vieux Québec. Il voulait montrer aux joueurs nord-américains des *Flyers* à quoi ressemblait son pays, la Suède.

Il ne faudrait pas penser qu'aucun Canadien français ne joue pour les *Nordiques*. Tout au contraire, on y retrouve les gardiens de but Mario «Goose» Gosselin et Richard Sévigny, ainsi que Gilbert Delorme, Normand Rochefort, Robert Picard, Alain Côté et Michel Goulet.

Goulet, dont l'attitude aristocratique n'est pas sans évoquer les sieurs de la Nouvelle-France, est sans doute un des quatre meilleurs ailiers gauche du hockey, avec Mats Naslund de Montréal, Brian Propp de Philadelphie et Jarri Kurri d'Edmonton. Grand, patinant avec aisance, ce tireur d'élite a compté en moyenne 56 buts par année depuis trois ans.

De tempérament courtois, il est tout le contraire de l'enflammé Bergeron, ce qui cause parfois des explosions dans le camp des *Nordiques*. Tôt en 1985-1986, alors que les *Nordiques* n'avaient gagné que trois parties sur quatorze, Goulet devint le bouc émissaire de Bergeron qui trouvait son jeu inconsistant.

— Je n'accepte pas ce genre de critique, dit Goulet. Si nous sommes une équipe, nous jouons mal en tant qu'équipe, et non parce que quelqu'un pense qu'un ou deux joueurs déçoivent l'équipe.

Comme de raison, cela fit la une des journaux.

Goulet, dont chaque présence sur glace provoque des «Goo! Goo!» au Colisée, était la cible idéale depuis qu'il avait refusé de se rendre au camp d'entraînement de 1985 pendant qu'il négociait son salaire. Trois mois plus tard il n'adressait pas encore la parole au directeur général Filion.

Est-il plus difficile pour un francophone de jouer à Québec?

— Je ne le sais vraiment pas, même si parfois on a l'impression que les partisans s'attendent à un meilleur rendement des joueurs québécois. J'aime ça ici et j'aime ce genre de pression. Je ne perds pas mon temps à me demander si ce marché est assez important pour que je fasse des commerciaux, ou si j'attirerais plus l'attention des médias dans les grands centres.

De toute façon, Goulet a toute l'attention qu'il désire des médias pendant les éliminatoires, quand les *Nordiques* et les *Canadiens* se font la guerre en famille, pour ainsi dire. Soudain, après la fonte des neiges et alors que les premières douces brises balaient la rue Sainte-Catherine et la Grande-Allée, des jeunes gens natifs de Timra en Suède, Bratislava en Tchécoslovaquie, San Diego en Californie et Red Deer en Alberta découvrent à quoi ressemble une chicane de famille au Québec.

— Le plus étrange, dit Hunter, c'est que nous respectons Montréal probablement plus que toute autre équipe de la Ligue. Je ne pense pas que nous les haïssons ou qu'ils nous haïssent (à l'occasion, les deux équipes avoueront détester Boston), mais les circonstances font que les séries dégénèrent en guerre.

L'animosité fut à son comble pendant la sixième partie de la finale de la division Adams, le Vendredi saint, 20 avril 1984. Tard en deuxième période, la partie se disputant à Montréal, Québec menait 2-0 mais traînait de l'arrière 3-2 dans la série. Il y avait eu plusieurs combats isolés mais la situation semblait s'être calmée, quand Louis Sleigher de Québec écrasa un ancien *Nordique*, Jean Hamel, le long de la bande.

Dès le début de la troisième période, les *Canadiens* cherchèrent Sleigher, et Chris Nilan lui servit une raclée en règle, provoquant une bagarre générale qui vida les deux bancs. Pendant la fête, Mario Tremblay cassa le nez de Peter Stastny, qui dut réintégrer le vestiaire des joueurs pour être soigné.

— Arrange-moi ça pour que je puisse retourner au jeu, dit-il au soigneur du Club.

Ce dernier lui dit que la douleur serait insoutenable.

— M'en fiche! rétorque Stastny, et le soigneur de s'exécuter.

Ce n'est qu'après coup que Stastny apprendra qu'il avait écopé d'une inconduite de match et ne pourrait revenir au jeu. Montréal marqua cinq buts sans réplique et remporta la série 4-2.

Un an plus tard, son appendice nasal réparé depuis longtemps, Stastny se vengea un peu en comptant un but en prolongation pendant la septième partie de la finale Adams, éliminant Montréal.

Cette série, tantôt passionnante, tantôt sans saveur, fut beaucoup plus tranquille que la précédente, et le jeu durant la saison 1985-1986 montra que les deux équipes avaient abandonné beaucoup de la rancune qui les opposait naguère.

Une des raisons qui a favorisé cet état de choses, et qui vous attirerait les foudres des amateurs inconditionnels si vous en parliez, c'est que les *Nordiques* et les *Canadiens* se ressemblent de plus en plus. Québec a une meilleure défensive, les *Canadiens* une offensive plus efficace. Chaque équipe possède deux tireurs d'élite européens, les Stastny à Québec et les Suédois Naslund et Dahlin à Montréal. Les deux sont fortes au niveau de la défensive avant (Paul Gillis, Ashton et Alain Côté à Québec, Bob Gainey, Guy Carbonneau et Mike McPhee à Montréal). Ajoutons à cela l'excellence de Bobby Smith à Montréal et de Goulet à Québec, et celle des deux gardiens de but Gosselin et Patrick Roy, natifs de Québec, et la chicane de famille pourrait durer des années.

Les *Nordiques*, au gré des échanges, ont consolidé leur défensive avec les ex-*Canadiens* Robert Picard et Gilbert Delorme. Ni l'un ni l'autre ne l'admettra, mais leur présence dans le vestiaire des joueurs à Québec et sur la patinoire désamorce parfois des situations explosives.

— Tu ne peux pas oublier d'avoir joué avec des gars comme Larry Robinson, Craig Ludwig et Gaston Gingras à la défense, et derrière des gars comme Tremblay, Gainey et Nilan, dit Delorme. Les gars étaient et sont encore mes amis, même s'il n'y a pas d'amis sur la patinoire, juste des adversaires.

Picard, échangé pendant la saison pour Mario Marois, répète le même cliché.

— Quand tu joues, il n'y a pas d'amis, même si tu as déjà joué avec eux dans le passé.

Néanmoins, on ne peut faire autrement que de s'apercevoir, dans le feu de l'action, que Delorme et Picard, confrontés à leurs anciens coéquipiers, que ce soit le long de la bande ou devant les filets, s'en tiennent à quelques insultes ou remontrances verbales. On garde les gants.

Plus rien ne vaut lorsqu'il s'agit de Dale Hunter.

— On a toujours l'impression qu'on ne peut pas gagner contre eux, dit-il. Tous les aspects du hockey à Québec sont comparés à Montréal parce que Montréal a toujours été synonyme de hockey. Cela nous dérange parce que nous n'obtenons aucun respect, même si depuis cinq ans, on les accote à tous les niveaux. Merde, on ne peut même pas aller jouer à l'extérieur sans passer par l'aéroport de Montréal.

Au point que les *Nordiques* se demandent si le N de leur écusson ne représente pas le «No respect» de Rodney Dangerfield. Un exemple probant de ce que représente le fait d'appartenir aux *Nordiques* de Québec s'est produit à Noël, en 1985. Pendant la saison des Fêtes, deux équipes soviétiques, l'*Armée Rouge centrale* et le *Dynamo* de Moscou, jouaient en Amérique du Nord contre plusieurs équipes de la LNH dans une série de dix parties. À peine débarquée du réacté Aeroflot, l'*Armée Rouge*, en réalité l'équipe nationale de Russie, avait défait les *Kings* de Los Angeles et les *Oilers* d'Edmonton.

L'entraîneur russe Viktor Tickhonov, vieux routier de ces parties d'exhibition en Amérique du Nord, disait aux chroniqueurs après la partie à Edmonton qu'il avait hâte de jouer contre les *Canadiens* au Forum la veille du Jour de l'an.

Il ne blaguait pas. L'*Armée Rouge* assomma les *Canadiens* 6-1 sans rencontrer de résistance. Vers la fin de la troisième période, les fervents du Forum concédèrent la victoire et accordèrent aux Soviétiques une ovation qui alla jusqu'à faire sourire Tikhonov.

Qu'est-ce que tout cela a à voir avec un manque de respect pour les *Nordiques*? Tout simplement qu'entre les cuisantes défaites des *Canadiens* et des *Oilers*, les Soviétiques étaient «passés par Québec» où les *Nordiques* leur avaient servi une raclée de 5-1. Cette victoire enflamma Québec, et l'équipe entama par la suite sa troisième série de sept victoires consécutives de l'année, pour terminer bonne première dans la division Adams. Personne ne le remarqua.

— Allez donc y comprendre quelque chose, fulmina Bergeron. On a les Stastny, deux des meilleurs joueurs de hockey; on a Michel Goulet qui compte 50 buts par année, tous les ans; on a une excellente défensive et des gardiens de but hors pair et on joue bien en dehors. On est imbattables au Colisée. On a vaincu Edmonton, Philadelphie, Montréal et Washington. Et «ils» continuent à nous dénigrer.

Il s'arrête là et sourit.

— C'est bon. Cela facilite mon travail car je n'ai pas à perdre de temps pour motiver mon équipe. C'est «eux» qui s'en occupent.

Images de la Guerre... Troisième partie

Les *Canadiens* et les *Nordiques* ont terminé leur période de réchauffement, et en cette soirée de février 1986, l'appareil noir et argenté flotte une fois de plus à quelque six mètres au-dessus de la patinoire. Sur la glace, un tapis rouge recouvre la glace entre les lignes bleues. À gauche, au sud de la patinoire, une tente bleu et violet prend forme tandis que de jeunes hommes soulèvent des drapeaux. On éteint les lumières; il fait noir.

Un projecteur mobile illumine un podium.

— Mesdames et messieurs, le premier ministre du Canada, déclare un maître de cérémonie en vêtements d'apparat.

L'écran s'anime et le très honorable Brian Mulroney, premier ministre du Canada, dit à la foule du Colisée à quel point il est flatté d'avoir été nommé président honoraire du Comité d'organisation du match d'étoiles de la LNH pour 1987, qui seront tenus à Québec, mettant en vedette les étoiles de la LNH contre l'Union soviétique.

Dans les tavernes et les brasseries du Québec, les partisans qui attendent impatiemment les *Canadiens* et les *Nordiques* doivent d'abord écouter le premier ministre du Canada, le premier ministre Bourassa du Québec (sur vidéo), le président Ziegler de la LNH, Aubut, le représentant de l'Association des joueurs de la LNH, Allan Eagleson, et d'autres personnalités politiques.

La foule s'impatiente; quelques huées fusent des gradins du Colisée. Les studios TVA à Montréal et à Québec sont submergés d'appels téléphoniques.

Et vient la finale — la «tente» révèle trente jeunes femmes court vêtues qui manifestent beaucoup d'enthousiasme tout en dansant aux accords d'une musique moderne.

Une fois leur numéro terminé elles quittent la patinoire et sont remplacées par deux équipes impatientes.

Marcel Aubut a un sourire fendu jusqu'aux oreilles. «Le Tigre» Bergeron rugit. Quelque part dans les coulisses, Marcel Filion s'affaire à échanger Wilf Paiement aux *Rangers* de New York.

La vie, et la guerre, continuent.

Chapitre 13

L'interrègne

Montréal, 27 avril 1980. Il est 22 h 20; un petit attroupement semble hypnotisé par les tourbillons kaléidoscopiques projetés par les écrans de téléviseurs en montre à la vitrine d'un magasin en cette fraîche soirée de printemps.

Cette succursale de location de téléviseurs Granada est située à peu près à deux cent mètres à l'est du Forum, où 18 000 fanatiques de hockey sont assis sur le bout de leur siège dans ce que la Ligue nationale de hockey appelle la septième partie de la série K. À l'extérieur de la salle d'exposition Granada, notre groupe (neuf personnes, sans compter les passants) regarde intensément cette septième partie de la demi-finale entre les *Canadiens* de Montréal et les jeunes et tenaces *North Stars* du Minnesota.

La voiture de patrouille 25-4 de la Communauté urbaine de Montréal est stationnée à dix pieds de la vitrine, et ses quatre occupants (les deux «réguliers» plus les deux officiers de la voiture 25-31, garée de l'autre côté de la rue) se concentrent sur la partie. Derrière eux, un taxi Diamond est arrêté et son chauffeur mâchonne un cigare. À l'intersection, un autobus de la ligne 165, abandonné. Son chauffeur se tient à droite de la vitrine. Il sent le froid et remonte la fermeture éclair de son chandail gris réglementaire.

Les deux autres acteurs de ce petit tableau n'ont pas froid du tout. Ils viennent de sortir d'une taverne avoisinante, et l'un d'eux est étalé sur le pare-choc arrière de la voiture de patrouille. Beaucoup plus en forme, son compagnon ne cesse de vociférer pendant que se déroule sur les écrans un ballet muet tout de vert, de jaune, de rouge, de blanc et de bleu.

— Minnesota va gagner, répète-t-il sans cesse avec cette assurance qui est l'apanage des vrais soûlards.

— Ils ne peuvent pas perdre. Les *Canadiens* sont fatigués. Regardez-les, ils se traînent le derrière.

Le policier au volant de la voiture baisse sa vitre.

— Ferme ta gueule ou je vais te botter le tien, de derrière! dit-il.

— C't'un pays libre, bafouille notre soûlard, déçu que personne ne veuille entendre ses commentaires.

La porte de la voiture s'ouvre d'un pouce et notre loustic comprend le message.

À l'écran, les *Canadiens* pressent le pas. Après avoir ouvert le pointage, à 9 h 12 sur un but de Mark Napier en avantage numérique, ils subissent l'affront de se faire marquer un but cinq minutes plus tard par un adversaire en désavantage numérique d'un joueur. Par pure chance. Denis Herron s'était rendu derrière le filet pour envoyer la rondelle le long de la bande et initier ainsi un autre élan pendant le jeu de puissance, geste posé par un gardien cinq cents fois par année. La rondelle avait frappé le côté du filet pour rebondir devant le joueur d'échec avant, Tom Younghans, qui se trouvait tout seul devant un filet désert. Tard en deuxième période, lors d'un avantage numérique pour Minnesota, le défenseur Craig Hartsburg avait marqué sur un puissant tir de la pointe. Les *Canadiens* traînent de l'arrière depuis lors.

Montréal est au pied du mur dans sa course pour l'obtention d'une cinquième coupe Stanley d'affilée. Vers la fin de la troisième partie du trois de cinq au premier tour éliminatoire, entre les *Canadiens* et les *Whalers* de Hartford, l'ailier Pat Boutette avait fait trébucher Guy Lafleur. Ce coup bas évident avait mis fin à la participation de Lafleur en série, mais malgré cela les *Canadiens* remportaient la partie en prolongation. Deux géants du hockey, Gordie Howe et Bobby Hull, prenaient leur retraite après cette partie. Plusieurs années plus tard, quelques partisans des *Canadiens* diraient qu'elle devait être la dernière vraie partie jouée par le Flower.

Pierre Larouche, membre du trio de Lafleur, se trouve également en coulisses. Les *Canadiens* avaient marqué 328 buts en saison régulière. Larouche et Lafleur, avec chacun 50 buts, étaient responsables d'à peu près le tiers de cette production. Leur compagnon de trio, Steve Shutt, qui avait marqué trois buts lors d'un jeu blanc de 5-0 contre les *North Stars*, plus tôt en saison, a l'air perdu. Dans cette partie, il n'obtiendra même pas un tir au but.

Malgré tout, la partie est serrée parce que les *Canadiens* possèdent une défensive solide comme le roc menée par les «Trois Grands», superbement épaulés par les «Trois Petits»: Brian Engblom, Gaston Gingras et Rod Langway. Serge Savard et Guy Lapointe boitent à la suite de blessures subies respectivement à la jambe et au pied, alors que les «Trois Petits» se trouvent dans le feu de l'action.

Tôt en troisième période, deux vétérans des éliminatoires, Mario Tremblay et Yvon Lambert, font leur jeu préféré, libérant la rondelle à grands renforts de mises en échec et de jeux sauvages le long de la bande. Rod Langway capte le disque à la ligne bleue et décoche un tir qui déjoue Gilles Meloche. C'est 2 à 2.

Dans la voiture de patrouille 25-4, les policiers se donnent des tapes dans le dos. Le chauffeur de taxi appuie sur le klaxon dont le bruit remplace le rugissement silencieux des partisants au Forum qu'on peut voir ovationnant debout.

— Ça va faire!

Un des policiers est sorti de la voiture et lance un regard furieux au chauffeur de taxi. Le poste 25 est tout près, et nos quatre officiers de la paix ne veulent surtout pas attirer l'attention de l'officier de quart.

Le but soulève les *Canadiens* et ils créent la tension au sein des jeunes *North Stars*. On a tous vu cela maintes et maintes fois. Le réveil du lion.

Mais il se passe quelque chose d'étrange. Même si les *Canadiens* semblent maîtriser le jeu, ils ne réussissent pas à tirer au but. Les *North Stars* se regroupent à leur ligne bleue, arrêtent l'élan et reviennent dangereusement à la charge, montant plusieurs attaques à deux contre un et trois contre deux. Herron doit faire plusieurs arrêts importants.

La partie se déroule silencieusement devant nos yeux. Même si le chauffeur de taxi écoute la partie à sa radio, nous n'entendons pas les paroles des commentateurs anglais et français, mais nous savons très bien de quoi ils parlent: la prolongation s'annonce.

La dynamique d'une partie d'éliminatoires est des plus étranges. Le jeu devient constipé à mesure que le temps s'écoule. Au lieu de «mettre la pression» durant les cinq dernières minutes en temps régulier et d'avoir quand même le temps de revenir à la charge si l'adversaire venait à marquer, les joueurs donnent l'impression que c'est le temps supplémentaire qui compte, même si une erreur commise en prolongation est sans appel. Ils tentent d'éviter la défaite au lieu d'essayer de gagner. On entend déjà les entrevues accordées par les perdants après la partie dans le vestiaire des joueurs:

— Ben, on les a menés jusqu'en prolongation et ils ont été chanceux.

Les joueurs savent qu'on ne leur tient pas rigueur de perdre ainsi, et agissent en conséquence.

Comme résultat, le jeu devient décousu. Au lieu de foncer pour créer l'ouverture, les joueurs hésitent et retournent en arrière. Souvent, la rondelle est libre, et les joueurs des deux équipes ont tendance à l'éviter comme la peste.

Un joueur avant des *Canadiens* se trouve dans ce genre de situation alors qu'il ne reste plus que 90 secondes à jouer en temps régulier.

Au lieu de mettre toute la vapeur pour atteindre le disque avant un joueur des *North Stars* en territoire neutre, il rebrousse chemin et retourne vers sa zone. Steve Payne du Minnesota saute sur la rondelle et la passe à Bobby Smith au centre qui la porte dans la zone des *Canadiens*. Il effectue une vive passe à l'ailier Al MacAdam qui file vers le but et lance le disque par-dessus la jambe de Herron. Minnesota 3, Montréal 2. Le tableau indique 18 min 43 en troisième période. Se peut-il que le Forum soit plus silencieux que la devanture du magasin Granada?

— Merde! Minnesota va gagner.

Le soûlard fait de nouveau preuve de courage, quand même un peu surpris que sa prédiction se réalise. Cette fois, le policier se contente de lui jeter un regard dur et, oubliant la proximité du poste, écrase son klaxon dans un geste de dépit.

— Les *Canadiens* ont un mauvais sort. Christ! On n'a même pas eu d'hiver, ajoute notre philosophe ivre, liant le fait qu'il n'y a presque pas eu de neige à Montréal pendant l'hiver 1979-1980 à la défaite imminente des *Canadiens*. Dans la voiture 25-4, l'un des policiers ne peut s'empêcher de rire.

La dynastie a quelque 77 secondes pour se reprendre. Les *Canadiens* peuvent-ils revenir à nouveau? Derrière leur banc l'entraîneur Claude Ruel ne peut dissimuler son inquiétude. Scotty Bowman est à Buffalo. Jacques Lemaire a passé l'hiver en Suisse. Si Ken Dryden regarde la partie, c'est à Toronto à la télévision. Lafleur et Larouche sont absents. Doug Risebrough est habillé mais, blessé, il n'a pas joué du tout pendant la partie cruciale. Lapointe et Savard boitent.

Le jeu reprend avec 40 secondes à jouer. Meloche bloque un tir de Napier. La caméra fait un travelling le long du banc des *Canadiens* où tous les joueurs surveillent intensément le jeu. Seuls les joueurs qui viennent de quitter la patinoire ont la tête baissée et essayent de reprendre leur souffle. La résistance mentale est omniprésente, ces gars-là n'abandonnent pas tout espoir.

Avec 20 secondes à jouer, Meloche effectue un arrêt du bout d'un orteil. Et c'est fini. Il n'y aura pas de «cinq coupes d'affilée».

On ne peut s'empêcher de se demander si, quelque part dans l'immeuble, la classe de 1960 pousse un soupir de soulagement. Leur «cinq» n'est plus menacé.

Alors que les *North Stars* en vert s'attroupent autour de Meloche et que les *Canadiens* en blanc consolent Herron, le chauffeur d'autobus hausse les épaules, se dirige rapidement vers le bus 165 et s'en va, bientôt suivi du taxi. Les portières arrière de la voiture de patrouille 25-4 s'ouvrent, et les deux officiers retournent à leur propre voiture 25-31. Avant de quitter les lieux, le conducteur du 25-4 jette un dernier regard sur les deux soûlards; l'un dort tranquillement sur le trottoir alors que son compère essaye de le réveiller. La voiture 25-31 part aussi. Les soûlards sont encore là quand la procession funèbre déambule le long de la rue Sainte-Catherine.

Ce qu'il y a de plus surprenant dans la défaite d'un champion, c'est la surprise qui s'ensuit. Si décousu et déchiré qu'ait été le rendement des champions durant la compétition, une aura d'invincibilité couvre tout et même celui qui porte le défi n'en croit pas ses oreilles lorsque retentit la dernière sirène, la dernière cloche, le dernier coup de feu.

À 22 h 44, avec une minute à jouer, c'est Minnesota qui regardait le cadran indicateur avec fébrilité. La mystique des *Canadiens* jouait en deux sens. Les joueurs du Minnesota se demandaient au tréfonds de leurs coeurs:

— Que feront-ils cette fois-ci pour remporter la victoire?

De l'autre côté de la patinoire, au banc des *Canadiens*, la question est:

— Je me demande qui va compter le but égalisateur?

À 22 h 50, les deux équipes, encore incrédules, ont réintégré les vestiaires. Le petit coin du Minnesota situé sous les bancs rouges du côté est du Forum est envahi par les représentants des médias: magnétophones et caméras s'avancent vers les visages jeunes et triomphants; la même question fuse de partout:

— Comment vous sentez-vous?

Dans le vestiaire-musée des joueurs des *Canadiens*, on répète la même question, plus calmement. Aucun des joueurs ne lève la tête. Le flambeau leur avait été passé et ils l'ont laissé tomber. Ce soir, les portraits des joueurs du Temple de la Renommée qui ornent le mur semblent jeter sur les perdants des regards accusateurs.

Dans un coin, Doug Jarvis est assis silencieux, sans comprendre. Magnifique avant défensif issu des *Petes* de Peterborough, c'est la première fois dans sa carrière avec la LNH qu'il perd une coupe Stanley. Il fait partie de l'équipe depuis 1975-1976 et, chaque année, depuis quatre ans, il retourne chez lui au printemps, champion de la coupe Stanley.

Et tout à coup, on comprend: ces gars-là ne savent pas comment perdre. La période d'apprentissage est lente et longue à venir. Chez les *Canadiens*, elle avait débuté un an plus tôt.

Peu après la fin de la saison, Al MacNeil avait annoncé qu'il quittait l'organisation pour devenir entraîneur des *Flames* d'Atlanta. Certains n'accordèrent que peu d'importance à cette nouvelle. Mais pour ceux qui couvraient les *Canadiens* et qui savaient à quel point le travail de MacNeil avait été essentiel dans la préparation des jeunes joueurs de la Nouvelle-Écosse pendant huit ans, cet abandon était un événement majeur. MacNeil avait annoncé sa décision tout de suite après la saison parce qu'il voulait être fin prêt pour le repêchage de la LNH.

Son départ était loin d'être le seul d'importance pour le Club cette année-là. La majorité des gens proches de l'équipe savaient que la partie donnant la coupe Stanley aux *Canadiens* en mai serait la dernière de Scotty Bowman derrière le banc de l'équipe. Il avait broyé du noir toute l'année, après la nomination de Grundman comme directeur gérant et la création d'un conseil de direction du hockey.

Bowman prit sa décision au cours d'une fin de semaine du début du mois de juin. Il était engagé dans d'importantes négociations avec les *Sabres* de Buffalo, et ces derniers le pressaient de répondre.

— J'étais en communication constante avec les deux équipes et j'avais finalement décidé de rencontrer le conseil d'administration des *Canadiens* le lundi suivant. Buffalo s'impatientait, car le repêchage approchait à grands pas et ses représentants voulaient régler toute la question le plus tôt possible. J'ai appelé M. (Seymour) Knox parce qu'il m'avait accordé un délai jusqu'à minuit dimanche. Il n'était pas content parce que ce délai était déjà la prorogation d'un autre délai.

Bowman ne voulait plus être entraîneur. Il pensait avoir bien mérité une promotion au sein de l'administration, que ce soit à Montréal ou ailleurs, et il y tenait ferme. Bien des années et bien des entraîneurs plus tard, à Buffalo, il découvrirait qu'il n'y avait pas d'entraîneur assez bon pour travailler avec Scotty Bowman, directeur gérant, à moins, bien entendu, que cela soit Scotty Bowman, entraîneur.

— Buffalo s'inquiétait de ma décision. Ils voulait ma réponse une semaine avant et c'est pour cette raison que j'ai fini par être entraîneur. Je leur ai dit: «J'arrive mais je ne veux pas être entraîneur.» J'étais intraitable sur ce point et, finalement ils acceptèrent. Mais j'avais besoin d'un peu plus de temps pour rencontrer les *Canadiens*, et pour vraiment prendre ma décision. Donc, je leur ai dit: «Regardez, vous avez été très corrects avec moi, je serai donc correct avec vous. J'accepte de devenir votre entraîneur pour un an, si vous m'accordez ce délai d'un jour.» Je ne voulais pas qu'ils pensent que je ne faisais que me servir d'eux afin de rester à Montréal.

Bowman avait pris sa décision ce dimanche-là et avait téléphoné à Knox d'abord, au président de Molson, Morgan McCammon ensuite. Il voulait toujours rencontrer les *Canadiens* le lendemain mais sa décision était prise; il le leur dit. Ce lundi-là, Bowman rencontra le président des *Canadiens*, Jacques Courtois, Jean Béliveau et Irving Grundman, et leur confirma ce qu'il avait décidé.

— Nous avons eu une bonne conversation et nous nous sommes quittés bons amis. C'était la bonne façon de partir et je les remerciai. Il n'y avait aucune animosité.

À l'ouverture du repêchage plus tard dans la semaine, Scotty Bowman était assis à la table de Buffalo et MacNeil à celle des *Flames* de Cliff Fletcher.

Après les défections administratives, on assista à plusieurs départs de joueurs. Moins d'une semaine après la décison de Bowman, Jacques Lemaire, à trente-trois ans, s'exilait. Il avait encore plusieurs bonnes années devant lui dans la LNH; en fait, il jouait de mieux en mieux, et avait même remplacé Pete Mahovlich, entre Shutt et Lafleur, sur la ligne la plus prolifique de l'équipe à laquelle il apportait un élément qu'elle n'avait jamais possédé: la défensive. Et tout ceci d'un joueur dont on disait à ses premières années:

— Il pouvait aller dans un coin, des oeufs plein les poches, et en ressortir sans en avoir cassé aucun.

Lemaire, toujours silencieux et sérieux, prenait son métier vraiment à coeur. Il travaillait ferme et avait appris sur le tas l'aspect défensif du jeu dans la LNH. Il obtenait aussi d'excellents résultats avec les jeunes avants. Il était clair qu'il deviendrait entraîneur une fois sa carrière de joueur terminée.

Il n'y avait qu'une embûche. Très timide, Lemaire tenait intensément à sa vie privée et détestait l'aquarium qu'était l'équipe des *Canadiens* de Montréal. Il n'en a jamais voulu aux médias de faire leur boulot; il n'aimait simplement pas faire face aux caméras.

Lorsque les Suisses annoncèrent qu'ils recherchaient un joueur-entraîneur parlant français, Lemaire était tout désigné.

— Je sens qu'à trente-trois ans, je suis très chanceux que l'on m'offre cette occasion, dit-il au cours d'une conférence de presse (une parmi beaucoup d'autres qui empêcheraient les chroniqueurs sportifs montréalais de se consacrer au golf tout au long de cet été de changement). Après avoir bien réfléchi et analysé la situation, considérant les choix qui s'offraient à moi, j'ai décidé d'aller là-bas en tant que joueur-entraîneur. Je veux continuer dans le hockey quand mes jours comme joueur seront comptés; je pense que cette expérience m'aidera, et comme entraîneur, et comme administrateur.

Son salaire baisserait mais, selon lui, cela en valait la peine. En 1978-1979, il recevait 150 000 $ par an avec Montréal; son contrat à Sierre lui donnerait 75 000 $ U.S. par année. Toutefois, il ne paierait pas d'impôt, et la famille Lemaire aurait une maison et une voiture sans frais.

Trois semaines plus tard, à peine six semaines après le dernier défilé de la coupe Stanley, Ken Dryden annonçait sa retraite. Il en avait parlé à plusieurs reprises avec Irving Grundman au cours de la saison précédente, et les *Canadiens* avaient été avertis bien à l'avance. Malgré son âge relativement jeune, à trente et un ans, Dryden sentait qu'il était temps de passer à autre chose. Le 8 juillet, les chroniqueurs furent rejoints à leur club de golf respectif et convoqués à une conférence de presse impromptue.

— Auparavant, il était plus facile de prendre sa retraite que ce ne l'est aujourd'hui mais j'en ai pris la décision et je devrai vivre avec. Avoir vécu à Montréal, joué au Forum devant les partisans montréalais et avec les joueurs avec qui j'ai eu la chance de jouer, tout cela constitue une expérience remarquable.

Un autre joueur qui avait fait vibrer les Montréalais tout au long de sa carrière deviendrait le troisième à prendre sa retraite cet été-là. Yvan Cournoyer, le «Road Runner», avait été inactif durant presque toute la saison et n'avait pas participé aux éliminatoires après avoir été opéré au dos en janvier, pour la seconde fois. L'ailier droit de trente-cinq ans avait participé au camp d'entraînement en septembre et semblait en très grande forme, marquant deux buts lors d'un match nul de 3 à 3 contre Philadelphie, et un autre contre Chicago.

Toutefois, il ne participa pas aux deux dernières parties d'exhibition contre Toronto et Boston et, le 10 octobre, se trouvait à son tour derrière les microphones.

— J'ai essayé, seulement pour m'apercevoir que je ne pouvais plus jouer, dit-il.

Son dos le faisait trop souffrir, et même s'il était en grande forme, il savait que l'effort d'une saison entière lui serait néfaste. Il remettrait officiellement à Serge Savard le C du capitaine de l'équipe. Le grand défenseur l'avait arboré durant la dernière conquête de la coupe Stanley et il en héritait pour de bon. En un seul été, Montréal avait perdu trois joueurs qui, à eux trois, avaient amassé vingt-quatre coupes Stanley.

— Le château de cartes s'effondrait, se souvient Grundman.

— Nous avons perdu, cet été-là, des atouts majeurs à tous les niveaux, et ceux qui demeuraient devaient travailler encore plus fort afin de maintenir notre degré d'excellence. Malgré la perte de ces joueurs, nous savions que le noyau de joueurs qui restaient suffirait à nous maintenir parmi les meilleurs. Nous possédions toujours la meilleure défensive de la Ligue et nous avions des marqueurs comme Larouche, Shutt et Lafleur, ainsi que Jarvis et Gainey qui excellaient dans l'échec avant.

Bunny Larocque réaliserait enfin son rêve de devenir le gardien attitré des *Canadiens*, mais Montréal avait besoin d'un substitut fiable qui entrerait en compétition avec Larocque si besoin était. Le jeune avant Pat Hugues, beau-frère de Mark Napier, fut échangé à Pittsburgh pour Denis Herron. Une sage décision.

Le choix du remplaçant de Bowman fut beaucoup moins heureux. Plusieurs personnes avaient été pressenties, Jacques Laperrière, Henri Richard, Dickie Moore, Gilles Tremblay et Claude Ruel. Les rumeurs allaient bon train pendant la saison morte mais aucune d'elles ne s'avéra exacte.

Red Fisher du *Montréal Star* prit tout le monde par surprise en annonçant le 4 septembre que Bernard «Boum Boum» Geoffrion remplacerait Scotty Bowman. Boum Boum, volubile et amusant dans ses messages publicitaires de bière, avait grandement contribué au lancement de la concession des *Flames* à Atlanta. Il avait montré quelque talent comme entraîneur et il excellait dans les relations publiques; il s'en acquittait à merveille à Atlanta quand Irving Grundman fit appel à lui.

— On s'est trompés, admettra Grundman plusieurs années plus tard. Bernie avait été entraîneur deux fois et il avait de l'expérience, tout en étant très populaire à Montréal pendant qu'il y jouait. Et en dépit de sa réputation de farceur et de joyeux drille, c'était un homme brillant et intelligent qui n'avait aucune difficulté à communiquer avec les autres.

Il ne se passa absolument rien.

Geoffrion arriva à Montréal en coup de vent et prit immédiatement le contrôle de sa conférence de presse, débitant des blagues en français et dans un anglais qui lui était particulier. En 1968-1969, sa première expérience comme entraîneur avec les *Rangers* de New York n'avait duré que trois mois, avant que ses ulcères le forcent à s'arrêter. Quatre ans plus tard, il fut l'entraîneur des nouveaux *Flames*, jusqu'en quart de finale de la coupe Stanley, avant que la maladie ne le force à s'arrêter de nouveau.

Les médias de hockey de Montréal lui posèrent la question évidente:

— Qu'est-ce qui vous fait penser que vous pourrez assumer la lourde tâche d'entraîneur des *Canadiens*?

— Je suis le nouveau Bernard Geoffrion, formule améliorée, leur dit-il. Je m'en charge. Je suis très sérieux et je vous le prouverai.

Tout le monde était dans l'expectative, surtout les journalistes plus âgés qui avaient couvert les *Canadiens* durant les annnées cinquante. Pour eux, Geoffrion était l'ailier droit de l'«Équipe Étrange» de tous les temps, avec Eddie Shack à l'aile gauche et Mike, dit «Shakey», Walton au centre. Boum Boum avait bien mérité sa place, marquant 393 buts en 16 saisons avec la LNH, et il s'était payé du bon temps pour cinquante personnes.

C'était bien le même Boomer qui vous regardait à travers le trou de son gant de base-ball, dans les messages publicitaires de la Miller Lite d'illustre mémoire aux États-Unis.

En fait, certains journalistes se souvenaient que le troisième Boomer avait frôlé la mort en faisant le pitre. Cela s'était produit durant un entraînement. Les *Canadiens* de Toe Blake ne perdaient pas leur temps à exécuter les exercices de base à l'entraînement. La meilleure façon de prendre le dessus sur les meilleurs joueurs de la Ligue, c'était de jouer contre les meilleurs joueurs de la Ligue — c'est-à-dire eux-mêmes.

Les joueurs patinaient ferme et s'amusaient quand, tout à coup, Geoffrion s'effondra. Ses coéquipiers tournèrent autour de lui en lançant leurs habituelles plaisanteries:

— Hé! Boum! Ce n'est pas télévisé, jusqu'au moment où ils s'aperçurent que Geoffrion changeait de couleur.

Transporté d'urgence à l'hôpital, il passa de longues heures sur la table d'opération où les médecins tentaient de minimiser les effets d'un éclatement de la rate.

Tel était l'homme qui mènerait les destinées d'une équipe qui avait livré une bataille sans merci à Scotty Bowman pendant huit ans pour un résultat nul!

Boum Boum était dans la cage du lion et le résultat était prévisible. Trois mois et une semaine après sa conférence de presse inaugurale, il se retrouva dans le bureau d'Irving Grundman.

Michael Dugas de la *Gazette* faisait antichambre au bureau de Grundman ce 12 décembre. Il prit des notes.

— J'ai mon voyage. Ils ne se comportent pas comme des joueurs professionnels. Pourquoi devrais-je me rendre malade pour une bande de gars qui ne m'écoutent même pas? Les gars rentrent à deux, trois heures du matin (Coach, rencontre donc Rick Chartraw), ils font des farces et passent leur temps à rire. Je ne resterai certainement pas ici pour faire rire de moi et prendre tout le blâme pour ce qui arrive parce que ce n'est pas de ma faute.

L'entraîneur poursuivit ses doléances: Pierre Larouche se pavanant, cigare en bouche, à l'aéroport, après une défaite. Le capitaine Serge Savard était trop occupé avec ses chevaux pour donner un coup de main à Geoffrion. Le seul joueur qui montrait de l'intérêt était Larry Robinson.

— J'avais rêvé d'être l'entraîneur de cette équipe, ajouta-t-il. Le rêve est devenu un cauchemar. Même si vous m'offrez un million par année, je pars.

Dès le lendemain, Claude Ruel reprit pour la deuxième fois la tâche d'entraîneur en chef des *Canadiens* de Montréal. L'équipe accepta sans difficulté le changement et, en éliminatoires, lorsqu'ils perdirent la première partie de leur quart de finale contre Minnesota, c'était leur première défaite en vingt-cinq parties.

Il n'y aurait donc pas de course effrénée pour obtenir cinq championnats de suite. Toutefois, malgré l'impression qu'on a tenté d'imposer depuis, il n'y aurait pas non plus de chute vertigineuse de hauteurs olympiennes.

Si certains journalistes et historiens aiment bien comprimer les quarante premières années de l'histoire des *Canadiens* afin de faire d'eux la meilleure équipe de la LNH, ce qui est absolument faux, les médias montréalais, et spécialement les francophones, donnent encore aujourd'hui l'impression que les années sous Grundman correspondaient à la Grande Noirceur.

En vérité, sous Grundman, Montréal termina trois fois à la tête de sa division et gagna une coupe Stanley. Non, les *Canadiens* ne furent pas relégués aux profondeurs du Styx à cette époque.

En 1979, ils étaient deuxièmes au classement général derrière les *Islanders* de New York mais gagneraient la coupe. Par la suite, les *Islanders* en gagneraient quatre de suite. Ce qu'on a tendance à oublier toutefois, c'est qu'au cours de ces cinq années, les *Canadiens*, supposément en fin de carrière collective, ont accumulé 532 points contre les 531 de New York. Les autres équipes de la Ligue pressenties pour prendre la relève tout au long de ces cinq ans, incluaient Philadelphie, Boston et Buffalo. Ils avaient amassé respectivement 501, 498 et 479 points.

À Montréal, toutefois, seule la coupe Stanley comptait. Les résultats obtenus en saison régulière et le fait que les *Canadiens* aient toujours été très compétitifs ne voulaient rien dire si l'équipe ne se rendait pas aux éliminatoires. Que les *Canadiens* se soient classés deuxièmes au chapitre des buts marqués (360) et premiers pour les buts accordés (223), pendant la saison de 1982, serait tout à fait insignifiant après le but chanceux marqué par Dale Hunter au détriment de Rick Wamsley dans la première minute de prolongation de la cinquième et dernière partie du premier tour éliminatoire.

L'aspect le plus malheureux des deux dernières années d'Irving Grundman comme directeur gérant des *Canadiens* de Montréal se résuma à un joueur.

Les impitoyables médias montréalais considéraient avec raison que l'élimination subie contre Minnesota était due au hasard. Les *Canadiens* avaient entrepris la série sans Larouche ni Lafleur, et avec Lapointe et Savard blessés. Doug Risebrough s'était disloqué l'épaule et ne jouait presque pas.

Dès le début du repêchage au Forum le 11 juin, les *Canadiens* étaient en position de force. Ils avaient acquis le premier choix et il n'y avait qu'un mot pour décrire la récolte 1980 de jeunes recrues: exceptionnelle.

Tous les éclaireurs de la Ligue, y compris ceux de Montréal qui avaient à plusieurs reprises fait le voyage en Saskatchewan, n'avaient d'yeux que pour un robuste joueur de centre des *Pats* de Regina qui faisait un malheur dans la Ligue de hockey de l'Ouest. Il s'appelait Douglas Peter Wickenheiser et il avait été nommé joueur junior de l'année au Canada après une saison de 170 points (89 buts, 81 aides). Et comme si cela ne suffisait pas, il avait compté 14 buts additionnels tout en fournissant 26 aides en 16 parties éliminatoires.

Mais Wickenheiser n'était pas seul. Les *Winter Hawks* de Portland avaient un grand gaillard de défenseur nommé David Babych, une concession à lui tout seul, disaient les rapports. Jamais en reste, les *Juniors* de Montréal trouvaient leur inspiration en la personne d'un bouillant joueur de centre natif de Verdun, Denis Savard. Ailleurs dans le classement, on retrouvait une immense récolte de joueurs de qualité âgés de dix-huit ans: par exemple les défenseurs Larry Murphy, Darren Veitch, Paul Coffey, Rick Lanz, Jérôme Dupont, Normand Rochefort, Moe Mantha, Rick Nattress et Steve Konroyd. Au nombre des avants disponibles on trouvait Jimmy Fox, Mike Bullard, Brent Sutter, Barry Pederson, Paul Gagné, Steve Patrick, Kevin Lavallée, Mike Moller et John Chabot.

Les médias francophones exerçaient une forte pression afin que l'on repêche Savard. Joueur spectaculaire, il était né avec le logo des *Canadiens* imprimé sur la poitrine et entrait parfaitement dans le moule des joueurs de centre montréalais dont la tradition remontait à Howie Morenz. Il serait formidable avec Lafleur et Shutt, pensaient-ils, et Larouche serait la pierre angulaire d'un vigoureux deuxième trio de marqueurs.

Mais les *Canadiens* voulaient un gros joueur de centre, ce qui leur manquait depuis que Peter Mahovlich avait été échangé trois ans auparavant.

— Même si Larouche avait été blessé pendant les éliminatoires, tout portait à croire qu'il aurait retrouvé sa forme et qu'il pourrait effectuer un retour au jeu en automne entre Lafleur et Shutt, se rappelait Grundman. Nous savions aussi que la blessure au genou de Guy était sans conséquence. Nous avions vraiment tout étudié avant le repêchage. Tous nos gens nous disaient de prendre Wickenheiser.

Montréal choisit Wickenheiser, Babych fut repêché par les *Jets* de Winnipeg et Savard fut sélectionné par Chicago. Ce jour-là, les journalistes montréalais commencèrent à compter les jours. D'après l'horaire de la LNH, Chicago jouerait au Forum le 11 octobre, exactement quatre mois plus tard, dans la première partie à domicile des *Canadiens* en saison 1980-1981.

Ce soir-là Savard joua, et fort bien. Les *Canadiens*, dans leur infinie sagesse, ne firent pas jouer leur premier choix au repêchage. Lorsque Savard, après avoir brillamment contourné Robinson, eut tiré et marqué, il y eut une ovation monstre. Bien des gens du milieu croient encore que le fait de ne pas avoir aligné Wickenheiser dans cette partie fit plus de mal à ce jeune homme de Regina qu'il ne l'admettra jamais.

De fait, aucun de ces choix au repêchage ne remporta le trophée Calder comme meilleure recrue cette saison-là. Cet honneur fut réservé à une recrue vétéran de vingt-cinq ans, Peter Stastny. Toutefois, Savard le suivait de près avec 28 buts et 47 aides. Babych aussi avait connu une forte saison de 6 buts et 38 passes pour 44 points comme défenseur. Le «grand joueur du centre» de Montréal finit pour sa part avec 7 buts et 8 aides en 41 parties.

Le point le plus bas de sa saison eut lieu lorsque les *Canadiens*, en milieu de saison, passèrent par l'Alberta. Pendant une de ses rares présences sur la patinoire, Wickenheiser avait compté deux buts et fourni une aide contre les *Flames* dans une partie au Forum. Les *Flames* étaient passés d'Atlanta à Calgary durant la saison morte. Mais Wickenheiser n'était même pas en uniforme pour la partie à Calgary, ni pour celle qui eut lieu deux soirs plus tard, contre les *Oilers*. Wickenheiser avait l'habitude de s'asseoir dans la galerie de la presse, apprenant à dissimuler sa déception. Toutefois, ses parents et plusieurs de ses amis étaient venus tout spécialement de Regina pour le voir jouer.

Au milieu de la saison, Wickenheiser éait un jeune homme de dix-neuf ans, désillusionné.

Il serait injuste de prétendre que les *Canadiens* confinèrent Wickenheiser au banc sans raison. Une chose qui lui fit du tort fut l'émergence de Keith Acton, joueur enflammé qui venait d'acquérir pas mal de maturité avec les *Voyageurs* de la Nouvelle-Écosse. Issu de Peterborough, il avait marqué 45 buts avec les *Voyageurs* en 1979-1980, et on lui avait promis sa chance avec l'équipe. Sage décision, car il compta 15 buts et obtint 24 passes en 61 parties.

Le vrai défi de Wickenheiser venait de l'extérieur. Tant qu'il jouerait à Montréal, il devrait souffrir la comparaison avec Savard, et la situation ne s'améliorerait pas à mesure que ce dernier établissait toutes sortes de records chez les joueurs de centre des *Black Hawks*.

Quatre ans plus tard, un an après que Wickenheiser eut été échangé aux *Blues* de St.Louis, Claude Ruel admettrait:

— Wickenheiser n'était simplement pas le joueur de hockey que nous pensions. Il n'avait pas l'étoffe, et c'est pour cette raison qu'il n'était pas en uniforme pour cette partie contre Chicago.

Comme il était en tout temps un ardent défenseur des jeunes joueurs des *Canadiens*, cette remarque de Ruel ne lui ressemblait pas. Elle montrait clairement à quel point le repêchage de Wickenheiser était devenu un point sensible pour l'organisation entière.

Wickenheiser avait-il été un mauvais choix? Grundman l'a toujours nié.

— Tous les éclaireurs de la LNH le mettaient au premier rang. Nos propres éclaireurs aussi. Nous avons pris la bonne décision, selon nos priorités et les renseignements dont nous disposions à l'époque. Le tempérament était très important. Nous tentions toujours d'évaluer quel genre de personne un jeune joueur était. Wickenheiser semblait correct. Il était un des gars les plus populaires dans la chambre des joueurs, et tous ses coéquipiers l'encourageaient. Il a beaucoup de classe et c'est dommage que cela n'ait pas fonctionné pour lui à Montréal.

Le grand centre ne faisait plus partie de l'alignement de Montréal lors de la première série éliminatoire contre les *Oilers* d'Edmonton ce printemps-là. Les *Canadiens* furent écrasés en trois parties consécutives, et Glen Sather, le général des *Oilers*, ne fit qu'une bouchée du sergent Ruel.

Deux autres vétérans de longue date avaient aussi disparu en février. Rick Chartraw avait été échangé aux *Kings* de Los Angeles contre un choix au deuxième tour du repêchage. Un mois plus tard, sur le coup de minuit, dernier délai pour effectuer une transaction, Michel Larocque avait été échangé à Toronto contre Robert Picard et un choix au huitième tour de repêchage.

Les *Canadiens* devaient faire face à un dur été et, cette fois, de gros nuages se dessinaient à l'horizon. Guy Lafleur pensait que Ruel avait été dépassé par les événements et le disait, alors que Ruel, pensant que Lafleur avait été déjoué, et par Wayne Gretzky et par Dave Hunter, son ombre, ne disait rien. Il devenait de plus en plus évident aux yeux de plusieurs qu'il faudrait bientôt trouver un nouvel entraîneur.

Pendant l'été de 1982, Montréal magasinait pour trouver un entraîneur et choisit Bob Berry, Montréalais de naissance, ancienne étoile et entraîneur des *Kings* de Los Angeles. En trois ans avec les *Kings*, Berry avait la respectable fiche de 107 victoires, 94 défaites et 39 parties nulles. Il était connu pour sa sévérité et croyait en la valeur d'un système de jeu. Toutes ces qualités impressionnaient l'administration des *Canadiens*.

Berry admit que l'entraînement des deux équipes présenterait quelques différences.

— À Los Angeles, nous avions une amende de 500 $ pour quiconque arriverait bronzé, dit Berry avec le sourire. Les *Kings* de Los Angeles ont toujours fait l'envie de leurs confrères de la LNH qui vivaient dans des climats plus froids. Il était toujours un peu trop facile d'abandonner l'exercice et de se rendre à la plage. Je ne crois pas que cela soit nécessaire à Montréal. Je vais penser à de nouvelles règles mais je ne modifierai pas ma philosophie d'entraîneur pour plaire à qui que ce soit. Il y aura des couvre-feux. Les gens devront toujours être à l'heure. Je ne crois pas que cela soit trop demander de la part d'un athlète professionnel.

Il était évident que Grundman avait pris à coeur les dernières remarques de Geoffrion et qu'il avait transmis la teneur du message au nouvel entraîneur.

Geoffrion avait parlé fort, et ses joueurs l'avaient ouvertement défié. Claude Ruel, pour sa part, avait été moins exigeant, avec comme résultat que ses joueurs le réduisaient en charpie devant les médias. Guy Lafleur était un des pires coupables à ce chapitre et, dans l'idée du directeur gérant, souffrait de diarrhée verbale.

Lafleur avait connu une saison frustrante et avait, à plusieurs reprises, dit clairement ce qu'il pensait. Après avoir manqué les précédentes séries éliminatoires à cause d'une blessure au genou, il avait travaillé fort pour se mettre en condition pour le camp d'entraînement. Peine perdue, car une blessure au tendon devait lui faire manquer 29 parties en saison régulière. Il obtiendrait 27 buts et 43 aides en 57 parties. La plus grande humiliation survint en séries éliminatoires, après que Richard Sévigny eut annoncé au monde entier que Flower mettrait Wayne Gretzky dans sa poche n'importe quand. Évidemment, Sévigny se trompait mais c'est Lafleur qui dut ravaler les paroles de son gardien de but.

Cet été-là, Lafleur travailla très fort en vue de la coupe Canada II et il se trouva dans le même trio que Gretzky et Gilbert Perreault. Ce dernier avait été le meilleur des trois avant qu'une blessure à la cheville ne lui fasse rater la finale contre l'Union soviétique que le Canada avait perdue 8 à 1. Cette expérience et le fait d'entendre les partisans d'Edmonton et de Calgary crier «Guy! Guy! Guy!» chaque fois qu'il touchait la rondelle semblèrent le rajeunir; il se présenta au camp d'entraînement 1981-1982 préparé à travailler fort.

Lafleur ignorait qu'il était bien près d'être échangé à Buffalo un an plus tard. Grundman, las de ses récriminations publiques, de ses escapades nocturnes et de son manque de productivité, tentait discrètement de l'échanger.

— À l'époque, Buffalo avait énormément de difficulté à renégocier le contrat de Gilbert Perreault, et il semblait que les parties ne s'entendraient jamais. J'ai rencontré Bob Swados, leur vice-président et avocat, qui était également leur gouverneur alternatif lors d'une réunion des gouverneurs. Nous avons eu plusieurs conversations sur une période de deux semaines, mais tout s'écroula lorsque Perreault signa son contrat. Qui sait? Cet échange aurait pu profiter aux deux équipes. Tout ce que je sais, c'est que Perreault était sans doute le seul joueur que les partisans montréalais auraient accepté en échange de Lafleur.

La nomination de Berry fut confirmée une semaine avant le repêchage, et la délégation assise à la table des *Canadiens* le 10 juin ne parlait pas fort. Au cours des treize mois qui venaient de s'écouler, quatre hommes avaient occupé le poste d'entraîneur des *Canadiens*, et plusieurs joueurs avaient été dispersés après presque dix ans d'une stabilité presque ennuyeuse. Les *Canadiens* avaient trois des vingt et un choix du premier tour au repêchage, et deux dans le deuxième, c'est-à-dire parmi les quarante-deux premiers. Si les éclaireurs de Ron Caron avaient bien fait leur boulot, on mettrait la main sur des joueurs talentueux.

Au septième choix, les *Canadiens*, optant pour les liens de parenté, choisirent Mark Hunter des *Alexanders* de Brantford de la Ligue junior de l'Ontario. Frère cadet de Dave (Edmonton) et de Dale (Québec), il avait la réputation d'être un bon patineur, robuste, possédant un excellent tir. Aux 18ᵉ et 19ᵉ choix, les *Canadiens* choisirent Gilbert Delorme, un défenseur de Chicoutimi, et Jan Ingman, un joueur d'avant suédois.

Toutefois, les bons choix se faisaient rares. Alors que 33 des 42 joueurs sélectionnés en 1980 dans les deux premiers tours jouaient toujours dans la LNH, seulement 26 des joueurs choisis en 1981 demeureraient avec une équipe de la LNH pendant plus d'une saison. Au 32ᵉ rang, Montréal opta pour le Suédois Lars Eriksson, et repêcha au 40ᵉ rang un défenseur nommé Chris Chelios de l'Université du Wisconsin.

Hunter et Delorme feraient partie de l'alignement de Montréal au début de la nouvelle saison et y apporteraient des contributions respectables. Ils furent rejoints par Craig Laughlin, un Torontois qui avait été repêché quatre ans plus tôt, mais qui avait décidé de poursuivre son éducation à Colgate avant de se rapporter aux *Voyageurs* avec lesquels il joua pendant deux saisons. L'ailier gauche qui montrait de belles qualités amassa 12 buts et 11 passes en 36 parties, aux côtés de Mario Tremblay et de Pierre Mondou.

L'équipe des années 70 avait officiellement disparu au cours de la saison 1981-1982. D'abord, Serge Savard avait pris sa retraite, écoeuré par le mauvais traitement que lui avaient réservé les partisans montréalais au cours de sa dernière saison. Savard avait peut-être quelque peu ralenti, mais sa vaste expérience allait encore lui servir. Il l'a prouvé sans peine en soutenant la défensive des *Jets* de Winnipeg, favorisant l'éclosion de jeunes joueurs de défense tel Dave Babych, après que John Ferguson l'eut convaincu de reprendre du service.

Tout au long des séries contre Edmonton, Savard fut hué sans merci par les partisans soi-disant bon genre de Montréal. Après avoir eu deux jambes cassées au début de sa carrière, gagné les trophées Conn Smythe et Bill Masterton, alors qu'on aurait dû lui remettre le trophée Norris au moins une fois en cours de carrière, Savard avait été un pilier défensif; il ne méritait pas cet affront.

Après qu'Edmonton eut humilié les *Canadiens* 6 à 2 pour remporter la série trois parties à zéro, le vétéran défenseur était en larmes dans le vestiaire des joueurs. Il savait qu'il venait de porter le chandail des *Canadiens* pour la dernière fois; il prit sa retraite au mois d'août.

Parti aussi, Yvon Lambert, durant neuf saisons le Gary Dornhoefer des *Canadiens*, un joueur sans peur qui plantait son derrière devant les gardiens de but, subissant ce que Danny Gallivan appelait «quantité de coups et de bâtons élevés» afin de permettre aux membres plus rapides du jeu de puissance des *Canadiens* de se mettre en position de marquer. Lambert, un autre produit de l'acharnement au travail du Québec rural, avait joué sa première partie de hockey organisé à quatorze ans. Il n'aurait jamais passé la rampe au hockey amateur québécois des années quatre-vingts, où le soi-disant «système élitiste» dit à des enfants de sept et huit ans qu'ils ne sont pas assez bons pour jouer.

Grâce à la constante amélioration des joueurs de deuxième année comme Keith Acton, certaines recrues (Wickenheiser) et même quelques vétérans (Larouche) sentaient la pression. Ces deux joueurs eurent de la difficulté à s'adapter à l'aspect défensif de leur rôle. Wickenheiser s'en tira assez bien, ce qui ne fut pas le cas de Larouche, avec comme résultat qu'il passait beaucoup de temps sur le banc quand on lui permettait de s'habiller.

En uniforme pour seulement 22 des 33 premières parties de Montréal, Larouche avait obtenu 9 buts et 12 passes pour 21 points et rongeait son frein. La crise éclata lors d'un voyage en Nouvelle-Angleterre, juste avant Noël. Les *Canadiens* venaient de jouer une partie à Hartford et se rendaient à Boston en autobus. Larouche avait passé cinq parties consécutives sur le banc et passait le plus clair de son temps à claironner qu'il voulait être échangé.

La bière aidant, Larouche prononca une longue diatribe contre l'administration et l'entraîneur de club durant le voyage, même si Grundman assis à l'avant de l'autobus prétend n'avoir presque rien entendu.

— On a beaucoup parlé de ce voyage en autobus mais le problème n'était pas là. La plupart des clubs ont une politique standard: les joueurs ne peuvent pas prendre un verre dans le bar de l'hôtel où ils sont descendus. Ce privilège est réservé aux entraîneurs et à l'administration. Arrivé à Boston, Pierre était au bar du Sheraton.

On lui demanda de partir et il refusa. Un peu plus d'une semaine plus tard, il avait été échangé à Hartford, et chez lui l'ancien bon vivant refit surface, marquant 25 buts et fournissant 25 aides dans les 45 dernières parties de la saison. Il fut adulé à Hartford jusqu'au milieu de la saison suivante.

Il était aussi adulé à Montréal, spécialement lorsqu'on apprit que Grundman avait eu un éclair de génie à la Pollock lors de cette transaction avec le directeur gérant des *Whalers*, Larry Pleau. Larouche allait à Hartford en échange du premier choix au repêchage des *Whalers* pour 1984; si par miracle Hartford terminait aux premiers rangs, ce qui affecterait inversement la qualité de ce choix, Montréal pouvait retarder l'exercice de cette option.

— Quand j'ai vu ça, j'ai failli m'évanouir, dit Emile Francis, l'actuel président-directeur général des *Whalers*.

Irving Grundman et son éclaireur en chef Ron Caron regardaient trois ans en avant. Un grand joueur de centre efflanqué avec les *Nationals* de Laval était très prometteur et serait peut-être disponible en 1984 si les *Whalers* pouvaient se maintenir aux bas étages de la Ligue durant quelques années encore. Son nom: Mario Lemieux.

En plein milieu de la saison 1981-1982, le 11 février, Montréal remporta au compte de 4 à 2 une victoire aux dépens des *Pingouins* de Pittsburgh, depuis longtemps les souffre-douleur de la Ligue. Les buts des *Canadiens* furent marqués par Gaston Gingras, Mario Tremblay, Steve Shutt, son 350e et Doug Jarvis (dans un filet désert). Cette victoire était la dixième d'affilée, la première fois en quatorze ans qu'une équipe des *Canadiens* accomplissait cet exploit. Toutefois, ce qui était encore plus important, c'était la 2000e victoire des *Canadiens* en saison régulière, une première dans l'histoire de la LNH.

Un autre événement déterminant pour l'avenir immédiat des équipes se produisit aussi au cours de la saison 1981-1982. La Ligue modifia ses divisions. Montréal, le meneur de la division Norris qui comprenait les équipes de Los Angeles, Pittsburgh et Detroit, faisait maintenant partie de la division Adams où se trouvaient Boston, Buffalo, Québec et Hartford. Ce passage d'une division très faible à celle qui était la plus compétitive de la Ligue eut un effet tonique sur les *Canadiens*. Alors même que les *Canadiens* avaient livré une rude bataille aux surprenants *Kings* pour le championnat Norris en 1980-1981, finissant avec 103 points contre les 99 des *Kings*, il y avait par contre beaucoup trop de parties faciles contre Pittsburgh, Hartford et Detroit.

La concurrence au sein de la division Adams avec les détestés *Nordiques*, la combativité légendaire des *Bruins* et les *Sabres*, menés par Scotty Bowman, éperonnèrent les *Canadiens* qui terminèrent la saison avec 40 victoires, 17 défaites et 13 parties nulles pour un total de 109 points, troisièmes au classement général.

La nouvelle formule des éliminatoires les opposerait aux *Nordiques* de Québec qui avaient terminé la saison au quatrième rang dans la division Adams avec une excellente fiche de 82 points (33-31-16). Tout semblait favoriser les *Canadiens* avant les éliminatoires. Deux de leurs trios marquaient régulièrement, et leur défensive était forte, grâce au trio Jarvis-Gainey-Hunter qui excellait dans l'échec avant, et à Robinson, Langway, Engblom, Picard et Delorme, qui dégageaient l'enclave devant le gardien recrue Rick Wamsley.

Cette première série était très attendue, et les *Canadiens* remportèrent facilement la première partie à Montréal au compte de 5 à 1. Et le vent vira. Québec, mené par les frères Stastny, un centre dégingandé appelé Dale Hunter et un Dan Bouchard régénéré dans les buts, étonna les *Canadiens* en remportant la deuxième partie 2 à 1 à Montréal, pour ensuite gagner la troisième partie de la série à Québec.

Montréal revint en force pour gagner la quatrième partie, et les deux équipes quittèrent Québec pour Montréal avec l'impression que les *Canadiens* prendraient le dessus dans la cinquième partie. La défensive des *Nordiques* était notoirement faible et, en deuxième période, ils perdirent deux défenseurs blessés, Pierre Lacroix et Jean Hamel. Toutefois, en début de troisième période, les *Nordiques* menaient 2 à 0, même si les *Canadiens* avaient dominé le match depuis le début.

La foule normalement réservée du Forum, fouettée par la frénésie de cette passionnante confrontation avec les cousins de la Vieille Capitale, réagissait bruyamment à chaque tir au but.

Finalement, Bouchard s'effondra sous la sauvagerie de l'attaque. Mario Tremblay, dont le regard avait eu l'intensité du laser toute la soirée, marqua à 10 min 49 et la foule éclata. Il restait presque une demi-période à jouer; Montréal renaissait.

Le but égalisateur ne se fit pas attendre, les *Canadiens* attaquèrent et Robert Picard marqua à 12 min 14.

Mais Bouchard se ressaisit et résista à la vague offensive, arrêtant Mondou, Lafleur, Tremblay (à deux reprises) et Shutt, tandis que Montréal surclassait les *Nordiques* (15 tirs contre 5) en troisième période et qu'on allait en prolongation.

Bob Berry rappela à son équipe que tout pouvait survenir en prolongation.

— Nous avons deux objectifs. Nous les arrêtons et nous nous assurons que nous les arrêtons; ensuite, nous profitons des occasions.

Fidèle à cette ligne de pensée, il présenta un alignement défensif; Gainey, Jarvis et Hunter à l'avant, Engblom et Langway à la ligne bleue. La ligne défensive passa à l'attaque.

Dès la mise en jeu, Mark Hunter, Gainey et Jarvis montèrent la rondelle dans la zone des *Nordiques* où Engblom et Jarvis tentèrent de l'immobiliser sur la bande afin d'obtenir une mise en jeu.

— Douglas et moi jouions au soccer avec la rondelle le long de la bande quand il s'écria qu'elle était encore à mes pieds. J'ai regardé et je pense que c'est Michel Goulet qui d'un coup de patin l'envoya sur la bande.

Le disque sautilla jusqu'à Dale Hunter qui accéléra dans une échappée à deux contre un, en compagnie de Réal Cloutier, un franc-tireur. Rod Langway était le seul joueur à l'arrière, et il exécuta un jeu parfait empêchant l'adversaire de passer et de tirer au but. Hunter passa à Cloutier, mais l'angle était mauvais: la rondelle roula du bâton de Cloutier à l'arrière du filet. Dale Hunter se retrouva seul derrière le filet en possession du disque, et le temps sembla suspendre son vol.

Alors que toutes les autres personnes présentes dans la bâtisse semblaient bouger au ralenti, Hunter s'empara de la rondelle et tenta de contourner le filet du côté droit de Wamsley. Le gardien glissa en travers, et le centre des *Nordiques* essaya de pousser le disque dans le but. Et puis, plus rien... la foule se détendit, la rondelle était sous Wamsley.

Toujours au ralenti, Dale Hunter souleva son bâton, l'arbitre patina sans se presser vers le filet, montra du doigt la rondelle, puis Hunter, la lumière rouge s'alluma et tous les *Nordiques* sautèrent sur la glace. N'ayant obtenu que 15 tirs au but contre 35 pour les *Canadiens*, largement surclassés et avec une défensive qui n'arrêterait pas une bonne équipe midget, les *Nordiques* de Québec avaient vaincu les *Canadiens* de Montréal; le hockey de la LNH ne serait plus jamais le même dans la province.

Pour la deuxième année consécutive, les *Canadiens* ne réussissaient pas à sortir vainqueurs du premier tour éliminatoire.

On commença à pointer du doigt Grundman, Caron, Ruel et les maîtres penseurs des *Canadiens*. Le célèbre premier choix de 1980, Doug Wickenheiser, n'avait pas joué dans la série contre Québec, tout comme il n'avait pas joué l'année précédente lors de la défaite devant Edmonton. Encore pire, sa place dans l'alignement avait été comblée par Jeff Brubaker, un rude ailier qui n'avait même pas été choisi parmi les vingt joueurs partants de Hartford.

On examinera au microscope les autres choix du repêchage. Danny Geoffrion, le fils de Boum Boum, avait été le premier choix de Montréal en 1978 et rien n'était arrivé avec lui. Dave Hunter, choisi par les *Canadiens* lors du même repêchage, avait été échangé à Edmonton où il avait empêché Guy Lafleur de marquer durant les éliminatoires de 1981. Gaston Gingras, choisi 27e au repêchage universel de 1979, était le meilleur choix des *Canadiens* et n'avait qu'occasionnellement joué en saison 1981-1982. Dale Hunter, qui avait compté le but provoquant l'élimination des *Canadiens*, avait été choisi 41e cette même année.

Quelques irréductibles retournaient même plus loin. Mike Bossy avait été choisi 15e en 1977, cinq choix après Mark Napier des *Canadiens*.

Et puis, il y avait Wickenheiser. Après deux saisons dans la LNH, Dave Babych était la pierre angulaire de la défensive du Winnipeg, et Denis Savard avait amassé 194 points (60 buts, 134 passes). Durant la même période, Wickenheiser avait récolté 19 buts et 31 passes en 97 parties.

Où était la relève? On avait laissé tomber le flambeau! Les *Nordiques* de Québec vaincraient les *Bruins* de Boston dans la finale de la division Adams, mais se feraient battre en finale par les *Islanders* de New York. En ce mois de mai, chaque partie que les *Nordiques* jouaient était un fer tourné dans la plaie de l'administration et des partisans des *Canadiens*.

Toutefois, la récrimination la plus persistante était la plus difficile à réfuter. L'administration et le personnel des entraîneurs des *Nordiques* qui étaient québécois, c'est-à-dire francophones, avaient prouvé qu'ils étaient aussi bons que n'importe quelle administration anglophone, spécialement l'administration anglophone du Forum. En deux ans, ils avaient réussi à mettre sur pied une équipe formée de bons joueurs de hockey élevés au Québec et avaient transformé une équipe de l'expansion en équipe gagnante. Leurs gens de hockey étaient meilleurs, point à la ligne.

Cette accusation contre la LNH entière était tout à fait justifiée. Depuis trop d'années les entraîneurs et les directeurs canadiens-français avaient été empêchés d'accéder aux plus hauts échelons du hockey professionnel par un réseau de copains qui ne voyaient pas d'un bon oeil les Canadiens non anglophones. Ils tentaient de justifier leur attitude condescendante avec des explications du genre:

— Quelques-uns de ces francophones peuvent vraiment jouer, mais je doute qu'ils savent que deux et deux font quatre.

Toutefois, il était injuste de faire porter toute cette responsabilité par les *Canadiens*. Aucune équipe n'avait plus fait pour les Canadiens français, à tous les niveaux, depuis quasiment trois quarts de siècle que le Club existait. Des propriétaires nommés Létourneau, Dandurand et Raymond et des entraîneurs nommés Lépine, Lalonde, Mantha et Ruel en étaient des exemples probants. Malgré cela, les plaignards étaient implacables.

— On nous a tout reproché cet été-là, dit Grundman. On descendit Ron Caron parce que les médias francophones ne l'aimaient pas. Il venait d'Ottawa et n'était pas copain-copain avec les journalistes. Malgré la tempête, il conserva son sang-froid et fit son travail.

Caron et Grundman, toujours conscients de la critique, procédèrent alors à la supervision du pire repêchage de Montréal depuis des années. Les *Canadiens* avaient accumulé cinq choix dans les deux premiers tours, leur choix régulier au numéro 19 du premier tour, et les choix numéros 31, 32, 33 et 40 dans le second. La récolte de 1982 était notoirement mince après les dix premiers choix et, là encore, les *Canadiens* commirent des erreurs.

Les *Canadiens*, déterminés à faire taire les critiques, choisirent deux joueurs juniors du Québec: Alain Héroux de Chicoutimi et Jocelyn Gauvreau de Granby. Ni l'un ni l'autre ne ferait long feu dans la LNH, et Héroux fut même sélectionné deux choix avant Pat Flatley des *Islanders* de New York, un excellent joueur d'avant qui deviendrait une des vedettes de l'équipe olympique canadienne en 1984. Les trois autres choix de Montréal venaient des États-Unis: le défenseur Kent Carlson de St. Laurence University, David Maley de Edina High School (University of Wisconsin) et Scott Sandelin de Hibbing High School (University of North Dakota).

Québec, d'autre part, libre de toute barrière linguistique, choisit deux joueurs de l'Ontario: David Shaw des *Rangers* de Kitchener et Paul Gillis des *Flyers* de Niagara Falls. Au début de la saison 1985-1986, Gauvreau et Héroux ne jouaient plus au hockey; Carlson, après quelques parties passées à Montréal, avait été échangé à St.Louis; Maley et Sandelin dont on disait tant de bien lorsqu'ils jouaient dans la ligue universitaire avaient décidé de poursuivre leurs études; Gillis et Shaw jouaient régulièrement pour les *Nordiques*.

Montréal avait encore la possibilité de gagner le «repêchage de 1982» si Maley et Sandelin jouaient bien dans les saisons à venir. Mais les comparaisons Gauvreau-Héroux et Shaw-Gillis montrent l'étendue de l'influence d'une victoire de Québec sur Montréal en éliminatoires, même quatre saisons plus tard.

L'influence à court terme serait tout aussi renversante. Les *Canadiens* reprirent le camp d'entraînement cet automne-là avec la proverbiale épée de Damoclès suspendue au-dessus de la tête.

Si Doug Wickenheiser n'avait pas encore produit de résultats tangibles, tel n'était pas le cas pour Keith Acton. Le petit joueur de centre de Stouffville en Ontario avait récolté 36 buts et 52 passes en 1981-1982, terminant en tête des marqueurs des *Canadiens*. Deux centres de talent devaient bientôt monter des *Voyageurs* de Nouvelle-Écosse. Dan Daoust (25-40: 65) et Guy Carbonneau (27-67: 94). Doug Jarvis continuait à fournir du jeu solide, et Pierre Mondou, un charmant patineur polyvalent, avait obtenu d'excellents résultats l'année précédente, amassant 35 buts et 33 passes en 73 parties aux côtés des vétérans Mario Tremblay et Réjean Houle. Il y avait aussi Doug Risebrough, prêt à effectuer un retour au jeu après avoir subi plusieurs blessures la saison précédente.

Les *Canadiens* étaient bien servis en centres, en joueurs d'avant et de défense. Toutefois, le manque de poids des avants des *Canadiens* constituait le problème majeur. Le Club avait été incapable de combler le vide avec des patineurs plus robustes à l'avant. Montréal pouvait se permettre d'échanger un centre ou deux, peut-être même un défenseur pour obtenir un avant plus robuste. On parlait entre autres de Ryan Walter de Washington, de Brent Ashton du Colorado (maintenant New Jersey) et de Curt Fraser des *Canucks* de Vancouver.

Grundman ne mit pas beaucoup de temps à faire sauter l'embâcle; il réussit le plus important échange des *Canadiens* depuis dix ans. Montréal obtint Ryan Walter et le défenseur Rick Green des *Capitals* de Washington en échange de Rod Langway, Brian Engblom, Craig Laughlin et Doug Jarvis.

L'échange enregistra 7,0 sur l'échelle Richter et les contrecoups 5 à 5,5. Quelques secondes après cette annonce, les médias montréalais se mirent à l'oeuvre. Engblom et Langway? Ensemble? La meilleure paire défensive de la Ligue l'an dernier? Vous n'êtes pas sérieux!

La plupart des observateurs s'étaient attendus à un échange comprenant Langway parce que le diplômé du New Hampshire était depuis longtemps insatisfait de son contrat et voulait jouer aux États-Unis, où un dollar est un dollar et non de l'argent de Monopoly.

— Rod nous avait dit clairement que, s'il n'était pas échangé à une équipe américaine, il prendrait sa retraite, dit Grundman. Il n'y avait aucun doute dans mon esprit qu'il le ferait. Rod est le seul gagne-pain chez lui et il était très inquiet du bien-être de sa famille. Jamais nous n'aurions envisagé de l'échanger s'il n'avait été si intransigeant.

À la suite de deux trophées Norris remportés par Langway en 1983 et 1984 à titre de meilleur défenseur de la Ligue, il est facile d'oublier que le mécontentement des Montréalais était centré sur l'échange d'Engblom, qui avait été choisi au sein de la deuxième équipe tout-étoiles en 1981-1982, le seul joueur des *Canadiens* à être ainsi honoré cette saison-là. Il se trouva peu de gens pour pleurer la perte de l'anonyme Laughlin et de Jarvis, un centre défensif de tout premier plan.

Peu après l'annonce de cette transaction, le Club échangeait Risebrough aux *Flames* de Calgary.

— Monsieur Grundman pensait que je ne ferais pas l'équipe cette année-là, parce qu'il faisait monter plusieurs jeunes recrues que les *Canadiens* ne pouvaient plus laisser en Nouvelle-Écosse, se rappelle Risebrough. Il a été très équitable avec moi et m'échangea à une équipe de mon choix, ce qu'il n'était pas obligé de faire.

Quand même, le fait d'échanger quatre *Canadiens* à n'importe quelle équipe dans la même transaction et d'en échanger un cinquième peu après créa un choc qui se fit sentir dans le vestiaire des joueurs durant toute la saison. La situation ne fut en rien améliorée du fait que les *Canadiens de Washington* devinrent rapidement des prétendants au trône et que Risebrough pour sa part assuma le leadership de l'équipe de Calgary tout en vivant sa saison la plus productive au chapitre des points obtenus depuis 1976.

Le choc de l'échange fut amorti par l'arrivée au camp d'entraînement d'un jeune joueur suédois nommé Mats Naslund qui enleva à Réjean Houle sa place aux côtés de Mondou et de Tremblay, et se mit à faire oublier Craig Laughlin aux partisans montréalais. Au même moment, Guy Carbonneau, jouant sur la ligne défensive, obtenait le total respectable de 47 points (18 buts, 29 passes) alors que Walter marquait 29 buts, tout en faisant preuve d'agressivité dans les coins.

Rick Green, un très fort défenseur défensif qui avait été le premier choix au repêchage universel de 1976, s'avéra beaucoup plus fragile qu'on ne l'aurait cru, manquant 18 parties en saison régulière et n'en jouant que 7 l'année suivante. Larry Robinson, épuisé dès la mi-mars pour avoir trop joué en début de saison, n'était que l'ombre de lui-même, tandis que Gilbert Delorme, même s'il avait compté 12 buts, avait tendance à sacrifier sa position pour appliquer de solides mises en échec, ce qui avait pour cause d'épuiser ses codéfenseurs qui devaient faire face à une constante avalanche de descentes à deux contre un et à trois contre deux.

Avant l'échange, Montréal possédait la «défensive des années quatre-vingts». Après l'échange, ils luttaient désespérément derrière leur propre ligne bleue, accordant jusqu'à 63 buts de plus (presque un par partie) en 1982-1983 que l'année précédente.

Montréal glissa en deuxième place de la division Adams cette saison-là avec 98 points, douze derrière les *Bruins* de Boston, et affronta les *Sabres* de Buffalo dans la demi-finale de division.

Robert Sauvé, un gardien de but de Sainte-Geneviève, un village de la pointe ouest de l'île de Montréal en face de l'île Bizard, revint au bercail et servit deux jeux blancs aux *Canadiens*. Montréal marqua deux buts dans le troisième match à Buffalo, mais cela ne suffit pas pour sauver la série. L'équipe avait été balayée en trois parties et, ce qui est encore pire, n'avait pas réussi à remporter le premier tour des éliminatoires depuis trois ans.

Cette fois-ci, le nettoyage maison se ferait au deuxième étage et non dans le vestiaire des joueurs. Irving Grundman et Ron Caron avaient été avertis des changements qui se préparaient. Le premier signe était venu au mois de novembre précédent, quand Morgan McCammon avait annoncé que Molson avait puisé à même l'empire Carling-O'Keefe-*Nordiques*, allant chercher Ronald Corey, un homme d'expérience dans le marketing de la bière qui avait jadis fait un essai avec les *Canadiens juniors*.

Le message? Si les *Canadiens* ne pouvaient plus être francophones sur la patinoire, ils le seraient dans la haute direction.

Chapitre 14

L'ordre nouveau

Nous étions assis dans les gradins du côté ouest, section 36. Le vieil habitué avait les larmes aux yeux.

En bas, en chandail rouge, les lions en hiver, les premiers, ceux de 1959, patinaient sur la glace ornée du CH familier et recevaient une fois de plus l'ovation du public.

Claude Mouton était au micro:

— Mesdames et messieurs... le Rocket... Maurice Richard!

Quand le Rocket, majestueux, se mit à patiner tranquillement vers Jacques Plante, l'ovation dans le Forum monta en crescendo. Debout, au centre de la glace, les bâtons levés en guise de salut, se tenaient un groupe d'athlètes d'âge mûr, Tom Johnson, Bob Turner, Jean-Guy Talbot, Doug Harvey, un corps de garde aussi difficile à percer que la Grande Muraille de Chine.

Don Marshall, Claude Provost, Dickie Moore: de robustes ailiers qui pouvaient vous fermer toute issue dans leur territoire et s'en ouvrir une dans le vôtre.

Et puis les machines à marquer: Henri Richard, Boum Boum Geoffrion, Jean Béliveau et, bien sûr, le Rocket.

C'était la soirée des vieux partisans, celle des vétérans des années cinquante et soixante qui avaient vu leur équipe gagner la coupe Stanley onze fois en vingt ans. C'était aussi la soirée des Anciens, ces hommes qui avaient accroché bien haut les bannières aux chevrons du Forum. L'équipe qu'ils avaient formée avait grandi dans l'intervalle et faisait ce jour-là l'objet d'une reconnaissance publique qui lui avait longtemps fait défaut. La veille, un dîner spécial servi à son intention avait émerveillé les *Canadiens* cuvée 1983-1984.

— Ces gars-là sont une source d'inspiration pour nous tous, dit Bobby Smith d'Ottawa, devenu ce jour-là simple partisan.

Quoiqu'il fût l'un des joueurs les plus âgés de l'équipe, il était né au milieu de cette époque glorieuse, en février 1958, et n'avait donc jamais vu la plupart des Anciens jouer. Mais il en avait entendu parler.

— C'étaient de vrais champions, à ce que me dit mon père. Quand on voit ces gars-là, on sait ce que notre uniforme signifie. C'est comme porter le chandail à rayure des *Yankees*.

De retour dans les gradins, le partisan aux cheveux grisonnants tira un mouchoir de sa poche de veste et se tamponna les yeux. Il désigna du doigt le banc des *Canadiens* où les joueurs du jour frappaient de leurs bâtons la glace ou la bande.

— Le plus triste, c'est que ces gars-là n'ont pas l'air de comprendre ce que tout cela signifie. On n'organiserait pas toutes ces cérémonies s'ils gagnaient de temps à autre.

C'était à la fois la meilleure et la pire des époques. Et comme notre partisan l'avait senti, le moment était venu de remonter le chemin du souvenir, car en cette année 1983-1984, les *Canadiens* vivaient un cauchemar.

Qu'il suffise de dire que cette saison, la pire dont on ait le souvenir, avait eu pour résultat de faire travailler davantage tout le monde, de la direction jusqu'au bureau des relations publiques, en passant par les joueurs. La nouvelle saison avait commencé quatre jours après que les *Sabres* eurent éliminé les *Canadiens* au premier tour éliminatoire. Ronald Corey fit le grand ménage.

Irving Grundman, Ron Caron et Bob Berry partirent. Jamais la direction n'avait connu de purge si importante, source d'embarras pour cette organisation naguère si fière.

— Corey m'a rencontré mardi après-midi pour me dire qu'il ne renouvelait pas mon contrat et que je pouvais rester au sein de l'organisation deux ou trois semaines, se rappelle Grundman.

Celui que Pierre Larouche avait dédaigneusement appelé «directeur de salle de quilles en plus grand» ne traîna pas. Il vida son bureau et quitta les lieux en trois heures. Peu de gens se rendent compte que Grundman serait parti de son plein gré. C'était écrit dans les cartes quand, cinq mois plus tôt, Corey avait été engagé. Avec ou sans comité de hockey, il ne pouvait y avoir deux patrons, et telle était la situation quand Corey s'est joint à l'équipe. Son arrivée a mis les deux hommes dans une situation impossible.

— J'étais directeur gérant; cela signifiait que tout ce qui concernait le hockey était sous ma responsabilité. Corey, qui commençait à marcher dans mes plates-bandes, a insisté pour suivre les réunions où nous décidions de ce qui touchait au hockey. Je lui ai toujours dit: «Si vous voulez assister à des réunions, convoquez-en vous-même.» Avant que Corey ne soit engagé, le président assistait surtout aux cérémonies et ne se mêlait pas des affaires courantes. Nous étions tous les deux dans une situation impossible parce que le mandat de Corey n'était pas clair. Officiellement, s'entend.

Officieusement, son mandat était clair comme de l'eau de roche. Il fallait faire le ménage. Faire en sorte que les partisans et les joueurs reprennent confiance dans l'administration. Mieux encore, il fallait faire des *Canadiens* la bière, pardon, l'équipe préférée des Québécois.

Quand Corey fut engagé, ses nouveaux patrons chez Molson vantèrent sa personnalité, son dynamisme, son sens du leadership et son grand attachement à Montréal et au Québec. Cette dernière allusion était une gifle à l'endroit de Grundman, qui s'était fait la réputation de s'enfermer dans une tour d'ivoire, loin de la clameur des foules. La nomination de Corey était aussi le signe qu'une guerre de la bière se déroulait sans merci au Québec. La filiale québécoise de Molson avait vu sa direction remaniée en profondeur, une agence de publicité avait perdu son contrat, et la mainmise exercée par Molson sur les ventes de bière se desserrait. Cela tenait en partie à la remontée de Carling-O'Keefe dans le sillage des Nordiques, qu'elle commanditait.

Quand la réalité se fit jour chez Molson, la Brasserie alla chercher Corey, président de O'Keefe et diplômé en marketing de l'Université de Western Ontario. À la fin de ses études, avant de se joindre à O'Keefe, il avait couvert les sports pour plusieurs journaux francophones, produit des émissions de hockey pour la télévision de Radio-Canada et travaillé chez Molson comme directeur des relations publiques avant de devenir vice-président exécutif d'une petite compagnie.

Corey croyait fermement à la théorie du Village global. Le style de gestion de Frank Selke et Sam Pollock, leur philosophie «écoutez attentivement les partisans puis allez de l'avant en suivant votre première idée» avaient fait leur temps. Les nouveaux *Canadiens* allaient beaucoup entendre parler du «médium» et du «message».

Selon un de ces messages, la direction du *Canadien* était devenue étrangère aux acheteurs de billets, les partisans. C'était évidemment absurde. La direction du *Canadien* avait, depuis toujours, maintenu une saine distance entre elle et ceux dont la vie était suspendue aux victoires de leur équipe.

— Un bon homme d'affaires ne peut être un meneur de claque, avait dit un jour Sam Pollock. Les meneurs de claque, ça ne gagne rien.

Les véritables changements tenaient, bien sûr, aux bouleversements politiques et sociaux que connaissaient Montréal et le Québec. Il n'est pas de domaine de la vie québécoise où les gens au sommet n'aient commencé à tenir compte des masses. Des grands patrons et des hommes politiques qui, naguère, étaient demeurés dans l'anonymat, se mettaient au diapason et cultivaient la nouvelle image.

Les *Canadiens* allaient devoir connaître une transformation similaire. Parce que les *Nordiques* avaient récemment consenti des efforts de relations publiques au sein de la Ligue et connaissaient des succès sur la glace, les *Canadiens* devaient faire face à un défi nouveau.

Désormais les *Canadiens* seraient administrés comme n'importe quelle organisation importante. Ils auraient leurs vice-présidents aux finances, au marketing, à l'exploitation. Ils seraient supervisés lors de réunions hebdomadaires de la direction et évalués selon un plan quinquennal. L'équipe serait aussi complètement informatisée. Les *Canadiens* feraient l'objet de campagnes actives de marketing comme toute autre compagnie. On engagea à cet effet un jeune homme nommé François-Xavier Seigneur.

— Plus de cathédrale, plus de chapelle au Forum, dit Corey. Nous voulons que les partisans aient le sentiment de faire partie de l'équipe, pas celui d'assister à une messe. Nous voulons qu'ils s'amusent durant les parties.

Ces exigences posaient cependant quelques problèmes. Les joueurs qui portaient maintenant l'uniforme des *Canadiens* ne pouvaient plus guère être appelés les *Flying Frenchmen* — il n'avaient pas volé bien haut, ces dernières années, et la plupart d'entre eux n'étaient pas francophones. Une évaluation réaliste faite par la direction du *Canadien* et celle de Molson montrait clairement qu'il n'était plus possible pour Montréal de garantir que son équipe fût majoritairement composée de francophones. Même les *Nordiques* qui, durant leurs trois premières années au sein de la LNH, avaient activement cherché à engager des joueurs francophones, fût-ce au détriment de la force de l'équipe, avaient découvert que la seule manière pour eux de réussir, c'était de recruter la meilleure équipe possible, hors de toute considération linguistique.

Si les *Flying Frenchmen* allaient devenir la Légion étrangère, un groupe polyglotte de mercenaires, au moins leur héritage resterait-il bien vivant dans les bureaux de l'administration.

Le jour même du départ de Grundman, Corey coupa court aux questions:

— Si vous me demandez si je suis d'abord à la recherche de francophones pour combler les postes vacants, la réponse est non. Je cherche les meilleurs, un point c'est tout.

Personne ne le crut une seconde.

Serge Savard prit automatiquement la tête des candidats au poste de directeur gérant, bien qu'il fût encore joueur et eût encore une option d'un an pour jouer à Winnipeg. Cet écho fut rendu public immédiatement après que la direction eut laissé échapper quelques pesantes allusions à ce sujet.

Rentré de Suisse pour devenir entraîneur adjoint dans les rangs collégiaux de Plattsburgh (État de New York) et des *Chevaliers* de Longueuil, de la Ligue de hockey junior majeur du Québec, Jacques Lemaire était favori pour le poste d'entraîneur. Un autre nom avait également été mentionné, celui d'Orval Tessier, l'entraîneur des *Black Hawks* de Chicago. Ces rumeurs avaient aussi fait leur apparition après qu'on eut laissé échapper quelques noms en haut lieu.

Deux semaines plus tard, Savard devenait à trente-cinq ans directeur gérant des Canadiens et les *Jets* de Winnipeg, financièrement lésés, se voyaient accorder en compensation 50 000 $ et un choix au troisième tour du repêchage.

Grundman s'était plaint de ce que Corey voulait diriger l'équipe et s'immisçait dans son administration. En serait-il de même avec Savard?

— Serge prend la responsabilité de l'équipe, toute la responsabilité, déclara Corey lors de la conférence de presse où il annonçait la nomination de Savard. Je sens qu'il sera l'un des grands de la LNH. Naturellement, je m'attends à ce qu'il discute avec moi de ses décisions, mais c'est à lui de les prendre. Je fais mon travail, lui le sien.

Au bout de trois semaines, Corey et Savard n'avaient pas réussi à convaincre Lemaire d'assumer le poste d'entraîneur. Aussi, après une mise à pied de trente-huit jours, Berry était-il de retour comme entraîneur chef des *Canadiens*. Lemaire et Laperrière devenaient ses adjoints, ce qui allait mettre Berry dans une situation impossible.

Les joueurs étaient tous favorables à ces changements, et Guy Lafleur fut touché au point de promettre de faire des concessions durant la saison à venir.

— Étant donné les nominations qui ont lieu depuis la fin de la saison, je n'ai plus de souci à me faire avec la direction. C'est une nouvelle carrière qui commence pour moi. Je n'ai plus rien à dire.

Il ne savait pas à quel point il se trompait.

La seconde tâche à laquelle Savard devait s'atteler fut le repêchage de juin, au Forum. Montréal n'avait aucune chance d'améliorer sa position au premier tour du repêchage, en dix-septième place, car beaucoup d'équipes observaient avec une certaine méfiance la position des *Canadiens* au repêchage de 1984 (le choix de première ronde de Hartford, obtenu plus tôt par Grundman).

— Il y avait pas mal de bons joueurs au repêchage de 1983, dit Savard. Les Montréalais avaient vu évoluer Pat Lafontaine des *Canadiens juniors* de Verdun toute l'année, en espérant qu'on pourrait encore l'obtenir, mais nous n'avions aucune chance.

Lafontaine, qui était originaire de Detroit, avait établi des records avec 104 buts et 130 aides, pour 234 points en 70 parties. Il fut repêché au troisième rang par les *Islanders* de New York. La Ligue junior du Québec comptait un autre joueur d'élite, Serge Turgeon, des *Olympiques* de Hull, dont le tir puissant rappelait celui de Bossy, et qui avait pu transformer des passes rapides en 54 buts et 109 aides en 67 parties. Il fut le deuxième à revêtir l'uniforme de Hartford, derrière Brian Lawton, un étudiant du Minnesota.

Quand vint le tour de Montréal, Alfie Turcotte, un centre hors pair, n'avait pas encore été repêché. Ancien coéquipier de Lafontaine avec le *CompuWare* de Detroit, une équipe de niveau midget, Turcotte avait été nommé le «joueur le plus utile à son équipe» lors du championnat de la coupe Memorial, gagnée cette année-là par son équipe, les *Winter Hawks* de Portland.

— Une chance qu'il était encore disponible, dit Savard.

Au deuxième tour, Montréal pouvait repêcher trois joueurs et en choisit deux dans les rangs de la Ligue de hockey junior majeur du Québec. Claude Lemieux, un ailier droit combatif des *Draveurs* de Trois-Rivières, au 26e rang, et Sergio Momesso, un grand ailier gauche des *Cataractes* de Shawinigan, au 27e. Huit choix plus tard, on repêchait Todd Francis, des *Alexanders* de Brantford, dans la Ligue de hockey de l'Ontario, équipe à laquelle Mark Hunter avait autrefois appartenu. Plus tard au cours du repêchage, Montréal choisissait le coéquipier de Turcotte, John Kordic, un ailier droit prompt à cogner, Arto Javanainen, un ailier droit finlandais et Thomas Rundquist, un centre suédois. Les *Canadiens* perpétuèrent aussi une pratique inaugurée par Caron et Ruel en repêchant des joueurs au niveau de l'école secondaire, qui iraient dans des universités américaines pendant quatre ans. Parmi eux, il y avait Rob Bryden, un ailier gauche du Henry Carr High School de Toronto, Dan Wurst et Jeff Perpick, tous deux défenseurs à Minnesota, le premier au Edina High School et le second au Hibbing High School.

L'annonce du 143e choix, au septième tour du repêchage, mérita les plus vifs applaudissements.

— Les *Canadiens* de Montréal repêchent Vladislav Tretiak, le gardien de but de l'équipe centrale de l'Armée rouge de Moscou.

Savard ne plaisantait pas.

— On ne sait jamais ce qui peut arriver. J'aime mieux, dit-il, qu'il soit sur ma liste que sur celle de quelqu'un d'autre.

L'été s'acheva rapidement. Savard s'installa dans son bureau et se montra très actif, de même que F.-X. Seigneur et les autres. Le directeur gérant passa la plus grande partie de la morte saison à sonder ses collègues de la LNH en vue de transactions éventuelles. La malédiction de Pollock pesait sur les lieux.

— Beaucoup de ces gars-là sont trop exigeants pour ce que nous voulons. Ils se sont déjà fait avoir dans des transactions avec Montréal et ils ne veulent pas répéter leur erreur, grommela Savard pour qui les nuits blanches commençaient.

Irving Grundman, qui s'occupait de nouveau de sa salle de quilles, reconnaissait qu'il dormait mieux et, au mois d'août, Ron Caron effectua un retour à titre de directeur de l'exploitation chez les *Blues* de St.Louis. La seule note triste en cette période de canicule fut l'annonce de la retraite de Réjean Houle, après une carrière de dix ans chez les *Canadiens* de Montréal, interrompue par un séjour de trois ans avec les *Nordiques*, à l'époque où ils étaient dans l'Association mondiale de hockey.

Le camp d'entraînement commença en septembre avec une moisson de recrues plus importante que d'habitude. Parmi eux, de splendides spécimens. À Kent Carlson, Turcotte, Kordic, Momesso, Lemieux et Francis, récemment repêchés, se joignit un fort contingent venu des *Voyageurs* de la Nouvelle-Écosse, dont John Newberry, Mike McPhee, Greg Paslawski et le gardien Mark Holden. Le deuxième jour du camp, les gars allaient faire la preuve de leur ardeur avec pas moins de six bagarres pendant la mêlée. Doug Wickenheiser et Newberry furent impliqués dès le début dans un accrochage, et quelques instants plus tard, le défenseur Bill Kitchen et John Lavers, un joueur junior de Terre-Neuve, se battaient à leur tour. Ensuite, Chris Nilan et Jeff Brubaker cédaient pour la quatrième fois en deux jours à la tentation de se taper dessus. Cela prenait une ampleur telle que Berry dut intervenir. Normalement, ç'aurait été bon signe, la preuve que l'équipe était fatiguée de dormir sur ses lauriers.

Cependant, ce bouillant camp d'entraînement allait recevoir une douche froide quand John Ziegler, président intérimaire de la Ligue, jusque-là plus que discret, mit fin à son mutisme pour porter un coup aux *Canadiens*. Le jeune défenseur Ric Nattret, un autre ancien joueur des *Alexanders* de Brantford, avait fait bonne figure en quarante parties, la saison précédente. Deuxième choix des *Canadiens* au repêchage de 1980, il s'introduisait dans le territoire adverse grâce à ses mises en échec impressionnantes et on pouvait compter sur lui, ainsi que sur Craig Ludwig, une autre recrue, quand le jeu devenait rude.

En août 1982, alors qu'il était toujours membre de l'équipe junior de Brantford, Nattress avait été arrêté pour avoir fumé de la marijuana et avait écopé une amende de 150 $. Le 23 septembre 1983, soit treize mois après cet incident, Ziegler réagissait et suspendait Nattress pour toute la durée de la saison 1983-1984, après avoir supposément «enquêté» pendant un mois. Nattress avait rencontré Ziegler le 16 septembre pendant un quart d'heure en tout et pour tout. Une semaine plus tard, la sentence s'abattait.

— Depuis des années, affirma Ziegler, nous avons toujours dit clairement qu'aucun employé de la Ligue ne devait être impliqué dans des affaires de stupéfiants. Ou vous choisissez les drogues illégales, ou vous choisissez la Ligue nationale de hockey.

Puis, avec une pompe que démentait sa petite taille, Ziegler continua:

— J'ose espérer que M. Nattress cherchera à renforcer son caractère et à s'autodiscipliner et qu'il atteindra à la fierté et à l'excellence qui font l'image de marque des *Canadiens*.

Si Nattress filait doux au cours de la première moitié de la saison, ajouta Ziegler, on pourrait réviser la mesure de suspension après trente parties.

Savard admit que cette suspension était excessivement sévère et que l'équipe pourrait faire appel. En fin de compte, le Club ne fit rien. N'importe quel bon avocat aurait pu invoquer la Charte canadienne des droits et libertés et porter une lourde atteinte au zèle intempestif de Ziegler. Pour une fois, la réaction de Lafleur était juste.

— Qu'est-ce qu'il essaie de prouver? C'est ridicule. Le petit n'est pas *pusher*. Il n'a fait que fumer un joint avant même de se joindre aux *Canadiens* de Montréal.

En 1977, quand Don Murdoch des *Rangers* de New York fut surpris avec 4,8 g de cocaïne dans ses bagages, lors d'une fouille de routine à l'aéroport international de Toronto, il était déjà dans la LNH. Il fut, lui, suspendu durant quarante parties.

Murder, c'était son surnom, avait constitué une recrue intéressante pour les *Rangers* en 1976-1977, mais après cet incident, il ne fut plus jamais le même. Nattress, lors de son retour au jeu en décembre, n'avait pas, lui non plus, la même assurance sur la glace. Pis encore, Savard avait raté l'occasion de montrer aux joueurs qu'il prenait leurs intérêts à coeur.

Le camp d'entraînement, jusque-là ponctué de batailles, s'amollit avec la suspension de Nattress, et les *Canadiens* connurent un mauvais début de saison. Il leur manqua des joueurs à la ligne bleue après que Rick Green se fut blessé sérieusement au poignet, ce qui le tint à l'écart du jeu pendant soixante-treize parties en saison régulière. Cette blessure força les *Canadiens* à repêcher Jean Hamel, qui apparaissait sur la liste des joueurs non protégés des *Nordiques* de Québec. Aussi, Kent Carlson, un joueur habile dans les mêlées mais lent sur ses patins, se retrouva comme défenseur régulier aux côtés de vétérans comme Robinson, Picard et Hamel, de Gilbert Delorme, dont c'était la troisième saison, et de Bill Root et Ludwig, dont c'était la deuxième.

Cette année-là, l'équipe à la ligne bleue ne semblait pas en route pour décrocher les honneurs, et Chris Chelios, le défenseur d'origine américaine dont tout le monde parlait, faisait une tournée à travers le Canada et les États-Unis avec l'équipe olympique américaine. Il ne serait pas disponible avant la fin février ou le début mars.

Il y eut des changements à l'avant aussi. Paslawski, qui avait fait bonne figure au camp d'entraînement, se distingua à l'alignement, de même que John Chabot, un centre rusé et habile passeur. C'est Turcotte qui causa la plus grande déception en arrivant au camp obèse, ayant passé tout l'été à avaler des pizzas et de la crème glacée. Durant toute la saison, il fit la navette entre Montréal et Portland.

Doug Wickenheiser, qui avait si bien amorcé la saison précédente en s'illustrant aux côtés de Lafleur et de Walter, avait ensuite été retiré inexplicablement de l'alignement. Ce fut la fin de sa carrière comme *Canadien*. La pression qu'il subissait durant les parties était trop forte. C'était plus qu'il ne pouvait supporter, même si le joueur populaire avait tout l'appui de ses coéquipiers. Les choses empirèrent à tel point que ses parents rendirent discrètement visite à Serge Savard.

— Ils sont venus me supplier de l'échanger, dit Savard. Son expérience à Montréal le blessait profondément. On lui reprochait quelque chose qui ne dépendait pas de lui, d'avoir été le premier choix au repêchage. J'ai répondu que je ferais mon possible et que j'espérais que tout s'arrangerait au mieux pour tout le monde. Je ne sais pas encore aujourd'hui si Doug a appris la visite de ses parents.

Le souhait de la famille Wickenheiser allait se réaliser trois jours avant Noël: Doug était échangé aux *Blues* de St.Louis avec Paslawski et Delorme contre le gros ailier Perry Turnbull.

Toutefois, ce ne fut pas la transaction la plus importante des *Canadiens* cette année-là. En début de saison, l'équipe connaissait des problèmes. Mark Napier, qui avait compté quarante buts un an plus tôt, Wickenheiser, Chabot et Picard n'étaient pas en uniforme lors d'une partie contre Québec, début octobre. Deux semaines plus tard, Napier et Keith Acton prenaient le chemin du Minnesota, et Bobby Smith, ce joueur efflanqué dont la passe, en 1980, avait mis fin aux espoirs des *Canadiens* de remporter une cinquième coupe Stanley consécutive, se retrouvait à Montréal.

Smith se révéla tout de suite être un bon placement: il fut à l'origine de quinze buts lors de ses vingt premières parties avec les *Canadiens*, mais il ne pouvait pas tout faire lui-même. Lafleur pétait le feu durant la première moitié de la saison et il compta la plupart de ses trente buts avant janvier, mais Steve Shutt ne produisait pas, pas plus que bien d'autres avants.

Après que Savard eut obtenu les services de Turnbull de St.Louis, on s'attendait à ce que les choses tournent rondement et que l'équipe devienne plus agressive dans les coins. Ça ne marcha pas: le numéro deux au repêchage de 1979 et le système des *Canadiens* n'étaient pas faits pour aller ensemble, et Turnbull n'obtint que six buts et sept aides en quarante parties.

L'entraîneur Berry, qui tentait n'importe quoi pour motiver ses poulains, en était réduit à fumer cigarette sur cigarette entre les périodes. Souvent les reporters l'apercevaient à la fin d'une partie, la tête dans un nuage de fumée, en train de se demander ce qui n'allait pas. Il devenait de plus en plus évident qu'il allait faire les frais des insuffisances du système des *Canadiens* et de ses joueurs.

Telle était la situation le soir du 13 décembre 1983, lorsque les anciens joueurs de Montréal firent leur entrée sur la patinoire du Forum à l'occasion d'une cérémonie spéciale en leur honneur. Une plaisanterie courante circulait dans la tribune des journalistes, selon laquelle le nombre des cérémonies officielles et des hommages avant les parties des *Canadiens* était inversement proportionnel à celui des victoires remportées par l'équipe. Le vieux partisan qui, ce soir-là, s'essuyait les yeux, pleurait deux équipes: il se rappelait avec nostalgie l'équipe des années 50 et s'attristait sur le sort des Canadiens de 1983-1984.

Neuf semaines plus tard, Montréal changeait d'entraîneur pour la quatrième fois en quatre ans. Quelque mille Montréalais n'oublieront jamais que Bob Berry a été congédié le 24 février 1984. Cette date est inscrite sur les T-shirts qui leur ont été donnés à l'occasion d'un spécial «Années soixante» organisé par la station de radio CFCF au Château Champlain. Tandis qu'ils dansaient le boogie sur la musique des Beatles, des Rolling Stones et de Wilson Pickett, Berry apprenait sa mise à pied.

La plupart des gens qui entouraient Berry à l'hôtel ce vendredi soir-là ignoraient encore les derniers événements et lui souhaitaient le plus grand bien ainsi qu'à son équipe. Berry passa un long moment dans une cabine téléphonique près du grand hall, puis il fit ce que, sans doute, il avait brûlé bien souvent de faire tout au long de cette saison cauchemardesque: il sortit se saouler la gueule. Les *Canadiens* avaient à leur actif vingt-huit victoires, trente défaites et cinq parties nulles. Ils étaient en quatrième place dans la division Adams, neuf points en avant de Hartford. Les éliminatoires approchaient et Savard avait été forcé d'agir.

— Tout le long de la saison, j'espérais que l'équipe prendrait son élan, mais je ne pouvais plus attendre. Nous avons fait des échanges pour renforcer l'équipe, mais ça n'a rien donné. Je ne tiens pas Bob Berry personnellement responsable de tout ce qui n'a pas marché. J'espère seulement que Jacques Lemaire pourra remettre les choses sur pied.

Cela a marché... pendant exactement deux parties, les Canadiens gagnant aux dépens des *Rangers* de New York (7-4) et des *Red Wings* de Détroit (3-1). Les *Canadiens* finirent la saison avec 7 victoires et 10 défaites sous la direction de Lemaire, leur fiche finale s'établissant à 35 victoires, 40 défaites et 5 parties nulles, soit 75 points en 80 parties. C'était la pire fiche de Montréal depuis 1950-1951, année où l'on avait fait 25-30-15. (En 1969-1970, quand elle rata les éliminatoires, l'équipe avait fait 38-22-16, pour un total de 92 points.)

Les 17 dernières parties furent trompeuses, cependant. En même temps que Tim Burke, chroniqueur à la *Gazette*, faisait écho au désabusement des partisans en écrivant, à la veille des éliminatoires, que les *Canadiens* «inspiraient un sentiment de pitié», trois changements radicaux s'effectuaient sans bruit en cette fin de saison.

D'abord, Rick Wamsley s'étant blessé au cours d'une des dernières parties, on fit venir de Nouvelle-Écosse le gardien Steve Penney. Il participa à quatre parties, qu'il perdit toutes, mais il avait bien joué, particulièrement lors de la défaite des *Canadiens* (5-2) devant les *Nordiques*, la dernière semaine.

Ensuite, on changea de stratégie. Lemaire travailla fort à l'élaboration d'un nouveau système de jeu axé sur la défense, où les cinq joueurs devaient contrôler la zone défensive et la zone neutre. Un bon marqueur comme le centre Bobby Smith allait se transformer en milieu de terrain, comme au soccer: il aspirerait la rondelle en zone neutre pendant que ses partenaires se mettraient rapidement en position. C'est alors seulement qu'il lancerait la contre-attaque.

Dans leur territoire, les *Canadiens* commencèrent à jouer différemment, en encombrant au maximum le devant de leur filet de manière à empêcher les tirs au but et les passes devant le filet.

Le troisième changement d'importance fut un changement de personnel. Chris Chelios et Rick Green se joignirent à l'équipe, respectivement pour les douze et sept dernières parties. Cela représentait automatiquement une amélioration de quarante pour cent à la ligne bleue. Si Chelios n'allait récolter que deux aides en douze parties, car il souffrait d'une blessure à la cheville, il donna aux *Canadiens* ce qui leur avait tant manqué toute la saison: un défenseur impétueux. Green restait ferme comme un roc devant le filet de Montréal, contrôlant la zone avec une détermination inflexible. Robinson et Ludwig, épuisés par toutes les mises en échec qu'ils avaient dû absorber durant la saison, étaient régénérés. Tout à coup, la défense du *Canadien* retrouvait sa solidité traditionnelle.

La chronique de Burke avait paru le 29 mars. Le 9 avril, il intitulait son nouvel article: «Les victoires sur les *Bruins* font revivre une tradition.» Boston était en tête de la division Adams avec 104 points, soit un point de plus que Buffalo et 29 devant Montréal. Mais les *Bruins* devaient attendre l'extrême fin de la saison pour être assurés de la première place. À leur 79e partie, disputée un samedi après-midi contre Montréal, c'est tout juste s'ils arrachèrent une victoire de 2 à 1 après un match plein de bagarres. Cette partie était à l'image de ce que seraient les éliminatoires.

Montréal avait permis à quelques vétérans de se reposer durant la dernière semaine de la saison, afin qu'ils soient frais et dispos au début des éliminatoires, le mercredi 4 avril. Le plan de campagne était simple: couper le chemin à Barry Pederson et à Rick Middleton, les avants des *Bruins*, mettre en tout temps un joueur devant le défenseur Ray Bourque. Rendre aux *Bruins* coup pour coup.

On a demandé à Terry O'Reilly, un joueur splendide qui, par son courage et son acharnement au travail, était devenu la pierre de touche de la *Lunchpail Brigade*, d'expliquer comment les *Canadiens* avaient une fois de plus éliminé les *Bruins*.

— Nous avons connu une formidable série de victoires à la fin de la saison, mais beaucoup de ces victoires ont été acquises aux dépens d'équipes franchement mauvaises. Alors, nous nous sommes un peu illusionnés sur notre valeur réelle. D'autre part, la fiche finale des *Canadiens* ne reflétait absolument pas la qualité de leur équipe. Nous dépendions trop de Middleton, de Pederson et de Bourque, et les *Canadiens* le savaient. Nos gars étaient morts de fatigue pour avoir joué quarante-cinq minutes par partie, et les *Canadiens* ne manquaient pas une occasion de les frapper.

S'il y avait une justice dans la LNH, Joseph James Terence O'Reilly aurait dû gagner la coupe Stanley au moins une fois durant sa carrière de treize ans dans la Ligue. S'il était moins doué que certains de ses collègues, son acharnement au travail fit de lui l'âme des *Bruins*. Malheureusement, il s'est joint à Boston un an trop tard, bien qu'il ait joué une partie et compté un but durant la saison 1971-1972, la dernière année où les *Bruins* ont gagné la coupe. Quatre fois durant sa carrière, les *Bruins* ont affronté les *Canadiens* en séries éliminatoires, quatre fois ils ont été éliminés.

— C'était mon héros, admet sans hésitation Chris Nilan. Si je pouvais améliorer mon jeu au point de me rendre aussi utile à mon équipe que Terry avec les *Bruins*, je considérerais ma carrière comme une réussite.

Pendant que Montréal balayait les *Bruins*, bouclant la série avec un gain de 5-0 au Forum, les *Nordiques* renversaient la vapeur en leur faveur aux dépens des *Sabres*, pourtant en deuxième place.

On allait vers une deuxième confrontation Québec-Montréal, mais celle-ci était différente. Cette fois les *Canadiens* étaient en position de faiblesse et c'est chez les *Nordiques* que régnait la tension.

Les *Nordiques* eurent d'excellentes réactions, à la première rencontre, mitraillant Penney de 32 tirs au but: ils gagnèrent 4 à 2. Pour ce qui est de la deuxième partie, au Colisée, ce fut une tout autre histoire. Montréal prit les devants 1-0 avec un but de Pierre Mondou à la deuxième période. Penney résista aux assauts des *Nordiques* pendant les quarante premières minutes de jeu. Cependant, la troisième période n'avait commencé que depuis trente-six secondes lorsque Anton Stastny égalisa. En un pareil moment, les *Canadiens* pouvaient fort bien s'effondrer: après tout, les efforts qu'ils avaient dû déployer pour protéger une avance aussi fragile avaient de quoi briser leur résistance physique et mentale.

Seulement voilà: c'est Québec qui s'effondra.

Ryan Walter et Mats Naslund, suivant l'exemple des *Bruins*, prirent d'assaut le filet au moment où John Chabot décochait son tir. Naslund fit dévier la rondelle qui déjoua Dan Bouchard: c'était 2 à 1. Steve Shutt, puis Perry Turnbull (celui-ci avait heurté les poteaux à deux reprises plus tôt dans la partie) donnèrent le coup de grâce: c'était 4 à 1. Les partisans du Colisée rentrèrent chez eux en grommelant.

Les *Canadiens* gagnèrent la troisième partie. Ils semblaient sur le point de faire sortir les *Nordiques* du Forum, en quatrième, ayant pris une avance de 3-1 au moment d'entamer la troisième période. Cette avance s'évapora rapidement, et Québec rentra après avoir égalisé la série 2 à 2, grâce à un but de Bo Berglund en prolongation. Montréal avait encore une fois l'occasion de s'effondrer et de reprendre ses mauvaises habitudes de la saison régulière.

La cinquième partie fut une répétition de la deuxième. Pierre Mondou, de nouveau, compta au milieu de la deuxième période, donnant aux *Canadiens* une avance de 1-0, avance qu'ils protégèrent durant la troisième période. Québec pressait le jeu mais se heurtait à un mur de défense impénétrable, et Penney, imperturbable, repoussait toutes les attaques. Guy Carbonneau força Bouchard à faire un arrêt *in extremis*, et la rondelle alla devant le but jusqu'à Mario Tremblay. Bouchard était étendu sur la glace et loin de son filet quand Tremblay tira, au-delà du défenseur Pat Price. Les *Canadiens* prirent une avance de 2 à 0.

C'était 3-0 quatre-vingts secondes plus tard, quand Bouchard fut battu de vitesse par Bobby Smith en tentant de récupérer la rondelle à la ligne bleue. Steve Shutt conserva la rondelle à l'intérieur de la zone et la projeta dans le coin du filet d'un tir du poignet. À peine quatre-vingt-dix secondes s'étaient-elles écoulées que Naslund réussit une échappée sur toute la longueur de la patinoire et enfila la rondelle entre les jambes de Bouchard. Dans son territoire, Penney arrêta les 24 tirs dirigés contre lui.

Les événements qui ont ponctué la partie finale de cette série, partie qu'on a appelée le «Massacre du Vendredi saint», ont été décrits ailleurs dans ce livre. Qu'il suffise de dire que Montréal gagna 5 à 3 la sixième partie, non sans batailles, après avoir traîné de l'arrière 2-0 au début de la troisième période.

Les *Canadiens* continuèrent sur cette lancée avec deux victoires aux dépens des *Islanders* de New York, avant que des blessures ne viennent briser leur élan. Ils laissèrent les tenants du titre gagner la série 4 à 2.

Peu importait, cependant, car les éliminatoires avaient sauvé la saison et l'équipe effectuait un retour. Cet été-là, pour la première fois en quatre ans, les joueurs pouvaient rentrer chez eux la tête haute. L'ascension des *Nordiques* connaissait un temps d'arrêt, et les Glorieux tenaient la première place dans le coeur de la plupart des amateurs de hockey du Québec et même du Canada. On ne se soucia même pas tellement du fait qu'aucun joueur de l'équipe ne remporte un trophée individuel après saison ou ne fasse partie de l'équipe d'étoiles.

Une foule plus grande que d'habitude salua l'équipe la première fois qu'elle revint au Forum, à l'occasion du repêchage de 1984. La direction ne déçut pas. Le cadeau d'Irving Grundman à la nouvelle direction, soit le choix de Hartford à la première ronde du repêchage, en cinquième position, ne suffisait pas à acquérir Mario Lemieux, ce grand centre que les *Canadiens* convoitaient depuis quatre ans. Avant le repêchage, Savard tenta désespérément de conclure une transaction avec Eddie Johnston, de Pittsburgh, mais en vain. Lemieux allait dans la concession des *Pingouins* et Johnston le savait.

Juste avant le début du repêchage, Savard fit un échange avec celui qui allait devenir son partenaire en affaires préféré, Ron Caron. Rick Wamsley partit à St.Louis en échange du choix des *Blues* au premier tour du repêchage (le huitième) et de choix échangés dans les tours subséquents.

Après que Lemieux, Kirk Muller, Ed Olczyk et Al Iafrate venaient les premiers d'être repêchés, Savard dévoila son secret.

— Montréal choisit Petr Svoboda, de Tchécoslovaquie, annonça-t-il.

Quelques moments plus tard, un maigre adolescent, qui ne parlait ni anglais ni français, déambulait dans un chandail des *Canadiens* de dix tailles trop grand pour lui. Partout où il allait, un interprète suivait.

Neuf mois plus tard, ce joueur doué allait faire la preuve de sa vivacité et de ses talents linguistiques en criant: «Fuck you, Linseman! Fuck you!» pardessus la tête de deux juges de lignes, de l'arbitre et de plusieurs joueurs, tout cela avec la conviction et l'accent d'un Canadien de souche, pendant que Larry Robinson réprimait son rire dans ses gants. Mais le jour du repêchage, c'était un petit garçon perdu.

Il passa l'été à apprendre l'anglais dans la famille Savard, à Saint-Bruno.

— Hé! ce n'est pas de ma faute! dit Savard en souriant. Nous lui avons appris des mots polis, comme «pass the bread». Nous sommes bien élevés dans ma famille.

En 8e place, Montréal mit la main sur un autre joueur des *Alexanders* de Brantford, le robuste avant Shayne Corson. Le grand centre Stéphane Richer, de Granby, était repêché ensuite, en 29e position, et son meilleur ami, le gardien Patrick Roy, suivit, en 51e.

En 1985-1986, Svoboda, Richer et Roy seraient des joueurs réguliers alors que Corson frapperait aux portes. La direction retombait sur ses pattes.

Sous la houlette de Jacques Lemaire, les *Canadiens* finirent la saison 1984-1985 en tête de la division Adams. Ils éliminèrent Boston lors d'une série trois de cinq en huitième de finale. Ils devaient succomber devant les *Nordiques* après un but de Peter Stastny en prolongation, lors du septième match de la finale de la division Adams.

C'est un résultat qui fit mal, mais l'organisation était assez forte pour le supporter, d'autant plus qu'elle célébrait son soixante-quinzième anniversaire et les soixante ans du Forum. Pendant la saison, Steve Shutt fut échangé aux

Kings de Los Angeles, l'équipe de son choix, et Guy Lafleur prit sa retraite, fatigué de réchauffer le banc. John Chabot partit pour Pittsburgh après avoir été échangé contre Ron Flockhart. Bientôt, un autre défenseur américain, Tom Kurvers, se joignit à l'équipe et il fit une démonstration de passes de précision comme on en avait rarement vu au Forum. Lors d'un match d'exhibition contre les *Oilers* d'Edmonton, gagné par Montréal 5 à 4 en prolongation, des passes de Kurvers permirent aux *Canadiens* de réussir quatre échappées et de compter deux buts.

Mats Naslund, qualifié de nouveau Guy Lafleur, devint le joueur des *Canadiens* le plus populaire, suivi de près par des étoiles comme Guy Carbonneau et Chris Chelios.

Cet automne-là, l'équipe lança le concours intitulé «L'équipe de rêve» où les partisans étaient invités à choisir les meilleurs joueurs qui aient jamais revêtu l'uniforme bleu-blanc-rouge. Le 13 janvier 1985, plus de mille huit cents partisans et membres de la famille des *Canadiens* étaient réunis à l'hôtel Reine-Elizabeth.

En présence du premier ministre du Canada et du maire de Montréal, l'équipe idéale monta sur scène: le gardien Jacques Plante, les défenseurs Doug Harvey et Larry Robinson, l'ailier gauche Dickie Moore, le centre Jean Béliveau et l'ailier droit Maurice Richard.

Ce fut le sommet de la saison de hockey. On remit à tous les membres de l'assistance un programme unique qui reproduisait en page couverture une peinture très spéciale commandée à Michel Lapensée. Cette peinture résumait soixante-quinze ans d'histoire du hockey.

Là, en bleu-blanc-rouge en chair et en os, il y avait Howie Morenz, Aurèle Joliat, Harvey, Moore, Béliveau, Claude Provost, le Rocket, le Pocket, Guy, Bill Durnan, Elmer Lach, Toe, Serge, Fergy, Reggie, Jacques Plante, Ken Dryden (affalé sur son bâton), Boum Boum Geoffrion, le «Road Runner», Coco Lemaire, Shutt, Bob Gainey, Jacques Laperrière, Scotty, Butch Bouchard, Dick Irvin, Irving Grundman, Frank Selke, Tommy Gorman et Sam Pollock.

Cette fresque représentait soixante-quinze années. Le portrait avait de la classe. C'était le portrait d'une dynastie. Le flambeau avait été transmis. Il avait changé de mains.

Chapitre 15

Les jeunes lions

Ne pas savoir, cela a un délicieux parfum d'anticipation sans doute assez voisin de celui que l'on éprouve lorsqu'on s'attend à recevoir un coup sur la tête. Toutes les terminaisons nerveuses semblent converger en un même point. Et si le coup n'arrive pas, la déception est quasi palpable.

Pour quiconque avait l'oeil sur les *Canadiens* de Montréal, et particulièrement sur l'administration, la saison 1985-1986 s'annonçait comme un point tournant. Selon des rapports venus de partout en Amérique du Nord durant la saison précédente, tout allait bien pour les jeunes. Stéphane Richer, repêché à Granby en 1984, avait été échangé à Chicoutimi pour devenir le meilleur marqueur des *Saguenéens*. Claude Lemieux et Sergio Momesso, repêchés en 1983, étaient respectivement les étoiles des *Canadiens juniors* de Verdun et des *Cataractes* de Shawinigan, deux des quatre équipes qui devaient se disputer le championnat «round-robin» de la coupe Memorial cette année-là. L'Ontario était représentée à ce championnat par les *Greyhounds* de Sault-Sainte-Marie, et son meilleur marqueur appartenait à devinez qui? La Ligue de l'Ontario comptait un autre excellent joueur en la personne de Shayne Corson, des *Alexanders* de Brantford, que les journalistes décrivaient comme un «Gainey capable de marquer».

Dans la Ligue américaine de hockey, le défenseur Mike Lalor et le turbulent centre Brian Skrudland luttèrent vaillamment avec les *Canadiens* de Sherbrooke. C'est grâce à eux que, le dernier soir de la saison, cette équipe fut assurée de participer aux éliminatoires de la Ligue.

De retour au Québec, Patrick Roy, qui avait fait si bonne figure lors du match d'exhibition contre les *Oilers*, était devenu le gardien de la faible équipe des *Bisons* de Granby. Il devait affronter chaque soir de très nombreux tirs et se débrouillait bien, quoique sa moyenne de buts fût élevée.

En septembre 1984, il y eut un indice que le proche avenir serait prometteur pour les *Canadiens* de Montréal, lors d'un camp d'entraînement spécial pour sélectionner l'équipe du Canada aux Championnats mondiaux de hockey junior de 1985 qui devait avoir lieu durant les vacances de Noël. Pas moins de sept joueurs repêchés par Montréal étaient au camp de sélection, et trois d'entre eux, Richer, Corson et Lemieux, firent partie de l'équipe gagnante de la médaille d'or.

Les éclaireurs du *Canadien* avaient à l'oeil deux joueurs universitaires américains, soit le centre Dave Maley, un robuste avant des *Badgers* du Wisconsin, et le défenseur Scott Sandelin des *Fighting Sioux* de l'Université de North Dakota qu'avait fréquentée Craig Ludwig. L'entraîneur de Sandelin, Gino Gasparidi, annonça à tout le monde qu'à son avis son défenseur était encore meilleur que James Patrick, autre ancien élève de cette université, qui avait été le meilleur défenseur de l'équipe canadienne de hockey aux Olympiques de 1984 avant de devenir un solide joueur des *Rangers* de New York.

Les propos des éclaireurs partout dans le monde du hockey se résumaient à ceci: où que vous regardiez, Montréal a de bons joueurs en réserve. Si seulement la moitié d'entre eux réussissent à percer, les *Canadiens* connaîtront des améliorations substantielles dans les années à venir. Les *Canadiens* en étaient à l'an trois du plan quinquennal de Ronald Corey, et tout semblait se dérouler dans les délais prévus.

Pendant que les *Canadiens* perdaient en période de prolongation leur septième partie contre les *Nordiques* de Québec, aux éliminatoires de 1985, Bonar, Lemieux et Momesso se réunissaient à Shawinigan et à Drummondville pour le championnat de la coupe Memorial. Ils allaient montrer de quoi ils étaient capables. Verdun, l'équipe de Lemieux, avait connu des victoires fulgurantes durant les éliminatoires de la Ligue du Québec, balayant Hull, Shawinigan et Chicoutimi. Au cours de cette dernière série, Richer joua mal et se battit souvent, de sorte qu'il passa plus de temps sur le banc des pénalités que sur la glace, où il aurait dû mener ses coéquipiers. Une fois son équipe éliminée, Richer partit rejoindre à Sherbrooke son copain de Granby, Patrick Roy, pour les éliminatoires de la coupe Calder. Cela ne lui plaisait guère de quitter les rangs juniors, et il fut reconnaissant d'avoir l'occasion de jouer aux éliminatoires de la Ligue américaine de hockey.

— J'ai eu une très bonne année avec Chicoutimi mais, pour ce qui est des éliminatoires, ç'a été différent. Je n'étais pas tout à fait moi-même. Je ne sais pas ce qui s'est passé dans ma tête, je jetais mes gants contre tout le monde.

Richer, comme Lemieux avant lui, avait découvert ce que représentait, dans la Ligue de hockey junior du Québec, le fait d'être repêché par Montréal.

— Visiblement, l'intérêt principal des joueurs de la Ligue, c'était de m'arrêter, prouvant par là qu'ils étaient assez bons pour arrêter un joueur de Montréal, ce qui augmenterait peut-être leurs chances d'être repêchés. J'observais aussi beaucoup Lemieux et Momesso, parce que je savais qu'il leur arrivait à peu près la même chose qu'à moi.

Bien que Richer et Lemieux soient nés dans l'ouest du Québec, d'où venait aussi Guy Lafleur, ils ne se connaissaient pas parce que Lemieux avait déménagé tout jeune encore à Mont-Laurier. Cependant ils entrèrent en contact au niveau junior, comme l'avaient fait Béliveau et Moore avant eux.

— Stéphane et moi, nous nous sommes affrontés quand nous étions juniors, dit Lemieux, peut-être parce que chacun essayait de prouver qu'il était le meilleur de la région. Nous avions l'un et l'autre le sens de la compétition. Après mon repêchage, en 1983, je me souviens que je surveillais Momesso durant les matchs en me demandant si nous ferions tous les deux partie des *Canadiens*. Quand Richer a été repêché un an plus tard, avec Patrick Roy, je me suis posé la même question à son propos. Et je travaillais bien plus fort quand c'était Patrick Roy qui était devant le but de Granby.

Durant les années quatre-vingts, les joueurs de dix-huit ans repêchés par Montréal étaient le plus souvent renvoyés dans leur équipe junior respective pendant un an ou même deux, histoire de mûrir.

Ce système était bien différent de celui qu'employait Selke dans les années cinquante et soixante: à cette époque, un grand nombre de joueurs âgés de dix-sept ou dix-huit ans étaient réunis dans un camp junior à Montréal avant d'être expédiés en groupes dans les diverses équipes. Mais il reposait sur le même raisonnement.

— À moins qu'un joueur de dix-huit ans ait vraiment quelque chose d'exceptionnel à nous offrir, nous n'allons pas lui faire subir la pression du Forum, dit Savard, dont le fils Serge jouait dans la même ligue que Richer, Lemieux et Roy. C'est particulièrement vrai de nos joueurs sélectionnés dans la Ligue de hockey junior du Québec.

Pour reprendre les termes de sociologie utilisés plus haut, la culture occupationnelle de Richer, Roy, Lemieux et Momesso était donc tout à fait similaire à celle de leurs illustres prédécesseurs Moore, Béliveau, Geoffrion et Plante, même si, entre temps, la structure des *Canadiens* avait beaucoup changé.

Qu'ils aient joué en équipes commanditées par Montréal, comme dans les années cinquante, ou qu'ils aient été repêchés individuellement dans des équipes juniors indépendantes, comme dans les années quatre-vingts, les jeunes comprenaient très rapidement ce qu'allaient signifier les *Canadiens* dans leurs vies et ce que la Grande Équipe attendait d'eux. Dans cette ligue de vingt et une équipes, et en dépit du repêchage universel, Montréal a réussi à retenir l'aspect positif d'obligations familiales appartenant à un autre âge: la loyauté, le dévouement et le sens d'un objectif commun.

Ainsi, les Serge Savard, André Boudrias, Jacques Lemaire et Carol Vadnais ont transmis des leçons, qu'ils avaient eux-mêmes apprises à Montréal quand ils étaient joueurs juniors, à des équipes aussi éloignées que celle de Houston auxquelles ils se joignirent plus tard comme professionnels.

— Après un premier camp d'entraînement à Montréal, on avait une assez bonne idée de ce qui nous attendait, dit Lemieux. On savait que les *Canadiens* n'avaient pas la même approche du hockey que la plupart des autres organisations et qu'ils recherchaient un type spécifique d'individus. On se rendait compte aussi qu'ils exigeraient probablement plus de nous et cela rien que parce qu'ils étaient les *Canadiens* de Montréal. Je l'ai compris également quand j'ai joué presque toute une saison à Sherbrooke, dans la Ligue de hockey américaine.

Comme Steve Penney, qui occupait le but à l'époque de son repêchage, Patrick Roy est né à Sainte-Foy dans un milieu bourgeois. C'est le fils d'un haut fonctionnaire. Rien à voir avec la romantique histoire du fils de cultivateur qui a porté dans sa pauvreté des patins usagés et des catalogues de chez Eaton en guise de jambières. Cependant, lui aussi comprenait ce que jouer pour les *Canadiens* ou les *Nordiques* signifiait.

— On peut dire, je crois, qu'à partir du moment où on est repêché par les *Canadiens* de Montréal, on a un statut particulier quand on retourne jouer dans une équipe junior du Québec. Après le camp d'entraînement de 1984, je pensais que je m'étais bien débrouillé et qu'on me demanderait de rester. Mais Penney était toujours le gardien numéro un. Quand ils ont fait venir Doug Soetaert de Winnipeg, j'ai su qu'ils voulaient que je retourne jouer au niveau junior une saison de plus. Après avoir porté l'uniforme bleu-blanc-rouge, ne serait-ce qu'en camp d'entraînement, c'était dur de me faire à l'idée que j'allais encore porter celui de Granby. Mais je pense que les *Canadiens* comptaient là-dessus, qu'ils voulaient voir comment je réagirais à la nouvelle de mon retour au niveau junior. C'était un genre de test. Notre équipe était l'une des plus faibles, et j'ai souvent eu de la misère à rester au jeu. Il fallait que je me rappelle qu'eux, ils avaient les yeux fixés sur moi.

Fait beaucoup plus significatif, les *Canadiens* se mirent tout à coup à repêcher des étoiles de la Ligue de hockey junior majeur du Québec. Depuis plusieurs années, cette ligue avait reculé par rapport aux deux autres grandes ligues juniors du Canada, la Ligue de hockey de l'Ontario et celle de l'Ouest. Les éclaireurs et les directeurs gérants de la LNH avaient pris l'habitude de dénigrer systématiquement la Ligue du Québec. Les deux reproches que l'on formulait le plus souvent à son endroit, c'étaient que la Ligue était incapable de jouer en défensive et que les joueurs étaient trop petits.

Une analyse détaillée des repêchages effectués par les équipes de la Ligue nationale de hockey montre clairement que les équipes professionnelles n'étaient pas très entichées de la Ligue du Québec et que cette désaffection progressive avait commencé depuis longtemps.

Depuis 1969, année de l'instauration du repêchage, jusqu'en 1985, quelque 3198 joueurs ont été sélectionnés par les équipes de la LNH. La majorité d'entre eux, soit 903 (28,2 p. 100) venaient de la LHO; 699 (21,9 p. 100) de la WHL; 491 (15,4 p. 100) de collèges américains; 382 (12 p. 100) de la LHJMQ; 232 (7,2 p. 100) d'équipes de l'étranger; 198 (6,2 p. 100) d'écoles secondaires américaines et 293 (9,1 p. 100) d'«ailleurs».

Encore ces chiffres sont-ils flatteurs pour la Ligue du Québec car, avant 1980, on n'avait repêché aucun joueur appartenant à une école secondaire américaine et seulement une poignée de joueurs de l'étranger. Depuis 1980, 198 ont été repêchés dans des écoles secondaires américaines, 184 à l'étranger et 124 au Québec. (La LHO a fourni 363 joueurs, la Ligue de l'Ouest 254 et les universités américaines 139 durant la même période.) Cette dernière baisse est attribuable au fait qu'on s'est mis à repêcher de plus en plus de joueurs de dix-huit ans à l'issue de leurs études secondaires, avant qu'ils n'aillent se développer quatre ans dans des universités, gratuitement, en quelque sorte.

Après 1980, la majorité des joueurs repêchés dans des universités américaines étaient canadiens; les bons joueurs américains étaient généralement décelés dès l'école secondaire. Beaucoup de ces Canadiens étaient des joueurs de la Ligue junior *Tier Deux* ou des élèves de niveau secondaire qui avaient reçu des bourses de hockey à l'âge de seize ou dix-sept ans pour ensuite se développer aux États-Unis. Ce fut le cas de Brett Hull (fils du Golden Jet), de Minnesota-Duluth, et de Joe Nieuwendyck, de Cornell, tous deux repêchés par les *Flames* de Calgary.

Les défunts *Remparts* de Québec menaient leur ligue avec 47 joueurs repêchés entre 1969 et 1985, deux de plus que les Royals de Cornwall et trois de plus que Sherbrooke. (Les *Castors* de Sherbrooke ont déménagé à Saint-Jean en 1983 et les *Royals* s'étaient joints à la LHO un an auparavant.)

Cependant, le rendement des *Remparts* ne lui aurait valu que le neuvième rang dans la LHO, à égalité des *Canadians* de Kingston qui ont fourni autant de joueurs aux équipes professionnelles en cinq ans de moins. Les *Petes* de Peterborough, naguère commandités par Montréal, étaient en tête de la LHO avec 92 joueurs repêchés durant la même période, juste devant l'équipe des *Marlboros* de Toronto, avec 88 joueurs, et celle des *Rangers* de Kitchener et des *67* d'Ottawa, qui ont fourni 81 joueurs chacune.

La première source de jeunes talents, au sein de la Ligue de l'Ouest, a été Calgary avec les *Centennials* et les *Wranglers*, soit 64 joueurs, deux de plus que les *Pats* de Regina, qui avaient été eux aussi commandités par Montréal.

La manière dont s'effectuait le repêchage irritait bien des partisans du Québec, pour ne rien dire des chroniqueurs de hockey qui couvraient la LHJMQ et les *Canadiens*. Ce qui frustrait le plus, cependant, c'était que leurs équipes à eux, les *Canadiens* et les *Nordiques*, avaient commencé à effectuer les repêchages de la même manière que les dix-neuf autres équipes. En effet, les *Canadiens* semblaient envoyer la plupart de leurs éclaireurs au sud de la frontière.

Il y avait plusieurs raisons à cela.

D'abord, Sam Pollock avait été l'un des premiers, dans les années soixante-dix, à tirer profit des repêchages au sein des universités américaines. En 1972, Bill Nyrop, de Notre-Dame, était choisi en 66e position. En 1975, Brian Engblom, du Wisconsin, et Pat Hughes, du Michigan, apparaissaient dans le paysage. La liste s'allongea à la fin des années soixante-dix: Bill Baker, du Minnesota (1976); Rod Langway, du New Hampshire, Mark Holden, de Brown, et Craig Laughlin, de Clarkson College (1977); Larry Landon, du RPI, Chris Nilan, de Northeastern, et Rick Wilson, de St. Lawrence (1978). Irving Grundman et Ron Caron poursuivirent cette pratique et choisirent Craig Ludwig, de North Dakota et Mike McPhee, du RPI, en 1980.

Ensuite, les joueurs des universités américaines étaient généralement plus grands et meilleurs. Plus grands — surtout après que la Ligue eut commencé à repêcher des joueurs de dix-huit ans et plus — parce qu'ils étaient plus âgés (ils avaient habituellement vingt et un ou vingt-deux ans à la fin de leurs études). Meilleurs, parce que les joueurs universitaires pouvaient se prévaloir de trois séances d'exercice pour une partie et jouer quarante matchs par an.

Chris Chelios, un vrai rat de patinoire, joua deux ans au niveau junior dans la *Tier Deux*, à Moose Jaw, pour aller ensuite à l'Université du Wisconsin deux autres années avant de se joindre à l'équipe olympique des États-Unis, en 1983.

— La plus grande différence, c'est qu'à l'université, on pouvait passer beaucoup plus de temps sur la glace à travailler certains détails, dit-il. À Wisconsin, la patinoire était à nous d'abord. Nous n'avions pas à la partager avec des tas de gens. Si on voulait prendre son temps, on pouvait travailler son jeu trois ou quatre heures par jour. Et ceux qui nous entraînaient, Bob Johnson par exemple, étaient toujours là pour nous aider.

Dans les équipes de hockey junior de petites villes, où les hommes d'affaires cherchaient avant tout à faire fructifier leurs investissements, comme il ne se vendait pas de billets pour les séances d'entraînement, les joueurs s'échinaient à jouer quatre-vingts parties par saison, à parcourir de longues distances de ville en ville, en autobus (que Dave dit Tiger Williams avait surnommé le poumon d'acier), vivant de pizzas, de hamburgers de chez McDonald et de bière. Et quand ils rentraient chez eux une semaine ou à peu près, ils devaient souvent partager la patinoire avec tout le monde: patineurs de fantaisie, joueurs de ringuette de neuf ans et ligues de hockey pee-wee.

Comme le disait un directeur gérant de la LNH, dont l'équipe avait repêché presque exclusivement des joueurs universitaires:

— Au moins on n'est pas obligé de leur apprendre comment manger! Une année, voyez-vous, il a fallu engager une diététicienne parce qu'on perdait des tas de parties à la fin de la troisième période. Beaucoup de nos jeunes joueurs tombaient en panne sèche et on a finalement compris pourquoi: ils ne savaient pas manger. Devinez qui étaient les premiers coupables? Eh oui, les juniors! Il est déjà malheureux qu'on ne veille pas à leur instruction, dans le junior, mais s'ils ne sont même pas capables de discerner ce qui est bon pour eux et de manger correctement...!

En quoi il avait bien raison. Durant la saison 1985-1986, les *Canadiens* recoururent eux aussi aux services d'une diététicienne pour détacher Richer et Roy (entre autres) de leur habitude de vivre de hamburgers en tournée. Elle les initia au merveilleux monde des pâtes alimentaires et des hydrates de carbone complexes. Patrick était à ce point «drogué» aux frites et aux chips que ses coéquipiers l'avaient surnommé Humpty Dumpty, d'après une marque de chips bien connue, ou encore Casseau, comme un casseau de frites, bien sûr.

Après le départ de Pollock de Montréal, Ron Caron étendit l'équipe des éclaireurs postés aux États-Unis, et Ken Dryden fut enrôlé pour contribuer à bâtir un réseau en Europe, tout cela avec succès. Ce qui fit mal aussi à la Ligue du Québec, c'est que beaucoup de joueurs repêchés par Montréal ne purent jamais se comparer aux *Canadiens*, si riches en joueurs talentueux. Et cela, quel que soit l'ordre dans lequel ils avaient été choisis. Même s'ils connaissaient le succès avec des équipes de la LNH plus faibles, au Forum ils n'étaient pas à la hauteur.

Entre 1975 et 1980, Montréal a repêché vingt-quatre joueurs de la Ligue du Québec. Sept seulement ont joué dans la LNH: Pierre Mondou, Normand Dupont, Richard Sévigny, Alain Côté, Louis Sleigher, John Chabot, Robbie Holland et Guy Carbonneau. Parmi eux, seuls Mondou, Chabot et Carbonneau ont joué à Montréal, peu ou prou. Le seul joueur de la Ligue du Québec qui ait figuré parmi les dix premiers choix au repêchage, Danny Geoffrion, huitième au repêchage de 1978, n'y a joué que peu de temps.

Après l'arrivée des *Nordiques* et leur politique de «repêcher français» (politique qui fut immédiatement abandonnée à partir du moment où les *Nordiques* commencèrent à gagner et sentirent qu'ils avaient une chance d'accéder au sommet), le *Canadien* fut obligé de considérer la Ligue du Québec d'un autre oeil. Les *Nordiques* prirent des joueurs repêchés par les *Canadiens*, comme Alain Côté et Louis Sleigher, et leur donnèrent la chance de prouver que leur place était dans la LNH. C'est dans la Ligue du Québec que les *Nordiques* ont trouvé Normand Rochefort, un défenseur constant sur le plan défensif. Ils ont découvert en Michel Goulet un bijou de marqueur et en Mario Gosselin un gardien de but de valeur (ce dernier a été un pilier de l'équipe olympique du Canada, en 1984). Des joueurs comme André Savard et Jacques Richard, d'anciens *Remparts*, que d'autres équipes avaient libérés, ont joué avec succès à Québec, ne serait-ce que durant une saison ou deux. Tout cela mettait les *Canadiens* en fâcheuse posture sur leur propre terrain.

Ce qui n'aida pas la cause du «magasinage au Québec», c'est que les deux premiers choix des *Canadiens* au repêchage de 1982, Jocelyn Gauvreau et Alain Héroux, furent incapables d'accéder au grand Club.

Quand Serge Savard prit la direction et qu'il nomma André Boudrias en charge des éclaireurs, la politique de repêchage resta la même qu'à l'époque glorieuse de Pollock, qui conseillait de choisir d'abord des joueurs de caractère.

— Mais, disait-il, à qualité et à taille égales, il n'y a pas de raison de ne pas pencher pour un joueur du Québec. Le plus drôle, c'est qu'il n'y a qu'ici que ça peut être pris en mauvaise part. Partout ailleurs au hockey, on trouve que c'est magnifique si on peut faire jouer un gars du pays. Calgary et Edmonton adoreraient pouvoir faire jouer plus d'Albertains pour eux. Et Boston et Hartford adorent repêcher des gars de la Nouvelle-Angleterre. Ici on est souvent critiqués, même dans la presse francophone, parce qu'on a repêché des garçons de chez nous ou des francophones, et c'est la critique la plus stupide que j'aie jamais entendue.

Les *Canadiens* redoublèrent d'efforts pour trouver des joueurs du Québec. Le super-éclaireur Claude Ruel, l'un des meilleurs évaluateurs de talents de la LNH, prêtera une attention toute particulière à la LHJMQ.

Claude Lemieux et Sergio Momesso furent repêchés en 1983, suivis de Stéphane Richer et de Patrick Roy un an plus tard. Dans tous ces cas, la piètre réputation de la Ligue du Québec joua en faveur des *Canadiens*: les quatre joueurs étaient encore disponibles après plusieurs tours de repêchage. En 1983, Montréal avait repêché le centre Alfie Turcotte au premier tour et pouvait encore réclamer Momesso et Lemieux en deuxième. En 1984, Richer était choisi par Montréal trois places derrière Petr Svoboda, et Shayne Corson était en 29e position. Roy était même déniché au troisième tour, en 51e position.

Le réseau d'éclaireurs de Montréal découvrit encore d'autres joueurs passés inaperçus lors du repêchage universel.

Fin 1983, Jean Perron était à Calgary où il assistait Dave King, l'instructeur de l'équipe olympique du Canada. L'un des derniers joueurs retirés de l'équipe avant son départ pour Sarajevo, aux Jeux d'hiver, était un centre natif de l'Alberta, Brian Skrudland.

— Dave le trouvait trop lent, mais je l'aimais bien, dit Perron, qui devait se joindre aux *Canadiens* l'année suivante.

Peu de temps après, Skrudland signait un contrat à titre de joueur autonome et était envoyé en Nouvelle-Écosse, où il rejoignit un autre joueur autonome, Mike Lalor.

Fin 1984, début 1985, un grand nombre de jeunes joueurs du *Canadien* étaient dispersés dans les rangs des ligues de hockey junior et des équipes universitaires. Comme nous l'avons dit plus haut, quand l'équipe de hockey junior du Canada tint un camp d'entraînement spécial, lequel était aussi un camp de sélection, à la fin de l'été 1984, sept joueurs repêchés par les *Canadiens* furent invités, et trois d'entre eux, Corson, Richer et Lemieux, formèrent un trio dans l'équipe qui gagna le championnat en décembre.

Le championnat de la coupe Memorial donna aussi à penser que le camp d'entraînement des *Canadiens* de 1985 allait avoir une touche particulière, avec Lemieux, Momesso et Bonar qui s'affronteraient. Mais Lemieux et ses coéquipiers de Verdun firent piètre figure au tournoi de la coupe Memorial, ce qui ne plaida pas en sa faveur. Momesso, en revanche, brilla, et ses actions montèrent en proportion, tandis que Bonar fut plutôt moyen, jouant bien en certaines occasions, moins bien en d'autres.

Les révélations du printemps, ce furent Richer et Roy, des amis de longue date, qui se retrouvèrent en pleines éliminatoires de la Ligue de hockey américaine avec Sherbrooke. Ils s'y joignirent à Skrudland, Lalor et Serge Boisvert, autre joueur autonome qui venait de terminer la saison avec Montréal avant de retourner dans la LAH.

Après la troisième partie des éliminatoires, Paul Pageau, le gardien attitré, partit chez lui rejoindre sa femme qui était sur le point d'accoucher. Greg Moffet, son substitut, avait des problèmes d'équipement.

— Nous avons mis Patrick devant le filet, et il nous a immédiatement montré qu'avec lui, on en avait pour son argent, dit l'instructeur Pierre Creamer. Et Stéphane, comme centre capable de marquer, nous a servi un jeu de qualité. Les deux joueurs ont fait toute la différence du monde pour notre équipe.

Les *Canadiens* de Sherbrooke, propriété conjointe des *Canadiens* de Montréal et des *Jets* de Winnipeg, gagnèrent la coupe Calder. Mieux encore, ils la gagnèrent sous les yeux de la hiérarchie des *Canadiens* tout entière. Maintenant que Montréal avait été éliminée par les *Nordiques*, des gens comme Ronald Corey, Serge Savard, André Boudrias et d'autres se mirent à faire le trajet de quatre-vingt-dix minutes qui les séparait de Sherbrooke, pour surveiller les éliminatoires de la Ligue américaine de hockey.

Les actions de Richer, Roy, Skrudland et Lalor montèrent en flèche.

— Quand j'ai vu Patrick jouer aux éliminatoires de la coupe Calder, j'ai su qu'il serait assez bon pour jouer avec Montréal, l'année suivante, dit alors l'entraîneur adjoint Jean Perron.

Montréal avait toutes les raisons d'anticiper avec optimisme la saison

1985-1986. L'équipe avait bien joué et elle avait décroché la première place durant la saison 1984-1985 — malgré le départ de Steve Shutt et de Guy Lafleur — pour ne perdre qu'en période de prolongation à sa septième partie contre Québec. Des recrues comme Chris Chelios, Tom Kurvers et Petr Svoboda avaient montré qu'ils appartenaient à l'équipe et s'accordaient bien avec des vétérans tels Rick Green, Ryan Walter, Larry Robinson et Guy Carbonneau. Les recrues qu'on s'apprêtait à accueillir étaient des gagneurs dans le hockey junior et la LAH. Si la moitié seulement de ces huit ou dix joueurs à qui tout réussissait parvenaient à s'imposer dans l'alignement régulier des *Canadiens*, Montréal serait un concurrent sérieux.

Forts de tout cela, les *Canadiens*, Serge Savard, le directeur gérant et André Boudrias en tête, partirent en juin 1985 à Toronto, pour le repêchage de la LNH. Leur surexcitation était quelque peu tempérée du fait de leur position au repêchage. Là-bas, ils en arrivèrent rapidement à une transaction avec Ron Caron: ils enverraient Mark Hunter à St.Louis en échange de la place des *Blues* au premier tour du repêchage, en douzième position, et d'autres avantages durant les tours subséquents. La position améliorée de Montréal au repêchage lui permit de faire son choix avant les *Nordiques* de Québec (en quinzième position) et de repêcher ainsi José Charbonneau, un ailier droit de Drummondville mesurant 1 m 80 et pesant 88 kg, et dont la fiche était la meilleure du Québec au niveau junior. Les *Canadiens* ayant conservé leur position habituelle au repêchage, en 16e place, ils optèrent ensuite pour Tom Chorske, un élève de secondaire du Minnesota.

Vers la fin de la saison 1985-1986, il sembla que Savard avait été trop présomptueux en adoptant cette manoeuvre au repêchage, d'autant que Hunter avait compté 44 buts pour les *Blues*. Frère cadet de Dave des *Oilers* et de Dale des *Nordiques*, Mark Hunter, quoique souvent blessé, était devenu très populaire auprès des *Canadiens*, et Larry Robinson l'avait décrit comme un joueur possédant les trois qualités primordiales du hockeyeur de la LNH: «De la tête, du coeur et des couilles.» Beaucoup de vétérans de l'équipe partageaient son opinion.

Cependant, Charbonneau fit bonne figure à l'offensive à Drummondville en 1985-1986 et on le considère comme un candidat sérieux à un poste régulier dans le Club, d'ici la fin des années quatre-vingts.

Ces questions allaient trouver un début de réponse au cours du camp d'entraînement de septembre 1985, qu'un vétéran baptisa l'«invasion des petits tueurs aux joues rouges».

Partout, il y avait de jeunes joueurs qui étaient bons... et bien des surprises. Les bonnes surprises, c'étaient Momesso, Richer, Lalor, Skrudland et Roy. Les efforts qu'ils déployèrent au camp leur valurent de faire partie de l'équipe. D'autres jeunes joueurs comme John Kordic, un cogneur choisi au sein de l'équipe gagnante de la coupe Memorial (les *Winter Hawks* de

Portland, celle-là même qui avait donné Alfie Turcotte et Domenic Campedelli), de même que Kjell Dahlin, natif comme Mats Naslund de Timra, en Suède, promettaient tous de devenir d'excellents joueurs. Dahlin resta au sein de l'équipe et hérita du numéro 20 de Mark Hunter, tandis que Campedelli et Kordic furent finalement retirés et envoyés à Sherbroke.

Les mauvaises surprises, c'étaient Lemieux, Bonar, Corson (à un moindre degré), Steve Rooney et Charbonneau. Lemieux, au camp, n'y mettait guère de coeur, et il fut rapidement expédié à Sherbrooke. Bonar, Corson et Charbonneau furent renvoyés dans leurs équipes juniors respectives pour une autre année, tandis que Rooney, qui jouait malgré une blessure à l'épaule qui lui vaudrait une opération à la mi-saison, resta à Montréal.

Il y eut, bien sûr, encore une recrue de marque. Le lundi 29 juillet, les auteurs passèrent la plus grande partie de la matinée à interviewer le président, Ronald Corey, dans son bureau du Forum. En même temps, juste à côté, dans le bureau de Savard, F.-X. Seigneur, Savard et quelques autres travaillaient fort à l'élaboration d'un communiqué et de plans pour une conférence de presse qui aurait lieu au début de l'après-midi.

Plusieurs fois durant l'interview, le président de l'équipe s'excusa pour répondre à d'«importants» appels téléphoniques. Ce n'était pas une plaisanterie. Car pendant que Corey décrivait la constitution de son équipe, Jacques Lemaire donnait tranquillement sa démission à titre d'entraîneur des *Canadiens* de Montréal. De nature réservée, il avait toujours tenu à préserver son intimité familiale; aussi n'acceptait-il pas de voir les médias scruter sa vie personnelle.

— Le temps était venu pour moi de prendre cette décision, dit-il. J'avais confiance en la capacité de Jean Perron de faire le travail. C'est un bon entraîneur et les joueurs le connaissent, puisqu'il a travaillé un an avec moi à titre d'adjoint.

Quand la nouvelle saison démarra, le 10 octobre, Perron était derrière le banc. Celui qui venait de fêter ses trente-neuf ans, cinq jours auparavant, allait devenir l'entraîneur québécois le plus fertile en stratégies, une fois la partie terminée.

— Si j'avais su au début de la saison que Mario Tremblay, Lucien Deblois, Ryan Walter et Steve Penney seraient blessés et que Chris Nilan serait suspendu durant dix matchs, j'aurais tout plaqué là sur-le-champ, déclara-t-il en riant à moitié, au mois de mai suivant. (L'équipe venait de remporter la coupe Stanley et il pouvait enfin dormir sur ses lauriers.)

Durant la saison 1985-1986, Jean Perron eut bien des occasions de faire la même remarque, avec bien moins de légèreté.

La saison commença dans les pleurs et les grincements de dents. Les *Canadiens* comptant jusqu'à huit recrues dans leur alignement, ils connurent la déconfiture en octobre et au début de novembre. L'équipe remporta d'abord une victoire à Pittsburgh, puis une autre à Montréal contre les *Black Hawks* de Chicago, avant de se rendre à Boston le premier dimanche de la saison.

Il n'est pas nécessaire de décrire en détails les sentiments que se portent les *Bruins* et les *Canadiens*. Qu'il suffise de dire que les deux équipes ne s'aiment pas. Montréal et Québec se livrent chaque hiver une guerre à l'échelle de la province, mais les joueurs se respectent. Il en va autrement pour les *Bruins*: ce sont des ennemis mortels de longue date, très longue date.

Alors quand Chris Nilan, en ce dimanche d'octobre, à Boston, frappa Rick Middleton à la bouche, avec le bout de son bâton, et qu'il reçut une punition (extrêmement rare) de dix minutes pour avoir délibérément causé une blessure (c'étaient dix minutes de jeu de puissance pour Boston), puis une suspension de dix parties, ces sentiments furent exacerbés.

Nilan ne s'est jamais excusé publiquement après cet incident mais il a commencé par-devers lui à le regretter. La raison c'est qu'en 1985-1986 le bouillant ailier droit de West Roxbury (Massachusetts) s'apprêtait à perdre son image de fier-à-bras et à faire reconnaître ses talents de hockeyeur. En 1984, le *Boston Globe Magazine* avait publié un long article sur Nilan intitulé «Toughing it out» (Le dur se calme).

Son auteur, Charles Kenney, était percutant au début de son article:

> C'est étonnant, vraiment. Personne n'a jamais trouvé rien de particulier à Chris Nilan quand il jouait au hockey à la Catholic Memorial High School, à West Roxbury, et l'on n'a pas fondé de grands espoirs sur lui quand il est parti jouer à Northeastern. Et personne, vraiment personne, n'aurait jamais cru que Chris Nilan pouvait faire un jour du hockey professionnel. Mais à considérer ces années turbulentes — époque où il semblait que Nilan défiait quotidiennement le destin —, ce qu'il y a de renversant, c'est qu'après toute une saison dans le hockey professionnel avec les *Canadiens* de Montréal, Chris Nilan soit retourné chez lui, à West Roxbury, avec toutes ses dents.

Tout jeune, Nilan aimait vivre en groupe. Il a grandi dans la région de Boston à l'époque de Bobby Orr et des gros méchants *Bruins*. Il idolâtrait les *Bruins* et un jeune avant nommé Terry O'Reilly, arrivé en 1972, parce qu'il se reconnaissait en eux.

— Chris n'est pas un joueur de hockey né, expliqua Henry Nilan durant le premier entracte de la partie *Bruins-Canadiens*, au Garden. Pour obtenir ce qu'il voulait, il a toujours dû se battre, dans tous les sens du terme. Il a toujours eu l'air de vouloir travailler plus, se battre plus et en faire plus pour avoir ce qu'il voulait. Alors qu'il n'avait que seize ans, il est venu m'annoncer qu'un jour il jouerait dans la Ligue nationale de hockey. Je lui ai dit de ne pas mettre tous ses oeufs dans le même panier, surtout que je n'avais pas grande foi en ses capacités de joueur. Nous avons toujours pu nous parler franchement. Chris a toujours respecté les gens qui n'ont pas peur de dire ce qu'ils pensent.

Au terme de ses études secondaires, Nilan n'était ni un grand athlète ni un brillant élève et ne pouvait donc entrer directement à l'université. Il s'inscrivit donc dans une école préparatoire, la Northwood School à Lake Placid (État de New York), pour l'année scolaire 1975-1976. Là-bas, il améliora ses notes et il s'exerça beaucoup au hockey, décrochant le prix décerné au joueur qui avait fait le plus de progrès. Il fut récompensé par son admission à la Northeastern University, qui avait pour entraîneur l'ancien *Bruin* Fern Flaman. Il joua peu la première année mais il fut plus souvent sur la glace l'année suivante, où il tâchait d'éliminer tout le monde. Il était encore loin d'être une étoile, et quand Chris dit à son père qu'il allait être repêché par une équipe de la LNH, il savait que ses chances étaient bien minces.

Le 25 mai 1978 fut pour Nilan un jour de deuil, quand ses bien-aimés *Bruins* perdirent 4-1 aux mains des *Canadiens* de Montréal, lors de la sixième et dernière partie de la finale de la coupe Stanley.

Deux semaines plus tard, il cessait d'être fidèle à ce qui avait été l'équipe de sa vie: il était, en 231e position, le premier des quatre derniers joueurs choisis au repêchage de la LNH, tous repêchés par les Canadiens, ceux-ci tirant profit de leur excellente équipe d'éclaireurs. (Ils avaient droit aux choix 229 à 234.) Nilan et Louis Sleigher, 233e choix, firent tous deux partie de la LNH. Ironiquement, les deux premiers choix au repêchage de cette année-là, Bobby Smith, du Minnesota, et Ryan Walter, de Washington, allaient faire équipe avec Nilan, à Montréal. Les *Canadiens* avaient quatre choix aux deux premiers tours du repêchage, en 1978. Un seul joueur, Dave Hunter, 17e choix au premier tour, fit partie de la LNH, avec les *Oilers* d'Edmonton. Danny Geoffrion, 8e au repêchage, Dale Yakiwchuk, 30e, et Ron Carter, 36e, furent moins chanceux. Keith Acton, 103e, fut le seul joueur repêché avant Nilan à faire partie des *Canadiens*.

— J'ai toujours su que j'y arriverais, dit Nilan, lors de sa septième saison dans la LNH. Je ne savais pas comment, je savais seulement que j'y arriverais, que je ferais n'importe quoi pour y parvenir. N'importe quoi.

Y arriver, cela signifiait retourner un an à Northeastern jouer dans son équipe junior et étudier le droit criminel. L'été suivant, cependant, Nilan décida d'abandonner ses études. En août 1979, à peine trois mois après que les *Canadiens* eurent gagné la coupe Stanley pour la quatrième fois d'affilée, l'impétueux petit gars de West Roxbury suivait son premier camp d'entraînement professionnel.

— Malgré toute la confiance en soi et la motivation qu'on puisse avoir, ce premier camp d'entraînement, c'est une des choses les plus effrayantes qui soient. Là, j'essayais de patiner avec Guy Lafleur, Larry Robinson, des joueurs comme ça. Je me jetais sur eux de toutes mes forces, mais souvent je rebondissais. J'ai découvert ce que c'était d'être un joueur professionnel et un *Canadien* de Montréal. Les gars étaient plus grands, plus rapides et plus forts, beaucoup plus forts. Ils n'avaient pas du tout l'air impressionnés par un petit gars de Boston tout juste sorti de son université et qui aimait se jeter sur eux.

Nilan, de toute évidence, patinait médiocrement et c'était un mauvais attaquant, mais quelque chose chez lui plaisait à des gens comme Claude Ruel et Ron Caron. Il fut cédé aux *Voyageurs* de la Nouvelle-Écosse, de la Ligue américaine de hockey. À la première minute de sa première partie avec les *Voyageurs*, il «fit sur John Ferguson» et déclencha une bagarre avec Glen Cochrane, un vigoureux défenseur des *Mariners* du Maine, un des clubs-écoles des *Flyers* de Philadelphie. Au bout de 49 parties et 307 minutes de punition dans la LAH, Nilan fut rappelé à Montréal, les *Canadiens* subissant alors une flopée de blessures. Il ne retourna jamais dans la LAH.

Lors de sa deuxième partie dans la LNH, Nilan et Bob «Hound Dog» Kelly de Philadelphie — une vraie brute de Broad Street — se ramassèrent dans un coin à la poursuite de la rondelle. Les bâtons montèrent, les gants tombèrent et Kelly aussi, victime de deux droits nerveux. L'année suivante, Nilan devint le premier joueur des *Canadiens* à jamais dépasser les 200 minutes de pénalité en une saison. Depuis, il n'est jamais descendu en deçà de ce chiffre et à ce chapitre, il dépasse tout une phalange d'ailiers droits du Club, y compris l'immortel Guy Lafleur.

— Comme coéquipier, dit Larry Robinson, j'ai connu deux Chris Nilan différents. Le Chris Nilan qui a joué ici ses trois premières saisons n'était pas un joueur régulier et il ne jouait jamais aussi bien que maintenant. Ce n'était pas un mauvais patineur mais il mettait du temps à s'échauffer et il n'avait aucune confiance en lui dans le maniement du bâton. Le Chris Nilan qui joue maintenant avec nous est très différent. C'est l'un des meilleurs ailiers droits pour la mise en échec dans la Ligue et il forme avec Guy Carbonneau et Bob Gainey le meilleur trio de barrage du hockey. C'est un bien meilleur patineur et il manie bien mieux le bâton: ça se voit dans les statistiques. Un ailier droit doué pour la mise en échec qui est aussi capable de compter plus de vingt buts par an, c'est drôlement utile. Il a accompli tout cela en travaillant très fort au cours des années. Bien des fois il n'a pas été sans doute aussi bon qu'un tas d'autres joueurs de Montréal. Mais les entraîneurs l'ont gardé parce qu'il travaillait tellement fort et s'améliorait tous les jours.

Quand l'Année de la recrue démarra, à Montréal, Nilan devint encore plus utile aux *Canadiens*, car ce vétéran n'avait pas peur de secouer les recrues. C'est lui qui catalysa un certain incident qui devait permettre à l'équipe de trouver son unité, à la mi-saison.

Au début de la saison, plusieurs nouveaux venus furent accueillis avec la traditionnelle tonsure de la recrue, bien que, disait à regret un vétéran, «ces enfants soient si jeunes qu'on ne trouve pas un poil à raser». Alors que, peu de temps auparavant, certains, comme Lafleur et Shutt, s'étaient illustrés en portant les numéros familiers 10 et 22, des recrues à peu près inconnues comme Skrudland, Momesso, Lalor et Richer commencèrent à porter des numéros dans la trentaine et la quarantaine. Au lieu de les sevrer lentement, une partie par-ci, une partie par-là, à la manière traditionnelle des *Canadiens*, on lâchait tous les soirs sept ou huit jeunes gars sur la patinoire. Celui qui les encourageait et leur disait de foncer était une recrue aussi.

La défaite à Boston fut à l'origine d'une chute à pic qui laissa l'équipe au dernier rang de la division Adams. Jamais le Club ne fit si mauvaise figure que lors de la raclée de 11-6 qui lui fut infligée à Hartford. Les *Whalers* menaient 7 à 2 après une période. Le principal architecte de cette débâcle, ce fut le héros des éliminatoires de 1984, Steve Penney. Celui-ci laissa passer cinq buts en trois tirs (les deux autres buts se produisirent quand les avants de Hartford, victimes de leur mauvais jeu de passe, perdirent la rondelle qui alla glisser sous un gardien qui se jetait à droite et à gauche avec autant de grâce qu'un morse en rut). Il fut remplacé par Roy au milieu de la première période.

Alors, quelque chose d'étrange commença à se produire. Même dans ce match désastreux, il était visible que certains jeunes savaient jouer. Richer marqua un but après avoir déjoué cinq joueurs des *Whalers* derrière leur ligne bleue. Momesso en marqua un à très courte distance, en résistant de toute sa masse à l'assaut des défenseurs. Et Kjell Dahlin marqua un but lors de la deuxième période après une magnifique échappée (qui échappa, elle, aux Montréalais qu'une panne de courant privait ce soir-là de leur *Soirée du hockey* télévisée).

Les recrues prenant confiance, l'équipe commença à gagner, et sa position s'améliora. Richer était à la tête de toutes les recrues avec dix buts à son actif, quand une blessure à la cheville l'obligea à se retirer en novembre. On eut un premier indice de la fragilité de son état psychique quand, le jour suivant, il s'inquiéta publiquement de son retour dans l'alignement. Jusque-là, ç'avait été l'un des quatre ou cinq meilleurs avants des *Canadiens*.

Cependant, Momesso dut quitter le jeu en décembre, souffrant d'une blessure au genou qui devait l'exclure pour le reste de la saison. Les médecins avaient d'abord craint que cela ne signifie la fin de sa carrière. Sa perte fut bien plus que la perte d'une recrue diligente et vigoureuse. L'équipe s'était rapidement polarisée autour de deux groupes — non pas des cliques —, à savoir un ensemble exceptionnellement grand de recrues et un noyau solide de vétérans. Momesso avait su se rendre populaire auprès des deux.

— Les vétérans aiment tous Sergio, dit Larry Robinson. C'est un joueur tranquille, dur à la tâche et qui fait son travail sans tambour ni trompette. Il nous manque.

La perte de Momesso fut contrebalancée par les performances de Kjell Dahlin. Cet ailier droit squelettique allait se faire une place confortable à l'aile droite avec Bobby Smith et son compatriote Mats Naslund. Gaucher doué d'un tir rapide et sachant jouer prestement du bâton, Dahlin s'accordait bien avec Smith et Naslund. Tous trois donnèrent cette saison-là le meilleur jeu de puissance de toute la Ligue, contrôlant habilement la rondelle.

— Ce qui rend Kjell si utile au trio, dans les jeux de puissance, c'est l'aisance avec laquelle il échange la rondelle avec ses deux partenaires, dit Jean Perron. Les autres équipes ont peur de mettre de la pression sur ces trois-là, à cause de leur maniement du bâton et de leur facilité à faire des passes: à la moindre erreur, c'est dans le but. Et ça, c'est d'abord grâce à Kjell Dahlin. Il a apporté une nouvelle dimension à la ligne d'attaque et l'a rendue encore plus dangereuse qu'avant.

Au moment d'entamer la deuxième moitié de la saison, les *Canadiens* étaient au premier rang et essayaient de contenir les *Nordiques*. Mais si les jeunes jouaient bien et si des vétérans comme Carbonneau, Gainey, Robinson et Nilan étaient en pleine forme, le Club ne put jamais atteindre cette cohérence qui en aurait fait un concurrent sérieux lors du tournoi d'après saison. Le plus grand problème c'était devant le but. Steve Penney se pointe au camp d'entraînement avec un excès de poids et subit aussitôt une blessure sérieuse à l'aine. Patrick Roy jouait parfois cinquante-huit ou cinquante-neuf minutes du meilleur hockey qu'on ait pu voir au Forum depuis les beaux jours de Ken Dryden. Mais il y aurait toujours une ou deux minutes dignes d'un film d'horreur: tirs décochés dans des angles terribles, à l'extérieur de la ligne bleue, retours de la taille d'un ballon de plage, et dégagements hésitants à l'avant et à l'arrière du filet.

Doug Soetaert était le plus fiable des trois gardiens, mais il jouait rarement. Avant la saison, Savard mit beaucoup de temps à faire signer cet ancien joueur des *Jets* et des *Rangers* car il courtisait Gilles Meloche, échangé à Edmonton l'année précédente. Glen Sather des *Oilers* était inflexible:

— Si vous voulez Meloche, donnez-nous Brian Strudland.

Savard avait lui aussi suivi les éliminatoires de la LAH et il refusa tout net. Une semaine plus tard, Soetaert signait un nouveau contrat avec Montréal.

C'était heureux d'ailleurs, parce qu'il était de loin le plus constant des trois gardiens. À la mi-saison, il jouait en alternance avec Roy qui éprouvait toujours des problèmes, alors que Soetaert jouait le jeu égal — quoique terne

— qui le caractérisait. Des vétérans se demandèrent ouvertement pourquoi ce dernier ne passait pas plus de temps sur la glace que la recrue.

Le comportement de Roy devant le but, celui de Brian Skrudland, qui passa sur le banc la mi-saison — lui qu'on avait décrit comme le deuxième Doug Risebrough — la blessure de Momesso, le jeu inégal de Richer et l'effondrement soudain de Dahlin, tout cela s'accumula d'un coup lors d'une virée sur la côte ouest, fin février.

Après une partie minable au Forum, contre Hartford, le samedi 22 février, les *Canadiens* mirent le cap vers l'ouest pour une semaine. Ils devaient jouer contre Edmonton, Vancouver et Los Angeles et faire une halte à Long Island avant de retourner à Montréal pour y jouer quatre parties. L'équipe qui venait de s'envoler vers l'ouest jouait un hockey étrange. Elle avait perdu deux lundis de suite au Forum, contre les *Kings* de Los Angeles en période supplémentaire (et perdu Soetaert le même soir, à cause d'une blessure) et les *North Stars* de Minnesota. Elle fut vaincue également par les malheureux *Devils* du New Jersey à Meadowlands, avant de ressusciter et de servir une raclée aux *Flyers* de Philadelphie et d'annuler devant les *Capitals* de Washington. Ce furent deux de ses meilleures parties de l'année.

Montréal laissa Edmonton gagner 3 à 2 une partie passablement terne, puis se dirigea vers Vancouver pour y rencontrer les *Canucks* le mercredi. Le mardi, l'équipe exécuta une séance d'entraînement complète au Pacific Coliseum. Le mercredi, les journaux montréalais étaient pleins de gros titres relatant la bataille que s'étaient livrée Nilan et Richer en cours d'exercice.

Les deux joueurs s'étaient affrontés en période de réchauffement, s'étaient lâché quelques injures ponctuées, de la part de Nilan, de quelques coups de poing, et les coéquipiers avaient dû intervenir. Six semaines plus tard, au moment où les éliminatoires commençaient, Larry Robinson commenta:

— Il n'existe aucune distinction entre vétérans et recrues dans la chambre des joueurs. Nous sommes tous des joueurs embarqués dans le même bateau. Nous portons tous le même uniforme.

Six semaines plus tard, alors que les cris de joie d'un demi-million de Montréalais lui résonnaient à l'oreille, Bob Gainey était interviewé par un journaliste de la télévision communautaire qui lui demandait:

— Comment les recrues et les vétérans ont-ils réussi à surmonter leurs différends et à constituer une même équipe?

— Il n'y a jamais eu de dissension ou de rupture entre les recrues et les vétérans, répliqua Gainey en usant de beaucoup de précaution à l'égard de la nouvelle harmonie qui avait mené l'équipe à sa vingt-troisième coupe Stanley. Il y a bien eu une certaine division. L'instructeur Jean Perron est le premier à reconnaître que la bataille entre Nilan et Richer a contribué à la réunification de l'équipe. Il y avait de l'eau dans le gaz, entre les recrues et les vétérans.

C'est là que les gars ont commencé à réaliser qu'il valait mieux se mettre ensemble avant qu'il ne soit trop tard.

Cela contribua aussi à résoudre les différends entre l'entraîneur, lui-même une recrue, et les vétérans. Perron estima que la meilleure stratégie à adopter, c'était de rester calme et de laisser les joueurs s'en sortir eux-mêmes. Il savait qu'il ne pouvait pas se permettre de favoriser l'une ou l'autre des parties. Certains vétérans avouèrent après coup qu'ils s'étaient attendus à une réaction excessive de sa part, surtout après que les journaux francophones se furent emparés de l'incident. Ils virent leur entraîneur d'un autre oeil quand il laissa ses joueurs régler eux-mêmes leurs différends.

Soetaert était blessé et, avec Roy, c'était le régime de la douche écossaise. Steve Penney fut lâché sur la glace durant les deux parties suivantes avec Vancouver et Los Angeles. Il s'acquitta bien de sa tâche, puisque l'équipe gagna les deux parties, la deuxième grâce à une explosion de trois buts durant les trois dernières minutes de jeu. Après avoir traîné de l'arrière 4 à 3, Montréal égalisa contre Los Angeles, avec une passe parfaite entre Nilan et Richer, et finalement gagna avec des buts de Dahlin et de Gainey.

Nilan et Richer manifestèrent une telle émotion après le but égalisateur qu'un joueur resté au banc se moqua:

— Ils feraient mieux d'arrêter ça. Il y a des enfants ici.

En reprenant l'avion vers l'est, l'équipe avait bien meilleur moral, mais elle devait promptement se faire assommer par les *Islanders* qui refaisaient surface. Les *Blues* de St.Louis, dénommés aussi l'équipe de Montréal-Ouest ou l'équipe B car ils comptaient dans leur alignement neuf anciens joueurs des *Canadiens*, valsaient au Forum deux soirs plus tard et servaient à l'équipe A une raclée de 7 à 4. Ce jeudi-là, presque rien n'allait pour les *Canadiens*. Boston suivit et Montréal donna libre cours à sa frustration aux dépens du *Noir-et-or* détesté, lui infligeant une défaite de 8 à 3 le samedi soir. L'équipe retomba à plat le lundi suivant et perdit 5-2 contre Hartford: c'était la première victoire de ce club au Forum.

Les *Canucks* de Vancouver vinrent ensuite, et les *Canadiens* eurent fort à faire pour gagner 3 à 2. Le soir suivant, l'équipe partit à Boston où elle perdit 3-2. C'était à nouveau la dégringolade. Calgary d'abord, puis Québec s'envolèrent du Forum avec des victoires, et toute l'équipe quitta la ville discrètement, la queue entre les jambes.

Auparavant, les *Canadiens* avaient détenu quatre mois sur cinq la deuxième position de la Ligue au chapitre des buts marqués, et l'équipe se distinguait par le meilleur jeu de puissance. Mais ces derniers temps, l'attaque fonctionnait au ralenti et le jeu de puissance péchait par son indécision. Alors qu'on avait su jusque-là faire des passes au but courtes et puissantes, le jeu de puissance était désormais imprécis, d'où de mauvaises passes, le manque d'ouverture à l'attaque et de mauvais tirs ratant des buts à découvert.

Bobby Smith se retrouva seul à l'attaque plus souvent qu'autrement... et les fidèles du Forum le dédommagèrent de sa peine en lui faisant porter la plus grande partie du blâme.

Pendant trois semaines consécutives, ni Naslund ni Dahlin ne patinèrent bien, et souvent Smith, après avoir réussi à pénétrer en zone offensive, devait se retirer parce que ses ailiers étaient introuvables. Son habileté lui valut le traitement que Pete Mahovlich s'était naguère attiré de la part de certains partisans. En plusieurs occasions durant sa carrière, Big Peter fut fustigé pour avoir effectué trop tard une passe ou pour avoir manqué la passe de partenaires rapides, comme Steve Shutt et Guy Lafleur. (Assez étrangement, il détient toujours le record du nombre des aides, soit 82.)

— Maudit mangeur de puck! gueulaient les partisans quand Peter fonçait sur la glace, berçant le disque de caoutchouc vulcanisé avec son bâton.

Bobby Smith commença aussi à se faire traiter de «mangeur de puck», car les partisans lui reprochaient sa réticence à passer au lieu de blâmer ses partenaires inexistants. (Mesurant 1 m 92, il constituait une grosse cible.) Au début de février, il semblait que Naslund et Dahlin marqueraient à deux 200 buts, mais ces prédictions s'évanouirent en fumée vers la mi-mars. Naslund termina la saison avec 42 buts, et Dahlin avec 31. Lors d'un gain de 5-3 aux dépens de Philadelphie, le 16 février, Naslund et Dahlin marquèrent leur 37e et 27e but respectivement. Au cours des 22 parties restantes, ils marquèrent chacun cinq et quatre buts.

Pour ajouter aux problèmes de l'équipe, la défense était irrégulière. Chris Chelios et Rick Green, le tiers de l'alignement initial à la ligne bleue, étaient blessés depuis si longtemps que tout le monde en vint à oublier qu'ils étaient toujours membres de l'équipe. Gaston Gingras, que Pierre Creamer avait ramené à Sherbrooke, était appelé au milieu de la saison pour renforcer le jeu de puissance. Possédant l'un des plus beaux lancers frappés de la ligue, il produisit immédiatement avec plusieurs buts fulgurants, dont un obus qui faillit décapiter Bob Froese, le gardien de Philadelphie.

La rapide insertion de Gingras dans l'alignement et les heureux résultats qui en découlèrent immédiatement illustrent à merveille les avantages qu'il y a à utiliser des méthodes d'entraînement et un style de jeu identiques dans le grand Club et l'équipe-école. Au cours de cette saison où les *Canadiens* perdirent beaucoup de joueurs à la suite de blessures, Alfie Turcotte, Randy Bucyk, John Kordic, Kent Carlson, Serge Boisvert et Gingras purent changer d'équipe sans souffrir de dépaysement.

— Il se peut que nous n'ayons pas un grand nombre d'excellents joueurs à Sherbrooke, cette saison, dit Pierre Creamer, mais ils ont été entraînés de la même façon que les *Canadiens* de Montréal. Quand Gaston est parti pour Montréal, il est tombé sur un jeu de puissance exactement pareil au nôtre. Il s'est donc bien inséré et il s'est senti tout de suite à l'aise.

Depuis l'instauration du repêchage, la plupart des équipes de la LNH présentent une liste de 35 joueurs, 22 appartenant au grand Club et de 10 à 13 autres à l'équipe d'une ligue junior que chacune exploite en commun avec une autre équipe de la LNH. Par exemple, les *Express* de Fredericton, dans la Ligue de hockey américaine, étaient remplis de joueurs appartenant aux *Nordiques* de Québec et aux *Canucks* de Vancouver. Quel système de jeu l'instructeur André Savard a-t-il employé? Les stratégies de l'ancien joueur des *Nordiques* ont-elles l'approbation de Tom Watt de Vancouver? Les joueurs appelés à Québec ont-ils pu s'adapter facilement et rapidement au style de l'entraîneur Michel Bergeron? Ces questions ont été étudiées à Montréal en 1986.

Cela valait-il la peine qu'on dépense tant d'argent pour maintenir le vieux système des équipes-écoles? Serait-il désormais impossible de suivre les leçons apprises du Père Frank et de Sam-le-troqueur?

— Pas du tout, dit Savard.

Quoique, pour des raisons économiques, il soit quasi impossible de se payer toute une équipe-école, de nos jours, les *Canadiens* de Montréal ont le sentiment que leurs joueurs de la LAH font partie de la famille et que ceux-ci doivent apprendre des *Canadiens* de Montréal leur manière de jouer. Savard croit toujours fermement à la doctrine de Selke.

— Nous savons bien que tout tient au club-école. Cela signifie que vous récoltez ce que vous avez semé. Plus vous soignez les jeunes plants, plus le produit est de bonne qualité, quand vient le temps de la moisson. Ça vaut l'argent et le temps qu'on y investit.

Alors, Gingras porta fruits immédiatement quand il eut pris l'autoroute des Cantons de l'Est pour débarquer au Forum.

Cependant, l'absence de Chelios et de Green, une blessure subséquente à Tom Kurvers et le jeu irrégulier de Petr Svoboda eurent pour conséquence que Gingras joua plus que les *Canadiens* ne l'avaient d'abord voulu. Si certains soirs, sa participation était importante, d'autres fois, il connaissait des problèmes.

Svoboda causait du souci à l'équipe. Le jeune Petr qui, au moment de son repêchage 700 jours plus tôt, ne savait parler ni anglais ni français et avalait son premier hot-dog, brilla durant sa première saison. Il se fit de nombreux admirateurs pour ses talents de patineur et sa résistance aux mises en échec adverses. Il passa son premier été à Montréal, en banlieue, avec la famille de Savard, avant de prendre pension chez une autre famille durant la première saison.

L'année suivante, il se prit un appartement non loin du Forum. L'année de son recrutement, Svoboda était devenu la mascotte non officielle de l'équipe, et Larry Robinson l'avait pris sous son aile. Comme bien des adolescents, il lui arrivait de «passer tout droit» le matin et d'arriver en retard à l'entraînement: cela lui valait de se faire gentiment taper sur les doigts.

Ses retards dégénérèrent bientôt en véritable maladie. Quand Svoboda annonça qu'il s'était acheté une maison dans une banlieue éloignée pour y vivre avec sa nouvelle petite amie, une stupéfiante Parisienne, ses coéquipiers parièrent sur le moment où il battrait Rick Chartraw, légendaire détenteur du record des retards dans le Club.

— Seigneur! il était toujours en retard quand il restait dans la rue d'à côté. Maintenant il va devoir se lever une heure et demie plus tôt pour ne pas être plus en retard que d'habitude, dit un joueur. Ça risque de devenir terrifiant.

Bien entendu, Petr continua d'être en retard pour l'entraînement; maintenant, on ne lui donnait plus de petites tapes sur les doigts; au lieu de cela, on le laissa sur le banc pour le faire réfléchir.

D'autres problèmes surgirent sur la glace. Durant la saison précédente, Svoboda avait pris au moins cinq kilos et atteignait le poids respectable de 70 kg, ce qui l'amena à s'enhardir, et il commença à donner libre cours à son mauvais caractère. Quand des opposants lui rentraient dedans avec le même enthousiasme que pendant sa première saison, il en vint à perdre son sang-froid et il prit la mauvaise habitude de récolter des pénalités.

L'affaire atteignit son point culminant le 10 mars lors d'une défaite de 5-2 contre Hartford. À la troisième période, alors qu'il était toujours possible aux *Canadiens* pugnaces de remonter la pente, Svoboda fut rattrapé sur la glace par deux joueurs de Hartford. Il regagnait la zone des *Canadiens* quand un troisième avant des *Whalers* le prit de vitesse et marqua: les *Canadiens* perdirent la partie.

Ses camarades, la direction et les partisans étaient bouleversés: on n'abandonne jamais la partie au Forum. Jamais. Il joua très peu durant le reste de l'année. Un mois plus tard, il y eut des acclamations de joie quand Claude Mouton, faisant la lecture de la liste des joueurs qui ne seraient pas en uniforme aux éliminatoires, annonça:

— Le numéro 25, Petr Svoboda.

L'équipe était déprimée quand elle entreprit sa dernière tournée de la saison. Celle-ci comprenait des arrêts à Winnipeg et à St.Louis, suivis d'une pause de trois jours à Montréal puis de deux rencontres successives à Boston et à Hartford. La fièvre de la ligne bleue avait frappé la plupart des membres du corps défensif. On en eut la preuve lumineuse lors d'une défaite de 6-4 au profit des *Jets*. Doug Soetaert, avec une double blessure au genou, retourna devant le but pour faire face à son ancienne équipe. Pendant les deux premières périodes, il joua avec vigueur. Montréal prit dès la première période une avance de 3 à 1 et menait encore 3 à 2 durant la troisième. Mais les genoux de Soetaert étaient encore fragiles.

Le meilleur joueur de Montréal, ce soir-là, ce fut Chelios, qui retournait sur la glace pour la première fois depuis décembre. Lui aussi se remettait d'une blessure au genou qui l'avait tenu à l'écart.

La troisième période fut marquée par les gaffes. La période avait commencé depuis seulement dix-neuf secondes quand Rick Green poussa Brian Mullen de Winnipeg de derrière le filet de Montréal. Celui-ci poussa la rondelle du revers dans l'enclave du but. Elle frappa le patin de Gingras et ricocha dans le but.

Une minute trois secondes plus tard, Thomas Steen, pourtant en déséquilibre, tira en direction du but des *Canadiens*. Cette fois, Craig Ludwig fit dévier la rondelle derrière Soetaert. En moins de quatre-vingt-dix secondes, les *Canadiens* avaient marqué deux fois dans leur propre but et traînaient de l'arrière pour la première fois dans la partie. Les *Jets* marquèrent encore deux buts, sans l'aide de la défense de Montréal et sans effort.

Pour Perron, c'en était assez. L'équipe retourna aux exercices de bas. Les *Canadiens* s'envolèrent pour St. Louis où, les jeudi et vendredi, ils durent suivre des séances de quatre-vingt-dix minutes de patinage intensif.

Il était temps que l'entraîneur dise ce qu'il avait à dire, même si plus d'un joueur n'avait guère envie de l'entendre. Le premier message était simple: «Le patron, c'est moi et vous allez m'obéir.» Personne n'allait discuter ce point.

Deuxième point: l'équipe manquait d'ardeur, et ça, c'était impardonnable. Perron rappela à ses poulains que l'appellation de *Flying Frenchmen* appartenait à l'histoire; cette équipe-ci était décidément moins spectaculaire, ce qui ne voulait pas dire qu'elle était moins talentueuse.

— Je leur ai dit: Quand vous jouez pour Montréal, si vous avez besoin d'inspiration, vous n'avez qu'à regarder l'emblème sur votre chandail. Je leur ai dit aussi que le sens du devoir s'était relâché, et que la seule manière de gagner, pour l'équipe, c'était de travailler de concert. Nous n'avions pas de supervedette capable de faire le travail à elle toute seule.

Certains vétérans n'étaient pas contents. Larry Robinson déclara à Red Fisher, de la *Gazette*:

— S'il nous a fait patiner à mort parce qu'il n'était pas content de notre rendement contre Winnipeg, pourquoi est-ce qu'il n'a pas commencé à le faire quand St. Louis nous a battus à Montréal? Ou après que Hartford nous a battus à Montréal? Ou il y a un mois et demi? Est-ce qu'il essaie de nous dire qu'on n'est pas en forme à la 73e partie de la saison?

Au bout de 11 parties, les *Canadiens*, qui avaient occupé la tête de la division Adams quatre points devant Québec, devaient désormais se battre à mort avec Boston, Buffalo et Hartford pour s'assurer une place aux éliminatoires.

— Perdre des parties, c'est un problème, dit Robinson à la *Gazette*. Nous avons des tas de problèmes. Et la seule manière de les résoudre, c'est de respecter une certaine discipline sur la glace. La discipline, c'est de ne pas laisser à l'autre équipe l'avantage des trois contre deux et des trois contre un... et s'arranger pour qu'ils se fassent en notre faveur. Je ne sais pas combien de fois ça nous est arrivé durant les dernières parties, mais chaque fois, la rondelle avait l'air d'aller dans notre but. D'autre part, je ne sais pas combien de fois c'est arrivé dans les autres équipes, sans qu'on marque pour autant.

C'était un accès de mauvaise humeur étonnant chez Robinson, d'habitude si placide. Ses remarques et celles d'autres joueurs comme Guy Carbonneau, conduisirent certains journalistes à supposer que les jours de Perron derrière le banc des *Canadiens* étaient comptés.

L'équipe fut convoquée à la première d'une série de réunions à laquelle le directeur gérant assista. Il avait un court message à livrer:

— Jean Perron est l'entraîneur de l'équipe. On fait ce qu'il dit. Un point, c'est tout.

Ce samedi-là, les *Canadiens* jouèrent un jeu solide. Ils ne furent pris en défaut que par deux joueurs qui avaient les lettres CH inscrites dans leur coeur même si, sur leur chandail, on lisait *Blues*. Rick Wamsley résista à ses anciens coéquipiers et Doug Wickenheiser marqua le but de la victoire, 3-2.

Bien que l'offensive des *Canadiens* fût paresseuse, ceux-ci tiraient profit de leurs efforts, particulièrement de ceux de Steve Penney. Des critiques s'abattaient continuellement sur Montréal, cette saison-là, et la Ligue blâmait les gardiens, parfois avec raison. Patrick Roy était trop audacieux. Il avait tendance à s'endormir durant les parties et à laisser passer de mauvais buts. Doug Soetaert était terne. Steve Penney avait une technique déficiente. Encore Penney et Soetaert se surpassaient-ils, si l'on considère que ce furent leurs dernières présences cette saison-là.

En dépit des critiques, Montréal a été en lice pour les trophées Jennings et Vézina durant la plus grande partie de la saison. Soetaert était bien plus qu'un tâcheron, quand Perron le laissait jouer, et il assurait une présence régulière au but. Trois fois, grâce à lui, les *Canadiens* finirent la partie sans qu'on ait marqué de buts à leurs dépens. Bien des vétérans de l'équipe ont remis en question la décision de Perron de sous-utiliser cet ancien joueur des *Rangers* et des *Jets*, surtout lorsque Roy connaissait de mauvaises périodes.

Penney avait été lamentable au début de la saison et ne pouvait s'en prendre qu'à lui-même. Il avait pris du poids quand il arriva au camp d'entraînement et souffrait d'une mauvaise blessure à l'aine. C'est bien sa faute si l'on avait, à tort, placé en lui une confiance inébranlable, car il avait été formidable durant les éliminatoires de 1983-1984. Néanmoins, il joua à St.Louis sa meilleure partie de la saison. Elle faisait suite à de solides rendements à Vancouver et à Los Angeles. Il semblait prêt à affronter de nouveau les attaques des trios, jusqu'à ce qu'une entorse au genou l'oblige à se retirer.

Après leur défaite à St.Louis, les *Canadiens* rentrèrent pour deux jours d'exercices avant d'effectuer leur dernière tournée de l'année. L'entraînement se déroulait avec la même pénible monotonie: quatre-vingt-dix minutes à patiner, patiner, patiner...

Plus personne ne se plaignait, ni en public, ni en privé. Au contraire, les joueurs commencèrent à reconnaître leurs points faibles.

— Parfois, on est les derniers à savoir que quelque chose ne tourne pas rond, dit le défenseur Craig Ludwig. Et ça vaut pour les individus autant que pour l'équipe. Il n'y a pas d'appareil de mesure pour vous dire que ça ne va guère. On peut penser que ça va, sauf qu'on a les jambes en coton et qu'on ne fait pas sortir les joueurs comme il le faudrait. Quatre-vingts pour cent de la valeur de notre équipe tient à notre acharnement au travail: nous battons les autres parce que nous travaillons plus qu'eux. Ce n'est pas en patinant comme ça que nous allons améliorer notre hockey, mais notre attitude va s'améliorer.

Paroles prophétiques, mais tout allait s'accomplir très lentement.

Le mercredi, les *Canadiens* rencontrèrent les *Whalers* de Hartford. Toute la journée, les joueurs avaient rôdé dans le Sheraton de Hartford comme des tigres en cage. Perron tint une séance d'entraînement facultative avant la partie. Seuls Randy Bucyk et Soetaert saisirent l'occasion, patinant côte à côte avec l'entraîneur adjoint Jacques Laperrière et l'entraîneur adjoint Gaétan Lefebvre. Les joueurs se rendirent à une réunion dans la matinée, dormirent durant l'après-midi et se rendirent à pied au *Civic Centre* à 17 heures.

Au moment d'entamer la partie, Montréal était au second rang de la division Adams avec 80 points, deux de plus que Boston, soit quatre points devant Buffalo et cinq devant Hartford. Alors que les *Canadiens* avaient disputé jusqu'ici la première place aux *Nordiques*, ils commençaient maintenant à jeter des coups d'oeil nerveux au rétroviseur.

Avant la partie, Chris Nilan faisait les cent pas en sous-vêtements devant le vestiaire des *Canadiens* et se préparait mentalement à la partie à venir, en échangeant des mots aimables avec le responsable de l'équipement Eddy Pelchak, et quelques-uns de ses collègues de Hartford. Alors qu'il n'est pas particulièrement populaire sur la glace, c'est l'un des joueurs les plus aimés en dehors des parties, toujours prêt à donner des autographes ou à converser avec les partisans et tous ceux qui gravitent autour du monde du hockey.

Tout près de là, Ulf Samuelsson et Kevin Dineen, des *Whalers*, aussi en sous-vêtements, jouaient à un contre un une partie de basket-ball dans le garage du *Civic Center*. Samuelsson se sentait particulièrement fringant: c'était son vingt-deuxième anniversaire et il avait connu une bonne saison avec les *Whalers*, laquelle équipe aspirait visiblement aux plus hauts échelons de la LNH.

Hartford était détendu. Pas Montréal.
Après la partie telles étaient les statistiques.

	parties jouées	victoires	défaites	nulles	points
Québec	75	41	29	5	87
Montréal	75	37	32	6	80
Boston	74	34	30	10	78
Hartford	75	37	35	3	77
Buffalo	74	35	33	6	76

Les *Canadiens* jouaient bien mais ils étaient incapables de se frayer un chemin jusqu'au but. Dahlin, Walter, Smith et Richer ratèrent d'excellentes occasions de marquer au début de la partie, avant que Mike Liut n'assure une garde solide de son but derrière une défense serrée des Whalers.

Dans le domaine du sport, les périodes de guigne — c'est-à-dire les mauvais rendements en série — renferment une dynamique particulière. Cette guigne une fois constatée, les joueurs et les entraîneurs vont faire l'impossible pour en nier l'existence; mais la période de guigne a sa vie propre. Tout élément négatif est grossi mille fois tandis que tout élément positif est mis en doute.

Pete Rose, qui a connu le succès plus souvent que l'adversité durant sa longue carrière au base-ball, affirme qu'un joueur en période de guigne peut être conduit à croire en une force surnaturelle malveillante.

— Il se peut qu'on ne se concentre pas aussi bien que normalement parce qu'on pense toujours à l'enchaînement des événements. Et même quand on réussit à gagner la bataille dans sa tête, à reprendre confiance et à retrouver sa concentration, on cogne une rondelle qui va atterrir droit dans les mains de l'adversaire. On voudrait lancer son bâton en l'air et hurler: pourquoi me faire ça à moi? C'est précisément l'attitude à ne pas adopter, mais on n'y peut rien.

Si l'on en croit Rose, la guigne tient plus à l'état mental des joueurs qu'à leur état physique. Quand des athlètes font du bon travail, ils ne pensent pas à ce qu'ils font: ils le font, c'est tout. À l'inverse, quand il semble que l'adversité s'acharne sur eux, c'est la seule chose qu'ils n'arrivent pas à oublier.

— Quand tout va bien pour notre équipe et qu'un gardien m'arrête après une échappée, je me retire en me disant: D'accord, je l'aurai bien la prochaine fois! a raconté Bobby Smith après la partie, commentant sa confrontation avec Liut. Mais quand on est en plein marasme, je me retire en me disant: Comment ai-je pu rater ça? Dans un cas, on a l'esprit dirigé là où il le faut: en avant, parce que c'est sur ce qui va arriver qu'il est possible d'exercer un contrôle. Dans le deuxième cas, on ne pense qu'au passé, et on ne peut pas refaire le passé.

La marque était toujours nulle à la fin de la deuxième période quand les *Canadiens* firent un mauvais changement de trio. Pendant que quatre joueurs des *Canadiens* quittaient précipitamment leur banc pour tenter de l'intercepter, Dineen récupérait la rondelle le long de la bande, à gauche, et patinait vers Roy. Gainey fit un effort surhumain pour le rattraper. Il accrocha le bâton de l'ailier qui s'apprêtait à tirer. Tant bien que mal, Dineen rassembla ses forces une deuxième fois, dégagea son bâton et, d'une seule main, balança un tir qui prit Roy par surprise.

Au début de la troisième période les jeux étaient faits. Hartford pressa le jeu et marqua à 15 min 47 sec, assurant ainsi sa victoire. D'abord, c'est le défenseur Scot Kleinendorst qui, à partir de la ligne bleue, tira la rondelle à l'aveuglette. Celle-ci prit presque toutes les quinze premières secondes de la période pour traverser une forêt de patins et de bâtons avant d'aboutir dans le coin du filet. Roy n'avait rien pu voir. Ensuite Ron Francis, profitant d'une mêlée au ras du filet, fit sauter la rondelle dans le but.

La défense des *Canadiens* joua bien devant Roy, malgré deux absences: Robinson était à la maison atteint d'une sinusite, et Svoboda n'était pas en uniforme parce que, une fois de plus, il était arrivé en retard à l'exercice deux jours plus tôt.

— Nous avons bien joué et nous n'étions pas trop nerveux, dit Mats Naslund. La première chose à se rappeler, c'est qu'il ne faut jamais paniquer. Si nous continuons de travailler fort, ça va s'arranger.

Ce soir-là, l'équipe partit pour Boston en autobus alors que Savard avait loué une voiture. Après son arrivée, Lemaire, Savard et Perron veillèrent tard dans la chambre d'hôtel de l'entraîneur, au Sheraton de Boston.

À sept heures et demie, ce matin-là, le téléphone sonna à Sherbrooke et c'est Claude Lemieux qui décrocha.

— Claude, ici Pierre Creamer. On fait appel à toi. Il faut que tu te rendes à Boston pour la partie de ce soir.

Six mois après que son mauvais rendement au camp d'entraînement l'eut relégué dans la Ligue mineure, trois mois après que, s'étant finalement résigné au fait, il eut commencé à jouer aussi bien que possible, Lemieux redevenait un joueur du *Canadien*.

Boston, comme tout le nord-est des États-Unis, jouissait d'une vague de chaleur précoce, mais des nuages plombés faisaient planer des menaces d'orage. Les joueurs et les journalistes de Montréal erraient dans le vaste hall, leur humeur s'accordant aux éléments. Savard et Lemaire semblaient être partout tandis que Perron restait invisible, alimentant les rumeurs selon lesquelles son poste était en jeu. La scène rappelait la situation de Bob Berry, deux ans plus tôt, quand celui-ci se débattait avec la saison la plus difficile que l'équipe eût connue depuis trente ans. Tout le monde nota la présence de l'entraîneur adjoint Jacques Lemaire et on se disait que «ça ne devrait pas tarder».

Dans le cas de Perron, Lemaire était au-dessus de lui dans la hiérarchie, pas au-dessous, mais les suppositions étaient les mêmes. Personne ne croyait Savard quand il disait que Perron était son entraîneur quoi qu'il arrive.

Savard le pensait vraiment.

— Cette équipe a connu cinq entraîneurs en quarante ans et maintenant, nous en avons eu cinq en six ans, dit-il. Nous avons eu des entraîneurs différents à chacun des trois derniers camps d'entraînement. Quand j'ai engagé Jean Perron, mon intention était de le garder longtemps. Et n'oubliez pas que nous avons mis sur pied un plan quinquennal; le Club n'en est qu'à l'an trois.

Perron n'était pas aussi timide avec la presse que l'avait été Lemaire, mais il ne recherchait pas non plus la publicité comme Scotty Bowman. Il restait silencieux. Il ressentait néanmoins de la frustration.

— C'est très, très dur d'être l'entraîneur en chef des *Canadiens*. Vous n'avez pas la moindre idée de la pression qu'il faut subir. J'ai été entraîneur adjoint un an et je pensais être bien placé pour savoir ce que c'était qu'être entraîneur à Montréal, mais je sous-estimais encore les difficultés. Dans cette ville, comme dit la plaisanterie, les partisans sont avec vous dans la victoire et dans la nulle, mais n'annulez pas trop souvent!

En ce jeudi humide, les seuls joueurs visibles dans le hall étaient Richer, Gingras et Roy. Bertrand Raymond et Yvon Pedneault, du *Journal de Montréal*, erraient justement dans les parages à la recherche d'éléments pour remplir leurs quatre pages quotidiennes. Le lendemain, c'était le Vendredi saint, et seul le *Journal* paraissait. Le reste de l'équipe Tandy, ainsi appelée à cause des mini-ordinateurs portatifs dont les journalistes faisaient usage, était en congé.

— Ils sont passés de la défense de la zone au un contre un, ironisa un autre reporter tandis que Raymond et Pedneault pressaient de questions Gingras et les deux recrues pour leur soutirer d'ultimes renseignements.

Alors, Lemieux pénétra dans le hall, coquettement vêtu d'une veste de velours bleu et d'un pantalon de flanelle, portant son sac d'équipement et ses bâtons de hockey. On vit Raymond et Pedneault lever les yeux pour remercier le ciel tandis qu'ils fonçaient sur la recrue et sur le comité d'accueil officiel, formé de Lemaire et de Savard.

Ce soir-là, Lemieux forma avec Walter et Richer un trio, le meilleur de l'équipe. Celle-ci annula 3 à 3 contre Boston. Dans le vestiaire, après la partie, Naslund résuma en ces termes leur performance:

— Une grande victoire.

Cette partie nulle fit beaucoup pour assurer la participation de Montréal aux éliminatoires. Les Canadiens allaient gagner trois de leurs quatre dernières parties, même si ce n'était pas de manière aussi convaincante qu'on aurait pu l'espérer, particulièrement contre Pittsburgh et Detroit.

Dans la dernière partie de l'équipe en saison régulière, au Forum, gagnée aux dépens de Buffalo, Roy joua mieux que bien, mais il laissa passer deux longs tirs, dont l'un de l'extérieur de la ligne bleue. Il se laissa alors tomber sur les genoux sans que l'on sache très bien pourquoi, car il essayait d'attraper une rondelle à la hauteur de ses yeux. Ce faux pas lui valut des huées.

On était à la veille des éliminatoires et d'une rencontre avec les *Bruins* haïs, et la machine des *Canadiens* ne fonctionnait pas encore à plein régime. L'équipe, avec ses huit recrues, était une proie facile pour Boston.

Il y avait tout de même de bonnes nouvelles. Chelios et Green, longtemps tenus à l'écart du jeu par des blessures, étaient de retour et jouaient un hockey inspiré. Robinson connaissait sa meilleure saison depuis longtemps et Ludwig de même. Mike Lalor avait prouvé qu'il était bien un *Canadien*, et Gingras répondait à toutes les attentes en terrorisant les gardiens avec son tir.

Une pause de cinq jours permit à la défense de se reposer. Après tout, les experts ne s'étaient-ils pas accordés pour dire durant la saison que c'était la défense qui décidait de l'issue des éliminatoires de la coupe Stanley?

... Cherchez le gardien...

Chapitre 16

Le lion bondit

Si deux êtres se tiennent devant les dieux épaule contre épaule, heureux ensemble, les dieux eux-mêmes sont impuissants à les écraser, tant qu'ils demeurent ainsi.

Maxwell Anderson, La Reine Élizabeth

Le partage d'un objectif, dit-on, fait tout. Il peut défaire les armées, répandre les idées et les philosophies et conduire à l'héroïsme le placide et le sédentaire. Rares sont les chefs qui n'essaient pas de promouvoir cette unité par tous les moyens.

En ce qui concerne Jean Perron, il n'a vu les *Canadiens* de Montréal commencer à former une unité cohérente qu'au moment de leur tournée à Winnipeg et à St.Louis. Ce processus s'est achevé quelque part durant la finale de la division Adams contre les *Whalers* de Hartford.

Il ne savait guère que cela s'effectuerait sur le mode de l'ornithologie...

L'homme aux oiseaux d'Alcatraz II

(LUTTE EN QUATRE ACTES)

ESPÈCES REPRÉSENTÉES

PATRICK ROY (*Royalis nervosus*): oiseau à longues pattes incapable de voler mais à grande envergure. Se jette sur ce qu'il ne fait pas tomber avec ses ailes.

CLAUDE LEMIEUX (*Tombus constantus*): oiseau marin fameux qui ramène des perles à la surface. D'humeur exécrable quand il est provoqué.

BRIAN SKRUDLAND (*Jappus bataillus*): cousin combatif de l'étourneau huppé. Donne constamment des coups de bec à l'ennemi. Capable de frapper à la vitesse de l'éclair.

LARRY ROBINSON (*Aquila chrysaetos*): c'est l'illustre aigle doré dont on a dit naguère qu'il était en voie d'extinction.

BOB GAINEY (*Buteo jamaicensis*): la classique buse à queue rousse du Canada. Plonge sur tout intrus dans son territoire. Apparenté au Mike McPhee. Réputé pour préférer l'aile gauche.

CHRIS CHELIOS (*Sterna paradisaea*): aussi appelé la sterne arctique, à cause de son aptitude à se mouvoir dans les glaces.

CHRIS NILAN, JOHN KORDIC, STEVE ROONEY et DAVID MALEY (*Pestus controlus*): busards. Leur présence amène la plupart des équipes à se comporter comme des colombes quand elles s'aventurent dans leur habitat naturel.

CRAIG LUDWIG, RICK GREEN, MIKE LALOR et GASTON GINGRAS (*Katyus barrusportus*): c'est grâce à eux que, à mesure qu'on approchait du quatrième acte, Patrick Roy a pu devenir le *Royalis* moins *nervosus.*

BOBBY SMITH, MATS NASLUND et KJELL DAHLIN (*Coupus offensis*): par leur aptitude à se mouvoir dans l'espace de manoeuvre libéré par le quatuor des *Pestus controlus,* s'avèrent dangereux pour l'ennemi.

JEAN PERRON dans le rôle de l'homme aux oiseaux.

Quelques autres participants.

S'il y a jamais eu une différence entre les *Canadiens* qui ont joué en saison régulière, en 1985-1986, et ceux qui ont joué durant les éliminatoires subséquentes, c'est bien l'unité. L'équipe qui nous avait habitués au régime de la douche écossaise, pendant l'année, n'offrait guère de similitudes avec celle qui allait anéantir toute résistance aux éliminatoires, en route pour son vingt-troisième championnat de la coupe Stanley.

Ainsi que nous l'avons dit dans le chapitre précédent, il y avait eu de la friction au sein de l'équipe pendant la saison régulière. Non pas une dissension ouverte que les entraîneurs et la haute direction auraient pu apaiser par une série d'actions concrètes, mais plutôt des bisbilles sur lesquelles il était difficile de mettre le doigt et qu'il était encore plus difficile de supporter.

La raison la plus évidente de cette guerre larvée, c'était l'invasion des recrues: l'équipe en comptait huit et elle avait failli en compter plusieurs autres. Certains vétérans commençaient à devenir nerveux quand des amis proches étaient menacés de perdre leur poste. C'est là une réaction normale au sein de tout groupe constitué dans le domaine du sport. De leur côté, les recrues se soutenaient mutuellement.

Il y avait aussi des différences d'ordre culturel, lesquelles n'étaient ni linguistiques, ni ethniques. Certains, tels Chris Nilan, Mario Tremblay et Guy Carbonneau, avaient la conviction que les recrues n'étaient tout simplement pas prêtes à s'engager avec toute l'ardeur désirée. Leur culture occupationnelle, pensaient-ils, était menacée si la génération à laquelle ils transmettaient le flambeau était incapable de comprendre que les *Canadiens* n'étaient pas une équipe de hockey comme les autres.

Aussi bien, le plan quinquennal de Corey planait comme une menace au-dessus de la tête des vétérans. Quand la direction parle d'une stratégie à long terme en vue de renouveler l'équipe et de la ramener aux plus hauts échelons de la Ligue, les vétérans, à bon droit, se sentent menacés. Beaucoup sentent que le «long terme» les exclut, surtout quand ils voient continuellement des coéquipiers partir et revenir.

Il fallut beaucoup de temps aux *Canadiens* pour se fondre en un tout cohérent. L'isolement fut un facteur clé.

L'éventualité d'une participation des *Canadiens* à la finale de la coupe Stanley paraissait hautement improbable aux médias montréalais. Pour ce qui est des partisans, il serait plus juste de dire qu'ils se refusaient à regarder la vérité en face. Mais lorsque l'équipe fut à la veille d'accéder à la finale, il sembla à chacun que c'était dans l'ordre des choses. Car les joueurs, en séries éliminatoires, se distinguèrent par leur acharnement au travail et une discipline d'équipe inflexible.

Comment une équipe travailleuse devient-elle finalement une équipe gagnante? Selon plusieurs sociologues, il faut considérer une équipe comme un groupe d'individus qui coopèrent à l'exécution d'un certain ensemble de gestes. Pour mener à bien cette tâche, le groupe doit être enthousiaste, solidaire, posséder à un haut degré les mêmes croyances et les mêmes attitudes, et concevoir ainsi que poursuivre en commun le même but.

Cette théorie est bien jolie sur papier, mais en fait, on ne sait guère comment une équipe devient une entité unique dont les membres sont prêts à se sacrifier pour le bien commun. Nous avons vu se manifester cette cohésion dans plusieurs combinaisons gagnantes: les *Packers* de Green Bay de Vince Lombardi, les *Dodgers* de Los Angeles soucieux d'entretenir une atmosphère familiale, les *Flyers* de Philadelphie cuvées 1973 et 1974 en sont des exemples probants.

Tout le monde se souvient des *Broad Street Bullies* qui se chamaillaient de l'Atlantique au Pacifique, mais on se souvient moins que les *Flyers* constituaient, de loin, l'équipe la plus cohérente de la Ligue pendant ces deux saisons. Fred Shero et le capitaine de l'équipe, Bobby Clarke, s'assuraient que tous les joueurs connaissaient bien leur position et leurs responsabilités au sein de l'organisation, même si, comme devait le dire Dave Schultz, cela conduisait dans certaines circonstances à exclure femmes et enfants.

Combattre un joueur des *Flyers*, c'est les combattre tous, en vertu d'une philosophie sortie tout droit des *Trois Mousquetaires* de Dumas. Les *Canadiens* de Montréal, et tout particulièrement Scotty Bowman, savaient que le seul défaut de la cuirasse des *Flyers* était leur propension à se battre. C'est pourquoi une simple partie d'exhibition, à la fin de septembre 1975, prit une telle importance.

— À la fin de la partie, devait dire Schultz, ils nous avaient battus aux points et aux poings. Je me suis assis dans le vestiaire, et je me suis dit: «Oh! oh! Ils savent qu'ils peuvent nous battre sur ce terrain-là aussi.» On a eu le sentiment qu'ils étaient aussi unis que nous.

Cette partie marqua l'avènement de la domination de Montréal dans les années soixante-dix. Schultz devait quitter le monde du hockey avant que Montréal ne perde à nouveau la coupe Stanley.

E. Wright Bakke décrit en ces termes le processus par lequel s'opère l'unification d'une équipe:

> Les agents qui représentent l'organisation officielle (...) et l'individu qui ne représente que soi cherchent simultanément à devenir partie prenante dans le processus qui permettra à l'organisation officielle (...) et à l'individu de se réaliser (...) La propension de l'individu à coopérer ou à entrer en conflit avec les autres participants dans l'organisation sera proportionnelle à ce qu'il estimera être leur volonté de l'aider ou de le contrecarrer dans l'accomplissement de ses buts (...) L'efficacité du processus de *fusion* est fonction de la compatibilité entre les comportements qu'attendent de

> l'individu les agents de l'organisation et ceux (...) que l'individu attend de lui-même.

Cette analyse du processus d'intégration des groupes permet d'expliquer comment le Club de hockey canadien a pu émerger durant la deuxième moitié de la saison 1985-1986 et les éliminatoires. Lors des discussions, les agents de l'organisation officielle imposent leurs attentes et leurs valeurs aux jeunes athlètes. C'est alors qu'un ensemble d'engagements forts commence à se constituer dans les rangs de l'équipe. Les *Canadiens* passèrent beaucoup de temps dans des réunions de groupe, pendant cette période.

Comment cette influence commence-t-elle à s'exercer? Elle est partout au Forum. Des gens comme Toe Blake, Jean Béliveau, Serge Savard, Jacques Lemaire et Jacques Laperrière en sont l'incarnation.

Frank Selke a développé chez les joueurs une culture occupationnelle constructive et significative que Sam Pollock a cultivée à son tour. Elle a donné aux *Canadiens* un cadre tout particulier sur lequel bâtir leurs aspirations et leurs valeurs. Ce processus est tout à fait similaire à l'acculturation que font subir aux jeunes qu'elles recrutent des sociétés telles IBM, Exxon ou Xerox, ou même les *Marines* américains: les recrutés doivent apprendre à penser, à agir, à dormir et à marcher comme des gens de chez IBM ou comme des *Marines*. Ils doivent se définir une personnalité à l'intérieur du groupe.

Ainsi que l'expliquent Orville Brim et Stanton Wheeler:

> Pour que l'employé nouvellement recruté arrive à se définir au sein du groupe, il faut d'abord que son cadre de travail lui permette de rencontrer d'autres individus que sa définition du groupe englobe. Ceux-ci doivent être ou avoir été dans la même position que lui et être en mesure de faciliter son adaptation (...) La socialisation de l'adulte repose pour une grande part sur le fait qu'il voit un grand nombre de personnes entrer simultanément dans son cadre (...) L'adaptation s'effectue selon un processus bien différent lorsqu'une personne entre seule, car des personnes recrutées en groupe sont capables de donner des solutions collectives aux problèmes auxquels elles font face.

À la différence de tant d'équipes confrontées à une division entre les recrues et les vétérans et qui étaient incapables de combler ce fossé, réel ou supposé, Montréal était en mesure d'utiliser la dynamique du groupe des recrues pour atteindre tous les individus appartenant à ce sous-groupe et leur enseigner tous les avantages qu'ils pouvaient tirer de leur engagement dans un groupe plus grand, à savoir l'équipe entière.

On fit comprendre aux gens «qui étaient là avant», les vétérans, que c'était dans l'intérêt de chacun de parvenir à l'unité. En même temps, on fit comprendre aux recrues les avantages qu'il y avait à suivre l'enseignement de joueurs qui avaient expérimenté les mêmes choses qu'eux auparavant. Ce processus allait s'accomplir avec l'isolement du groupe.

Dans les années passées, particulièrement à l'époque de Pollock, les *Canadiens* en éliminatoires étaient séquestrés dans des hôtels du centre-ville de Montréal ou dans les Laurentides toutes proches. Le raisonnement était fort simple: les joueurs subissent de telles pressions pendant les éliminatoires qu'ils doivent mobiliser toute leur énergie mentale et physique pour mener leur tâche à bien. Une telle concentration n'est pas possible si les joueurs sont chez eux: ils seront constamment poursuivis par les coups de téléphone d'amis à la recherche de billets et de potins tandis qu'ils essaieront de maintenir la paix dans un foyer qui compte généralement plusieurs jeunes enfants. Dans le cas des jeunes célibataires, il est à coup sûr judicieux de les mettre à l'abri des tentations bien connues des nuits de Montréal.

L'équipe se rendit en groupe aux réunions et aux séances d'entraînement, prit en groupe ses repas et passa le plus clair de ses moments de loisirs à regarder la télévision, à lire ou à jouer aux cartes et au backgammon. Les membres de l'équipe furent forcés de se côtoyer. Certains joueurs en vinrent à connaître mieux leurs coéquipiers en cette période tardive de la saison.

Une autre école de pensée estimait que c'était trop demander aux joueurs que de les enrégimenter et de les priver de leur famille pour une période excessivement longue (jusqu'à deux mois si l'équipe parvient à la finale de la coupe Stanley). La frustration des épouses et des petites amies devient très grande vers la fin des éliminatoires, et chacun en vient à redouter les appels téléphoniques personnels.

Le soir où les *Canadiens* ont gagné la coupe Stanley, à Calgary, Chris Nilan a parfaitement illustré ce que pouvait représenter une absence prolongée du foyer. À la suite d'une bataille contre le robuste Tim Hunter, au cours de la troisième partie des séries, il souffrit d'une blessure aux ligaments de la cheville, de sorte qu'il ne lui fut plus possible de jouer par la suite, même s'il restait encore sept parties. Il put ainsi user à nouveau de ses droits conjugaux.

Pendant le second entracte de la partie finale, il fut interviewé (et embrassé) par l'instructeur, Don Cherry, devant les caméras de la télévision de Radio-Canada. Plus tard durant la soirée, un journaliste le taquina:

— Alors, qu'est-ce que tu as trouvé le plus excitant aujourd'hui, Chris? Gagner la coupe, ou te faire embrasser par Don Cherry à la télévision nationale?

— Ni l'un ni l'autre. Ç'a été de voir monter Mme Nilan au onzième étage de l'hôtel Westin, cet après-midi, après deux mois de réclusion à Alcatraz.

Alcatraz, en fait, est un rocher au milieu de la baie de San Francisco. Il fut d'abord fortifié par les Espagnols avant d'être utilisé comme prison militaire par les Américains après 1859, puis comme pénitencier fédéral entre 1933 et 1963.

Aussi connue sous le nom du «Rocher», cette prison abritait des criminels endurcis des États-Unis, parmi lesquels Robert Stroud, l'homme aux oiseaux légendaire, qui s'est rendu célèbre comme ornithologue après quelque soixante années d'incarcération.

Alcatraz version 1986, c'est là que les *Canadiens* se sont retrouvés, début avril, à la veille des éliminatoires. En l'occurrence, le cadre était moins austère que celui de Stroud, puisqu'il s'agissait de l'hôtel Sheraton de l'île Charron, sur le Saint-Laurent, entre Montréal et Boucherville, sur la rive sud. L'équipe y résida pour la durée des éliminatoires.

C'est là qu'une dynamique d'équipe se développa réellement chez les *Canadiens*. Il peut bien y avoir deux écoles de pensée touchant l'isolement d'une équipe durant les éliminatoires, mais pour les «experts» des *Canadiens*, le doute n'est pas permis. Perron était péremptoire:

— En ce qui concerne notre équipe, il n'y a pas de question à se poser. Il y a une chose à faire: aller à l'hôtel. Étant donné le nombre de jeunes dans notre équipe, il faut mettre tout le monde ensemble. Les jeunes, ils ne savent pas ce que ça prend pour gagner: de la concentration, de la relaxation... loin du bruit et de l'agitation. Montréal n'est pas comme toutes les villes où il y a du hockey. Il n'y a aucune autre équipe dans la Ligue nationale de hockey qui fasse l'objet d'une telle attention. Il fallait nous assurer que tout ce que tous les jeunes joueurs avaient en tête, c'était le hockey.

Le Sheraton de l'île Charron a permis aux *Canadiens* de 1986 de se rappeler l'atmosphère des voyages en train des années cinquante et l'unité tricotée serré des équipes des années soixante-dix. Jean Béliveau et ses coéquipiers allaient passer de longues heures à discuter des parties, des situations et des individus tout au long de leurs trajets de dix-huit heures pour Chicago. Guy Lafleur, Steve Shutt et leurs copains allaient se réunir dans un bar et faire de même. C'est ce que se mirent à faire tout à coup les *Canadiens* de 1986.

Cela ne tenait pas seulement à une décision décrétée par la direction: «qu'on les mette tous ensemble, loin de tout, en espérant qu'il en sortira quelque chose de bon». Ainsi que devait l'expliquer Jacques Lemaire, cela se fit au terme d'une évolution.

— Gagner, pour une équipe sportive, ça se fait suivant un processus. Il ne s'agit pas seulement de repêcher les joueurs les plus talentueux et de les abandonner à leur seule créativité. Il faut bâtir une identité d'équipe et une discipline de travail, de sorte que chaque individu connaisse son rôle et sache ce qu'on attend de lui. La première étape, c'est d'amener les recrues à travailler de concert avec le reste de l'équipe. Une fois que tout le monde se met à se faire mutuellement confiance, on commence à consentir des sacrifices. On en fait un peu plus chaque fois que c'est possible. Cela ne s'est pas passé et ne pouvait pas se passer en une soirée: c'est un processus qui s'étale sur une saison. L'étape suivante, c'est d'amener les joueurs à bien travailler ensemble. Et cela s'est produit vers la fin de la saison. C'est à ce moment-là qu'on a eu le sentiment qu'ils pouvaient gagner. J'ai constaté cela durant les six ou huit dernières parties de l'année.

Cette affirmation peut surprendre les observateurs de l'extérieur qui ne pouvaient guère voir qu'une chose, alors: c'est que l'équipe était menacée de sombrer dans le marasme aux éliminatoires.

Mais à cette époque, Lemaire avait vu autre chose:

— Les joueurs en faisaient plus les uns pour les autres. Ils s'appuyaient mutuellement, sur la glace et en dehors, et commençaient à croire dans le potentiel de l'équipe. L'étape finale, ç'a été d'amener tout le monde à gagner ensemble. C'est ce qui est arrivé durant les éliminatoires. Il y a eu un cheminement en trois étapes, et la coupe Stanley en a été le résultat.

Bob Gainey et Larry Robinson sont parmi les joueurs dont le rôle a été le plus important. S'il n'avait pas été blessé, Mario Tremblay aurait pu se joindre à eux. Ce sont les trois survivants de la dernière équipe à avoir gagné la coupe Stanley dans les années soixante-dix. Quand l'équipe se réunit, en avril et en mai, ils furent une source d'inspiration pour les jeunes joueurs.

Il ne fut pas facile pour bien des joueurs de Montréal de lire au cours des deux mois que durèrent les éliminatoires que les *Canadiens* n'avaient plus de supervedettes, qu'ils ne constituaient plus qu'une version «générique» des équipes qu'on avait tant vantées naguère.

Mais lorsqu'ils cherchaient leadership et inspiration, c'est vers Bob Gainey et Larry Robinson qu'ils se tournaient.

— Quand vous êtes dans le vestiaire entre les périodes, au milieu d'une partie très difficile, et que vous voyez assis parmi vous des gars comme Larry et Bob, ça vous met en confiance, dit Skrudland. Quand nous étions trop nerveux, Larry et Bob nous calmaient. Quand nous traînions de la patte, ils nous remontaient. Et ils n'avaient pas besoin de nous parler longuement. Mais le mieux dans tout ça, c'est que quand nous étions sur la glace, Bob Gainey et Larry Robinson étaient à nos côtés. Ils pouvaient bien nous tenir en respect dans le vestiaire; sur la glace, ils tenaient les autres équipes en respect.

D'autres vétérans furent d'un grand secours eux aussi, entre autres les trois «grands échangés», Bobby Smith, Ryan Walter (bien que celui-ci ait dû s'absenter à cause d'une blessure à la cheville jusqu'à la série finale) et Rick Green, pour ne pas parler de Nilan.

L'atmosphère était au hockey, rien qu'au hockey. Début avril, la télévision diffusait des parties de hockey tous les soirs. Les *Canadiens* se réunirent alors pour regarder les séries où ils ne jouaient pas eux-mêmes. Perron, quant à lui, regardait l'équipe former un tout.

— Nous avions un appareil de télé, du café, du lait ou des boissons gazeuses, et les gars pouvaient regarder les parties ensemble. D'autres soirs, nous apportions des vidéocassettes pour nous distraire. Je n'ai jamais entendu les joueurs se plaindre que c'était ennuyeux ou qu'ils souffraient le martyre.

Ce qui ne signifiait pas qu'on avait totalement réprimé les instincts naturels.

— Quand nous avons gagné la cinquième partie contre New York, un vendredi soir, et que les gars se sont rendu compte que nous rentrions directement à l'hôtel, il y en a qui n'ont pas aimé ça. Nous savions que nous serions en congé pendant au moins cinq jours, étant donné la manière dont se déroulait la série Calgary-St.Louis. Certains joueurs pensaient qu'ils pouvaient bien prendre des vacances pendant un jour ou deux. J'ai dit: «Pas question.» On était partis pour gagner, un point c'est tout. Nous ne cherchions pas à punir qui que ce soit... Nous voulions seulement nous assurer que les gars restaient sous contrôle.

À mesure que les éliminatoires avançaient, les joueurs se rapprochaient de plus en plus. L'un d'eux donna à leur hôtel le surnom d'«Alcatraz» et l'appellation se répandit à partir de là. Ce ne fut d'abord qu'une plaisanterie entre les joueurs; elle ne fut rendue publique que durant la série finale.

Pendant les tournées, en saison, les *Canadiens* sont des modèles de tenue. Chaque joueur doit porter le veston et la cravate et être rasé de près, ce à quoi ne sont guère habitués des «beach boys» de San Diego comme Chelios. Mais la règle ne connaît pas d'exceptions. En fait, le Club insiste sans beaucoup d'égards pour que les journalistes qui l'accompagnent respectent cette règle, et il n'est pas rare de voir des rédacteurs et des commentateurs sportifs nouer prestement leur cravate tandis qu'ils s'apprêtent à s'envoler avec l'équipe.

L'île Charron était hors des limites fréquentées par la horde des journalistes, laquelle augmentait à mesure que les éliminatoires progressaient. Un grand nombre de membres de la presse s'embarquèrent dans le vol nolisé par l'équipe qui retournait à Montréal ce lundi matin 19 mai. La série était à égalité: 1 à 1. L'avion avait à peine fini son ascension, après le décollage, que l'on vit tomber les vestons et les cravates, et se révéler les chemises marquées Alcatraz 86, les shorts et les sandales. Les chandails de plage blancs à manches courtes et des accessoires tels des verres fumés donnaient indéniablement un air de laisser-aller au vol d'Air Canada qui transportait les *Canadiens* à la maison où ils allaient disputer les troisième et quatrième parties de la finale.

Sur le devant des chandails (gracieuseté du personnel du foyer des joueurs loin de leur foyer), étaient inscrits le mot «Alcatraz» en grands caractères noirs et le petit S symbole des hôtels Sheraton. Dans le dos, en caractères gras noirs, il y avait: 86. Cela disait: «Nous contre le monde.» Ni les médias, ni les habitués du monde du hockey, ni l'administration de l'équipe n'avaient besoin d'explication.

Recrues et vétérans portaient fièrement leur chandail et cultivaient un air nonchalant. On était parvenu à l'unité désirée. Mieux encore, l'équipe y croyait. Un rédacteur se tourna vers un collègue et lui dit:

— Ça y est, c'est gagné. Ils ne perdront pas d'autres parties et ils le savent.

Tout à fait à l'avant de l'avion, l'administration de l'équipe le savait aussi, mais on se contentait de sourire finement.

— Je savais que les gars se rapprochaient et qu'ils devenaient de plus en plus exigeants vis-à-vis de leurs camarades, dit Perron. Ils n'aimaient pas qu'un gars ne fasse pas sa part. Ils voulaient gagner à tout prix. Ils voulaient rentrer à la maison après la troisième partie contre Calgary, mais je n'étais pas sûr que c'était une bonne chose. J'ai alors décidé que nous retournerions à l'hôtel. Il y eut de la grogne.

Bob Gainey se leva et dit: «Si nous voulons gagner, il faut en payer le prix.» À ce moment-là, les *Canadiens* menaient devant Calgary 2 à 1, mais une défaite à la partie suivante aurait égalisé la série et donné aux *Flames* l'avantage de la glace.

— Quand le capitaine se lève pour dire quelque chose comme ça, surtout quand les joueurs savent qu'il a gagné quatre fois la coupe Stanley, on se la ferme et on écoute, nota Perron. Bob Gainey a su imposer le respect et il a fait ce que tout capitaine est censé faire: il a pris la responsabilité de l'équipe.

La vingt-troisième coupe Stanley de Montréal a été le résultat d'un authentique effort d'équipe. Ce qui ne signifie pas que des individus ne se sont pas imposés. Durant la série finale, bien des joueurs des *Canadiens* ont été pressentis pour le trophée Conn Smythe, accordé au meilleur joueur durant les éliminatoires.

Claude Lemieux et Patrick Roy ont pris la tête: Roy à cause de sa présence spectaculaire devant le but et Lemieux à cause de ses quatre buts gagnants, dont deux marqués en prolongation.

Le plus important, c'était que les joueurs de défense aient jugulé toute opposition. (Montréal laissa ses adversaires décocher 30 tirs au but ou plus, seulement quatre fois en 19 parties. C'est une statistique étonnante en cette époque de hockey à l'européenne, très fluide.) Ceux-ci ont commencé à recevoir la reconnaissance qu'ils méritaient. Guy Carbonneau et Bob Gainey, à l'échec avant, Brian Skrudland et Mike McPhee, dans le second trio défensif, ont si bien travaillé qu'ils ont attiré l'attention de la presse, si active à Montréal, et même celle de spectateurs occasionnels.

Si les *Bruins*, les *Whalers*, les *Rangers* ou les *Flames* dépassaient ces quatre joueurs, c'était, pour reprendre l'expression d'un directeur gérant de la LNH qui décrivait la défense de Montréal, pour se jeter dans la «forêt». Larry Robinson, Rick Green et Craig Ludwig, tous des géants, s'arrangeaient pour attirer des pénalités aux avants adverses plus petits qu'eux. Ils étaient assez forts pour repousser les grandes brutes de devant le filet. Mike Lalor, qu'il était impossible de faire sortir de sa position, jouait bien au-dessus de son 1 m 80 et de ses 89 kg. La rapidité du duo formé par Chris Chelios et Gaston Gingras faisait piquer des crises aux entraîneurs des équipes adverses.

— Personne dans la Ligue ne combine comme les *Canadiens* la taille, la force et la mobilité derrière la ligne bleue, devait dire, découragé, Bob Johnson dans le vestiaire de Calgary vaincu, tandis que les *Canadiens* célébraient leur victoire quarante pieds plus loin. Certaines équipes sont grandes et lentes: dans ce cas, il suffit de tirer la rondelle en zone adverse et de déjouer les défenseurs ou d'atteindre le disque avant eux. D'autres sont petits et mobiles: avec des avants de grande taille, on peut les repousser et les empêcher de s'emparer de la rondelle ou d'aller devant le filet. Nous avons essayé les deux tactiques contre les *Canadiens*, et ils ont été prêts. Ludwig, Robinson et Green étaient bien préparés à nous barrer le chemin quand nous essayions de patiner dans leur zone; Chelios et Gingras étaient d'excellents patineurs et saisissaient aisément la rondelle.

La meilleure manière pour les *Flames* de défaire les *Canadiens*, c'était, outre le fait de marquer plus de buts, bien sûr, de les surpasser sur les plans physique et mental. S'ils avaient rencontré les *Canadiens* de la mi-saison, ils les auraient vaincus. Après tout, Calgary était l'équipe qui avait jeté par terre Wayne Gretzky et les *Oilers* d'Edmonton. Si cela, ce n'est pas un avantage psychologique! Ils avaient une équipe de grande taille rendue puissante par des joueurs tels Doug Risebrough, Lanny McDonald (même à Montréal, on éprouvait de la compassion pour le sympathique Lanny qui n'avait jamais gagné la coupe Stanley en treize années de carrière) et John Tonelli. Ce dernier, ex-joueur des *Islanders* de New York, était un bourreau de travail qui avait mené *Équipe Canada* à la coupe Canada en 1984.

Mais au moment de la première mise au jeu au Saddledome, ce vendredi 16 mai, Calgary affrontait une équipe qui avait derrière elle un riche folklore, une tradition et beaucoup de travail.

Il ne leur était pas possible d'intimider les *Canadiens* avec le récit des exploits de leur gardien recrue Mike Vernon, car Patrick Roy n'avait plus les pieds sur terre durant les éliminatoires. Et Claude Lemieux, venu de nulle part, jouait à la manière de Maurice Richard à l'aile droite, à ce détail près qu'il avait une propension à réagir à la moindre provocation.

Les éliminatoires furent ponctuées de plusieurs jalons importants. Tout commença durant la première période de la première partie des éliminatoires contre Boston, au Forum, le mercredi 9 avril.

Déjà on pressentait qu'il allait se passer quelque chose de particulier au cours de la rencontre car la séance de patinage d'avant-partie fut quelque peu inhabituelle. Normalement, les équipes s'ignorent mutuellement durant la période de réchauffement et se contentent de s'exercer tranquillement en vue de la partie qui doit débuter environ trente minutes plus tard. Autrefois, le réchauffement d'avant-partie voyait les joueurs de la LNH décocher des tirs foudroyants et s'exercer à faire des échappées. Le réchauffement était devenu beaucoup plus élaboré. Après une séance de patinage préalable destinée à faire travailler les muscles, les équipes s'exerçaient à jouer à deux contre un ou à trois contre deux à l'intérieur de la ligne bleue. Ceux des joueurs qui n'étaient pas touchés restaient à l'écart et patinaient paresseusement dans le rectangle délimité par la ligne bleue et la ligne de centre rouge. Les seules personnes qui ont l'habitude d'assister à ce réchauffement sont les spectateurs debout et quelques curieux arrivés en avance. Les journalistes des médias écrits et électroniques mangent en haut dans la salle de presse et s'échangent des notes sur les joueurs et les instructeurs. Peu de gens, donc, furent témoins du ballet serré qui allait se dérouler durant la période de réchauffement, donnant le ton de la première partie. Tandis que leurs coéquipiers continuaient leurs exercices, Chris Nilan et Ken Linseman commencèrent à «parler». Nilan, patinant dans le sens des aiguilles d'une montre, et Linseman, patinant en sens inverse, synchronisèrent leur trajet rectangulaire de manière à se retrouver côte à côte le long de la ligne rouge: «Bla, bla, bla», un virage (quelques coups de patin le long de sa ligne bleue), un virage, «Bla, bla, bla», un virage, quelques coups de patin, un virage, «Bla, bla, bla». Cette intrigante saynète dura approximativement dix minutes, soit une bonne moitié de la séance de patinage d'avant-partie.

Une fois la partie finie, on demanda à Nilan de quoi ils pouvaient bien discuter.

— Il m'a répété que j'allais manger son bâton et je lui ai répété qu'il était une petite tapette, répondit la fleur de West Roxbury.

Cependant, Nilan et Linseman ne jouèrent pas un rôle prépondérant au cours de la partie. Ce rôle revint à un joueur des *Bruins* qui n'était pas étranger aux bagarres du Forum lors des éliminatoires et à un défenseur du *Canadien* qui n'avait pas eu l'occasion de jeter les gants depuis bien longtemps.

Boston se mit au travail dès le début de la première période alors que les *Canadiens* demeuraient invisibles. Les *Bruins* donnaient le meilleur jeu et Roy fut forcé très tôt d'effectuer de bons arrêts sur des tirs de Linseman et de Simmer. Il y eut quelques pénalités mineures pour rudesse, ce qui n'a rien d'inhabituel quand ces deux équipes se rencontrent. Boston avait joué bien mieux que ne le laisse supposer le nombre de leurs tirs au but (11, contre 7 pour les *Canadiens*) quand les équipes retournèrent aux vestiaires, au début de l'entracte. La partie était égale 0 à 0.

La deuxième période commença pour ainsi dire de la même manière, légèrement agressive, quand Louis Sleigher fut à l'origine de ce que le commentateur Don Cherry a appelé «le jeu le plus idiot (qu'il ait) jamais vu depuis longtemps». Le disque était libre devant le banc de Boston, et Larry Robinson essayait de le remettre au jeu avec son patin quand Sleigher s'attaqua au grand défenseur le coude haut levé. C'est le même Sleigher qui avait entamé la bataille du Vendredi saint avec les *Nordiques*, en 1984, quand il asticota le défenseur Jean Hamel.

Heureusement ou malheureusement, selon le point de vue, Robinson aperçut Sleigher du coin de l'oeil et put tant bien que mal éviter son coup de coude. Sleigher, pour sa part, fut incapable d'éviter Robinson, piqué au vif, qui le jeta sur la glace et tomba sur lui à bras raccourcis.

— La chose la plus stupide à faire au monde, quand on joue à Montréal, c'est de secouer les puces à Robinson, dit Cherry. J'ai souvent dit à mes joueurs: «Surtout, ne lui secouez pas les puces, il va vous tuer.»

Quand la poussière fut retombée, Robinson et Sleigher se retrouvèrent au banc des pénalités avec des punitions majeures. Sleigher se vit en outre imposer une pénalité mineure pour avoir levé le coude, ce qui permit à Montréal de déployer son jeu de puissance. Avant même que les deux fautifs ne réapparaissent sur la glace, les *Canadiens* menaient 2 à 0 grâce à des buts de Bobby Smith. Le score fut bientôt 3-0 à la suite d'un tir de Larry Robinson dévié par Mike McPhee.

Montréal était prêt à relever le défi ce soir-là. Boston pour sa part devait gagner une partie pour triompher des *Canadiens* pour la première fois en vingt affrontements post-saison; cela a failli se produire. Il aurait suffi que Sleigher comprenne la leçon qui lui avait été donnée au cours de la deuxième période. L'ailier gauche des *Bruins* téléscopa Roy derrière le filet des *Canadiens* à 13 min 22 de la période finale. Robinson le prit immédiatement en chasse et le frappa à nouveau.

Peu de temps après, éclata une mêlée typique Montréal-Boston. McPhee et Stéphane Richer prouvèrent aux *Bruins* que, s'ils voulaient se battre, la série serait longue: ils dominèrent nettement Keith Crowder et Mike Milbury. Nilan et Linseman se tournèrent autour durant dix minutes, un juge de lignes accroché aux basques de Nilan pendant tout ce temps. L'arbitre Bryan Lewis imposa en tout 207 minutes de pénalités. Il s'en fallut de peu que Jean Perron ne remerciât son collègue Butch Goring d'avoir secoué les *Canadiens.*

Montréal n'eut plus jamais besoin de se faire secouer durant la série.

La deuxième partie fut étrange, surtout si on la compare à la précédente. Des semaines plus tard, les partisans parlaient encore de la confrontation entre Jay Miller et John Kordic. Cela peut donner à penser que la rencontre fut remplie de batailles, mais il n'en est rien.

Le réchauffement d'avant-partie fut tout aussi animé que la première fois. Cette fois-ci, les chroniqueurs étaient à leur place, stylo à la main. Nilan et Miller, puis Nilan et Brian Curren, le géant défenseur du Boston, passèrent beaucoup de temps à se parler durant la séance de patinage. Nilan et Miller «marivaudaient» et s'échangeaient des sourires féroces. Chacun dans l'assistance s'attendait à un nouveau match ponctué de batailles.

L'arbitre Bob Myers en avait décidé tout autrement. Il distribua rapidement des pénalités aux contrevenants. Il pénalisa Gord Kluzak pour avoir accroché à 6 min 13. Lui et Nilan se virent imposer un repos forcé de dix minutes quand tous deux commencèrent à s'invectiver.

Une fois de plus, les deux équipes arrivèrent au terme de la première période sans avoir marqué, mais c'est Montréal qui porta le premier coup: Stéphane Richer déjoua le gardien Bill Ranford avec un tir de près. Alors qu'il restait un peu moins de quatre minutes à la période, Goring envoya Miller effectuer une mise au jeu. Miller se dirigeait vers la zone de Boston quand Goring le rappela et lui dit quelques mots. Miller approuva de la tête et repartit au jeu.

Jean Perron tapota l'épaule de John Kordic, et la recrue alla se placer à côté de Miller. Celui-ci était un cogneur. On avait fait appel à lui après que Nilan eut frappé Rick Middleton à la bouche avec son bâton, en octobre. Tous deux s'étaient affrontés à plusieurs reprises au cours de la saison.

Miller et Kordic s'étaient tourné autour durant la première partie, mais il ne s'était pas passé grand-chose.

— Alors, tu es ici pour jouer au hockey, ou tu t'en vas? demanda Kordic tandis que les deux joueurs prenaient position en vue de la mise au jeu.

Miller grommela quelque chose d'inintelligible, et Kordic se tourna vers le juge de lignes qui s'apprêtait à lâcher la rondelle. À ce moment précis, Miller cria: «Je m'en vais!» et il commença à ruer Kordic de coups. L'attaque fit reculer l'ailier de Montréal de quelques pieds; il trébucha. Cependant, il reprit son équilibre et assena une multitude de gauches dévastateurs qui laissèrent Miller assommé sur la glace. Une fois de plus, les *Bruins* avaient perdu le combat et, pour ajouter à l'injure, Montréal marqua un but sur le jeu de puissance durant la pénalité mineure supplémentaire imposée à Miller pour avoir été à l'origine de l'accrochage.

Miller n'en resta pas là. Il fit bondir des milliers de partisans des *Canadiens* quand il entra en trombe dans le vestiaire des *Bruins* et s'attaqua à la porte. Ainsi que purent le constater les milliers de spectateurs assis tout en haut, dans les gradins bleus, et ceux des gradins blancs qui regardaient les reprises sur des écrans de télévision géants, Miller fut mis K.-O. par la porte battante.

Ce fut le seul combat, ce soir-là. La troisième période vérifia une théorie avancée par certains observateurs du monde du hockey. Durant la saison 1985-1986 et les années précédentes, c'est quand les *Bruins* renonçaient à jouer aux gros méchants *Bruins* qu'ils battaient les *Canadiens*.

Un commentateur disait qu'ils souffraient du mal de Harry Sinden et du Garden de Boston. Sa théorie voulait que, si Boston repêchait de grandes brutes, c'était à cause de la petite dimension de la patinoire à Boston, que certains décrivaient par euphémisme comme une patinoire de luxe et d'autres comme un cancer. De petits joueurs se seraient fait tuer au Garden et ils n'auraient pas pu déployer leurs talents de patineurs sur cette glace dont la zone neutre est la plus petite du hockey professionnel.

Quand Sinden prit les rênes de Boston, en 1966, les *Bruins* se mirent à choisir de gros joueurs. L'ennui, c'est que qui dit gros dit souvent lent. Aussi ces joueurs étaient-ils désavantagés contre les équipes composées de bons patineurs quand ils devaient évoluer sur une patinoire aux dimensions réglementaires (60 m de long sur 24 m 50 de large).

Pendant des années, donc, les *Bruins* allaient patiner au Forum et subir la défaite contre de meilleurs patineurs qu'eux. Même durant la fabuleuse époque de Bobby Orr et de Phil Esposito, les *Bruins* ne purent jamais vaincre Montréal en série éliminatoire. S'ils essayaient d'user d'intimidation, les *Canadiens* dénichaient des joueurs plus gros, plus rudes et capables de patiner. John Ferguson neutralisait Ted Green; Rick Chartraw, Gilles Lupien et Pierre Bouchard réduisaient à néant les efforts de Stan Jonathan, de Terry O'Reilly et John Wensink (même si le duo Jonathan-Wensink surpassa celui formé par Lupien et Bouchard, à Boston, aux éliminatoires de 1978); Mario Tremblay, Chris Nilan et John Kordic contrecarraient les aspirations de Bobby Schmautz, de Jay Miller et de Brian Curren durant les années soixante-dix et quatre-vingts.

Rien n'illustre mieux la frustration de Boston en séries éliminatoires contre les *Canadiens* qu'un montage représentant les quatre derniers entraîneurs de l'équipe (Don Cherry, Gerry Cheevers, Harry Sinden et Butch Goring) debout au banc des visiteurs, au Forum, criant contre l'arbitre pendant que les *Bruins*, découragés, patinent nonchalamment, l'humeur encore plus noire que leurs uniformes.

Pendant presque deux décennies, Sinden avait affirmé à plusieurs reprises que les *Bruins* étaient capables de compter au Forum et que, s'ils avaient échoué, c'était sous l'effet combiné d'un mauvais arbitrage et de la foule du Forum. Il avait même une formule ironique pour décrire cela: «les fantômes du Forum».

Un psychologue aurait parlé à ce propos de renforcement négatif. Qu'elle l'ait voulu ou non, la direction de Boston a donné à ses joueurs une excuse subconsciente pour justifier leurs défaites à Montréal. En 1985-1986, les *Canadiens* ont battu Boston six fois de suite au Forum: quatre fois en saison régulière et deux fois au cours des éliminatoires.

Boston aurait facilement pu gagner deux de ces parties: la première fois le 1er février, lors d'une défaite de 2 à 1 durant laquelle les *Canadiens* avaient été limités à 14 tirs au but en tout, et à la première partie de la demi-finale de la division Adams.

Quoi qu'il en soit, ils frôlèrent la victoire dans la deuxième partie.

Durant cette rencontre, les *Canadiens* jouèrent bien mieux que la première fois et ils jouissaient d'une avance apparemment insurmontable de 2 à 0 avec moins d'une demi-période à jouer. Après la confrontation entre Miller et Kordic à 16 min 06, en deuxième période, les équipes se calmèrent pour jouer du hockey sérieux et propre. À 12 min 15, Barry Pederson frappa, transformant en but une passe de Linseman. Cela remit les *Bruins* en selle. Les *Canadiens* fléchirent 41 secondes plus tard alors que Crowder égalait lors d'une mêlée devant le filet.

Patrick Roy et Claude Lemieux choisirent cette partie pour commencer à grimper vers les sommets. Roy fut forcé de faire plusieurs bons arrêts car Boston jouait avec l'énergie du désespoir. Ses deux compagnons de conversation préférés, les deux poteaux de but, le sauvèrent vers la fin de la période. Alors qu'il ne restait plus que cinq minutes à la partie, le défenseur Ray Bourque s'échappa de sa zone et traversa en vitesse la ligne bleue des *Canadiens*. Il effectua un lancer frappé foudroyant à partir du cercle de mise au jeu, à la droite de Roy. Le gardien était clairement déjoué, mais le disque frappa en plein le poteau.

Moins d'une minute plus tard, Lemieux asticota l'ailier Kraig Nienhuis de Boston et lui fit faire ce que les *Bruins* font le mieux au Forum: s'attirer une pénalité.

À 15 min 44, il y eut une mêlée désordonnée à la droite du but de Boston. Lemieux la prolongea juste assez pour que Nienhuis puisse patiner vers lui, le bâton levé, et le fasse trébucher sur la glace, juste devant Myers. L'ailier des *Bruins* était encore au banc des pénalités quand Lemieux, tournant le fer dans la plaie, compta le but gagnant à 17 min 33.

Les deux équipes se rendirent à Boston. Cette fois, la séance de patinage d'avant-partie prit un tour sérieux, car Nilan et Klusak faillirent en venir aux coups. L'arbitre suppléant Terry Gregson et Serge Savard s'interposèrent entre les belligérants, bientôt aidés de l'arbitre de la partie, Don Koharski, et de ses deux juges de lignes, accourus en sous-vêtements.

Malgré une avalanche de pénalités mineures et de punitions pour mauvaise conduite en première période, il n'y eut pas de batailles. Les *Bruins* menaient 1 à 0 à la première pause. Lemieux et Mats Naslund donnèrent à Montréal une avance de 2 à 1 au milieu de la deuxième période, mais des buts comptés à 14 secondes d'intervalle par Reed Larson et Crowder permirent à Boston de prendre une avance de 3-2 alors qu'il restait une période.

Si la théorie selon laquelle les *Bruins* connaissent plus de succès contre Montréal quand ils se battent peu est valide, c'est aussi le cas de cette autre théorie: on dit qu'un ailier bon patineur qui est capable de frapper va faire bonne figure au Garden.

On en eut la preuve au bout d'une minute à peine en troisième période, quand Guy Carbonneau arriva en vitesse dans la zone des *Bruins* et fit une passe à Bob Gainey. Ce dernier déjoua Ranford avant que le gardien de Boston n'ait eu le temps de bouger.

Sept minutes plus tard, Rick Green était mis au banc des pénalités pour avoir fait trébucher un joueur; les *Bruins* pressèrent le jeu. Il y avait quarante secondes que Gainey avait été envoyé sur la glace pour tuer le temps durant la pénalité, quand celui-ci cueillit la rondelle le long de la bande, à la droite de son territoire, évita une mise en échec de Boston et se précipita en zone adverse avec le défenseur Craig Ludwig à sa gauche. L'arrière des *Bruins*, Ray Bourque, essayait de lui barrer la route.

Alors qu'il était à une dizaine de mètres du filet de Boston, Gainey, hors d'aile, jeta un regard en diagonale vers Ludwig et décocha un tir du poignet dans la direction opposée, déjouant un Ranford fort surpris. La série était terminée, et Montréal allait faire face, en finale de division, à Hartford, qui avait éliminé les *Nordiques* de Québec.

Si la série entre Boston et Montréal fut caractérisée par une hostilité et une pugnacité à peine dissimulées, la confrontation *Canadiens-Whalers* différa du tout au tout. Les deux équipes avaient quatre jours de congé pour se préparer, ce qui leur donna tout le loisir de se lancer mutuellement des fleurs.

Nilan avait été particulièrement dur à l'égard des *Bruins*. Il disait à tous ceux qui voulaient l'entendre que Butch Goring était un «lâche» et que les *Bruins* étaient de piètres tireurs, des brutes qui avaient les pieds dans le ciment. Maintenant, il était tout miel: les *Whalers* étaient une bonne équipe, et son joueur le plus rude, Torrie Robertson, était un joueur de qualité, ronronnait-il.

— Il a vraiment dit ça? répliqua Robertson quand on lui rapporta le compliment de Nilan. Remerciez-le de ma part.

Robertson et ses camarades aussi dirent merci, trois soirs plus tard, alors qu'ils quittèrent le Forum avec une victoire de 4 à 1 aux dépens des *Canadiens*. Robertson affronta Kordic et perdit la bataille, mais c'est Hartford qui gagna la guerre. L'équipe se donna une avance confortable avec des buts de Stewart Gavin, Sylvain Turgeon et John Anderson en deuxième période.

Les *Canadiens* et les *Whalers* poursuivirent la série avec un jeu défensif caractérisé par des mises en échec rudes et propres dans toutes les zones. Les gardiens atteignirent de nouveaux sommets. Quand Patrick Roy ne tenait pas en échec de formidables avants comme Kevin Dineen, Ron Francis, Ray Ferraro, Anderson et Dean Evason, Mike Liut contrecarrait Bobby Smith, Mats Naslund, Lemieux et Richer.

Les *Whalers* de Hartford avaient été formés tranquillement par une série astucieuse de transactions en saison régulière qui valurent à Émile Francis l'admiration de ses pairs. Ils allaient s'avérer la meilleure équipe à laquelle les *Canadiens* allaient faire face en éliminatoires.

— Je ne veux pas rabaisser les *Rangers* ou les *Flames*, mais les *Whalers* sont bien meilleurs qu'on ne le dit, affirme Jean Perron. Et Jack Evans les a dirigés en beauté. Ils ont joué jusqu'au bout leur système de jeu et ç'a été concluant: il a fallu un but de Claude Lemieux en prolongation, à la septième partie, pour gagner et franchir le chemin que nous avons parcouru depuis.

Ceux qui menaient indiscutablement les *Whalers*, c'étaient le trio formé par Dineen, Francis et Anderson, le gardien Liut et le défenseur Duane Babych. Au plan défensif, Doug Jarvis et Stewart Gavin mirent la pression sur les avants des *Canadiens* chaque fois qu'ils en eurent l'occasion.

Anderson avait été obtenu de Québec, à la fin de la saison contre Risto Siltanen, et il avait très bien joué avec les *Nordiques* pendant les six premiers mois de la saison. Après que les *Nordiques* se furent inclinés trois parties de suite, il se trouva des observateurs pour dire que le directeur gérant Maurice Filion s'était cru plus fin qu'il ne l'était en échangeant Anderson contre Siltanen.

On acquit les services de Babych de Winnipeg tout au début de la saison en échange de l'avant Ray Neufeld. John Ferguson est le seul à croire que ç'a été une bonne affaire pour les *Jets*. Gavin a été dérobé aux *Maple Leafs* de Toronto lors de l'échange du défenseur Chris Kotsopoulos. Dernier arrivé, mais non le moindre, Jarvis, qui avait été à Montréal le camarade de trio de Gainey pendant sept ans et quatre coupes Stanley, est arrivé de Washington à la mi-saison, contre les services de Jorgen Petterson. Cette transaction a été favorable aux deux équipes, quoi qu'en dise le commentateur Howie Meeker, qui a une piètre opinion de Jarvis.

— Cette équipe nous a talonnés jusqu'au fil d'arrivée, dit Larry Robinson. Ils méritent toutes les félicitations du monde pour ce qu'ils ont accompli. Des joueurs comme Scot Kleinendorst, Joël Quenneville et Ulf Samuelsson se sont battus comme des démons dans leur zone. Même quand Liut a dû s'absenter pour deux parties, Steve Weeks a très bien joué devant le filet.

La série était à égalité (3 à 3) quand les deux équipes retournèrent jouer au Forum la septième partie, le mardi 29 avril. À 1 min 19 du début de la première période, Guy Carbonneau s'empara du disque à la ligne bleue de Hartford et marcha vers Liut. Le gardien de Hartford le tint en échec comme il tint tout le monde en échec pendant 66 minutes au cours desquelles on put assister à du hockey à couper le souffle. Six minutes plus tard, Liut arrêta des tirs de Skrudland et McPhee qui venaient à deux contre un. Trente secondes plus tard, Roy bloqua un tir de Gavin juste au seuil de son filet. Ensuite Richer et Lemieux se combinèrent dans une éblouissante occasion de marquer, mais une fois de plus ils furent déjoués par Liut.

Ce scénario se répéta encore et encore jusque vers la fin de la première période, au moment où Montréal cherchait à tuer le temps durant une pénalité. Mike McPhee se précipita vers le cercle de mise au jeu, où se tenait

Francis, quand la rondelle alla se loger entre les patins de ce dernier. L'ailier gauche repoussa Francis et, se saisissant de la rondelle, tenta une échappée. Il déjoua Liut avec un lancer bas à côté du bâton.

Le compte resta de 1 à 0 jusqu'à l'extrême fin de la troisième période. Il semblait bien que les *Canadiens* allaient gagner leur deuxième série de suite avec un but compté en désavantage numérique. Mais tout à la fin de la troisième période, Dean Evason s'élança le long de la bande gauche, un défenseur devant lui. Babych, qui n'avait pas pressé beaucoup le jeu sur le plan offensif parce qu'une mauvaise blessure à l'aine l'en empêchait, traînait de la patte. Evason traversa la ligne bleue des *Canadiens* et passa la rondelle à Babych qui déjoua Roy, très surpris car son champ de vision était partiellement voilé. Il ne restait plus que 2 min 48 à jouer. Un silence de mort se fit dans le Forum. Les *Canadiens* auraient dû avoir une avance de plusieurs buts à ce moment-là. Au lieu de cela, ils étaient paralysés quand la sirène retentit, annonçant à la fois la fin du temps réglementaire et l'imminence d'une période supplémentaire. Mortelle perspective...

Un an auparavant, les *Canadiens* de Montréal avaient dominé la sixième partie à Québec avant de perdre la septième au Forum sur un but en prolongation de Peter Stastny. Au cours de la saison régulière, les *Canadiens* avaient eu une des pires fiches de la Ligue au chapitre des prolongations, alors que Hartford avait déjà enregistré deux victoires en prolongation au cours des éliminatoires de 1986, la première fois pendant la première partie contre Québec, et la seconde aux dépens des *Canadiens* à la quatrième partie.

Comment les *Canadiens* réagiraient-ils cette fois?

C'est en vain qu'ils prirent d'assaut le filet de Hartford durant les cinq premières minutes de jeu. À 5 min 12, Nilan et Kleinendorst levèrent leurs bâtons dans la zone de Hartford et s'échangèrent quelques coups, après quoi ils se virent imposer des pénalités pour mauvaise conduite par l'arbitre Andy Van Hellemond.

Montréal obtint peu de temps après une mise au jeu à la gauche de Liut, et la rondelle glissa jusque derrière le filet des *Whalers*. Skrudland se débattit furieusement le long de la bande et passa en direction de Lemieux qui se rendit devant le but et tira du revers dans un angle étroit, juste au-dessus de l'épaule de Liut, très surpris, qui se jetait sur le côté. Ce fut une explosion de joie dans le Forum.

Lemieux, pendant ce temps, patinait vers le banc des *Canadiens*. Il vit ses coéquipiers venir en trombe dans sa direction. Tout naturellement, il fit un plongeon et se couvrit la tête.

— J'ai compté un but comme ça dans le junior, l'an dernier, et mes coéquipiers ont failli me tuer, expliqua-t-il par la suite. Je n'ai pas envie de me faire estropier par mes propres gars.

Désormais, Lemieux et Roy étaient des héros populaires au Québec, et leurs camarades d'Alcatraz commençaient à avoir la foi. Roy avoua qu'il parlait à ses poteaux de but avant toutes les parties, peu de temps après qu'on avait entonné les hymnes nationaux. Il se plantait à une douzaine de mètres de son filet et engageait la conversation.

— J'ai commencé à faire ça au cours de notre dernière partie en saison régulière, à Hartford, et maintenant je le fais tous les soirs, expliqua-t-il devant la masse croissante des journalistes.

Ses paroles et sa délicieuse excentricité firent la manchette partout en Amérique du Nord et il reçut une couverture remarquable dans *Time*, *Sports Illustrated* et *The Sporting News*.

Lemieux n'était guère moins populaire. Il confessa qu'«il allait tranquillement dans un coin», où il avait une conversation privée avec son jeune frère Serge. Celui-ci est un handicapé mental et il a passé la plus grande partie de sa vie en institution.

— Chaque fois que je suis dans une passe difficile, dit Lemieux, je vais lui parler.

Nous sommes à une époque où l'on cite abruptement les joueurs qui racontent la manière dont ils ont réussi leurs exploits. On en fait généralement porter la responsabilité aux «stupides joueurs de hockey», mais c'est bien aux questions idiotes et paresseuses des journalistes qu'il faut imputer cet état de choses. Roy et Lemieux furent jugés plus colorés que quiconque autour d'eux.

Le lendemain, les *Flames* de Calgary éliminèrent les *Oilers* d'Edmonton. Alors tout le monde se mit à croire que tout était possible.

Quoi qu'il en soit, la série de cinq parties contre les *Rangers* propulsa plus que jamais les deux jeunes joueurs à l'avant-scène. Les *Canadiens* et les *Rangers* dormirent durant la première partie, gagnée 2 à 1 par Montréal. Le *Bleu-blanc-rouge* bombarda John Vanbiesbrouck avec quatre buts pendant la deuxième période de la deuxième partie et menait la série 2-0 au moment de partir pour le Madison Square Garden.

Les *Rangers* avaient effectué 27 tirs au but au cours de la première partie et 21 au cours de la deuxième. L'ailier Wilf Paiement n'était pas convaincu des talents de Roy.

— J'aimerais bien savoir comment il jouerait s'il devait faire face à 35 ou 40 tirs au but en une partie. On va essayer de faire ça une fois rendus à la maison.

Paiement et ses coéquipiers allaient trouver réponse à leur question dès la partie suivante.

Lundi soir, avant le début de la rencontre, les fidèies new-yorkais se mirent à scander par dérision: «Rou-ha! Rou-ha! Rou-ha!», déformant à la mode de Manhattan le nom de Roy. Ils avaient entendu prononcer son nom par les chroniqueurs de la chaîne ESPN, lesquels étaient bien incapables de prononcer à peu près correctement «Roy». (Ils déformaient encore davantage, et leurs collègues canadiens-anglais de même, le nom de Lemieux, conformément à la tradition d'estropier les noms de famille français inaugurée par Foster Hewitt, ce maître ès langues étrangères.)

Ils ne savaient pas à quel point Roy appréciait cette attention spéciale, ce qu'il montra en jouant, ainsi que Jean Béliveau devait le dire, «la meilleure partie d'éliminatoires [qu'il ait] jamais vu un gardien jouer».

Les *Rangers* prirent la tête au début de la première période mais Richer égalisa à 6 minutes, quand une passe de dégagement alla se loger dans le but de New York, juste à côté du patin de Vanbiesbrouck. À la fin de la première période, c'était toujours 1 à 1, en dépit du fait que New York avait dominé au chapitre des tirs au but, 16 contre 7 pour Montréal, et avait eu une bonne douzaine d'occasions de marquer.

Durant la période suivante, ce fut le tour du gardien des *Rangers* de se faire valoir, alors que Montréal décochait 15 tirs contre 6 par New York. Néanmoins, les *Rangers* comptèrent le seul but de la période. Mats Naslund égalisa à 5 min 6 en troisième période, mais il semblait que la victoire était dans la poche pour New York quand Bob Brooke, au terme d'un siège forcené dans le territoire de Montréal, décocha un tir le long de la glace qui déjoua Roy à 12 min 54. Le compte était maintenant 3-2.

Mais ce n'était pas le jour des chandails bleus. Brian MacLellan, dont on avait acquis les services pour donner un peu de muscle aux *Rangers* quelque peu affaiblis, attrapa, à la manière de Nienhuis de Boston, une mauvaise pénalité de fin de partie à 16 min 4. Bobby Smith égalisa la partie à 17 min 56 sur un revers tiré de la ligne bleue.

C'était la troisième fois que Montréal allait en prolongation pendant les éliminatoires. Une fois de plus, la question se posait: comment les *Canadiens* allaient-ils se conduire?

Réponse? Les spectateurs et les joueurs virent avec étonnement Roy arrêter 13 tirs de New York, dont une incroyable série de quatre tirs à la suite d'une mise au jeu gagnée par New York dans le territoire des *Canadiens*. En tout, les *Rangers* tirèrent 47 fois au cours de la partie, soit presque autant que Montréal en deux parties, et Roy arrêta 44 tirs.

Durant neuf minutes et demie, Roy résista totalement aux *Rangers*. À 9 min 30 en prolongation, les équipes se firent face pour une mise au jeu dans le territoire de Montréal. Le disque fut lâché dans le cercle droit. Le défenseur Willie Huber se mit en position pour tirer, et Mike McPhee se dégagea pour se placer à l'aile gauche. De l'autre côté de la glace se tenait l'autre défenseur de New York, James Patrick. Celui-ci était éloigné de sa position et était presque collé sur la bande près du cercle de mise au jeu gauche, quand Mike McPhee s'échappa et Lemieux se précipita au centre. Alors qu'il s'apprêtait à tourner et à faire face à Lemieux, Patrick trébucha sur le patin du juge de lignes Ray Scapinello et tomba sur la glace.

McPhee et Lemieux, fin seuls, se dirigèrent rapidement vers Vanbiesbrouck. L'ailier gauche passa à la recrue qui tira dans le but des *Rangers*, au-dessus de l'épaule du gardien. Le lendemain, dans les journaux new-yorkais, il n'était question que de Roy et de Ray (Scapinello). Les reprises à la télévision montrent que Patrick était trop loin du jeu pour rattraper Lemieux, qui est bon patineur. De plus, même les *Canadiens* admirent que la chance, ce bon vieil impondérable, était de leur côté en cette période d'éliminatoires.

Après tout, c'étaient eux qui avaient entamé les éliminatoires avec un gros point d'interrogation au-dessus de leur but.

— N'importe qui d'autre se serait inquiété de la performance des gardiens, mais pas Jean Perron ni moi non plus, dit François Allaire, ancien instructeur à l'Université Laval, aujourd'hui chargé d'entraîner les gardiens. On a dit que Patrick avait des faiblesses techniques, mais il n'en avait pas beaucoup. Quand il s'est joint à l'organisation, c'était un gardien honorable. Sa force, c'était son incroyable rapidité et un très bon gant. Il a travaillé très fort à Sherbrooke il y a un an, et c'est là qu'il a le plus appris.

Allaire admit que Roy avait une meilleure concentration au cours des éliminatoires. Il expliqua que les *Canadiens* faisaient faire plusieurs exercices spéciaux à Patrick pour l'aider à mieux se placer devant le filet et à mieux couvrir les angles. Ces exercices tenaient aussi compte des forces des autres équipes.

— À l'approche des éliminatoires, notre travail avec Patrick a consisté essentiellement à se servir d'un livre que nous tenions sur chaque équipe. Par exemple, Boston excelle à récupérer la rondelle le long de la bande et à l'amener devant le filet. Alors Jean a improvisé des exercices à l'intention de Patrick et a fait travailler ses défenseurs sur ce jeu. Hartford, d'autre part, effectue beaucoup de tirs loin du but. Nous avons donc demandé à nos joueurs de faire la même chose. New York essaie d'utiliser des mouvements à l'européenne. Nous avons donc fait beaucoup d'exercices avec lui et nos avants. Finalement, Calgary aime encombrer le devant du filet avec de gros avants. Alors nos défenseurs ont fait la même chose durant les pratiques et l'ont forcé à jouer avec un joueur qui lui voilait la vue et à bloquer tout tir dévié.

Ce dernier exercice porta fruit durant la deuxième partie de la série finale quand Roy arrêta de la jambe gauche un tir décoché de près par Tim Hunter, des *Flames*.

Si ce chapitre a pu donner l'impression que l'alignement de Montréal jouait si bien que tout ce que Jean Perron avait à faire, c'était ouvrir et fermer la porte au banc de l'équipe, rien n'est plus éloigné de la vérité. Les *Canadiens* de Sherbrooke ayant rapidement été éliminés — ils ne participèrent pas aux éliminatoires de la LAH — Kordic, Serge Boisvert, et Scott Sandelin (qui joua dans l'équipe des États-Unis aux Championnats du monde) se joignirent à l'équipe. Le gardien Vincent Riendeau et l'avant Shayne Corson, ce dernier soignait encore une blessure, furent rappelés aussi après la fin de la saison au hockey junior.

Cette arrivée de joueurs supplémentaires signifiait que Montréal disposait de quelque trente joueurs. Perron divisa les sessions d'entraînement en deux. Le groupe A comprenait ceux des joueurs qui pourraient être appelés à jouer lors des éliminatoires, et le groupe B était constitué des joueurs qui ne joueraient probablement pas, sauf en cas de blessure ou de maladie d'un joueur régulier. Plusieurs joueurs passèrent du groupe A au groupe B avant de réintégrer le premier à la suite de leurs performances. Ce fut le cas, entre autres, de Lucien Deblois, Petr Svoboda, Steve Rooney et David Maley.

Maley se joignit aux *Canadiens* à la fin mars, après que le Wisconsin eut été éliminé des championnats de la NCAA. Il passa la plus grande partie du reste de la saison régulière à essayer de perdre quelques kilos et à se faire une place dans l'équipe. C'était un rude avant de 1 m 85. Il patinait bien et avait le sens du hockey. On lui fit enfin revêtir l'uniforme à l'occasion d'une partie contre Pittsburgh, l'avant-dernier samedi de la saison. Il joua deux tours complets. Il joua encore quelques tours contre Detroit quatre jours plus tard, après quoi il fut relégué dans l'équipe B, apparemment pour le reste de l'année.

Mais comme tous les joueurs dans l'organisation, il était suivi de près, qu'il s'en rendît compte ou non. L'entraîneur Perron portait au jeune joueur une attention toute particulière.

— Je pouvais me rendre compte durant l'exercice qu'il n'aimait pas que les autres joueurs le mettent en échec. Je voyais bien qu'il avait vraiment hâte de jouer. C'était un grand gars et il montrait de grandes aptitudes. Nous avons bientôt décidé qu'il était prêt à jouer.

À la quatrième partie, New York battit les *Canadiens* 2 à 0, et les deux équipes retournèrent à Montréal pour jouer la cinquième. Au milieu de la troisième période, alors que les *Canadiens* menaient 2 à 1, Maley, le grand joueur du Minnesota, réussit à effectuer un dégagement à la ligne bleue des *Rangers* et tira vers le filet. Vanbiesbrouck effectua un arrêt mais accorda un retour de lancer. Gainey compta un but d'assurance, augmentant l'avance de Montréal. Pour la première fois en sept ans, les *Canadiens* accédaient à la finale.

C'était le premier point de Maley en éliminatoires, et quel point! Il allait jouer un rôle de premier plan contre les *Flames* de Calgary.

Montréal dut attendre une semaine avant que Calgary n'élimine les *Blues* de St.Louis. Jacques Demers avait réuni là une équipe obstinée, constituée contre toute vraisemblance d'anciens joueurs des *Canadiens* et des *Flames*, ainsi que de quelques joueurs qui avaient survécu au quasi-déménagement des *Blues* à Saskatoon en 1983. St.Louis battit Calgary au fil d'arrivée, remontant un déficit de trois buts à la fin de la troisième période de la sixième partie. Cela rendait nécessaire une septième partie.

Calgary battit finalement les *Blues* 2 à 1 à la septième partie. On se posa dès lors cette question: laquelle des deux équipes serait la plus désavantagée? Les *Flames* à cause de leur fatigue, ou les *Canadiens* demeurés au repos toute une semaine?

À la fin de la première période de la première partie, le compte était égal, 1 à 1, quand le défenseur de Calgary Paul Baxter lança une rondelle haute dans le territoire des *Canadiens*. Jim Peplinski la rattrapa au vol en levant le bâton et marqua. L'arbitre consulta ses juges de lignes et accorda le but, ce qui fit enrager Roy. Il cingla Ronn Finn derrière les jambes, s'attirant une pénalité de dix minutes pour mauvaise conduite. Il poussa ensuite Ray Scapinello à deux mains. Cela aurait dû lui valoir un retour prématuré au vestiaire et un rendez-vous avec Brian O'Neill, le vice-président de la Ligue.

Mais on est aujourd'hui à l'époque des reprises instantanées; Fraser, comme n'importe lequel de ses collègues confronté à la même situation, prétendit n'avoir pas vu la deuxième infraction. Imaginez le tumulte si, premièrement, le but avait été finalement comptabilisé au bout de la partie (il le fut), si deuxièmement l'arbitre avait expulsé le gardien de Montréal qui faisait sensation dans le monde du hockey et si, enfin, l'enregistrement vidéo avait montré que le but n'était pas bon (ce qu'il démontra).

Calgary était sur le chemin d'une victoire de 5-2, devenant la première équipe à compter quatre buts en une partie contre Roy (Hartford avait compté dans un filet désert lors de sa victoire de 4-1 au tout début de la série) et cinq buts contre les *Canadiens* (dont un dans un filet désert aussi).

Mais la victoire appartenait aux *Flames*. Deux soirs plus tard, Calgary avait pris une avance de 2-0 à 15 secondes de la deuxième période. Mais les *Flames* n'allaient plus marquer que sept buts au cours des onzes prochaines périodes, dont deux au cours des trois dernières minutes de la cinquième et ultime partie.

Les *Canadiens* gagnèrent la troisième partie grâce au jeu inattendu de trois héros, dont c'étaient les premiers buts en éliminatoires: Gingras, Maley et Skrudland. Ce dernier établit un record en séries éliminatoires en marquant le but le plus rapide en période supplémentaire, soit à neuf secondes.

À partir de ce moment-là, Montréal ferma méthodiquement toute issue aux *Flames*. Lors de la victoire de 1 à 0 au Forum qui devait donner à Montréal une avance insurmontable de 3-1 dans la série, à la veille de s'envoler vers l'ouest, les *Flames* ne purent effectuer que 15 tirs au but en tout et pour tout, dont deux seulement en deuxième période et six au cours de la troisième. Pour la quatrième fois durant les éliminatoires, Lemieux marqua le but gagnant après s'être emparé d'un mauvais dégagement de Doug

Risebrough: à 11 min 10 de la troisième période, il surprit Vernon avec un tir foudroyant.

Gingras et Skrudland marquèrent aussi lors de la dernière partie tandis que Maley effectua une passe vers Rick Green qui marqua en troisième période: le compte était alors de 3 à 1, c'était la fin des espoirs de Calgary. À 10 min 30 de la période finale, 19 secondes après que Green eut déjoué Vernon d'un tir du poignet, Naslund effectua une passe vers Bobby Smith qui marqua le quatrième but de Montréal. Il est délicieusement ironique que ce soit précisément le grand centre dont une passe avait mis fin aux espoirs de Montréal de gagner pour la deuxième fois de son histoire une série de cinq coupes Stanley d'affilée, un frais dimanche d'avril 1980, qui marqua le but gagnant des *Canadiens* au moment de conquérir leur vingt-troisième coupe Stanley en 1986.

Le but vainqueur de Smith était son septième de la série et sa polyvalence a joué un rôle important pour l'équipe. Son compagnon de trio Naslund a terminé les éliminatoires avec huit buts, dont deux lors de la victoire de Montréal de 5 à 3, à la troisième partie, au cours de laquelle les *Canadiens* mitraillèrent les *Flames* de trois buts à la fin de la première période.

Larry Robinson et Bob Gainey étaient des meneurs sur la glace comme au vestiaire. Gainey marqua cinq buts et accumula cinq aides tandis qu'il coupait la route aux meilleurs avants que l'équipe adverse puisse réunir. Son camarade de ligne Guy Carbonneau marqua sept buts tandis que Skrudland et McPhee participèrent à eux deux à cinq autres buts.

Green, Lalor et Ludwig jouaient des parties très «physiques» devant le filet des *Canadiens*, alors que Chelios et Gingras mettaient rapidement la rondelle en lieu sûr grâce à leur bon coup de patin et à leur maniement du bâton.

Si nous n'avons pas mentionné Soetaert et Deblois, deux anciens joueurs de Winnipeg, c'est parce qu'ils ont peu ou pas joué. Soetaert aurait pu porter atteinte au moral de son équipe en se plaignant de son sort, mais il choisit plutôt de donner tout son appui à son partenaire dans les filets. Soetaert et Deblois acceptèrent leur sort avec bonne grâce et de ce fait montrèrent aux recrues qui ne jouaient pas l'attitude à adopter. Leur contribution au succès de l'équipe a été importante.

Ceci dit, les éliminatoires de 1986 ont appartenu à Patrick Roy et à Claude Lemieux. Quand la sirène eut retenti pour la dernière fois, c'est Roy qui reçut le trophée Conn Smythe récompensant le meilleur joueur des éliminatoires.

Cherchez le gardien et vous trouverez la coupe Stanley!

Les *Canadiens* de Montréal ont trouvé l'un et l'autre au printemps 1986. Le flambeau a été transmis, repris et fermement brandi.

En cette année où Jack Nicklaus a gagné le Masters, Willie Shoemaker le

Derby du Kentucky, et les *Celtics* de Boston le championnat de la NBA, il semble que l'ordre ait été rétabli dans l'univers du sport.

Les *Canadiens* de Montréal pouvaient retourner au mausolée, en septembre, et regarder les fantômes du Forum droit dans les yeux.

Épilogue

— Encore un peu de vin?

François-Xavier Seigneur resplendit littéralement tandis qu'il tend la main avec sollicitude vers le carafon de vin rouge maison.

C'est en inversant les termes qu'on lui repose une question vieille de vingt-six mois:

— Alors, François-Xavier, comment fait-on la promotion d'une équipe gagnante?

— De la même manière que celle d'une équipe perdante ou de n'importe quelle autre équipe, répond-il en riant.

Le début du mois de juin 1986 a été bien plus favorable au vice-président au marketing des *Canadiens* que ne l'avait été le mois d'avril 1984, époque où la question lui avait été posée pour la première fois. Celle-ci concernait une concession fière qui voyait avec nervosité le torrent gronder sous ses pieds. Aujourd'hui, la toute récente coupe Stanley brille de tous ses feux.

En avril 1984, deux Canadiens français, beaux, au début de la trentaine, incarnaient la dichotomie entre l'administration et les joueurs des *Canadiens* de Montréal. Le premier, c'était Guy Lafleur qui, âgé de trente-deux ans, vieillissait rapidement dans un monde où l'on gagne des sommes astronomiques mais où le temps est cruellement compté. L'autre, bien sûr, c'était François-Xavier, de dix-neuf mois l'aîné du joueur de hockey, mais que l'on considérait comme un brillant jeune homme promis à un bel avenir dans un monde régi par un calendrier différent.

Les *Canadiens* de Montréal, tel le phénix, ont émergé de leurs cendres après avoir connu leur pire saison de mémoire d'homme, deux ans plus tôt. En avril, ils ont montré que l'avenir immédiat était prometteur en gagnant leurs séries éliminatoires contre Boston et Québec avant de succomber devant les *Islanders* de New York. Ce serait le dernier triomphe de Guy Lafleur; quelque trente semaines plus tard, il convoquerait hâtivement une conférence de presse où, les larmes aux yeux, il annoncerait que sa carrière de joueur était terminée. François-Xavier et Guy n'eurent donc pas l'occasion de se surveiller de près, tous deux suivant désormais des voies séparées. Une chose devint claire, cependant, durant la période 1984-1985. Chacun reconnut la grande qualité de l'administration.

C'est durant cette période qu'apparurent nettement les résultats d'une politique de marketing à long terme, laquelle était sous la responsabilité de François-Xavier. En fait, sa situation rappela l'arrivé de *Tay Pay* Gorman à Montréal, en 1934. Gorman récupéra les faux frais, la publicité, les concessions et le programme de jeu et il remit le Forum sur le chemin de la respectabilité financière.

Le travail de Seigneur consistait à prendre en mains un club devenu par trop réservé et distant vis-à-vis de ses partisans pour le ramener aux acheteurs de billets. Cela devait se faire en améliorant les lieux et en les remettant au goût du jour.

— Qu'on cesse de comparer le Forum au Vatican, avait dit Ronald Corey à Seigneur quand celui-ci s'était joint à l'équipe. Ça n'est pas une église. Les gens ont le droit de faire du bruit et de s'amuser.

Le président de l'équipe mit immédiatement en pratique ce qu'il prêchait et marqua de ce fait un record non officiel du Club (celui du président d'équipe le plus engagé de l'ère moderne): on le vit, lors d'une partie d'éliminatoires, se pencher de sa place, au niveau de la patinoire, et gesticuler sauvagement en hurlant en direction de l'arbitre. Jusqu'à son arrivée, le poste de président de l'équipe était surtout honorifique. Il s'agissait pour lui de s'asseoir tranquillement derrière le banc des *Canadiens* et d'observer posément les événements pendant que tout le monde s'affolait autour de lui.

Un des moyens de rendre l'équipe plus accessible aux partisans, c'était de mêler les joueurs au public. Les *Canadiens* avaient fermement cru qu'il fallait laisser les gens sur leur faim. C'est tout juste s'ils daignaient aider la Brasserie Molson à distribuer des calendriers et des mini-horaires ou signer à l'occasion un contrat avec un fabricant de sirop de maïs pour que celui-ci offre des coupons-primes sur l'achat de portraits de joueurs.

Les *Canadiens* nouvelle manière furent axés sur le marketing, à commencer par Corey: le Club de hockey canadien se joignait au monde de la promotion sportive. Des T-shirts, des maillots, des camisoles et des chandails aux couleurs de l'équipe (tous en différents modèles) furent mis en vente dans la boutique de souvenirs récemment retapée, juste à côté du hall principal. Placés en des endroits stratégiques à travers le Forum, des mini-guichets proposèrent des fanions, des bannières, des mini-bâtons de hockey en bois et en plastique et des cartes à jouer. On fit affaire avec de grandes compagnies comme Kraft, un géant local de l'alimentation et Coca-Cola pour qu'elles offrent des chemises spéciales, des jetons à collectionner et des housses.

Les marchands envahirent le Temple. D'ailleurs, il n'y eut plus de Temple... sauf quand il fut dans l'intérêt des *Canadiens* de rappeler leur statut d'exception. Corey se dit que si des gens à travers le monde faisaient de grands voyages pour visiter des lieux de pèlerinage célèbres comme l'oratoire Saint-Joseph à Montréal ou Sainte-Anne-de-Beaupré, près de Québec, le Forum pouvait bien connaître le même sort. Les *Canadiens* s'exercèrent donc devant dix-sept mille enfants hurlants (à la suite d'une campagne de promotion avec un fabricant de chips) et le vestiaire, tel un musée, fut ouvert aux visiteurs en certaines occasions.

Autrefois, le magazine de l'équipe contenait d'abord des illustrations de hockey. Sa couverture montrait des joueurs en action et il contenait des articles désespérément minces. Aujourd'hui, les couvertures sont des «compositions». L'une d'entre elles montre Mats Naslund coiffé d'un casque à cornes viking et vêtu de fourrures, et une autre représente Bob Gainey en train de déchirer sa chemise blanche, comme Superman, révélant un maillot aux couleurs des *Canadiens.*

Gainey a été à la bonne école. Christopher Reeves, la star qui a incarné Superman au cinéma, était en train de tourner à Montréal quand on l'invita à assister aux parties. Le Club ancienne manière se serait contenté de grommeler des remerciements. Le Club nouvelle manière inscrivit son nom sur le tableau de pointage et s'assura que les réseaux de télévision savaient où le repérer.

— C'est comme ça que ça marche, aujourd'hui, dit Seigneur. Je me souviens de vous avoir dit il y a deux ans que, dans le domaine des loisirs, il nous fallait partager le même gâteau que les *Expos*, les *Alouettes* et la télé payante et qu'il fallait nous assurer d'être présents partout sur le marché. Dans la victoire ou dans la défaite, nous devons avoir la certitude que nos partisans n'ont pas le sentiment que nous sommes bien au-dessus de leurs têtes.

Durant l'été 1985, on installa un nouveau chronomètre-tableau de pointage. Les partisans, au début de la saison, furent accueillis par un chien genre Snoopy qui menait la claque de son perchoir au milieu du CH révéré. Ils furent invités par le tableau et l'organiste à «faire la vague» et purent voir des dessins animés où étaient réclamées des pénalités. Et si le Forum était un peu trop tranquille, le tableau et l'organiste essayaient de soulever la foule avec une musique endiablée et une exhortation à «faire du bruit».

Mon Dieu, n'y a-t-il plus rien de sacré? Va-t-on transformer le Forum en patinoire de Pittsburgh?

Les puristes détestent, bien sûr. Ce qui rendait le Forum si imposant dans le passé, c'était entre autres le fait que les mauvais jeux de l'équipe maison étaient accueillis par un silence glacial bien plus intimidant que les huées de dix mille personnes.

Voici venus des temps nouveaux. À la fin d'une partie, les *Canadiens* ont une avance d'un but quand le tableau et l'organiste déclenchent une vague. Des milliers de personnes insouciantes se lèvent et agitent les bras au signal une douzaine de fois autour des gradins. Le bruit monte en crescendo alors qu'il ne se passe à peu près rien sur la glace.

— Maudit! jure un partisan montréalais de longue date, irréductiblement attaché au passé, assis dans la section 32 des gradins blancs. J'espère que les autres gars vont compter et arrêter cette merde.

À peine a-t-il prononcé ces mots que la rondelle atterrit dans le filet des *Canadiens*. Le but a l'effet désiré: les partisans renoncent au pain et au cirque pour retourner à la partie. Tranquillement.

— Voilà qui est mieux, dit-il dans un rictus.

Durant une autre partie, l'organiste commence à jouer *Hey, Hey Goodbye*, que l'on peut entendre dans toutes les patinoires de la Ligue quand l'équipe locale est en avance vers la fin de la partie. L'ennui, c'est qu'au moment où il joue cet air, il ne s'est écoulé que huit minutes depuis le début de la partie. Quand l'autre équipe marque, le choeur est réduit au silence.

— Il ne commence plus avec cette chanson, dit plus tard Seigneur.

Les nouvelles méthodes de marketing et l'éclat tapageur des parties au Forum n'ont rien à voir avec le manque d'esprit sportif, laissa-t-il entendre.

Seigneur a entendu les plaintes des vieux partisans et il les récuse.

— Nous avons rendu le Forum et l'équipe aux partisans. Ça ne s'est pas fait sur un coup de tête. Nous travaillons à long terme et tout ce que nous avons fait jusqu'ici a été longuement pesé.

Quand les *Canadiens* partirent pour Calgary le jeudi, tard dans la soirée, en vue de la partie du samedi soir qui allait les mener à leur vingt-troisième coupe Stanley, François-Xavier, exceptionnellement, n'était pas dans l'avion nolisé qui transportait l'équipe. Il était à la maison où il coordonnait les célébrations de la victoire. Il s'envola pour Calgary le lendemain.

Quelques moments après que l'équipe eut gagné, Seigneur annonça des célébrations de la victoire particulières, bien différentes de celles qui avaient précédé. Dans le passé, tous les partisans se réunissaient pour un défilé qui partait de l'ouest du Forum pour se terminer à l'hôtel de ville, dans le vieux Montréal.

— Cette année, nous avons décidé de partir de l'hôtel de ville et de promener l'équipe jusqu'au Forum, dit-il. L'arrivée des joueurs marquera le point culminant d'un mini-concert de rock. Ceux-ci seront présentés à la foule sur la scène.

Les joueurs se faufilèrent difficilement à travers une foule estimée à cinq cent mille, voire un million de personnes. Le défilé dura cinq heures. Les joueurs parvinrent au Forum où les attendaient dix-sept mille partisans et des chanteurs québécois parmi les plus populaires. Les gens dans l'auditoire avaient payé chacun un droit d'entrée de deux dollars qui fut versé à des oeuvres de charité pour l'enfance. Les joueurs reçurent les derniers hourras, et tout le monde rentra chez soi pour l'été. Deux semaines après leur victoire, la moitié des joueurs actifs dans le *Canadien* étaient aux Bahamas, profitant de vacances de groupe payées par la compagnie.

François-Xavier Seigneur mange et distribue les sourires en parfait hôte qu'il est. De temps à autre, nous sommes interrompus par une personne venue lui donner la main.

Le Forum et les *Canadiens* sont aujourd'hui différents. Ils marchent au rythme des années quatre-vingts et ils continueront de se moderniser et de se mettre au goût du jour tant que Corey, Seigneur et les autres seront dans les parages.

— Nous avons maintenant pour la compagnie des plans et des objectifs à long terme, dit Seigneur. Bien sûr que nous allons profiter de l'été. Mais nous travaillons déjà fort en vue de l'année prochaine et de l'année d'après.

Ils savent qu'ils constituent une société et la gèrent assez comme le font toutes les grandes compagnies. Jusqu'à quel point constituent-ils une société commerciale? Les *Canadiens* de Montréal sont cités dans un livre intitulé *The 100 Best Corporations to Work For in Canada* (*Les Cent Meilleures Sociétés où travailler au Canada*).

Parce que l'hiver n'est jamais bien loin à Montréal.

À suivre...

En ce froid samedi d'octobre 1985, les *Canadiens* de Pierrefonds de la Ligue locale de hockey mineur s'assemblent dans une pièce remplie d'équipements de hockey, quelque part dans le West Island. La scène se répète dans des milliers de patinoires à travers l'Amérique du Nord et l'Europe.

L'entraîneur Ron Abbondanza tend les chandails et les bas aux couleurs du *Bleu-blanc-rouge* à quinze jeunes garçons tout excités de sept ou huit ans, originaires de tous les pays. Au cours des six prochains mois, ces garçons vont se battre au sein de leur ligue de sept équipes. Ils se savent chanceux. Eux seuls sont les *Canadiens*.

Jon Goyens retourne s'asseoir en caressant son nouveau chandail. Il demande innocemment:

— Papa, est-ce qu'il y a déjà eu un joueur des *Canadiens* qui portait le numéro 9?

Sa question fait sourire bien des parents dans la pièce. Son camarade de lignes Peter Murphy pose la même question à propos du numéro 7. Dans un coin, le gardien Darryl Boloten se débat pour enfiler le chandail numéro 19 par-dessus son équipement supplémentaire.

Table des matières

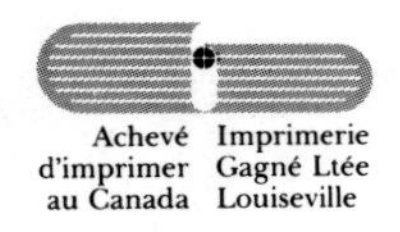
Achevé d'imprimer au Canada
Imprimerie Gagné Ltée Louiseville